WITHDRAWN

The Catholic
Theological Union
LIBRARY
Chicago, Ill.

DISCOURS 32-37

SOURCES CHRÉTIENNES

N° 318

GRÉGOIRE DE NAZIANZE

DISCOURS 32-37

INTRODUCTION, TEXTE CRITIQUE ET NOTES

PAR

Claudio MORESCHINI

Professeur à l'Université de Pise

TRADUCTION

PAR

Paul GALLAY

Doyen honoraire de la Faculté Libre des Lettres de Lyon

*Ouvrage publié avec le concours
du Centre National des Lettres*

The Catholic
Theological Union
LIBRARY
Chicago, Ill.

LES ÉDITIONS DU CERF, 29, Bd DE LATOUR-MAUBOURG, Paris 7ᵉ
1985

*La publication de cet ouvrage a été préparée avec le concours
de l'Institut des Sources Chrétiennes
(U.A. 993 du Centre National de la Recherche Scientifique)*

The Catholic
Theological Union
LIBRARY
Chicago, Ill.

© *Les Éditions du Cerf*, 1985
ISBN 2-204-02410-4
ISSN 0750-1978

AVANT-PROPOS

Ce volume est dû à la collaboration de MM. Moreschini et Gallay. M. Moreschini a rédigé l'Introduction, établi le texte et l'apparat critique, et composé la plus grande partie des notes. M. Gallay a fait la traduction française et ajouté les notes qui portent les initiales : P.G. Pour l'indication des citations ou des allusions bibliques, le travail des Mauristes a été complété par MM. Moreschini et Gallay. La traduction française a été révisée au cours des séances du Séminaire de Patristique grecque des Sources Chrétiennes. A ces séances assistaient, outre M. Gallay, Mme Calvet et MM. Cazeaux, Grillet et Guinot.

INTRODUCTION[*]

Les Discours 32 à 37 contenus dans ce volume datent de la période pendant laquelle Grégoire de Nazianze séjourna à Constantinople. Ce séjour dura depuis le début de 379 jusqu'au milieu de 381. Rappelons que Grégoire, ordonné évêque de Sasimes en 372, n'avait jamais dirigé cette Église, dont l'accès lui était, d'ailleurs, difficile à cause des menées d'un évêque voisin peu conciliant; il avait préféré devenir l'auxiliaire de son père, le vieil évêque de Nazianze. Après la mort de celui-ci (374), il s'était retiré dans la solitude à Séleucie en Isaurie. C'est de là qu'il fut appelé, au début de 379, par le petit groupe des catholiques de Constantinople qui restaient fidèles à la doctrine du concile de Nicée; ces chrétiens étaient sans pasteur, dans une ville où toutes les églises étaient aux mains des ariens. Grégoire réunit d'abord ses fidèles dans une maison particulière; et il nomma cette chapelle improvisée *Anastasia*, par allusion à la Résurrection *(anastasis)*.

---

[*] Les abréviations utilisées dans les références sont expliquées dans l'*Index bibliographique* à la fin de ce livre.

DISCOURS 32

La critique la plus récente de Grégoire a daté avec une quasi-certitude ce discours de 379. Le premier à avoir proposé cette date est Sinko[1] ; avant lui, au contraire, Tillemont[2] avait proposé 381, car la présence de magistrats dans l'auditoire (comme on le déduit du chap. 33) laisserait supposer que le discours a été prononcé après le 27 novembre 380 ; de leur côté les Mauristes, se fondant sur le témoignage d'Élie de Crète[3], dataient le discours de quelques mois plus tôt : ils remarquaient en effet, avec raison, que Grégoire parle encore dans la chapelle de l'Anastasia (cf. p. 185, n. 3) et que, par conséquent, la victoire des nicéens était encore loin — d'autant plus que le Nazianzène souligne devant son auditoire, comme le préambule le montre (chap. 1), sa condition d'évêque venu du dehors, pasteur d'un petit et modeste troupeau. Sinko et Gallay[4], se fondant sur les mêmes considérations, ont, par la suite, avancé la date du Discours 32 : ainsi, nous serions dans

1. Cf. T. SINKO, *De traditione orationum Gregorii Nazianzeni*, Cracovie 1917, p. 36-38.

2. LE NAIN DE TILLEMONT, *Mémoires pour servir à l'histoire ecclésiastique*, IX, p. 464, Venise 1732.

3. Élie de Crète est cité de la seule façon possible, c'est-à-dire sur la base de la traduction latine faite par J. Leuvenklavius et publiée à Bâle, Froben 1571.

4. Cf. P. GALLAY, *La vie de saint Grégoire de Nazianze*, Lyon-Paris 1943, p. 143-145. Cette datation semble maintenant communément admise : cf. J. BERNARDI, *La prédication des Pères Cappadociens et son auditoire*, Paris 1968, p. 148-149 ; E. BELLINI, *Gregorio di Nazianzo, Teologia e Chiesa. Esperienza di fede e riflessione teologica*, Milan 1971, p. 35-36.

les premiers mois du séjour de Grégoire à Constantinople, c'est-à-dire en 379. Cette datation semble être confirmée par quelques vers du *De vita sua* (679-683). Bref, ce serait un des premiers discours prononcés par Grégoire à Constantinople.

L'occasion de ce discours est une fête des martyrs (nous ne savons lesquels), célébrée dans l'église de l'Anastasia. C'est donc une fête qui attire de nombreux fidèles, bien que les nicéens soient en minorité à Constantinople : devant eux, Grégoire se présente modestement comme un nouvel évêque, à peine arrivé, qui n'a pas encore le soutien de l'épiscopat le plus influent ; il est arrivé depuis peu de la province, du modeste siège de Nazianze et de sa retraite dans le désert à Séleucie. Grégoire cherchera à parler autant que ses faibles forces le lui permettront (chap. 1). Il règne dans la communauté nicéenne de Constantinople une atmosphère qui est loin d'être sereine : elle est due à l'esprit de discorde qui anime cette communauté et qui est bien le plus contraire possible à l'esprit de paix dans lequel résident la substance et l'essence du *logos* chrétien (chap. 2). La communauté chrétienne est troublée par la présence et les discours de quelques frères trop impétueux et trop prompts à parler : même si leur ardeur est toujours préférable à un esprit paresseux et obtus, elle manque de raison et de doctrine (chap. 3). Cela a produit, et produit encore, les plus graves discordes (chap. 4), surtout à l'intérieur de l'Église : les hérésies surgissent en particulier lorsque les chrétiens ne tirent plus leur nom du Christ, mais de divers Paul, Céphas ou Apollos. Ainsi, de nos jours (c'est l'enseignement que l'on peut tirer des paroles de Grégoire, qui fait souvent allusion aux événements et aux situations de son temps à travers les références au temps passé), nous ne sommes plus chrétiens mais ariens, sabelliens, apollinaristes ; ou bien, si l'esprit de discorde arrive à être contenu dans les limites de la foi chrétienne,

nous ne sommes plus des chrétiens authentiques, mais
des partisans de Mélèce ou de Paulin d'Antioche. Il n'est
pas improbable, en effet, que Grégoire fasse ici une nouvelle
allusion au schisme d'Antioche, auquel le Nazianzène
consacre le Discours 23[1], contemporain de celui-ci. Son
souci dominant, bien que sous-entendu, des hérésies
conduit Grégoire à passer rapidement en revue les erreurs
doctrinales de son temps, auxquelles il oppose, aussi
rapidement, les points essentiels de la foi de Nicée (chap. 5).
C'est une habitude caractéristique de Grégoire que d'insérer
des déclarations aussi simples et concises d'orthodoxie
nicéenne dans le contexte d'un discours qui peut n'avoir
aucune coloration théologique. C'est une sorte de « symbole » théologique avec lequel le prédicateur pense se
caractériser dans une situation sociale riche en violentes
luttes religieuses, et qu'il répète, eu égard à sa fonction
de prédicateur. Puis l'évêque encourage ses fidèles à la
défense de l'orthodoxie : cette défense doit s'appuyer sur le
précepte qui demande de suivre « la voie royale » (*Prov.*
4, 27) en évitant tout extrémisme. Cet idéal de la « voie
royale » est typique de Grégoire ; comme l'a écrit justement
Plagnieux[2] : « Le sens de la mesure (μετριότης), tel est sans
doute le trait caractéristique de la pensée de S. Grégoire :
c'est l'esprit même de sa théologie. » C'est en effet appliquer
la μετριότης à la théologie que de répéter constamment
que l'orthodoxie nicéenne est le juste milieu entre le
sabellianisme et l'arianisme, entre le judaïsme et le
polythéisme. Ces formules, infatigablement répétées (cf.
par ex. 2, 37-38 ; 6, 11 ; 6, 22 ; 11, 6 ; 22, 12 ; 25, 16, etc.),

---

1. C'était du moins l'interprétation traditionnelle, celle des
Mauristes, de Tillemont et de Sinko ; cependant les spécialistes les
plus récents (P. GALLAY, *op. cit.*, p. 176-177 ; BERNARDI, *op. cit.*, p.
177-179 ; J. MOSSAY, *SC* 270, p. 270-271) sont moins sûrs que le D.
23 se réfère au schisme d'Antioche.

2. Cf. J. PLAGNIEUX, *Saint Grégoire de Nazianze théologien*, Paris
1951, p. 214 s., 235 s.

peuvent sembler stéréotypées, mais correspondent, en
réalité, à la *forma mentis* de Grégoire. Dans le contexte
spécifique du Discours 32, la « voie royale » signifie en
outre : défendre la foi de Nicée avec rigueur, mais sans
fanatisme, en acceptant la paix et en la donnant aux frères
dissidents chaque fois que cela semble opportun. Au
début de son épiscopat à Constantinople, Grégoire a
un programme de réconciliation avec ses adversaires
(cf. aussi la déclaration finale du Discours 42, 21) que l'on
trouve aussi à la fin de ce discours (cf. les chap. 29-30).
La voie royale de Salomon, au fond, n'est rien d'autre
que l'un des aspects de l'ordre qui règne en toutes choses
et que le chrétien doit également suivre et réaliser (chap. 7).
L'exaltation de la τάξις, qui règle l'univers (chap. 8-10),
constitue, bien sûr, une digression par rapport au thème
principal du discours, mais est typique du christianisme
et de l'esprit grec ; et ces deux attitudes culturelles, le
christianisme et la *paideia* grecque, trouvent justement
leur plus haute expression dans la personnalité de Grégoire.
L'ordre doit aussi régner dans l'Église du Christ : certains
doivent commander et d'autres obéir parce que chacun
contribue à la formation du corps mystique du Christ,
mis en ordre (συντιθέμενα) par le Saint-Esprit, qui partage
les charismes selon sa volonté (cf. *I Cor.* 12, 8) (chap. 11-12)
— et l'obéissance comme l'autorité trouvent dans ce corps
leur fonction. L'esprit de rébellion qui agite la communauté
chrétienne semble être un désir de se distinguer surtout
« en parlant à propos de Dieu » (chap. 12, 188 C), ce qui
n'étonne pas dans une époque particulièrement dominée
par les controverses théologiques. Il est vraisemblable
que celui qui s'estimait un petit peu mieux préparé que
les autres par son éducation théologique et sa culture
philosophique, se mettait à enseigner et à interpréter
les textes sacrés. Le fourmillement des hérésies et des
symboles de foi est une preuve, sur une base plus large, de
ce qui devait se passer à l'intérieur de chaque communauté

ecclésiale dans les années qui séparent le concile de Nicée de celui de Constantinople. Cette attitude intellectualiste est l'objet de la satire cinglante du Discours 27, qui se termine en proposant aux fidèles d'autres sujets, non religieux, sur lesquels on peut exercer ses qualités intellectuelles, de même que le Discours 32 indique les problèmes que peut se poser le chrétien sans courir les risques inhérents aux discussions théologiques (voir plus loin le chap. 27). Certes, Grégoire ne nie pas que l'instruction des fidèles soit une noble tâche, mais il souligne aussi (peut-être d'une façon un peu empirique et pratique) combien il est utile d'écouter, d'apprendre, loin de tout danger de déviation doctrinale. Certainement, apprendre était la fonction qui devait le mieux convenir à la plupart des fidèles (chap. 13), et Grégoire de s'exclamer, avec cette sincérité typique de son œuvre littéraire : vous ne savez pas, mes frères, combien est difficile le travail de ceux qui sont placés sur le siège épiscopal! Vous ne savez pas quel don est le silence et combien il est risqué de parler de Dieu (chap. 14)! Dieu, en effet, qui est pourtant la plus grande lumière — dans la mesure où nous pouvons le concevoir[1] —, n'aime être vu qu'à travers les ténèbres afin qu'il soit justement plus difficile de le connaître et que cette connaissance soit réservée seulement aux cœurs purs : preuve en est le témoignage de Moïse qui avait placé un voile entre lui et les Hébreux au cœur dur (*Ex.* 34, 33), et la parole de l'Apôtre (*I Cor.* 13, 12) : « Nous voyons à présent dans un miroir, d'une manière obscure, mais alors ce sera face à face » (chap. 15). Et pourtant, les mérites de Moïse ont été si grands que personne dans l'auditoire ne peut croire qu'il l'imitera. A peine esquissé, ce thème de louange s'élargit soudain en un éloge

---

1. A propos de cette image si fréquente dans l'œuvre de Grégoire, cf. nos observations sur « Luce e purificazione nella dottrina di Gregorio Nazianzeno », dans *Augustinianum*, 1973, p. 535-549.

véritable de Moïse lui-même (chap. 16). De toute façon,
l'indiscutable supériorité de Moïse n'a pas empêché que
les tâches exigées par le culte fussent distribuées à tous
ceux qui étaient auprès de lui, et ceux-là, à leur tour,
ne recherchaient pas un honneur qui ne leur revenait pas
(chap. 17). Un autre exemple de modestie et d'acceptation
de sa propre mission est donné par les disciples mêmes du
Christ, qui acceptèrent sans murmurer la préférence
montrée par le Maître à l'égard de Pierre ou Jean (chap. 18).
C'est toujours dans les choses les plus grandes, d'ailleurs,
que la modestie se manifeste (chap. 19). Toutes ces considérations ne signifient pas que l'on doive se désintéresser
(σιωπᾶν) de Dieu, elles signifient simplement que l'on ne
doit pas enseigner « contrairement à la loi », c'est-à-dire qu'il
faut laisser aux prêtres la tâche d'enseigner. La connaissance de la sagesse chrétienne (σοφία) est, sans nul doute,
la chose la plus grande, mais même à son égard, il faut
se garder de tout excès, de toute curiosité (chap. 20).
L'enseignement de la doctrine n'est permis que dans la
mesure où il se tient dans les règles fixées par l'Église,
c'est-à-dire en évitant toute question superflue de caractère
théologique, tout doute relatif au symbole de foi, en
limitant ses connaissances aux enseignements fondamentaux (chap. 21). En résumé, il vaut mieux rester à l'intérieur
de la communauté, sans vouloir exceller à tout prix :
de toute façon, celui-là même qui reste dans les limites
d'une modeste condition est assuré de tous les avantages
spirituels, de même que tous peuvent accéder aux biens
naturels, ceux qui sont vraiment nécessaires. Il n'est
que le superflu qui soit réservé à un petit nombre : ce
thème, courant dans la diatribe cynique, est passé ici
dans le camp de l'homélie chrétienne, dans le but de
défendre et de revaloriser la foi des humbles et des
modestes, en opposition avec l'intellectualisme exacerbé
qui est la cause de toutes les disputes théologiques. Ces
considérations nous paraissent à nous assez simples et

banales, mais elles prennent du poids si nous les projetons sur le fond de la dizaine d'années de luttes religieuses acharnées et parfois cruelles au cours desquelles des évêques de tout genre et de toute origine s'étaient distingués par l'excès de leurs subtilités et l'abstraction de leur raisonnement, alors que peu s'étaient fait remarquer par l'humilité de leur foi et la charité à l'égard de leur prochain. Grégoire sait apprécier l'intelligence comme la modestie, qui sont si souvent opposées entre elles (chap. 22-23). Ainsi, il y en a qui se consacrent à la contemplation et à l'approfondissement des doctrines sacrées (chap. 24), mais il y en a qui ne disposent pas de semblables dons intellectuels et ne sont pas en mesure de se débrouiller au milieu de la fausse sagesse humaine : eh bien, même ceux-là peuvent obtenir le salut. A ce moment, l'argument se prête à un *topos* assez courant dans toute la littérature chrétienne antique, le *topos* contre la philosophie. Grégoire y recourt volontiers aussi, dans ce discours ou d'autres, même si (comme nous l'avons observé ailleurs[1]) la pratique est souvent en contradiction avec la théorie, et si Grégoire se révèle, à l'occasion, philosophe platonicien. Le Nazianzène répète que pour obtenir le salut il suffit, en face de la fausse sagesse humaine, de « confesser Jésus-Christ et de croire qu'il est ressuscité d'entre les morts » ; il est juste également que la simple foi, que la confession pure et simple de la foi chrétienne procure le salut (chap. 25). Grégoire revient fréquemment sur cette conception : « Rien ne serait plus inique que notre foi s'il était vrai qu'elle échoie seulement aux sages (chap. 26). » Il faut éviter tout intellectualisme qui dénature la foi chrétienne : on doit estimer aussi celui qui n'a qu'un pauvre langage et de modestes connaissances (204 C). Du reste, il existe

---

1. Cf. « Il platonismo cristiano di Gregorio Nazianzeno », *Annali della Scuola Normale Superiore di Pisa*, Serie III, IV, 1974, p. 1347-1392, p. 1351.

de nombreuses autres questions qu'il est permis de se poser parce qu'elles ne mettent pas notre foi en danger : la question de la nature humaine, du rapport entre l'âme et le corps etc. — thèmes courants de « philosophie populaire » qu'on trouve fréquemment dans la littérature rhétorico-philosophique de l'âge impérial — (chap. 27).

Toute discussion est dangereuse parce qu'elle suscite la querelle (chap. 28) et peut, si elle est poursuivie avec obstination, véritablement porter au mépris du frère plus humble qui ne mérite certainement pas, malgré tous ses manques, d'être hâtivement écarté (chap. 29). Il faut faire tout ce qu'on peut pour corriger celui qui se trompe, avant de le condamner (chap. 30-31). L'homélie se termine sur la brève reprise des deux thèmes principaux : il faudrait que soit encore en vigueur chez nous chrétiens l'usage des anciens Hébreux, qui ne permettaient pas la lecture de certains livres sacrés à ceux qui n'étaient pas assez avancés intellectuellement, et ne donnaient pas à tous la liberté de discuter des problèmes liés à la religion (chap. 32) ; d'autre part, invitation à la modestie : s'il est vrai que les façons de vivre sont variées, que les choix sont variés, que divers sont les chemins de la vertu, il n'y a pas de raison pour que tous veuillent emprunter le chemin de la discussion théologique (chap. 33).

Cette homélie assez longue et un peu prolixe n'est certainement pas l'une des plus belles ou des plus subtiles de Grégoire. Il y a une certaine dispersion et une certaine platitude dans l'argumentation et dans l'exhortation. Elle est surtout un document sur les mœurs, un témoignage sur la vie de la communauté nicéenne de Constantinople, rassemblée dans l'Anastasia pour écouter la parole de son évêque. De cette prolixité on garde surtout l'impression d'une attitude parénétique qui se perd dans la répétition de certaines idées et de certains lieux communs, particulièrement parce que l'orateur sait qu'il va aller à contre-courant. Le Nazianzène en effet présente un idéal de chrétien de niveau intellectuel moyen, dont la nécessité se confirme pourtant, et de façon plus aiguë, dans le climat d'intellectualisme effréné qui régnait alors. Dans le Discours 32, par conséquent, Grégoire insiste sur trois points fondamentaux qui sont liés entre eux par un fil assez évident. Le premier est le refus de la philosophie grecque, point de départ de toute « modération dans la discussion », argument de ce discours. Le second est le même principe, appliqué au milieu chrétien : la préférence accordée à une foi « simple » en opposition à la philosophie des savants (on pense à la personnalité de certains évêques de l'époque, comme Eusèbe de Césarée ou Eunome). Il s'ensuit, et c'est le troisième point, une élaboration de la doctrine chrétienne qui n'a pas beaucoup d'importance sur le plan théologique, assurément bien éloignée des constructions des « Discours Théologiques » et de tant d'autres. Si on considère le second point, le nom d'Origène vient spontanément à l'esprit, d'autant plus que le grand maître d'Alexandrie avait interprété dans un sens exactement contraire ce que dit le Nazianzène au chapitre 24 (204 A) : « Confesse Jésus-Christ et crois qu'il est ressuscité des morts et tu seras sauvé. » C'est-à-dire, réduis ton christianisme à la simple profession de foi, au symbole, en abandonnant toute spéculation ; ta foi est fondée sur l'essentiel : sur la crucifixion du Christ et sur sa résurrection, garantie de ton salut, comme l'avait déjà reconnu saint Paul (*I Cor.* I, 15, 17). Et c'est précisément contre ce genre de théologie que luttait Origène, en faisant spécialement référence au passage que Grégoire utilise pour recommander la simplicité de la foi. En effet, dans le fameux passage du *Comm. Ioh.* II, 29, Origène, s'accordant partiellement en cela avec le gnosticisme, considérait la connaissance comme un stade de perfection supérieur à celui de la simple foi, en sorte qu'il distinguait les chrétiens en « parfaits » (ou « pneumatiques », selon l'usage des gnostiques eux-mêmes) et en simples fidèles, c'est-à-dire la foule, ceux que les gnostiques appelaient les « psychiques »[1]. Opposition donc entre Grégoire et Origène, bien que la *communis opinio* voie dans le Cappadocien un fervent disciple de l'Alexandrin[2] ; mais le Nazianzène, à l'occasion, sait aussi rejeter les spéculations de son grand maître, comme nous le verrons dans le Discours 37[3], même s'il est vrai qu'ici, dans ce Discours 32, la polémique de notre orateur vise plus une façon générale de concevoir la foi qu'une personnalité déterminée.

1. Cf. les observations pertinentes de E. CORSINI, dans *Origene, Commento al Vangelo di Giovanni...* a cura di E. Corsini, Torino 1968, p. 87.

2. Cf. par exemple K. HOLL, *Amphilochius von Ikonium in seinem Verhältnis zu den grossen Kappadoziern*, Tübingen 1904, p. 119 s.

3. Voir ailleurs (p. 58) et nos remarques dans « Influenze di Origene su Gregorio di Nazianzo », *Atti e Memorie dell'Accademia... La Colombaria* 44, Florence 1979, p. 33-57, p. 52-54.

DISCOURS 33

Le Discours 33 a été écrit en réponse à la campagne de dénigrement des ariens à l'égard de Grégoire, d'après Gallay[1] qui remarque, renvoyant à une observation de Sinko[2], que l'on retrouve dans le De *Vita sua* (v. 696-701) les calomnies des ariens dont il est question aux chapitres 6 et 11 de ce discours : « Ils ne pouvaient me supporter : j'étais très pauvre, ridé, voûté, mal vêtu, épuisé par les jeûnes, les larmes, la crainte de l'avenir et les maux dont je voyais souffrir les autres ; j'étais dépourvu de beauté, j'étais un étranger, un vagabond, un homme obscur originaire d'un pays inconnu (trad. Gallay). » Or de telles calomnies correspondaient bien à la période constantino-politaine postérieure à Pâques 379. Suivant donc encore une fois la chronologie de Gallay, nous pensons qu'on peut situer ce discours après cette date parce que l'agression des ariens contre Grégoire s'était produite à Pâques, comme le dit la Lettre 77, et c'est à cette agression que l'écrivain fait allusion aux chapitres 3 et 4 de ce discours.

En ce qui concerne la situation incertaine de Grégoire dans le contexte des luttes religieuses à Constantinople, toile de fond de ce discours, Gallay remarque encore que l'on peut faire un autre parallèle, entre les chapitres 8-9 de ce discours et les vers 703-720 du De *Vita sua* : « On tenait, à mon sujet, à peu près ce langage : Nous sommes

1. Cf. GALLAY, *op. cit.*, p. 145.
2. Cf. SINKO, *op. cit.*, p. 37.

flatteurs ; toi, tu ne l'es pas. Nous rendons hommage
aux puissants ; toi, tu honores la piété. Nous aimons les
mets richement assaisonnés ; toi, tu vis avec frugalité,
tes seuls délices sont d'employer le sel, et tu méprises
les condiments d'un luxe orgueilleux. Nous plions aux
circonstances et aux caprices du peuple, nous orientons
notre barque suivant la direction du vent et, imitant
les caméléons et les polypes, nous donnons sans cesse à
notre langage les couleurs les plus variées. Toi, au contraire,
tu es raide comme une enclume et quel n'est pas ton
orgueil ! Tu t'imagines que la foi doit toujours être la
même, tu resserres à l'excès le dogme de la vérité et
tu suis toujours la voie grossière de l'Écriture. D'où
te vient donc, excellent homme, ce pouvoir d'entraîner le
peuple par ton bavardage et de frapper des coups si justes
sur ceux qui pensent faux et qui suivent les multiples
formes de l'erreur ? Comment peux-tu agir si différemment
sur tes amis et sur les autres, puisque tu es pour ceux-là
comme un aimant, et pour ceux-ci comme une fronde ? »
Il faut cependant savoir qu'une autre date, précisément
postérieure au 28 février 380, a été proposée récemment
par Bernardi[1], qui voit dans le βασιλικὸν δόγμα que
les ariens, selon Grégoire, auraient violé (cf. chap. 13)
l'édit de Théodose à Thessalonique, prescrivant à tous
les sujets de l'Empire de professer la foi de Damase et
de Pierre d'Alexandrie, ce que le clergé arien n'avait pas
encore fait, évidemment, et répugnait à faire. Toutefois,
il me semble étrange que Grégoire, alors qu'il pouvait
appuyer ses prétentions sur un tel édit impérial, ne l'ait
pas de façon appropriée tourné à son avantage, mais se soit
limité à une allusion aussi anodine (on voit, au contraire,
combien il se sent sûr de lui à la fin du Discours 37, quand
la situation a effectivement changé). Le contexte n'autorise

---

1. Cf. BERNARDI, *op. cit.*, p. 165.

pas à penser que Grégoire se réfère à *une loi* particulière de Théodose plutôt qu'à la loi (en général) de l'État.

Le Discours 33 est, avec le Discours 36, parmi les plus personnels de notre écrivain : sur un ton sarcastique, Grégoire prend à son compte les violences accomplies par les ariens contre les nicéens, souligne sa modestie et sa pauvreté en face des richesses et de la gloire mondaine qui donnent de la puissance à l'hérésie arienne, ironise sur la bassesse de ses origines et sur son manque d'esprit mondain en énumérant, comme s'ils contenaient les valeurs réelles de la vie, tous les lieux communs de la vanité humaine, qui sont l'un après l'autre démasqués et tournés en ridicule selon les préceptes de la diatribe cynique, ici plus vive que jamais. A ce propos, Bernardi[1], remarquant que Grégoire ne s'adresse pas aux fidèles mais directement à ses adversaires, pense que le discours n'a pas été prononcé, mais seulement écrit : il lui paraît difficile que Grégoire parle seulement des ariens sans faire la moindre allusion à ceux qui se trouvaient devant lui. L'hypothèse, cependant, ne me paraît pas contraignante : un public intelligent et favorable était assurément l'auditoire le meilleur pour comprendre les diverses allusions polémiques et les justifications de notre auteur.

Le discours commence par un mouvement à la fois pathétique et ironique : les ariens pensent à la quantité des fidèles, non à la qualité de la foi, et si le grand nombre caractérise le parti arien, qui l'emporte à Constantinople depuis cinquante ans, et qui est fort du soutien de l'empereur, la vraie foi est l'héritage du petit troupeau rassemblé dans l'Anastasia. Eh bien, qu'ils écoutent, en évitant de recourir à la violence qui leur est habituelle, un discours prononcé avec une entière liberté de parole (chap. 1). Parti sur ce ton pathétique, le discours continue avec une série de vives interpellations à l'égard des hérétiques,

---

1. Cf. *ibid.*, p. 166.

qui menaçaient encore de violences (216 A). Les luttes religieuses ont déchiré les communautés chrétiennes et ont réduit les partisans des diverses sectes à s'en prendre à leurs propres frères avec une violence que n'ont même pas les barbares (et on remarque que Grégoire, dans la condamnation des violences réciproques, utilise le pluriel : « Nous épions méchamment les occasions de nous faire du mal ; nous nous comportons avec une cruauté indicible. ») Mais, bien vite, la responsabilité des violences retombe sur les vrais coupables, c'est-à-dire sur ceux qui pouvaient faire la loi selon leur bon plaisir, puisqu'ils avaient de leur côté le pouvoir politique (chap. 2). Il serait hors sujet de s'étendre ici sur l'histoire de la controverse arienne et de parcourir de nouveau le chemin de l'hérésie qui, après la condamnation de Nicée en 325, ranimée par des chefs de parti intelligents et courageux, réussit à s'imposer d'abord auprès de Constantin lui-même, qui exila Athanase, puis auprès de ses successeurs, tous plus ou moins favorables à l'homéisme : de Constance II (337-361) à Valens (364-378) avec l'unique et brève interruption des principats de Julien l'Apostat (361-363) et de Jovien (363-364). Ce sont des événements sur lesquels on peut lire de nombreuses études modernes et être amplement informé. Il est plus difficile, en revanche, de déterminer les épisodes particuliers de ces luttes, épisodes que Grégoire lui-même a vécus ou dont il a rendu compte plus ou moins fidèlement. Ce sont des épisodes sur lesquels nous ne possédons pas, malheureusement, d'autres sources historiques et pour lesquels nous devons nous contenter de ce qu'en dit Élie de Crète, sans pouvoir vérifier comme nous le voudrions l'authenticité de l'information elle-même. Les commentateurs eux-mêmes, qu'ils soient anciens ou modernes, dans l'impossibilité de placer avec certitude les allusions de Grégoire dans le contexte historique, donnent l'impression de faire des conjectures et de présenter comme des certitudes des hypothèses qui ne sont pas fondées sur des données concrètes. Quoi qu'il en soit, Grégoire ne parle pas seulement des violences qu'il a subies personnellement. L'assaut donné à l'église chrétienne par la populace arienne, dont il parle au chapitre 3, ne semble pas avoir eu lieu à Constantinople contre l'église de l'Anastasia[1], mais à Alexandrie, contre l'évêque Pierre, dans l'église de Téoné : c'est ainsi du moins que semblent l'entendre les Mauristes. La description des violences et des outrages qu'ont dû subir les ministres du culte, les autels eux-mêmes et la chaire épiscopale, les vierges consacrées à Dieu, il la développe en ayant recours à tous les artifices de la rhétorique.

D'autres partisans de la foi de Nicée auraient été donnés en pâture aux bêtes féroces : il n'y a pas d'autre attestation de l'épisode rapporté chap. 4 (220 A) ; d'autres (quatre-vingts prêtres, à ce qu'il semble), sur l'ordre de l'empereur Valens — dont Basile autant que Grégoire auront à souffrir[2] — auraient été embarqués de force sur un navire qui fut livré aux flammes dès qu'il eut pris le large (chap. 4, 220 B). Auparavant, de saints hommes avaient été calomniés (il s'agissait d'Athanase), d'autres envoyés en exil, d'autres encore outragés ; les monastères auraient été pris d'assaut, les moines auraient été l'objet d'offenses de toute sorte (chap. 5, 220 C-221 A). On aurait été jusqu'à l'assassinat d'un évêque orthodoxe : Élie de Crète pense qu'il s'agirait d'Eusèbe de Samosate ; plus près de nous, Tillemont[3] pense qu'il s'agit du prêtre Eustathe, relégué à Bizya, petite cité de la Thrace, par l'empereur Valens (chap. 5, 221 B). Mais nous préférons nous appuyer sur Élie de Crète.

1. Au contraire, GALLAY, *op. cit.*, p. 145, n. 5, l'entend ainsi : assaut donné à l'Anastasia à Pâques 379.

2. L'attitude de Grégoire en face de son persécuteur et des nicéens est bien illustrée par le récit qu'on peut lire *Discours* 43, 44 s.

3. Cf. LE NAIN DE TILLEMONT, *Mémoires...*, IX, p. 711.

Plus claires sont les allusions ironiques que Grégoire fait à lui-même, en répétant les railleries et les sarcasmes que lançaient les ariens contre lui. Grégoire est un objet de dérision de la part de ses ennemis parce qu'il vient d'une ville petite et inconnue, Nazianze, tandis que les ariens, forts du pouvoir impérial, pouvaient s'identifier avec la capitale de l'Empire, cette Constantinople célèbre pour ses beautés (chap. 6-7). Bien sûr, on ne peut pas dire, à ce propos, que l'orthodoxie nicéenne ait été confinée dans de petits centres de province, alors que l'arianisme aurait dominé dans les grandes villes ou aurait été la religion des classes supérieures. Cependant, le fait même que l'hérésie ait été soutenue par le pouvoir impérial lui conférait une autorité que les nicéens n'avaient pas dans cette triste période qui va du concile de Nicée à celui de Constantinople. Et, du reste, il suffisait que monte sur le trône impérial un empereur à l'orthodoxie éprouvée et qui soit prêt à la faire respecter (ou peut-être à l'imposer par la force des lois) pour que la situation change radicalement. Constantinople elle-même avait été dirigée par des évêques ariens depuis 330 environ et on connaît ceux que l'on appelle les « évêques de cour » : Ursacius de Singidunum et Valens de Mursia, qui faisaient la loi en imposant leur propre volonté et celle de l'empereur Constance dans tous les conciles convoqués. On a déjà parlé des railleries des ariens à l'égard de Grégoire. La défense du Nazianzène est tout entière inspirée par des thèmes de caractère populaire, propres à la philosophie cynique, qui trouvent, dans la réélaboration littéraire de Grégoire, une confirmation opportune dans divers passages de l'Écriture. Si Grégoire est ridicule parce qu'il vient d'une pauvre ville comme Nazianze, que d'hommes se trouvent dans la même condition (chap. 7) ! Si la pauvreté et l'absence de luxe le rendent aussi humble et pauvre, voici le précepte de l'Écriture qui demande que notre propre cœur ne soit pas esclave des richesses. A l'orgueilleuse grossièreté des

ariens, à leurs sottes vantardises, Grégoire oppose la
condition de « philosophe », c'est-à-dire, dans son langage,
celle du vrai chrétien, voué à la pauvreté et à l'ascèse.
Et, raisonnant comme un vrai philosophe cynique, notre
auteur insiste sur le fait que nous sommes tous originaires
de la même patrie, que la nature est commune à tous
et que personne ne peut être l'unique propriétaire des
biens qu'elle nous accorde ; et, qui plus est, que la révélation
chrétienne, chose la plus importante pour les hommes,
appartient à qui la veut, non à quelques personnes (chap. 8-
9). Combien de personnages de l'Ancien Testament ont
abandonné leur patrie et ont, comme lui, d'humbles
origines ! Samuel, David, Abraham, Moïse, Élie, Élisée,
le Christ lui-même (chap. 10). Les apôtres également,
pour répandre la nouvelle doctrine, se sont faits voyageurs
et ont abandonné leur patrie (chap. 11). L'unique vraie
patrie, commune à tous, est la Jérusalem céleste ; nos
patries terrestres ne sont que scènes de théâtre ; la noblesse
de la race n'est due qu'aux richesses et à l'ancienneté
(chap. 12). Arrivé à ce point, Grégoire abandonne les
argumentations de caractère général pour répondre à une
accusation bien plus précise et plus grave : celle d'avoir
abandonné son ancien siège épiscopal et d'avoir intrigué
pour obtenir celui de Constantinople (l'accusation sera de
nouveau l'objet d'une pénible défense au cours du Discours 36). Grégoire n'est pas venu à Constantinople de
sa propre initiative ni parce qu'il l'a demandé, mais
parce qu'on l'a appelé. Il y a certes une énigme dans
cette déclaration : ἴσως οὐ μετὰ φαύλης τῆς ἐξουσίας (13,
229 C). Quel est ce pouvoir ? Selon Bernardi[1], il serait
question de Théodose et, dans ce cas, nous devrions
changer non seulement la chronologie du Discours 33 mais
aussi l'histoire de Grégoire, parce que, si le Nazianzène
était arrivé à Constantinople à la suite d'une invitation

1. Cf. *op. cit.*, p. 166.

de Théodose, comment aurait-il pu passer plus d'un an dans la difficile situation que nous connaissons tous ? Il nous paraît préférable de comprendre cette expression de façon générale : Grégoire est venu à Constantinople parce que la volonté divine, « la puissance qui n'est pas médiocre », en a voulu ainsi.

De toute façon, la conduite de Grégoire dans la capitale de l'Empire a été irréprochable : il n'a jalousé personne, il n'a pas eu de querelles, il n'a violé aucune loi impériale (nous avons déjà observé plus haut qu'il n'y a aucune raison pour voir dans le βασιλικὸν δόγμα dont il est question ici l'édit de Thessalonique par lequel l'empereur Théodose imposait à tout l'Empire l'observance de la foi de Nicée), il n'a pas sollicité l'autorité politique contre ses adversaires. Les ariens se sont comportés bien différemment (chap. 13) ! L'épiscopat de Grégoire est inspiré par la mansuétude. Tous les affronts qu'il peut subir ont bien moins d'importance pour lui que chacun des affronts et des coups qu'a soufferts le Christ (chap. 14). C'est sur cette base, celle de l'imitation du Christ, qu'est également fondé le chapitre suivant (15) : les ariens ont la puissance, la richesse, les honneurs ; Grégoire, lui, a seulement son troupeau, qui est petit mais fidèle. Il connaît chacune de ses brebis ; et surtout, il sait qu'elles ne se laisseront pas corrompre par les hérésies et les erreurs. Elles n'accorderont pas leur confiance à Valentin, à Marcion et aux autres hérétiques. Sans doute peut-il paraître étrange que Grégoire, pour donner des exemples d'hérésie, cite le nom d'hérésiarques qui ont vécu deux ou trois siècles avant et dont les doctrines ont fait leur temps ; mais les noms de ces personnages étaient désormais devenus « classiques » et représentaient pour l'opinion publique les hérétiques par excellence (chap. 16). De toute façon, les contemporains sont nommés à leur suite : les hérésies opposées d'Arius et de Photin (c'est-à-dire l'arianisme et le modalisme) en face desquelles se situe, dans le juste milieu, l'orthodoxie (cf. ci-dessus p. 12, à propos du Discours 32, nos remarques concernant, chez Grégoire, la recherche constante de l'équilibre, soit sur le plan moral, soit sur le plan doctrinal). L'orthodoxie confesse l'existence d'une seule nature divine et vénère de la même façon le Père, le Fils et l'Esprit-Saint, qui sont Dieu — même si la chose est difficile à admettre en ce qui concerne l'Esprit-Saint. Grégoire s'adresse, sur ce point, non pas tant aux ariens, qui n'avaient même pas admis la divinité du Christ, qu'aux pneumatomaques avec lesquels Grégoire, en cette année 379, cherchait encore un compromis, comme on peut le déduire du ton accommodant du Discours 41 sur la Pentecôte, avant la rupture définitive du Discours 31, qui est de 380.

Si l'orthodoxie exige la profession de foi dans les trois personnes divines, elle exige aussi une définition orthodoxe du baptême. Ces paroles encore sont dirigées non seulement contre les ariens, mais aussi contre les pneumatomaques. Si l'on n'admet pas que l'Esprit-Saint est Dieu, le baptême n'a pas de valeur parce que, en baptisant « au nom du Père, du Fils et du Saint-Esprit » (*Matth.* 28, 19), on baptiserait aussi au nom d'une créature qui n'est pas Dieu ; de cette façon, le baptême ne serait pas complet. Le discours se termine (chap. 17) sur cette profession de foi baptismale, qui se fonde avec assez de fermeté sur la tradition pour nous faire toucher du doigt ce que pouvait représenter la tradition pour le christianisme antique (qui n'est pas autre chose que le lien direct avec la vie des apôtres)[1].

---

1. L'idée de tradition en ce qui concerne la validité du baptême (et, par contrecoup, la divinité de l'Esprit-Saint) joue un rôle assez important dans une œuvre que Grégoire connaissait très bien, le *De Spiritu Sancto* de BASILE (lire les pages 136-154 de l'édition de Pruche, *SC* 17 *bis*).

La date et les intentions de ce discours sont assez claires. Il aurait été prononcé au cours de l'année 380, on en convient généralement, et il fait suite à la réconciliation entre Grégoire et Pierre d'Alexandrie, après la conclusion de l'affaire de Maxime[1]. Il est difficile d'en fixer la date avec plus de précision. Grégoire exige (251 B) que l'Esprit-Saint soit considéré comme Dieu au même titre que les deux autres personnes de la Trinité ; ce qui démontre une évolution par rapport au Discours 41 et suppose la médi-tation des grands « Discours théologiques » : c'est l'opinion de Gallay[2]. Cependant cette précision nous semble reposer sur une base encore trop hasardeuse. En effet, avec les « Discours théologiques », Grégoire propose la doctrine de l'*homoousion* aussi pour le Saint-Esprit, mais il n'en avait jamais tu la pleine divinité, malgré la patience et la tolérance manifestées vis-à-vis des pneumatomaques (et de Basile). Selon Baronius et Élie de Crète[3], on se trouverait carrément dans une situation antérieure à la paix avec Pierre, raison pour laquelle leur hypothèse chronologique est à éliminer a priori. Selon eux, le Discours 34 aurait été prononcé avant l'ordination de Maxime et viserait les marins d'Égypte venus avec les prélats qui devaient

1. Rappelons les faits : pendant que Grégoire dirigeait le communauté catholique de Constantinople, Maxime le Cynique se fit conférer l'ordination épiscopale pour devenir évêque de cette ville. Cette tentative, qui échoua, fut faite avec l'appui du patriarche Pierre d'Alexandrie. P.G.

2. Cf. GALLAY, *op. cit.*, p. 171-173.

3. Cf. l'introduction des éditeurs mauristes qui se sont vraisem-blablement fondés sur l'étude de TILLEMONT, *op. cit.*, p. 713.

procéder à l'ordination. Hypothèse déjà repoussée par
Tillemont[1]. Nous nous trouvons au contraire, comme le
remarque Gallay[2], après l'ordination de Maxime et avant
que les catholiques ne l'emportent sur les ariens à Constantinople : on le déduit du chapitre 7 dans lequel Grégoire
félicite les Égyptiens de s'être unis aux orthodoxes, qui
sont encore peu nombreux et peu influents. En outre,
l'insistance avec laquelle Grégoire souligne que sa foi
en la Trinité est conforme à celle d'Athanase et de
Pierre d'Alexandrie (chap. 2) nous conduit à l'édit du
28 février 380 qui reconnaissait comme orthodoxes seulement ceux qui seraient en communion avec le patriarche
d'Égypte et de Rome[3]. Il faut croire, par conséquent,
qu'un rapide revirement s'est produit dans l'esprit de
Pierre d'Alexandrie après l'épisode de Maxime, qui aurait
conduit le patriarche à se réconcilier bien vite avec
Grégoire. C'est l'avis de Gallay ; selon Bernardi, même
si on tient compte de la réconciliation entre les deux
évêques, il faut de toute façon dater le Discours 34 de
l'été 380 parce qu'il n'est pas possible que la réconciliation
ait eu lieu avant cette date[4]. Il n'est pas facile de choisir
entre les deux hypothèses : certes l'hypothèse de Bernardi[5],
selon laquelle un échange de lettres — qui auraient été
ensuite perdues — avait dû avoir lieu pendant l'été,
avant la réconciliation, n'est pas démontrable. Quant
à nous, si nous nous en tenons aux mots du Discours
34, conscient de ne pouvoir travailler que par hypothèse dans les questions de ce genre, nous pensons que
l'éloge aussi chaleureux et ému de personnages de très
humble condition comme devaient l'être les marins venus
d'Égypte pour apporter le blé nécessaire à l'approvision-

1. TILLEMONT, *op. cit.*, p. 714.
2. Cf. *op. cit.*, p. 173.
3. Cf. à ce sujet BERNARDI, *op. cit.*, p. 177.
4. Cf. *op. cit.*, p. 176.
5. Cf. *op. cit.*, p. 176.

nement de Constantinople[1], peut mieux s'expliquer si on
suppose que Grégoire et la communauté nicéenne de cette
cité étaient encore dans une situation assez précaire, c'est-
à-dire alors qu'une aide et une approbation, quelle que fût
l'autorité des personnes qui les apportaient, étaient bien-
venues. Il faudrait donc croire que la date de ce discours
doit être avancée aux premiers mois de 380, comme le pense
Gallay, plutôt que repoussée aux derniers jours de cette
année, comme le pensent les Mauristes et Bernardi. Et la
réconciliation avec Pierre d'Alexandrie a-t-elle vraiment eu
lieu ? Ou est-ce Grégoire qui veut voir cette signification,
l'union très étroite entre les deux hommes, dans la visite
des marins d'Égypte ? Signification à laquelle Pierre a
bien pu rester étranger, d'autant plus que l'insistance avec
laquelle Grégoire expose sa profession de foi signifierait,
selon Bernardi[2], que les calomnies de Maxime auprès
de Pierre d'Alexandrie avaient préoccupé notre auteur.

En conclusion : le discours aurait été prononcé dans
les premiers mois de 380, pendant l'affaire de Maxime,
au moment où Grégoire souhaite se réconcilier avec Pierre
ou vient de le faire.

Le discours commence par une exaltation de l'Égypte,
terre fertile qui a toujours nourri le peuple de Dieu, qui
a également nourri le Christ lui-même, quand il s'était
réfugié en Égypte pour fuir la persécution d'Hérode.
Mais maintenant, remarque Grégoire avec une antithèse
caractéristique de son style et de sa pensée, l'Égypte
nourrit le monde entier, non seulement avec des nourritures
corporelles, mais aussi avec la nourriture spirituelle de
l'orthodoxie (chap. 1-2), qui constitue la vraie nourriture,
celle dont on ne peut se passer. C'est dans la condition

---

1. Le blé réservé à Constantinople était récolté, en Égypte, pour
servir d'impôt ; le préfet du prétoire pour l'Orient était responsable
de sa récolte et de son transport dans la capitale (cf. à ce propos
A. H. M. JONES, *The later Roman Empire 284-602*, II, Oxford 1964,
p. 698).

2. Cf. *op. cit.*, p. 177.

du Joseph de la Bible, qui avait nourri le peuple hébreu, que se trouve maintenant Pierre, patriarche d'Alexandrie, près de celui qui menait tant de combats pour la foi : l'allusion à Athanase est claire (chap. 3). Nourris et instruits par de tels personnages, les marins égyptiens qui se trouvaient à ce moment-là à Constantinople n'ont pas été poussés par des flatteries ou des menaces à abandonner la vraie foi qui les a rendus justement célèbres (chap. 4). Évidemment, dans ces paroles de Grégoire, il y a quelque chose de plus que la simple volonté de s'aligner sur l'édit de Théodose, dont il a été question plus haut (c'est-à-dire celui qui proclamait comme unique foi de l'Empire celle de Pierre d'Alexandrie et de Damase), il y a une sincère admiration pour ce qu'avait fait et souffert Athanase pour la défense du credo de Nicée. Le sincère enthousiasme avec lequel l'Égypte suit désormais la vraie doctrine efface les taches du paganisme et de l'idolâtrie qui avaient rendu cette terre célèbre jusqu'à une période récente (chap. 5). On connaît en effet la renommée de piété et de religiosité dont jouissait l'Égypte auprès des païens de l'âge impérial (il suffit de lire les écrits de Plutarque, d'Apulée, du *Corpus Hermeticum*, de Porphyre et de Jamblique). L'auteur s'adresse donc directement à ses auditeurs égyptiens, les considérant à la fois comme son peuple et le peuple de Dieu, et les apostrophe en termes de fervente et sincère amitié (chap. 6). Ces marins étaient arrivés, dans les jours précédents, à Constantinople, apportant le tribut dû à l'empereur, c'est-à-dire la quantité de blé avec laquelle l'Égypte approvisionnait chaque année la capitale de l'Empire. Eh bien, Grégoire aussi est en mesure d'offrir un tribut à son tour, et ce tribut n'est assurément pas inférieur à celui des Égyptiens. C'est un tribut spirituel, c'est-à-dire la profession de la vraie foi, la foi de Nicée (chap. 7). C'est la plus articulée des professions de foi que nous trouvons dans les discours dont nous nous

occupons ici. Elle part d'assez loin, distinguant, de façon
très empirique, la nature divine et la nature humaine
et précisant tout de suite ce que doivent être les contours
de la nature de Dieu : les trois personnes ne doivent pas
être soumises à un processus de « mutilation » (τέμνεσθαι)
ou de « rétrécissement » (στενοῦσθαι), selon les critères de
l'hérésie arienne et celle de Sabellius, elles ne doivent pas
non plus être développées et multipliées à l'infini, comme
c'est le cas dans le polythéisme (chap. 8). Donc, si on a du
bon sens, on adore l'Unité, la Monade divine divisée en
trois personnes, sans distinguer, comme le font les ariens,
la nature de Dieu en substances inégales en dignité et
en qualité (chap. 9). Parmi les trois Personnes, le Père
n'a presque jamais été l'objet d'hérésie : cela aurait été
le comble de l'absurdité, étant donné que sa nature nous
est suggérée aussi par les « notions communes » qui sont
innées (les κοιναὶ ἔννοιαι de la philosophie stoïcienne,
une idée qui a été largement diffusée même en dehors du
stoïcisme, et qui se rencontre assez souvent dans le
christianisme antique). A vrai dire, les stoïciens parlaient
de la notion de l'existence de Dieu, qui nous est suggérée
par nature, tandis que Grégoire parle de la notion du Père :
c'est un changement de termes voulu, à moins que chez
Grégoire ne joue l'habitude propre au christianisme grec
de voir en Dieu en premier lieu le Père ? Quoi qu'il en soit,
le Fils et le Saint-Esprit ont été exposés aux opinions
fausses des hérétiques, le Fils surtout à cause des humbles
aspects de la vie humaine dans lesquels il est apparu :
pourtant ils ne comprennent pas, les sots, que si le Christ
s'est abaissé à cette humilité, c'est pour notre bien
(chap. 10) ! Plus longue (chap. 11-12) est la défense de
l'Esprit-Saint : l'ampleur de cet exposé théologique pour
la défense du Saint-Esprit doit être située dans ce laborieux
processus d'éclaircissement dans lequel Grégoire est précisément engagé. Dans le Discours 32, l'Esprit-Saint
est considéré par Grégoire en des termes un peu plus que

traditionnels, tandis que dans le cinquième Discours théologique il en proclamera ouvertement l'*homoousion* : d'un endroit à l'autre on récolte une série d'affirmations et de réflexions qui permettent à Grégoire de rendre plus claire, pour lui-même et pour les autres, la complète égalité de nature de l'Esprit-Saint avec les deux autres personnes de la Trinité. Il est intéressant de souligner une constante dans le raisonnement de Grégoire à ce propos, son recours à la pratique baptismale qui voulait qu'on baptise « au nom du Père, du Fils et du Saint-Esprit ». Puisqu'il s'agit, comme on le sait, du verset de *Matthieu* 28, 19, rapportant les paroles mêmes du Christ aux apôtres, qui ont scrupuleusement réalisé ce précepte et en ont confié l'exécution à leurs disciples, qui, à leur tour, l'ont transmis à leurs successeurs, on comprend comment s'est constituée une tradition baptismale qui repose essentiellement sur les paroles du Christ et qui, en tant que telle, est en mesure de fournir toute garantie d'authenticité aux raisons que les chrétiens peuvent développer pour défendre la divinité de l'Esprit. Si la fonction de l'Esprit est de « rendre parfait » (τελειοῦν), de « rendre divin » (θεοῦν), il faut d'abord que l'Esprit soit divin, sinon il donnerait ce qu'il ne possède pas, tandis que d'un autre côté, nous les hommes, nous ne ferions rien d'autre qu'adorer une créature comme nous, un serviteur de Dieu (en tant que créature) comme nous. Grégoire fait encore allusion à d'autres textes spécifiques, traditionnellement compris dans un sens trinitaire et plus spécialement pour soutenir la pleine divinité de l'Esprit : le *trisagion* chanté par les séraphins dans le fameux passage d'*Isaïe* 6, 3 ; le passage de *Ps.* 35, 10 (« dans ta lumière nous verrons la lumière », c'est-à-dire que dans l'Esprit nous verrons le Fils) (chap. 13). Grégoire cite ensuite d'autres passages néotestamentaires sur lesquels on peut se fonder pour exalter la divinité de l'Esprit (chap. 14-15) et termine (chap. 15) avec une doxologie complète qui est, bien sûr, totalement différente de la doxologie des pneumatomaques.

La venue des marins d'Égypte, vraisemblablement élevés dans la foi nicéenne grâce à l'enseignement d'Athanase et de Pierre d'Alexandrie, est pour Grégoire une bonne occasion de répéter avec une certaine ampleur (même si ce n'est pas avec l'approfondissement caractéristique des autres homélies) sa profession de foi. Il convient peut-être de s'arrêter un instant sur la structure de cette profession de foi, parce qu'elle est typique de l'attitude spirituelle de Grégoire, attitude qui peut se résumer dans l'exhortation de l'homélie précédente (32, 5), qui est de suivre la « voie royale ». Il s'agit d'une éducation de l'esprit inspirée par un grand équilibre, vertu très précieuse pour la pratique pastorale dans ces années difficiles de controverses dogmatiques. Cette profession de foi peut ne pas paraître très subtile sur le plan de l'approfondissement doctrinal, mais elle est, dans la pratique, particulièrement fonctionnelle dans le cadre de la prédication. Non pas que l'opposition entre sabellianisme, d'une part, et arianisme, d'autre part, soit particulière à Grégoire (on la rencontre fréquemment chez les écrivains nicéens, comme Athanase et Hilaire de Poitiers), mais dans le sens qu'elle est exploitée amplement et systématiquement.

Ce système théologique (si on peut l'appeler ainsi) si simple et si clair est présenté pour la première fois dans le Discours 2, et le Nazianzène lui est toujours resté fidèle. Le polythéisme (c'est-à-dire le paganisme, avec lequel Grégoire a encore à combattre : le Discours 2 a été prononcé sous le règne de Julien l'Apostat) et l'athéisme (c'est-à-dire l'erreur doctrinale) sont deux dangers opposés (chap. 37) ; d'ἀθεΐα est coupable Sabellius (cf. Discours 2, 37 ; 21, 13 ; 43, 30), d'ἀσέβεια Arius (cf. Discours 21, 13 ; 23, 3 ; 37, 22). En effet, il ne faut pas, par crainte de la « multiplicité des dieux» (πολυθεΐα), comme on le lit dans le Discours 2, 36, rassembler (συναιρεῖν) la divinité en une seule hypostase, réduisant de cette façon les Trois (Τρία) à de simples noms (ψιλά ὀνόματα). Les Trois seraient ainsi privés de substance individuelle (ἀνυπόστατα) (Discours 6, 22) et passeraient sans différence l'un dans l'autre (εἰς ἄλληλα μεταχωροῦντα καὶ μεταβαίνοντα) (Discours 2, 37), perdant toute caractéristique individuelle. La divinité des sabelliens, donc, est στενή (D. 23, 6 ; 23, 8 ; 34, 8), c'est-à-dire une divinité à laquelle manque la plénitude de la nature propre, dans laquelle le Père engendre le Fils et de qui procède l'Esprit : elle est analogue, donc, à celle des juifs (D. 25, 16). En ce cas particulier, les deux extrêmes se touchent : l'accusation de judaïsme est portée contre l'arianisme dans les Discours 2, 36-37 ; 33, 16. Si nous considérons encore le texte du D. 2, 36-37, déjà cité, nous voyons que toute parole a une valeur conforme à un programme. Συναίρεσις est un terme technique, chez Grégoire, pour désigner la réduction à une des trois hypostases divines, non plus dans le sens donné par Arius, mais selon le « mélange » de Sabellius (ou de Marcel d'Ancyre). Συναίρεσις se rencontre donc en référence au sabellianisme dans les Discours 22, 12 ; 23, 3 ; 25, 18 ; 33, 16 ; 37, 22 ; 38, 15 ; 42, 16 ; 43, 30 ; il ne se distingue pas des autres termes techniques de signification analogue, tels σύγχυσις (D. 2, 38 ; 20, 7 ; 21, 13 ; 31, 9 ; 31, 29 ; 33, 16 ; lettre 101, 21), συναλοιφή (D. 2, 38 ; 20, 5 ; 20, 7 ; 24, 13 ; 42, 15), συστέλλειν (D. 18, 16 ; 21, 13), συνάπτειν (D. 6, 22 ; 30, 6 ; 31, 30 ; 37, 22 ; 38, 15) ; κατάποσις est isolé dans le Discours 33, 16, et περικόπτειν (D. 6, 11 ; 25, 18) se réfère de la même manière à l'élimination des personnes divines autres que le Père. Ce mouvement de retour du Fils dans le Père était précédé, selon la doctrine de Marcel-Sabellius, non pas d'une génération, mais d'une froide, matérielle ἀνάλυσις (D. 2, 37 ; 18, 16 ; 25, 16 ; 33, 16). Le contraire, attribuer la divinité tout entière au Père, en faisant du Fils une simple créature, veut dire qu'on est φιλοπάτερες (D. 2, 38) et qu'on donne la première place au Père (D. 3, 6 ; 26, 19), en lui attribuant plus qu'il ne lui revient : c'est l'hérésie arienne, qui consiste à diviser (διαιρεῖν-, terme tout à fait opposé à celui qui stigmatise Sabellius : D. 2, 36 ; 6, 22 ; 20, 5 ; 21, 13 ; 22, 12 ; 37, 22 ; 42, 16 ; 43, 30) les Trois en êtres de nature étrangère (ἔκφυλοι, ἀλλότριοι) (D. 2, 36 ; 18, 16 ; 20, 5 ; 21, 13 ; 25, 16 ; 33, 16 ; 34, 11 ; 39, 11) et séparés (κεχωρισμένοι, ἀπεξενωμένοι) l'un de l'autre (D. 2, 38 ; 6, 11 ; 20, 5 ; 23, 6). L'arianisme, donc, place différents degrés à l'intérieur de la divinité, il n'accorde (περιγράφει) qu'à l'Être inengendré (ἀγέννητος) la nature divine (D. 20, 6 ; 21, 13 ; 33, 16) et ne mesure (μετρεῖ) pas correctement la divinité même (D. 3, 6 ; 33, 1). Cette violente séparation entre des êtres de nature différente (c'est-à-dire le Fils et l'Esprit séparés du Père) est suggérée par tous les termes qui indiquent la division : τέμνειν (D. 2, 37 ; 18, 12 ; 23, 3 ; 24, 13 ; 26, 19 ; 34, 8-9 ; 38, 15 ; 39, 12), ἀποτέμνειν (D. 3, 6), κατατέμνειν (D. 18, 16 ; 21, 13 ; 39, 11 ; 43, 30), διίστημι (D. 21, 13 ; 31, 30).

DISCOURS 35

Grégoire n'est probablement pas l'auteur de ce discours, le seul inauthentique qui ait été conservé dans le *corpus* de ses Discours. On l'a cru authentique jusqu'au moment où Sinko[1] fit remarquer de nombreuses incohérences, telles que son absence dans la branche la plus importante de la tradition manuscrite de Grégoire, le nombre d'hiatus, et d'autres irrégularités encore, si bien qu'il apparut opportun aux critiques (dont Gallay[2]) de considérer ce discours comme douteux. On déduit d'une simple lecture qu'il aurait été prononcé après la victoire des nicéens et l'entrée de Théodose à Constantinople ; il devrait donc être un cri de victoire : mais il n'a pas été écrit pour une occasion précise et cela n'est pas habituel chez Grégoire, dont les homélies, quand elles ont un caractère pour ainsi dire polémique, se réfèrent normalement à un événement concret. Quel en est, en substance, le contenu ? Il évoque un épisode d'arrogance arienne, comparée à l'ivresse bachique : une telle évocation devrait donner l'occasion de traiter, par contraste, de la situation lumineuse dans laquelle se trouvent les nicéens, finalement libérés de l'abus de pouvoir de leurs adversaires, mais l'évocation de l'épisode bachique occupe une grande partie de ce bref discours et le passage à la conclusion est assez maladroit, indigne de Grégoire. L'impression d'un discours sans conclusion confirme donc l'hypothèse d'inauthenticité.

---

1. Cf. Sinko, *op. cit.*, p. 43-48.
2. Cf. Gallay, *op. cit.*, p. 193-194. Il ne semble pas que la toute récente étude de M.-P. Masson, « Le Discours 35 de Grégoire de Nazianze : questions d'authenticité », *Pallas*, 1984, p. 179-188, puisse éliminer les doutes soulevés par ces savants et par nous-même.

Et on remarque que la description de l'orgie bachique
n'est pas accompagnée, comme d'habitude, d'une condamnation, mais est autonome : on dirait qu'elle est objective,
impartiale. Cela aussi paraît étranger à Grégoire.

Dans ce sens, l'aspect stylistique devrait être également
significatif. L'élaboration poético-rhétorique est exas-
pérante, dépasse de loin la mesure et l'équilibre de Grégoire.
Le vocabulaire, même si nous nous en tenons à un examen
peu approfondi, révèle une recherche exaspérée des
expressions rares et poétiques. En quelques pages se
trouvent réunis des hapax comme ἰσοστάσιος (chap. 1),
νυκτονόμος (chap. 2), ἀσκητήριον (chap. 4) ; des termes
rarement employés, comme μαρμαρύσσω (à propos des
étoiles, chap. 2 ; cf. Julien, Contra Gal. 356 e ; Themistius,
Or. 20, 235 b), ἡμεροφανής (Ps. Plat., Def. 411 b ; Aristot.,
Top. 142 b 1) ; περιοιδαίνω (chap. 3 ; cf. Greg. Nyss.,
Vila Greg. Thaumat., 46, 925 D) ; διαστρεβλόω (leçon
incertaine dans Aesch., Contra Ctesiph. 224) ; ἀκροβατέω
(Diod. Sic. II, 50, 5 ; Philon, De virtutibus 173) ; ὑφάλλομαι
(Cyr. Alex., Glaphyr. in Exod. 2, PG 69, 457 B) ; θεατρίζω
(chap. 4 ; cf. Suidas). Des termes d'usage poétique sont
employés, comme χοροστασία (chap. 1 ; cf. Anth. Pal. VII,
613, 6 ; X, 603, 2 ; Callim., Lav. Pallad. 66) ; et encore
θυμηδίαι (chap. 1, 257 B) ; χλιδή (chap. 2, 260 C) ; μιξόθηλυ
ou μιξόθηλος (chap. 4, 261 A), ἐξυπτιάζω (ibid.) ; περι-
σκιρτάω (ibid.), ἐμφιλοχωρεῖν (ibid.) ; des constructions
poétiques comme φόνιον βλέπειν (4, 261 B) ; ὀμμάτων βολή
(ibid.) ; parfois même gauches, comme celle qui sert
à définir l'Église : ζῶσα τοῦ Θεοῦ ἄμπελος (cf. Jn 15, 1.5).
En résumé, nous devons nous trouver en face d'un exercice
rhétorique datant d'une époque un peu postérieure à
Grégoire, alors que l'écho de certains épisodes de la lutte
entre ariens et nicéens est encore vif. Un rhéteur inconnu a
dû trouver le point de départ de cette élaboration sans
conclusion dans l'épisode que Grégoire lui-même raconte
dans le Discours 25, 12.

DISCOURS 36

Voici un autre discours de caractère essentiellement autobiographique ; il commence pourtant avec la forte élaboration littéraire qui est typique de Grégoire (et ici, c'est encore plus marqué) par l'épisode de l'intronisation du Nazianzène à la suite de l'intervention de l'empereur Théodose dans les questions religieuses de Constantinople (et par là de tout l'empire). Bernardi[1], s'appuyant sur les allusions de Grégoire lui-même dans le *De vita sua* (1325-1395) et sur ce qu'en disent Socrate (*Hist. Eccl.* V, 7) et Sozomène (*Hist. Eccl.* VII, 5), retrace ainsi les événements qui ont précédé immédiatement ce discours : le mardi 24 novembre 380, l'empereur fait son entrée à l'improviste à Constantinople. Le jour même, il convoque Grégoire et lui dévoile son intention de le substituer à Démophile dans la Basilique des Saints-Apôtres. L'expulsion des ariens a lieu le 26 novembre et, le matin du 27, Théodose en personne intronise Grégoire. Le Nazianzène décrit de façon très colorée dans le *De vita sua* la procession des nicéens au milieu de la foule hostile, l'entrée dans la basilique pleine d'une foule de fidèles mal disposés et de soldats ignorants ; et voilà qu'au moment de la prière commune, le soleil, jusqu'alors caché par des nuages, emplit l'église de sa lumière. Ce fut considéré comme un bon augure et la foule, qui jusque là était restée froide, acclame. C'est ce que rapporte Grégoire auquel n'est pas étranger, je pense, un certain goût pour le théâtral.

1. Cf. BERNARDI, *op. cit.*, p. 191 ; GALLAY, *op. cit.*, p. 187 s.

Après l'intronisation, Grégoire aurait prononcé ce discours, qu'on peut donc situer, sans l'ombre d'un doute, après le 27 novembre 380. Les Mauristes et Bernardi[1] proposent de le dater de la mi-décembre.

Ce discours est l'un des plus personnels et des plus élaborés de Grégoire. Le grandiose événement qui vient de se passer a sans doute frappé l'évêque, jusqu'alors tenu de guider une petite communauté de nicéens dans l'atmosphère hostile qui était celle de Constantinople. Comment justifier ce changement imprévu ? Quelles sont les raisons de ce succès ? Est-il dû exclusivement à ses mérites ? La réponse ne peut être que négative, mais est présentée de telle façon que le lecteur ne peut faire moins que croire exactement le contraire, à savoir que ce sont précisément les mérites de Grégoire qui ont suggéré à l'empereur sa nomination. D'où la nécessité d'une auto-défense somme toute ambiguë : Grégoire doit se défendre, mais ne peut faire son propre éloge, ce qui serait inconvenant. Voilà pourquoi le discours se poursuit sur un ton mesuré, plein d'ironie embarrassée ; il semble que Grégoire veuille plaisanter sur son propre compte, mais il doit dire des choses sérieuses, d'autant plus que l'empereur est présent (cf. ehap. 11, 277 C). Un autre fait s'ajoute à cela : l'intronisation à Constantinople viole, même si jusqu'alors cela a été dit seulement à voix basse (cf. 33, 13), le 15e canon de Nicée, qui interdit à un évêque d'abandonner son siège pour en occuper un autre, et Grégoire sait qu'il doit se défendre des insinuations (qui viendront au grand jour de façon éclatante peu de mois après, en plein concile de Constantinople) concernant son abandon du siège de Sasimes — qu'il avait tant détesté. Prononcé par un autre, ce discours serait un discours facile d'exultation et de triomphe ; mais Grégoire transforme le triomphe en scrupules et en amertume, caractéristiques de sa sensibilité.

---

1. Cf. BERNARDI, *op. cit.*, p. 193.

Grégoire commence sur un ton ironique : il se demande quelle a pu être la raison d'un succès aussi imprévu auprès de la foule, pour un évêque étranger et faible comme lui (Sommes-nous sûrs que notre orateur est toujours sincère quand il insiste sur sa petitesse ? N'est-ce pas là plutôt un thème rhétorique conseillé pour l'exorde ? De toute façon, ce thème n'est pas toujours répété sur le même ton : dans le discours 32, la même affirmation de modestie s'adressait à une petite assemblée de fidèles et avait davantage le ton de la sincérité ; ici Grégoire parle devant une foule importante, qui comprend, en grand nombre, des ennemis et des faux amis. Il est donc assez probable, comme nous venons de le voir, que cette ironie appliquée à lui-même soit fortement polémique). L'orateur, bien conscient de sa propre petitesse, ne peut expliquer son succès ; sa seule sagesse, observe-t-il, consiste à savoir qu'il n'est pas un sage. Le mot de Socrate est ici habilement exploité. Comme le remarque justement Bernardi[1], Grégoire, en inaugurant officiellement son épiscopat à Constantinople, entend se présenter comme le vrai successeur de l'évêque Alexandre, mort depuis quarante ans. Selon Grégoire, donc, la période de l'établissement arien à Constantinople n'est qu'un interrègne qui doit être oublié (chap. 1). La source d'eau pure avait été fermée, le puits avait été enterré, et Grégoire, comme les grands hommes de l'Ancien Testament, comme Isaac et Moïse, a ouvert de nouveau la source de l'enseignement d'eau vive. Et pourtant — ici revient le thème apologétique présenté avec beaucoup d'ironie — Grégoire n'est certainement pas l'un de ces évêques qui plaisent aux foules, sachant parler, dotés d'une éloquence séduisante. Il esquisse ici, comme l'a noté Bernardi[2], la silhouette de l'évêque à la mode, qui plaît à son auditoire ; en se

1. Cf. *op. cit.*, p. 194.
2. *Ibid.*

comportant ainsi, l'évêque mondain, qui est aussi un orateur, se conforme à l'usage politique de l'époque. Les chefs de l'Église ont calqué leur comportement sur celui des hommes politiques. Comparé à de tels orateurs, Grégoire sait bien (il le remarque toujours avec ironie) qu'il est un ignorant et un rustre : c'est la même compassion pour sa modestie intellectuelle que nous avons rencontrée dans le Discours 33 (chap. 7). Grégoire n'a pas en outre, parmi les mérites qui lui manquent, celui d'être un flatteur (on le voit D. 33, 7, 225 A) : c'est pour cette raison que l'évêque se sent autorisé à parler ouvertement à cette assemblée. Ses fidèles lui ont fait violence en le plaçant sur ce siège et quand Grégoire a exprimé sa protestation avec la franchise qui le caractérise, beaucoup se sont éloignés de lui. Beaucoup, en effet, par un sentiment d'orgueil blamâble, ne supportent pas sa modestie : ce thème sera plus amplement développé dans les chap. 6-7. Donc, si Grégoire n'est pas un orateur séduisant, c'est alors pour une autre raison qu'il a été choisi par ses fidèles (chap. 2).

Avant tout, ce sont les nicéens de Constantinople qui l'ont appelé ; notons avec quelle insistance il revient sur ce point, qui est fondamental pour lui et se rattache à l'accusation que lui font ses ennemis d'avoir abandonné le siège de Sasimes pour celui, bien plus prestigieux, de la capitale de l'Empire. Seconde raison pour laquelle les nicéens ont pensé à lui : la volonté d'avoir pour eux un évêque non querelleur (comment ne pas penser aux trois *Discours sur la paix* — bien qu'ils n'aient pas tous été prononcés à Constantinople — que Grégoire écrivit pour témoigner d'un état d'esprit et d'une conception de la vie chrétienne allant tout à fait dans ce sens?); un évêque modeste, doux, qui ne soit pas tourné vers l'extérieur, c'est-à-dire un vrai philosophe, selon l'acception qu'a ce terme pour Grégoire. Quels sont les adversaires de Grégoire ?

Selon Bernardi[1], ils devaient se trouver dans la masse des nicéens qui, d'abord ariens, étaient convertis à l'orthodoxie au moment où Grégoire prononce ce discours (nous sommes à la fin de 380), mais dont la conversion avait été assez superficielle. Une seconde raison est le fait que Grégoire porte l'habit de moine : cela pouvait paraître choquant aux laïques de la cité, parmi lesquels étaient choisis les évêques ; et puis, naturellement, il y a les attaques dont Grégoire a été l'objet de la part des ariens pendant presque deux ans (c'est-à-dire depuis le moment où il est arrivé à Constantinople). Mais on doit penser aussi à l'affaire de Maxime, qui laisse des traces importantes sur son esprit. Et puisque Grégoire parle également d'intrigues internes, on doit penser qu'il devait aussi avoir des ennemis à l'intérieur du groupe des nicéens. Ce qu'on peut lire au chapitre 4 est assez intéressant. Grégoire nous apprend qu'une grande partie des critiques qu'on lui faisait concernait particulièrement ses discours, les λόγοι auxquels il donne tant de lui-même. C'était vraisemblablement le contenu théologique que ses adversaires critiquaient dans les discours[2] (et peut-être aussi un certain aspect philosophique), raison pour laquelle le Nazianzène doit se défendre contre ceux qui n'acceptent pas des discours religieux aussi engagés. Certainement, le niveau des prédicateurs chrétiens à Constantinople (et hors de Constantinople), qu'ils fussent nicéens ou ariens, ne pouvait être à la hauteur de celui qui caractérise les discours de notre auteur. Bref, nous devons avoir affaire à des personnes qui nourrissaient une certaine méfiance à l'égard des spéculations théologiques, quelles qu'en fût l'orientation. C'est la plus grande partie du clergé de Constantinople qui devait avoir une telle méfiance. Mais ici encore (chap. 4-5) s'insinue un violent sarcasme

1. Cf. *op. cit.*, p. 195.
2. Cf. *op. cit.*, p. 195-196.

vis-à-vis des ignorants, de ceux qui croient que la vraie foi coïncide avec le fait de ne rien savoir. Il est facile de comprendre, remarque Grégoire, que de telles critiques ne peuvent avoir d'autres causes que la jalousie : Grégoire se consacre à ce thème et le développe avec tous les exemples que demande le *topos* littéraire.

Mais surtout (et là nous passons à la réalité et à la situation personnelle) la jalousie avait frappé Grégoire au point le plus délicat : on lui reprochait d'avoir intrigué pour obtenir le siège de Constantinople. Devant cette accusation, l'orateur fait front dans un mouvement à la fois polémique et pathétique qui peut être considéré comme le centre du discours et son thème le plus significatif. Il est évident que cette accusation, qui apparaît assez fréquemment dans les discours de la période constantinopolitaine, devait avoir assez de crédit auprès de personnes et de milieux hostiles à Grégoire ; ces personnes n'étaient pas forcément ariennes, c'est-à-dire des ennemis déclarés ! Et, du reste, quand moins d'une année plus tard surgira le problème juridique de la violation du canon de Nicée, qui permet d'accuser Grégoire d'avoir abandonné le diocèse de Sasimes pour venir à Constantinople, l'accusation provient de milieux qui, en apparence, lui sont favorables, parce que le concile de Constantinople est en train de se dérouler.

Grégoire recourt toujours aux mêmes arguments pour se défendre : ce n'est pas lui qui s'est mis en avant, mais il a été appelé (par les nicéens de la ville, évidemment). Il est venu seulement pour aider l'orthodoxie qui, à Constantinople, courait le danger d'être étouffée (chap. 6). Certes, Grégoire se rend compte que cette justification ne convainc pas la plupart des auditeurs et il cherche à faire impression sur son auditoire en se présentant comme le vrai chrétien, qui s'identifie avec le sage. La sagesse vraie ne peut être que la sagesse chrétienne et l'idéal d'ataraxie, celui qui permet de surmonter les vicissitudes

humaines, d'être πάγιος ἐν οὐ πεπηγόσι (idéal évidemment
dérivé de la philosophie païenne), est celui qu'il propose
à ses détracteurs, parce qu'il proclame orgueilleusement
que lui-même le réalise. Encore une fois, la philosophie
profane lui est utile pour se réfugier dans un rôle qui lui
permet de considérer avec détachement ses ennemis — ou
au moins a-t-il l'illusion de pouvoir le faire (chap. 5).

Ce rôle de supériorité, cette attitude du sage stoïcien
exigent une solide conscience même en face des amis.
Ceux qui sont favorables à Grégoire sont troublés par les
insinuations malveillantes des adversaires. Mais en face
du tribunal de Dieu et de sa propre conscience il se sent
tranquille parce qu'il sait n'avoir à rendre compte à
personne d'autre : encore une fois, la parole de l'orateur
christianise l'idéal formulé par la philosophie païenne.
Et, du reste, nous avons déjà vu que les critiques faites
par ses amis n'avaient pas manqué depuis le début de
son séjour à Constantinople : nous pouvons relire, à ce
propos, le Discours 32 (chap. 1) où il dit que certains de
ses amis les plus impatients l'accusent d'excessive faiblesse
et de soumission. Le sage doit donc être ainsi non seulement
devant l'adversité (chose la plus courante), mais aussi au
milieu des amis, même dans une condition apparemment
favorable.

Comme cela convient à un « discours de couronnement »,
même s'il est un peu hâtif comme celui-là, qui semble
avoir été prononcé sous l'impression du moment, d'un
seul jet, par un homme poussé par les circonstances
et contraint de se justifier d'une position élevée qui,
même s'il l'avait atteinte grâce à son seul mérite, suscitait
la jalousie des malveillants, comme cela convient, avons-
nous dit, à un discours prononcé dans une situation
de prestige, Grégoire envoie un message religieux et
politique à celui qui l'écoute, même s'il n'est pas présent,
aux grands comme aux humbles. Sur le plan religieux,
l'admonestation se résout à un bref rappel de la fidélité

due au credo de Nicée, qui ne présente rien de particulièrement intéressant (chap. 10). Plus importantes
sont les paroles destinées à l'empereur à qui il rappelle
que même son pouvoir est soumis au pouvoir de Dieu.
Sur le plan politique, c'est une déclaration d'un certain
intérêt si l'on tient compte du césaropapisme des empereurs
précédents, que Grégoire avait dû expérimenter pour
sa part. Certainement, Constantin lui-même, l'empereur *isapostolos*, aurait mal toléré une franchise comme
celle de Grégoire, et même Constance II et Valens avaient
l'habitude d'imposer leur volonté et non pas de subir celle
des évêques. Mais nous sommes à l'époque de Théodose,
et la foi fervente de l'empereur permet à l'évêque, à ce
qu'il semble, de s'exprimer avec une telle franchise ; peu
d'années après, d'ailleurs, Ambroise interdira l'entrée
de l'église à l'empereur, coupable du massacre de Thessalonique[1]. Plus générale est l'invitation faite aux autres
classes sociales, aux gens de la cour et aux nobles, d'obéir
à l'empereur (chap. 11). Les autres exhortations, placées
en conclusion, sont apparemment peu incisives mais
révèlent la haute conscience qu'a Grégoire de lui-même en
face des grands de ce monde : maintenant notre évêque parle
dans la basilique des Saints-Apôtres, non dans la petite
Anastasia, et il a le devoir de s'adresser à chacun : que
les sages (c'est-à-dire les lettrés) se gardent de la fausse
sagesse, que les riches respectent les pauvres ; en résumé,
que la cité qui veut être la capitale de l'empire ne pense
pas à être la première seulement par l'aspect extérieur
(chap. 12). Peut-on nier la noble leçon d'éthique contenue
dans ces mots ? N'ont-ils pas une semblable valeur dans la
réalité politique et sociale de notre temps ?

---

1. A notre avis, BERNARDI (*op. cit.*, p. 198), qui pense que la
leçon reste sur un plan très général, en réduit trop l'importance.

Pour ce discours aussi la datation se révèle assez facile et a trouvé la critique presque unie : prononcé en présence d'une grande foule (cf. 288 AB), des magistrats et de l'empereur, auquel Grégoire s'adresse (cf. chap. 23, 308 B), il présuppose l'intronisation du 27 novembre 380, mais a été prononcé avant le 10 juin 381, parce qu'à cette date un édit de Théodose interdisait aux ariens, photiniens et eunomiens de tenir des réunions à l'intérieur de la ville, tandis qu'il venait d'ordonner que dans tout l'empire les églises soient rendues à la foi de Nicée. Or, dans ce discours, Grégoire fait allusion à un tel édit, mais comme s'il était imminent et non pas déjà promulgué (cf. 308 B)[1].

Le présent discours est une véritable homélie et a la caractéristique d'être le seul que Grégoire ait consacré à l'exégèse d'un passage de l'Écriture (précisément de *Matthieu* 19, 1-12). Ici, nous pouvons saisir les critères de l'analyse grégorienne, mis en œuvre à propos d'un passage de l'Évangile considéré comme particulièrement délicat : celui de l'*eunouchismos*. Dans le cadre de l'exégèse, on peut observer que les critères de Grégoire révèlent un grand équilibre : il n'accepte pas une interprétation littérale, mais il est bien loin de l'exégèse de type origénien. La différence avec Origène se perçoit de façon d'autant plus évidente que le maître alexandrin lui-même avait affronté l'interprétation de *Matth.* 19, 1-12 (cf. *Comm.*

---

1. A propos de cette datation, cf. GALLAY, *op. cit.*, p. 194-196 ; BERNARDI, *op. cit.*, p. 216-217, qui sont du même avis.

Matth. XIV, 14-XV, 5). Eh bien, Origène est présent, comme nous le verrons, dans l'exégèse de Grégoire, mais le Nazianzène sait être indépendant de l'Alexandrin quand il le faut. Même si nous n'en possédons pas d'autres témoignages écrits, les capacités herméneutiques de Grégoire sont cependant attestées par la fameuse lettre *Ad Nepotianum* (52, 8, 2) et par le *De viris illustribus* (chap. 117) de Jérôme, qui l'appelle *praeceptor meus*[1]. En ce qui concerne l'interprétation de l'*eunouchismos*, il peut être utile de relire rapidement les observations d'Origène : il remarque (XV, 1, *PG* 13, 1253 B) que ramener seulement le troisième *eunouchismos* — c'est-à-dire celui des hommes qui se sont faits volontairement eunuques par amour du royaume des cieux — à l'action de la raison, alors que les deux premiers *eunouchismoi* seraient à comprendre au sens propre (σωματικῶς), était une exégèse déjà proposée par d'autres (et nous constatons que Grégoire aussi la propose au chap. 20 de cette homélie). Ceux-là comprenaient sans doute correctement ce troisième type d'*eunouchismos* : « l'*eunouchismos* obtenu par la raison lorsque, en vue du royaume des cieux, ils suppriment au moyen du *logos*, qui est très incisif, le désir de pareils plaisirs et dédaignent les atteintes faites au corps parce que ces atteintes ne sont plus en mesure de vaincre une âme qui, au moyen du *logos*, a supprimé la concupiscence (XV, 1, *PG* 13, 1253 BC) ». Toutefois ces interprètes, remarque Origène, n'ont pas donné une interprétation cohérente pour les trois types d'*eunouchismoi* (XV, 1, 1253 B). Ils ont été vraiment moins cohérents que ceux

---

1. Sur l'aptitude de Grégoire à l'exégèse, cf. pour plus de détails J. Plagnieux, *Saint Grégoire de Nazianze théologien*, Paris 1951, p. 42 s. ; 453-454 (sur l'existence éventuelle d'un Commentaire à l'Évangile de Matthieu écrit par Grégoire, cf. aussi F. Lefherz, *Studien zu Gr. von N.*, Bonn 1958, p. 74 : la chose me paraît douteuse) ; cf. Y.-M. Duval, *Le Livre de Jonas dans la littérature chrétienne grecque et latine*, Paris 1973, p. 358-374.

qui avaient interprété à la lettre tout le passage — bien
qu'une telle interprétation doive sûrement être exclue
(XV, 3, 1257 B s.). Eh bien, nous devons nous persuader que
dans le passage de l'Évangile il est question πνευματικῶς
des trois *eunouchismoi* : « Mais nous, qui voulons respecter
la cohérence des trois *eunouchismoi* et approuvons l'interprétation du troisième d'entre eux, nous ferons les mêmes
remarques à propos des deux premiers : on pourrait
qualifier d'eunuques au sens métaphorique (τροπικῶς) ceux
qui ne se livrent pas aux plaisirs de la chair et ne s'aban-
donnent pas à l'obscénité et à l'impureté qu'ils impliquent,
ou à tous autres plaisirs semblables. Et, parmi ceux qui
ne se livrent pas à de pareils plaisirs, il y a, à mon avis, trois
catégories : les uns sont ainsi par nature (ἐκ κατασκευῆς) :
ce sont ceux-là dont on dit qu'ils sont « eunuques dès le sein
de leur mère » ; les autres, séduits par certains raisonnements, pratiquent l'abstention des plaisirs de la chair,
mais ce n'est pas la parole de Dieu qui a produit chez eux
pareille résolution et pareille ascèse et, pour ainsi dire,
le bon comportement, c'est la parole des hommes, soit
de ceux qui, par l'intermédiaire des Grecs, se sont donnés
à la philosophie, soit de ceux qui s'interdisent le mariage
et s'abstiennent des nourritures — et c'est la parole
des hérétiques. L'aspect estimable de l'abstinence, on le
voit au contraire quand un homme prend en lui-même
la vivante parole (*Hébr.* 4, 12) ou, selon la formule de
l'apôtre (*Éphés.* 6, 17), « l'épée de l'esprit », et supprime
grâce à elle la partie de l'âme vouée aux passions (ἐκτέμνοι
τὸ ψυχῆς παθητικόν) sans toucher au corps lui-même
(μὴ ἁπτόμενος τοῦ σώματος), fait tout cela en vue du
royaume des cieux et pense qu'on ne peut atteindre le
royaume des cieux qu'en supprimant au moyen de la
Parole la partie de l'âme livrée aux passions... (XV, 5,
PG 13, 1264 B). Grande, assurément, est la vertu de
ceux qui sont capables d'*eunouchismos* pour leur propre
âme grâce à la Parole, mais seuls en sont capables ceux

auxquels cela a été accordé ; et cela est accordé à tous ceux qui demandent à Dieu l'épée du Logos (τὴν λογικὴν μάχαιραν) et s'en servent convenablement pour faire d'eux-mêmes des eunuques par amour du royaume des cieux. »

Cette homélie de Grégoire propose donc, en ce qui concerne la sexualité, l'idéal de l'*apatheia* qui avait été le propre du grand maître du Nazianzène, Origène[1], et qui remonte, plus haut encore, à Clément d'Alexandrie (cf. *Quis dives salv.* 40, 6 : « Il est peut-être impossible de supprimer à la fois toutes les passions, qui sont liées naturellement à l'âme (ἀποκόψαι πάθη σύντροφα). » Et l'enseignement d'Origène a été également repris (il n'y a pas à s'en étonner) par un autre Cappadocien, Basile (*Sur le Saint-Esprit*, 18, *PG* 32, 100A) : « le fait d'avoir pu, lui Dieu, lui que l'espace ne peut contenir, impassiblement, par la chair (ἀπαθῶς διὰ σαρκός), se laisser enlacer à la mort, afin de nous faire la faveur, par sa propre Passion, de l'impassibilité » (τῷ ἰδίῳ πάθει τὴν ἀπάθειαν) ; 23, 109 A : « quant à l'introduction de l'âme dans la familiarité de l'Esprit, elle ne consiste pas dans un rapprochement local... mais dans l'exclusion des passions » (ὁ χωρισμὸς τῶν παθῶν)[2]. Basile propose au parfait chrétien de s'écarter totalement de tout *pathos*. Du reste, deux fois déjà, Grégoire lui-même avait proclamé son idéal du christianisme, qui veut que l'on soit ἐν πάθεσιν ἀπαθής (D. 26, 13), ou comme les Maccabées, qui furent ἀσώματοι σχεδὸν ἐν σώμασι (D. 15, 8).

On trouve également dans cette homélie (chap. 18) une profession de foi trinitaire d'autant plus significative qu'elle est proposée aux magistrats de Constantinople et à l'empereur lui-même. Mais l'aspect le plus intéressant

---

1. Sur les rapports entre Grégoire de Nazianze et Origène nous nous permettons de renvoyer encore une fois à nos observations dans « Influssi di Origene su Gregorio Nazianzeno », *Atti dell'Accademia La Colombaria*, 1979, p. 35-57.

2. Trad. B. Pruche, *SC* 17 *bis*, p. 309 et 327.

et le plus important de l'homélie est représenté par la proclamation de l'égalité des deux sexes dans le mariage, d'autant plus significative qu'elle est nouvelle et inhabituelle. Nous reparlerons de cela un peu plus loin.

L'homélie commence *ex abrupto*, c'est-à-dire en faisant immédiatement allusion au passage de *Matthieu* 19, 1 s. : peut-être le discours contenait-il un prologue qui aurait été perdu, peut-être les sténographes l'ont-ils omis de propos délibéré, n'enregistrant que l'homélie elle-même. Grégoire donne l'impression d'avancer sur un terrain peu sûr dans le sens qu'une interprétation de type allégorique lui paraît évidente, mais ne laisse pas voir sur quel critère précis il veut la réaliser[1]. Ainsi, certaines propositions exégétiques du début nous semblent un peu plates et banales : Jésus, qui choisit les pêcheurs, est lui aussi un pêcheur ; il va d'un lieu à l'autre non seulement pour sanctifier le plus grand nombre d'hommes, mais aussi pour sanctifier le plus grand nombre d'endroits ; il affronte des situations que même l'apôtre n'a pas supporté de dire à son sujet : qu'il était devenu « tout à tous », puisque le Christ devient aussi « la malédiction même » et « le péché même » (chap. 1). Il passe de lieu en lieu, lui qui n'est pas enfermé dans le temps ou dans l'espace, et cela parce qu'il accepte d'être limité par la nature humaine qu'il a assumée. A ce moment, le fil de la pensée conduit notre orateur à faire une allusion rapide au problème de la double nature du Christ : sa nature divine rend également divine la chair humaine qu'il assume sans qu'il y ait néanmoins en lui deux fils ou deux hommes : il est seulement un homme, résultat de ce composé. L'allusion polémique est évidente, même si elle n'est qu'ébauchée, à la doctrine d'Apollinaire de Laodicée : il y a là l'ébauche, et la terminologie également le confirme, de ce que Grégoire exposera quelques mois plus tard,

1. Cf. BERNARDI, *op. cit.*, p. 217.

dans les deux Lettres à Clédonius (*Ep.* 101 et 102), qui
auraient été écrites en 381-382. Ici, également parce que
la situation l'exige, Grégoire se limite à un aperçu rapide
mais clair (chap. 2). Par le moyen de cette nature humaine
et par l'effet de cette miséricorde envers les hommes, le
Christ se rend accessible à tous les hommes et prend soin
de la foule (cf. *Matth.* 19, 2) (chap. 3)[1]. Et ce n'est pas tout :
il endure tout, toute souffrance dans sa passion et dans sa
mort, malgré son inexprimable grandeur. L'antithèse entre
la sublimité de sa nature divine et l'humilité des noms
par lesquels il est désigné permet à Grégoire de se livrer
à l'une de ces énumérations des noms du Christ, tirée
de passages néotestamentaires, dont notre orateur est
coutumier. Cela pourrait être un artifice rhétorique, comme
dans la très riche énumération du Discours 29 (chap. 18)
pour le Fils, ou du Discours 31 (chap. 29), pour le Saint-
Esprit ; mais cela pourrait être aussi une imitation
d'Origène, qui — par souci de « science » — avait dressé
une semblable liste dans le *Commentaire sur l'Évangile
de Jean* (I, 21 s.).

Vient ensuite — et c'est la première partie intéressante
de ce discours — la question des Pharisiens demandant
s'il est permis à l'homme de répudier sa femme pour
n'importe quel motif (*Matth.* 19, 3). Après quelques
considérations simples sur la façon dont le Christ répondait
aux questions selon les occasions — et qui pouvait être
éventuellement de répondre à une question par une autre
question (chap. 5) —, le Nazianzène entre dans le vif du
sujet. La loi, donc, condamnait l'adultère de la femme,
mais ne condamnait pas avec autant de sévérité celui du
mari. C'est une allusion, apparemment, à la loi judaïque,
mais Grégoire passe de l'exégèse de type historique (si
on peut dire), de l'exégèse des mœurs du temps du Christ,

---

1. J. Bernardi (*op. cit.*, p. 218) souligne l'aspect humain de la
figure du Christ que Grégoire décrit ici.

à une critique des mœurs de son temps[1] ; déjà, en effet, les Mauristes avaient justement noté : « Hic observandum, Gregorium loqui de civili Romanorum lege. » Il est évident qu'une loi de ce genre existait aussi à l'époque de Grégoire : en effet, la législation en vigueur à l'époque impériale, en ce qui concernait la possibilité de répudier le conjoint, était bien plus indulgente pour l'homme que pour la femme. L'intervention du christianisme n'avait même pas modifié cette situation qui avait abouti au contraire, dans le cas du divorce par exemple, à une régression sensible des droits de la femme, à laquelle on ne permettait plus de divorcer, sinon exceptionnellement, après que la société païenne de l'époque impériale avait vu se généraliser la possibilité de divorcer[2]. Une telle différence de traitement est vigoureusement refusée par Grégoire, qui insiste sur la parfaite égalité de condition (et donc de responsabilité dans le mal comme de prérogative pour son salut par la passion du Christ), dont jouit la femme par rapport à l'homme (chap. 6-7). Une loi aussi injuste pour la femme ne pouvait évidemment avoir été promulguée que par des hommes (chap. 6, 289 B). Mais que Grégoire, en particulier parce qu'il parlait en présence de l'empereur, et donc

1. Voir la section *De repudiis* du *Codex Theodosianus* (III, 16, 1 = III, p. 155-157 Mommsen) : « IMP. CONSTANT(INVS) A. AD ABLAVIVM P(RAEFECTVM) P(RAETORI)O. Placet mulieri non licere propter suas pravas cupiditates marito repudium mittere exquisita causa, velut ebrioso aut aleatori aut mulierculario, nec vero maritis per quascumque occasiones uxores suas dimittere, sed in repudio mittendo a femina haec sola crimina inquiri, si homicidam vel medicamentarium vel sepulchrorum dissolutorem maritum suum esse probaverit ut ita demum laudata omnem suam dotem recipiat. ... Dat. ... BASSO ET ABLABIO COSS. » La loi, déjà formulée par Constantin en 331, devient, en comparaison, encore plus sévère sous Théodose II quatre-vingt dix ans plus tard (III, 16, 2). Pour une première information, voir, entre autres, M. KASER, *Das römische Privatrecht*, München 1969, II, p. 120 s.

2. C'est l'interprétation de K. THRAEDE, art. « Frau », dans *Reallexikon für Antike und Christentum*, Münster, VIII, 197 s.

était conscient de l'autorité qu'avaient ses paroles dans cette occasion précise (une autorité qu'il souligne à la fin du discours, quand il exhorte l'autorité civile à éliminer rapidement tout résidu d'arianisme), que Grégoire dans cette admonition invite l'empereur à modifier la loi, comme le pense Bernardi[1], cela me paraît douteux. Ou du moins il me semble qu'il ne pouvait pas s'illusionner sur le succès que pouvaient obtenir de telles paroles : l'important est, comme souvent dans la prédication, la proclamation du principe.

Donc, honneur identique pour l'homme et pour la femme dans le mariage : cette égalité est démontrée par le *sacramentum magnum* par excellence, celui du mariage entre le Christ et l'Église (cf. *Éphés.* 5, 32), qui impose à la femme d'honorer son mari et au mari d'aimer sa femme (*Éphés.* 5, 33) (chap. 7). Cette allusion au sacrement de mariage est la source d'une digression, brève mais de règle quand on évoque cette question : le corollaire du caractère licite des secondes noces. Selon un état d'esprit qui est celui de l'Église à partir, au moins, de l'époque de Constantin, il préfère le mariage unique, mais il tolère aussi un second mariage : il n'est pas admis cependant d'aller au delà d'un second mariage. De cette façon Grégoire prend une voie moyenne, en face de l'encratisme de certaines sectes hérétiques et de certains milieux chrétiens aussi, nombreux surtout pendant les trois premiers siècles de l'Empire, et du laxisme que provoquait probablement la répétition des noces. Le problème des secondes noces, particulièrement ressenti et débattu avec âpreté dans certains milieux aux

---

1. Cf. *op. cit.*, p. 220. BERNARDI souligne *(ibid.)* très opportunément que Grégoire « ne pense pas tant au mariage et à sa dissolution éventuelle qu'à la législation proprement pénale. Ce qu'il veut, c'est que l'adultère de l'homme soit puni par la loi à l'égal de celui de la femme ».

premiers temps du christianisme, apparaît chez Grégoire plutôt atténué et peu grave[1].

D'une façon un peu brusque, parce que les liens ne sont pas bien mis en évidence, Grégoire revient au thème de la répudiation : ce retour au thème principal de l'homélie est suggéré par l'allusion aux secondes noces, même s'il ne dit pas, bien sûr, que l'on peut se remarier après la répudiation. Et la répudiation — c'est une affirmation constante de tous les écrivains chrétiens — n'est permise qu'en cas de fornication (chap. 8). Une telle règle au sujet du mariage paraît dure aux pharisiens, parce que l'explication qui a été donnée du mariage par le Christ (et, dans le cas précis, par Grégoire), met la femme sur le même plan que son mari. En ce qui concerne la citation de l'Évangile, les Mauristes déjà avaient correctement indiqué que la source de la citation de Grégoire était *Jn* 6, 61, bien que l'orateur la présente comme une partie de la péricope de *Matth.* 19, 1 s. Et Bernardi[2] a fait remarquer qu'une telle erreur de mémoire de la part de Grégoire implique aussi quelques curieuses conséquences : alors que dans le passage de *Jean* ce sont les pharisiens qui trouvent dur le discours de Jésus, dans le passage de *Matthieu*, que Grégoire est en train d'examiner, ce ne sont pas les pharisiens qui restent perplexes, mais les disciples eux-mêmes : toute la tirade contre les pharisiens d'une époque et les pharisiens d'aujourd'hui (chap. 9) serait donc injustifiée. Quoi qu'il en soit, l'affirmation des disciples (ou des pharisiens, selon Grégoire) selon laquelle « si telle est la condition de l'homme par rapport à la femme, il n'est pas expédient de se marier », est commentée par

1. On peut trouver une très bonne vue d'ensemble de cette mentalité, pareillement répandue dans les milieux païens et chrétiens, bien que ce soit dans le cadre d'une problématique différente (celle de la permission d'un second mariage), dans l'introduction de Ch. MUNIER à TERTULLIEN, *A son épouse*, SC 273, Paris 1980, p. 14 s.

2. Cf. *op. cit.* p. 222.

l'orateur dans le sens qu'il ne convient pas, effectivement,
de se marier si le mariage est compris uniquement comme
concupiscence des sens. Il retourne l'argument en ayant
recours à un *topos* assez répandu dans le christianisme
antique, celui de l'exaltation de la virginité et de la
dévaluation du mariage (chap. 9-10). De la sorte, il n'est
ni facile ni opportun de recourir à « l'histoire des usages »
chrétiens pour ce qui concerne la virginité et le mariage,
problème sur lequel la position officielle de l'Église et celle,
non-officielle, des diverses tendances chrétiennes, encra-
tistes ou non, sont assez connues[1]. Il suffit de remarquer
que, dans la façon de traiter ce *topos*, Grégoire représente
encore la voix « officielle » de l'orthodoxie, la voix hostile
aux exagérations opposées, la voix de l'équilibre : « Le
mariage est une belle chose, mais je ne puis dire qu'il est
supérieur à la virginité (chap. 10, 293 B). » Telle est en
résumé la pensée de notre orateur et la position de l'Église
officielle. C'est un grand amour qu'on doit porter au
mariage, au père et à la mère, qui ont donné naissance
à la vierge. Mais il y a aussi celle qui n'est pas mère,
et qui est pourtant l'épouse du Christ : même cette
expression spécifique de νύμφη Χριστοῦ pour désigner la
vierge est d'origine ancienne ; le christianisme latin a forgé
l'expression analogue de *sponsa Christi*. La supériorité
de la vierge sur l'épouse consiste dans le fait que la vierge
se consacre tout entière à son époux spirituel (chap. 10),
alors que la femme mariée se consacre à Dieu seulement en partie. Et cette argumentation se prête à un
développement contenant l'exaltation de la virginité
(chap. 11-12). Cette partie non plus n'est pas particulièrement neuve, parce qu'on y trouve la répétition de nombreux lieux communs, mais elle peut paraître intéressante

---

1. A ce point de vue, la position d'Origène est fondamentale dans
le christianisme oriental ; à ce sujet, cf. H. CROUZEL, *Virginité et
mariage selon Origène*, Paris 1963.

comme témoignage d'une certaine mentalité du christianisme primitif.

L'épisode de la mère des fils de Zébédée a peu de rapport
avec ce que l'orateur vient de dire : une certaine incohérence
dans l'enchaînement des arguments doit sans doute être im-
putée au style oral, à la fidèle adaptation au mouvement de
l'homélie, qui n'est pas un traité théologique et peut passer
d'un argument à l'autre avec une plus grande liberté. A la
demande de la femme, donc, le Christ répond que l'acceptation de ce qu'elle demande ne dépend pas de lui mais du
Père, et que cela revient à οἷς δέδοται (chap. 14). Que
signifient ces mots? Ils ne sont certainement pas un
argument en faveur de la prédestination, ni un soutien
à la doctrine origénienne de la préexistence de l'âme par
rapport au corps, mais ils désignent seulement ceux qui
ont obtenu du Père une aide parce qu'ils s'en sont montrés
dignes. Nous avons fait allusion à Origène, même si le nom
du grand Alexandrin n'est pas cité, mais, comme on
pense l'avoir démontré ailleurs, c'est à lui et non à la
métempsychose pythagoricienne, comme l'ont supposé les
Mauristes, que Grégoire fait allusion[1]. Il faut faire une
petite remarque : à la page 300 D, le texte des Mauristes est
le suivant : « N'attends pas que je m'occupe de telles doctrines (ἄλλοι μὲν γὰρ περὶ τῶν τοιούτων δογμάτων παιζέτωσαν) »
d'après le manuscrit B (*Parisinus Graecus* 510). Mais
tous les autres manuscrits donnent : περὶ τῶν δογμάτων
παιζέτωσαν. Cela veut dire que Grégoire souligne franchement son éloignement et son manque d'intérêt pour de
telles doctrines, qui sont celles d'Origène, mais non moins
franchement son manque d'intérêt pour la théologie en
général. Nous sommes à un moment — celui auquel
Grégoire parle — où la restauration de la foi nicéenne à
Constantinople et la récupération des positions ariennes

---

1. Cf. nos observations dans « Influssi di Origene », *op. cit.*, p. 52-53.

l'occupe peut-être plus sur le plan pratique que sur le plan théologique.

A ce moment intervient la citation concernant les trois types d'*eunouchismoi*, car nous en revenons à la péricope de *Matthieu* (19, 12). Dans le passage de l'Évangile, Jésus présentait le fait de « devenir eunuque » comme la démonstration de la difficulté à laquelle ses disciples eux-mêmes s'étaient heurtés : si l'enseignement de Dieu est si favorable à la femme en limitant la possibilité de la répudiation, il ne vaut pas la peine de se marier (*Matth.* 19, 10), disaient-ils. Et le Christ de répliquer : « Tous ne peuvent pas comprendre cette réalité, mais seulement ceux à qui Dieu le permet. » Il y a, en effet, un *eunouchismos* qui a même plus de prix que le mariage (*ibid.* 19, 11). Les paroles de Grégoire à ce sujet sont adressées directement aux eunuques qui étaient là et l'écoutaient. La société gréco-latine du Bas-Empire, fortement orientalisée, avait vu se répandre ces personnages depuis son origine. A l'époque julio-claudienne déjà il y avait des eunuques dans la société romaine, même si leurs fonctions n'étaient pas en général de caractère socialement élevé. Au contraire, au IVe siècle, et précisément à l'époque de Grégoire, la situation a complètement changé : la lecture des *Histoires* d'Ammien Marcellin nous permet de constater la présence des eunuques à la cour impériale où ils tiennent des places de grande importance. Voilà pourquoi Grégoire juge opportun de s'adresser directement aux eunuques présents comme s'ils constituaient une classe sociale bien définie. Dans le climat d'encratisme bouillonnant, exagéré, qui dominait une grande partie de la société chrétienne du Bas-Empire, ces eunuques devaient être particulièrement fiers de leur chasteté, et Grégoire se tourne vers eux pour leur conseiller (peut-être avec un peu d'ironie) de ne pas trop se vanter d'une vertu acquise sans trop de peine, et pour laquelle ils n'ont pas grand mérite au fond (chap. 16). Plus

intéressante, s'il se peut, est la tentative d'interpréter
de façon allégorique tout l'*eunouchismos*. Avant tout
les eunuques sont avertis qu'il existe une « prostitution »
(πορνεύειν) même dans les paroles, c'est-à-dire, si l'on sort
de la métaphore (une métaphore un peu insolite à dire
vrai), Grégoire les exhorte à ne pas parler de tout et de tous,
à ne pas prétendre devenir théologiens d'un moment à
l'autre, à ne pas former des sectes et des conventicules
pour leur propre compte. L'observation peut paraître
étrange parce que, en raison du soupçon et de la méfiance que
l'Église a toujours manifestés à l'égard de l'auto-mutilation,
un eunuque pouvait difficilement avoir une position
importante dans le milieu des théologiens ou des moines
(l'exemple d'Origène est là pour le confirmer). Il devait
s'agir, probablement, des eunuques de cour, que nous
connaissons par Ammien Marcellin, sur lesquels l'Église
pouvait difficilement étendre un contrôle rigoureux et
imposer sa propre autorité, et qui auront probablement
mêlé à leurs intrigues une pincée de spirituel (chap. 17).
Ces eunuques, selon Bernardi[1], interviennent alors probablement aux côtés des ariens ou pour soutenir les
pneumatomaques : voilà pourquoi Grégoire insère une
nouvelle profession de foi trinitaire au beau milieu de
son passage consacré aux eunuques (chap. 18). Et d'ailleurs
les eunuques doivent se garder de bien d'autres péchés que
de celui d'incontinence (chap. 19).

Finalement, après la digression sur les eunuques présents
pendant l'homélie, vient l'interprétation de *Matth.* 19, 12.
Grégoire proclame qu'il convient de donner de la condition
d'eunuque une interprétation non littérale et de comprendre précisément qu'en devenant eunuque, on supprime
les passions de son propre corps, soit grâce à une disposition
naturelle et à ses propres forces, soit à la suite de l'enseignement d'un maître (chap. 19) ; il y a d'autres eunuques

---

1. Cf. *op. cit.*, p. 224.

enfin, ceux qui, n'ayant trouvé aucun maître, ont appris d'eux-mêmes à supprimer leurs passions et à devenir eunuques spirituellement (chap. 20). Son attitude fondamentale, donc, vient d'Origène, comme on l'a vu plus haut (p. 48-51) : la véritable interprétation est donc celle qui ne se limite pas à la lettre. On sait, du reste, que l'interprétation que fait Grégoire de l'Écriture est assez libre : il tend à une interprétation de type origénien, mais exclut le triple sens de l'Écriture et parfois est plus enclin à une interprétation de type antiochien. Mais dans l'exhortation finale revient l'idée, précédemment formulée, de l'eunuque qui prostitue sa foi. Comme il est nécessaire que nous arrachions les passions de notre corps — même sans entendre à la lettre l'*eunouchismos* —, il est également nécessaire que nous soyons aussi eunuques en esprit, en supprimant les passions spirituelles qui se manifestent dans l'hérésie (chap. 22).

Le discours s'achève sur l'exhortation renouvelée de maintenir avec toute la diligence possible, au prix de tout sacrifice, la foi droite, et, surtout, Grégoire se tourne alors directement vers l'empereur, qui est présent, et l'exhorte à terminer définitivement sa lutte contre l'hérésie en enlevant aux ariens tout ce qui leur reste de pouvoir (chap. 23-24).

LES MANUSCRITS

Pour une brève illustration des manuscrits que nous avons utilisés pour la présente édition, notons qu'il faut distinguer, d'une part, les Discours 32, 33, 34, 36 et 37 et, de l'autre, le Discours 35, puisque la tradition manuscrite de ce dernier est complètement autonome. Il est totalement absent, en effet, dans l'une des deux familles de manuscrits qui contient les autres discours (la famille m) et il est présent seulement dans quelques manuscrits de la famille n — qui ne sont pas toutefois les manuscrits communément utilisés par les éditeurs —, excepté le manuscrit Z. En somme, la tradition manuscrite suggère aussi, comme l'avait déjà remarqué Th. Sinko[1], que le discours 35 n'est probablement pas authentique, et son examen confirme cette conclusion (voir p. 38-39).

En ce qui concerne les Discours 32-34 et 36-37, nous nous sommes servi des manuscrits suivants :

Famille m.

Celle-ci présente invariablement les discours dans l'ordre suivant : 32, 33, 34, 36, 37 (32 et 33 se suivent ; on trouve ensuite plusieurs discours, puis les discours 34, 36 et 37 séparés par d'autres discours). Les principaux représentants de cette famille, reconnus déjà par Sinko[2] et les autres éditeurs des *Sources Chrétiennes*[3], sont les suivants :

1. C'est l'étude bien connue : *De traditione Orationum Gregorii Nazianzeni, Meletemata Patristica*, II, Cracoviae 1917, p. 43, surtout p. 47.
2. Cf. *op. cit.*, p. 149-150.
3. Ce sont P. GALLAY pour les Discours 27-31 (*SC* 250, Paris

S *Mosquensis Synodalis 57*, du ixe siècle. Manuscrit
en minuscule sur deux colonnes, corrigé par une main plus
tardive (xive siècle?), qui en partie élimine beaucoup
de ses *lectiones singulares*, en partie corrige certaines
leçons communes à la famille m en adoptant celles de
la famille n. On trouve le n. 32 aux fol. 167^v-179^r, le n. 33
aux fol. 179^r-185^v, le n. 34 aux fol. 235^v-239^v, le n. 36
aux fol. 261^v-266^r, le n. 37 aux fol. 394^r-401^v.

P *Palmiacus 33*, écrit en 941. A cause de la reliure,
ce manuscrit a perdu le début du Discours 32 (du
moins, ce début ne se trouve pas à sa place dans le
manuscrit, où le discours commence au chap. 7, 181 B 6 :
μὴ ἀτιμάζωμεν εὐταξίαν au fol. 58^r). Le Discours 32 finit
au fol. 62^v ; suivent 33, aux fol. 62^v-65^v, 34 aux fol. 105^r-
107^r, 36 aux fol. 118^v-121^r, 37 aux fol. 162^v-165^v. Écrit
sur trois colonnes, il a été corrigé par une seconde main
presque contemporaine de la première ; les corrections
sont plus fréquentes dans le Discours 37. A cause du
déplacement de quelques folios dans l'original dont dérive
le *Palmiacus 33*, le texte du D. 37 est altéré de façon
particulièrement grave. Au cours de sa copie en effet
(et donc sans s'apercevoir de l'incohérence du texte qu'il
copiait), le scribe est passé de 296 C 2 (f. 164^r) à 301 B 2, de
sorte que le texte se présente de la façon suivante : καὶ τὸ
ῥέον καὶ τὸ μένον εἰ μὴ τῇ μολίβδῃ τῆς σαρκός. Pareillement, arrivé à 304 C 4 au fol. 164^v, le texte revient à
296 C 3, si bien que le texte, sans que le scribe s'en soit
rendu compte, se présente ainsi : ἐν τοῖς ἐπιτηδεύμασι αὐτῶν
καὶ τὸ ὁρώμενον καὶ τὸ ἀόρατον. Après que la partie
omise a été recopiée, à la p. 165^r, on passe de 301 B 2
à 304 C 6 sans interruption. La seconde main de P a

1978), J. BERNARDI pour les Discours 1-5 (*SC* 247, Paris 1978 ;
SC 309, Paris 1983), J. MOSSAY pour les Discours 20-26 (*SC* 270,
Paris 1980 ; *SC* 284, Paris 1981).

signalé l'erreur en marge au premier et au deuxième
déplacement (f. 164^r et 165^r).

C *Coislinianus 51*, du xe siècle. Écrit sur deux colonnes,
il ne présente pas de signes de correction ; c'est un des
manuscrits utilisés par les Mauristes pour leur édition.
On lit le D. 32 aux fol. 193-207^r, le D. 33 aux fol. 207^v-214^v,
le D. 34 aux fol. 242^r-246^v, le D. 36 aux fol. 303^r-308^r,
le D. 37 aux fol. 459^r-467^r.

D *Marcianus Graecus 70*, du xe siècle. Un codex ayant
appartenu à Bessarion, écrit sur deux colonnes, par
deux mains qui se succèdent sans interruption. Il présente
quelques signes de correction et quelques leçons en marge,
vraisemblablement de la même main que celle du texte.
Le D. 32 se trouve aux fol. 183^r-197^r, le D. 33 aux fol. 197^r-
204^r, le D. 34 aux fol. 270^v-274^v, le D. 36 aux fol. 295^r-299^r,
le D. 37 aux fol. 426^r-432^r.

Famille n.

Les manuscrits de la famille n présentent tous les discours
dans l'ordre suivant : 34, 33, 32, 36, 37, excepté le *Parisinus
Graecus 510*, dans lequel les discours se suivent ainsi :
32, 36, 34, 33, 37. Parmi les manuscrits de la famille n,
le plus important est certainement l'*Ambrosianus E 49-50
inf.* (gr. 1014) ayant pour sigle A, manuscrit en onciale
du ixe siècle, acheté dans l'île de Chio. Son importance est
due non seulement à son ancienneté, mais aussi au fait que
beaucoup de ses *lectiones singulares* donnent l'impression
d'être authentiques ; il présente donc un texte particulièrement intéressant, même s'il doit paraître isolé par rapport
aux autres manuscrits. Nous parlerons ailleurs de son
importance pour la *recensio*. Il suffit de noter ici que
l'*Ambrosianus* ne présente que peu de corrections de
caractère grammatical, qui sont peut-être du même scribe
que celui qui a copié le texte. L'*Ambrosianus* a souffert
à cause de la reliure, qui fait que nous trouvons le D. 36

aux p. 620-626 (265 A-277 A) et aux p. 657-658 (277 A à la fin). L'ordre des discours est le suivant : 34 (p. 384-392), 33 (p. 591-602), 36 A (p. 620-626), 32 (p. 631-651), 36 B (p. 657-658), 37 (p. 787-802). A cause de la chute d'un folio, le D. 32 commence p. 176 D 2 : οὔτι γε ἁπλῶς.

B *Parisinus Graecus 510*, déjà utilisé par les Mauristes, qui lui ont donné le sigle bm. C'est un manuscrit célèbre et il n'est pas nécessaire d'en dire plus. Nos discours se trouvent aux fol. 216^r-226^r (D. 32, dont le début cependant, à cause de la chute d'un ou de plusieurs folios, se trouve p. 177 A 12 : [μαθὼν] ἡμερότητα), aux fol. 227^r-231^r (D. 36), aux fol. 355^v-359^v (D. 34), aux fol. 368^r-373^v (D. 33), fol. 427^r-434^v (D. 37). A cause de la chute de quelques folios, le texte de B présente une lacune qui va de la page 304 A, après les mots ὁ πατὴρ οὐ δοξάζεται. Εἰ σοφός, jusqu'à 305 D 9, où il recommence avec les mots τοῦ τμηθῆναι τὰ πάθη. Le copiste de B a laissé un folio libre, rempli par une main tardive (xve s.) qui non seulement a recopié, en puisant à une source inconnue, les passages manquants, mais a poursuivi jusqu'à la p. 308 A, aux mots ἔκτεμνε καὶ τὰ ψυχικά, incluant donc une partie qui se trouve déjà dans B.

Q *Palmiacus 43-44*, du xe siècle. L'ordre des discours est le suivant : 34 (fol. 288^v-294^v du tome I), 33 (fol. 127^r-136^v), 32 (146^r-164^r), 36 (fol. 175^v-182^r), 37 (fol. 212^r-224^r). Le manuscrit Q a été corrigé çà et là par une seconde main qui n'a pas apporté de corrections de grand intérêt.

W *Mosquensis 64*, du ixe siècle. Nous l'avons collationné nous-même, mais seulement pour les Discours 32, 33, 34, parce qu'il n'a pas été possible d'en obtenir le microfilm — de même que nous n'avons pas pu obtenir le microfilm du *Mosquensis 53* (T), du xe siècle. L'ordre des discours, de toute façon, est semblable à celui que l'on trouve dans les autres manuscrits de la famille n, précisément : fol. 165^r-168^v (D. 34), fol. 257^r-261^v (D. 33), fol. 267ʳ-276ʳ (D. 32). W ne présente pas des corrections de seconde main de particulière importance ou intérêt ; il est caractérisé par une trame serrée de scolies marginales (qui, au contraire, sont presque totalement absentes de B et de Q), caractéristique qui l'apparente (de même que par les *lectiones singulares*) au manuscrit V.

V *Vindobonensis Theol. gr. 126*, du xᵉ-xiᵉ siècle. Nos discours se trouvent aux fol. 142ʳ-145ᵛ (D. 34), 225ʳ-229ᵛ (D. 33), 234ᵛ-243ʳ (D. 32), 248ᵛ-252ʳ (D. 36), 303ᵛ-309ᵛ (D. 37). Ce manuscrit non plus n'a pas été soumis à la révision d'une seconde main.

Nous pouvons également inclure dans la famille n un manuscrit collationné pour la première fois par nous-même, bien que les discours n'y soient pas placés dans le même ordre. Il s'agit du manuscrit Z :

Z *Vaticanus Graecus 1249*, du xᵉ-xiᵉ siècle. Il comprend le Discours 32 aux fol. 262ᵛ-272ᵛ, le D. 33 aux fol. 313ᵛ-319ᵛ, le D. 34 aux fol. 327ᵛ-332ʳ, le D. 36 aux fol. 191ʳ-195v, le D. 37 aux fol. 407ʳ-414ᵛ. Comme on le voit, l'ordre des discours contenus dans ce manuscrit ne coïncide ni avec celui de la famille m ni avec celui de la famille n puisqu'ils se suivent ainsi : 36, 32, 33, 34, 37.

Le texte des Discours 32-37.

Il n'y a pas lieu de répéter les considérations sur le caractère provisoire d'une édition nouvelle des Discours de Grégoire de Nazianze, puisque le problème a déjà suffisamment été abordé par ceux de nos collègues qui en ont déjà publié des volumes dans la Collection « Sources Chrétiennes »[1]. Il est maintenant établi qu'il faut partir des travaux de Th. Sinko[2], celui qui a le plus approché

1. Cf. *supra*, n. 3, p. 62.
2. Cf. *supra*, n. 1, p. 62.

le texte lors des travaux préparatoires à l'édition complète, projetée par l'Académie Polonaise des Sciences.

Mais, malheureusement, Sinko expose seulement le résultat de ses recherches et non pas la genèse et le déroulement de son travail, c'est-à-dire la façon dont il est arrivé à ses conclusions ; il subsiste donc encore un doute, fondé, concernant l'existence d'autres manuscrits nécessaires à l'établissement du texte de Grégoire. Faut-il continuer les recherches de Sinko ? La réponse est difficile : pour un projet à plus longue échéance, pour une *editio maior critica* comme celle à laquelle travaillent J. Mossay et ses collaborateurs, certainement oui ; en ce qui nous concerne, cependant, nous pouvons nous contenter d'objectifs plus limités. L'un de ceux qui travaillent comme nous à l'édition des discours dans la Collection « Sources Chrétiennes », notre collègue le Professeur J. Bernardi, auquel revient également le mérite d'avoir tracé un schéma bref mais clair de la situation des manuscrits considérés comme essentiels, nous informe[1] que ses recherches se sont portées aussi sur le *Vaticanus Ottobonianus 396* (O) du Xᵉ siècle, et sur le *Vaticanus Graecus 2061*, du Xᵉ siècle, mais sa conclusion est qu'il s'agit de deux manuscrits pouvant être considérés comme des jumeaux de l'un de ceux dont on a déjà reconnu l'autorité, le *Coislinianus 51*, du XIᵉ siècle. On ne peut donc rien tirer d'utile de la collation des deux manuscrits du Vatican. A notre tour, nous avons tenté d'approfondir les recherches (mais c'est peu, cependant, si on considère le *mare magnum* de la tradition manuscrite !), et nous avons collationné le *Vaticanus Graecus 1249*, du Xᵉ siècle, que nous avons appelé Z ; et il semble que nous avons été plus heureux, pour les motifs que nous exposerons plus loin. Malheureusement, à côté de cela, il y a deux limitations douloureuses : nous n'avons pu collationner, pour des raisons indépendantes de notre

1. Cf. *SC* 247, p. 57, n. 2.

volonté, le *Mosquensis Synodalis 64* (W), du IXe siècle, que pour les Discours 32, 33, 34, et nous n'avons pu obtenir le microfilm du *Mosquensis Synodalis 53* (T), du XIe siècle, bien que pour cela nous ayons conjugué nos forces avec celles de l'Institut des Sources Chrétiennes. Malgré le regret qu'un tel insuccès a pu nous apporter, nous avons vu que W, pour les Discours 32-34, est presque jumeau de V, le *Vindobonensis Theol. gr. 126* (V), du XIe siècle et, sur la base des éditions faites par les soins de J. Bernardi et J. Mossay, il se révèle que le manuscrit T, qui fait cependant autorité, n'est pas absolument indispensable, parce que ses leçons sont presque toujours caractéristiques aussi de B et de VW.

Sinko, nous l'avons vu, regroupait les principaux manuscrits de Grégoire en deux familles principales, auxquelles il avait donné les sigles m et n[1]. En ce qui concerne le problème de la valeur de chacune des deux familles, le savant polonais avait cherché à le résoudre en tenant compte : 1) des additions que la famille n avait apportées au texte de la famille m ; 2) de la variété des leçons des deux familles ; 3) de la stichométrie[2]. Il en concluait que la famille m offrait un *textus auctus* par rapport à la famille n (« ... uberiorem textum eumque genuinum seruauit familia M[3] ; ... textus uberior M pro genuino habendus, textus N pro decurtato[4] »). Il en déduisait que la famille n offrait un texte « revu » : « textum familiae N manus editoris eiusdemque recensoris prae se ferre,

---

1. Cf. SINKO, *op. cit.* La famille m, cela est connu, tire son sigle du fait qu'elle est une collection de 47 discours (m = μζ), tandis que la famille n contient 52 discours (n = νβ).

2. Cf. *op. cit.*, p. 167.

3. Ces remarques (même si l'utilisation des termes « auctus » et « uberior » peut provoquer quelque confusion chez le lecteur, qui pourrait être amené à supposer une interpolation), sont répétées plusieurs fois : cf. p. 168 s., 172, 184-185.

4. Cf. *op. cit.*, p. 218.

cum familia M textum nondum correctum ideoque
correctiorem exhibeat[1] ». Donc, la famille m offre un
texte somme toute préférable à celui de la famille n :
cette conclusion (pour laquelle cependant Sinko donne une
faible documentation) nous paraît devoir être conservée.
Le texte de la famille m est, par rapport à celui de la
famille n, non seulement plus « ample », comme dans
les cas suivants :

32, 10, 185 B εἰς ἀνάγκην εὐνοίας τε καὶ συνεύσεως καὶ ἰσοτιμίας
  ἐν τοῖς ἀνίσοις m : καὶ[2] — ἀνίσοις om. n ;
  18, 193 C ἐδέησε τρεῖς m : δεῆσαν n ;
34, 10, 249 C προκατειλημμένων καὶ ἡττημένων m : προκατειλημμένων n ;
37, 5, 288 C ἐκ τῆς πρώτης αἰτίας m : ἐκ γῆς πρῶτον n ;
  2, 284 B φῶς μέγα τῆς ἐπιγνώσεως m : φῶς μέγα n ;

mais aussi plus « authentique », dans le sens qu'il maintient
une certaine vivacité discursive, probablement plus proche
de l'original, bien que la famille n rende le texte plus
coulant, mais aussi plus régulier. Voici quelques exemples
de ces caractéristiques des deux familles :

37, 4, 285 C ῥαπίσματα ἤνεγκεν m : ῥάπισμα ἤνεγκεν n (cf.
  Marc. 14, 65) ;
  8, 292 C καὶ σὺ τοίνυν m : σὺ τοίνυν n ;
  ibid. πῶς οὐχὶ τῷ σῷ μέλει m : καὶ τῷ σῷ μέλει n ;
32, 33, 212 B τοῦτο δὲ τὸ θρυλλούμενον ... κείμενον m : τούτου δὲ
  τοῦ θρυλλουμένου ... κειμένου n.

Cependant, il faut tenir compte d'une considération
fondamentale, qui modifie ou limite en partie les conclusions auxquelles nous sommes arrivé plus haut. Quand
nous parlons des deux familles opposées, et cherchons
à les caractériser, nous formons l'idée de deux blocs
homogènes de manuscrits, marqués par des caractéristiques
bien précises. Ce fait se vérifie constamment si nous
considérons la tradition manuscrite des Discours 32-37

---

1. Cf. *op. cit.*, p. 173.

dans son ensemble, car nous voyons s'affirmer une certaine
opposition de caractère général entre deux leçons, et
l'éditeur doit choisir entre deux leçons opposées et non
entre plus de deux : la tradition manuscrite est en somme
bipartite. Cependant, l'opposition originelle entre les
deux familles, qui, selon une hypothèse de Sinko[1], est
probablement postérieure au VIe siècle, nous apparaît,
au stade actuel des connaissances que nous offrent les
manuscrits parvenus jusqu'à nous, assez diversifiée et
fluctuante. Au IXe siècle, c'est-à-dire à l'époque où
ont été écrits nos manuscrits les plus anciens (l'*Ambrosianus E 49-50 inf. (1014)* et le *Parisinus Graecus 510*),
qui sont tous les deux en onciale, nous remarquons que
le *Parisinus*, qui devrait appartenir à la famille n, s'accorde
plus d'une fois, et avec une certaine régularité, avec la
famille m, et que le même phénomène se rencontrera
ensuite pour les autres manuscrits plus tardifs. Dans le
cadre des discours que nous étudions, le *Parisinus 510*
s'accorde avec tous les manuscrits de la famille m pour tout
le Discours 33. A son tour, l'*Ambrosianus 1014* (A), qui
devrait être lui aussi un des représentants de la famille n,
s'accorde avec la famille m surtout dans les Discours 32,
36 et 37 (particulièrement dans les Discours 36 et 37)
— mais ce n'est pas le cas pour les Discours 33 et 34. Voici
quelques exemples d'accord du *Parisinus 510* avec la
famille m :

33, 1 216 A μου τὴν παρρησίαν m B : τὴν παρρησίαν n ;
     4 217 D τὴν ἀπάνθρωπον φύσιν m B : τὴν ἀπανθρωπίαν (uel
              ἀπανθρωπείαν) φύσιν ;
     4, 220 B ἐπὶ θαλάσσης m B : ὑπὲρ θαλάσσης n ;
     5, 221 B μᾶλλον δὲ m B : μᾶλλον n ;
     6, 221 C κακίζοι n : κακίζοιτο m B ;
   13, 229 D δόγμα m B : γράμμα n ;
   15, 232 D θεοῦ γενέσθαι n : γενέσθαι θεοῦ m B ;
   15, 233 A προσεύχεσθαι m B : εὔχεσθαι n.

---

1. Cf. *op. cit.*, p. 8.

Et voici quelques exemples d'accord de l'*Ambrosianus 1014*
avec la famille m :

32, 6, 181 A δι' ὑπερβολὴν m A : δι' ὑπερβολῆς n ;
  10, 185 A μήτηρ τῶν ὄντων ἐστὶ m A : τῶν ὄντων ἐστι μήτηρ n ;
  21, 197 C καὶ φύσιν n : φύσιν m A ;
36, 1, 265 B τούτοις n : τοῦτο τοῖς m A :
  3, 268 C δηλῶσαί τε m A : δηλῶσαι n ;
  3, 269 A δόξωμεν m A, etc. : δείξωμεν n ;
37, 4, 288 A καὶ m A : τε καὶ n ; πλῆρες m A : βαρὺ n ;
  8, 292 C κινδυνεύσει m A : κινδυνεύει n, etc.

Quelle valeur peut-on donner à ces oscillations des
deux manuscrits les plus anciens? On ne peut trouver
de solution facile à ce problème. Bernardi, qui a noté
plus d'une fois l'accord de A avec la famille m (on constate
cependant le même accord pour le *Parisinus 510*), est
enclin à croire que l'accord de A avec SPCD est l'accord
d'un manuscrit d'une famille (indemne de l'erreur de la
sous-famille) avec la famille qui s'oppose à la première :
l'accord de A avec SPCD sert donc à reconstruire la leçon
de l'archétype[1]. Cependant, comme cette oscillation d'un
manuscrit qui se rapproche de la famille opposée à laquelle
il n'appartient pas d'habitude, n'est pas limitée à A, on
peut se demander si cette oscillation, qui paraît plus ou
moins généralisée, n'est pas une constante de la tradition
manuscrite de Grégoire de Nazianze (au moins en ce
qui concerne les discours) : l'accord de A avec la famille m
ne s'expliquerait pas comme la conservation d'une leçon
d'origine, celle de l'archétype, dans A et dans la famille m,
mais plutôt comme un phénomène de contamination
horizontale entre A et la famille m. La leçon de A et de la
famille m étant dans ce cas le fruit d'une contamination,
elle pourrait avoir la même valeur que la leçon de la
sous-famille constituée par BVWQ (c'est-à-dire la famille n

1. Cf. *SC* 247, p. 61-62.

moins A). En effet, il y a des cas où l'accord de A avec
SPCD se fait pour une leçon inférieure, comme le montrent
les exemples suivants :

32, 14, 189 B πλείστοις n : πλείοσιν m A ;
      16, 192 B ἥτις ἡ πέτρα n : τις ἡ πέτρα m A ;
36, 1, 265 A συνηρτημένην n : συνηρτημένης uel συνηρτησμένης
                                                m A ;
37, 1, 284 A ὁ μηδὲ Παῦλος n : ὅπερ καὶ Παῦλος m A ;
      13, 297 C καὶ οὕτω n : καὶ αὐτὸς m A.

N'y a-t-il aucune possibilité alors de reconstruire l'archétype grâce à l'accord de A avec la famille n ? Nous disons
que cela ne peut être automatique parce que l'accord
dont nous parlons peut être également expliqué de façon
différente et, en cas d'oscillation des manuscrits à l'intérieur
des deux familles, on doit au moins supposer le cas de
contamination. Du reste, Bernardi aussi rencontre des
cas isolés de contamination entre les manuscrits des
deux familles[1]. Et nous trouvons nous aussi de ces
analogies :

32, 5, 180 A post ἑνὸς add. καὶ πολλὰ πνεύματα ASC, non addunt
              D+BVWQ ;
      11, 188 A ἔθετο φησὶν ὁ θεὸς SPCZ, φησιν ἔθετο ὁ θεός B,
              ἔθετο ὁ θεός φησιν AD ;
      26, 204 A ἀδικώτερον ἀδελφὸι ABD, ἀδελφοὶ ἀδικώτερον PCQZ,
              ἀδικώτερον ἦν ἀδελφοὶ VWS², ἀδικώτερον S ;
33, 3, 217 A θρήνοις post ὀλεθρίοις AD ;
34, 8, 248 D ἡμῖν : ἡμῶν SPC (ἡμῖν D) ;
      8, 249 A ante ἃ μήτε οὕτως ἀλλήλων ἀπήρτηται add. μήτε
              οὕτως ἀλλήλων διήρηται ὡς εἰς τρία ἔκφυλα καὶ ἀλλό-
              τρια τέμνεσθαι SPC, non add. D.

En conclusion, l'accord de A avec la famille m (nous
le répétons encore une fois) se vérifie tout au long des
discours 32-37 — il est même tout à fait constant pour le
discours 37 ; nous pensons donc que le phénomène propre

1. Cf. SC 247, p. 64-68.

de la concordance absolue de A avec la famille m dans
le discours 37 doit conduire à expliquer de façon analogue
une telle concordance pour les discours 32 et 36, c'est-à-dire
comme l'effet d'une contamination.

Abandonnant maintenant le manuscrit A pour examiner
le reste de la famille n, on peut affirmer que BVWQ, avec
l'unique exception du discours 33, dans lequel B, comme
on l'a déjà dit, s'accorde avec la famille m, constituent
une sous-famille assez homogène : quand A, en effet,
s'accorde avec la famille m, BVWQ constituent presque
toujours un bloc unique et ne s'effrangent pas à leur tour
en d'autres *lectiones singulares*.

Une sous-famille plus tardive est constituée, surtout
pour le discours 32, par les manuscrits VWQ, comme le
montrent les exemples suivants :

32, 2, 176 B καὶ ἀποτελέσματα : ἢ ἀποτελέοματα VWQ ;
11, 188 A ποιμένας καὶ om. VWQ ;
11, 188 B δὲ χαρίσματα : χαρίσματα VWQ ;
12, 188 C ὑπὸ κυρίου om. VWQ ;
20, 197 A καὶ ἀλήθειαν ... μου om. VWQ.

La situation est déjà différente cependant pour les
Discours 32 et 34 :

33, 4, 217 D ἀνθρωπείαν VQ, ἀπανθρωπεία W ;
5, 220 C ἱερέων W, ἱερῶν VQ ;
9, 225 B ζωτικὴν Q, ζωτικοῦ VW ;
10, 228 B καὶ δωρήματα V, om. WQ.

En conclusion, il semble qu'on puisse donner le stemma
suivant pour la famille n :

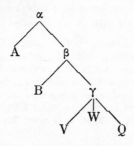

Pour ce qui concerne la famille m, il semble que le *Mosquensis 57* (S) d'une part, et les trois autres manuscrits (PCD) de l'autre, se comportent de façon assez constante mais seulement pour le Discours 34. Voici des exemples d'accord dans l'erreur de PCD contre S :

34, 6, 245 D εἰ S : εἰ καὶ PCD ;

6, 248 A τῇ συνεχείᾳ S : καὶ τῇ συνεχείᾳ PCD ;

7, 248 A ἐστήσασθε : ἐνέστησασθε PCD ;

8, 248 D γινώσκω τὰς ἀνωτάτω S : τὰς ἀνωτάτω γιγνώσκω PCD ;

9, 249 B δὲ οὕτως S : οὕτως PCD.

Il n'est pas certain qu'on puisse arriver à préciser les rapports entre ces trois manuscrits, même s'il y a des cas dans lesquels apparaît un accord assez étroit entre C et P (excepté le Discours 37, comme on le comprendra tout de suite) :

32, 12, 188 B ἐγκόσμως : εὐκόσμως PC ;

15, 192 B καὶ ἐπεγνώσθην : ἐπεγνώσθην PC ;

33, 4, 220 A διὰ τοιούτων : διὰ τῶν τοιούτων PC ;

11, 228 C ἐν σκότῳ : ἐν σκότει PC ;

34, 1, 241 A ἀπ' Αἰγύπτου : ἐξ Αἰγύπτου PC ;

3, 244 A θρόνῳ : χρόνῳ PC ; σπαίρη : σπαίρῃ ἡμῖν PC ;

36, 6, 273 A τὰ δυνατά n : κατὰ δυνατά S, κατὰ δύναμιν PC.

Cependant, même à l'intérieur de la famille m on vérifie l'oscillation constante d'un manuscrit vers l'autre famille (qui, dans ce cas, est la famille n). C'est le manuscrit P, le *Patmiacus 33*, du Xe siècle, qui, pour le Discours 37, s'accorde de préférence avec BVQ (malheureusement, pour le Discours 37, comme on l'a déjà dit, l'apport de W nous manque). Voici quelques exemples :

37, 1, 284 A ὅπερ καὶ Παῦλος ASCD : ὁ μηδὲ Παῦλος BVQZ+P ;

2, 284 C ἵνα τὸν κόπον ASD : ἵνα καὶ τὸν κόπον BVQZ+P ;

3, 285 B ὕφεσιν καὶ ASCD : ὑφέσει τε καὶ BVQZ+P ;

5, 288 C ὁ ποιήσας ABCD : ὁ ποιήσας ἐξ ἀρχῆς BVQZ+P ;

6, 289 B ἐντολὴ πρώτη ἐν ἐπαγγελίαις κειμένη ABCD : ἐντολὴ πρώτη ἵνα εὖ σοι γένηται BVQZ ;

8, 292 B αἰτιᾶσθαι ASCDQ : παραιτεῖσθαι BVZ+P.

Il semble donc que cette contamination entre les manuscrits
des deux familles caractérise toute la tradition des discours,
et une des particularités de cette contamination est qu'elle
se fait de préférence par blocs, c'est-à-dire pour un discours
dans son ensemble. La contamination s'est faite (d'après
ce que nos connaissances, provisoires, ne l'oublions pas,
nous permettent d'affirmer) surtout à une époque ancienne
comme l'atteste la date des manuscrits A, B (tous deux en
onciale) et P, écrit en 941. On peut remarquer, du reste,
que les rapports entre la tradition indirecte et les deux
familles de la tradition manuscrite confirment également
cette tendance à la contamination ; ainsi, Jean Damascène
et Maxime le Confesseur, quand ils citent nos discours,
s'accordent tantôt avec la famille n (et plus particulièrement avec le groupe BVWQ ou VWQ), tantôt avec A
et la famille m. Naturellement, il faut faire toutes les
réserves nécessaires avant de généraliser, puisque notre
connaissance de la tradition indirecte des discours de
Grégoire est à peu près nulle, et que les textes d'époque
byzantine auxquels nous pouvons nous référer ne sont pas
publiés dans l'ensemble de façon scientifique.

Voici, de toute façon, quelques exemples de cet accord
entre Jean Damascène et la tradition manuscrite :

32, 6, 180 C ὕπνου σύζυγος ASCD Iohannes : ὕπνῳ σύζυγος cett.
codd. ;

ibid. τῆς βασιλικῆς ὁδοῦ A Iohannes ;

9, 181 C τάξις A m : τάξις τὸν ἄνθρωπον BVWQ Iohannes ;

ibid. λογικοῦ τε καὶ m : λογικοῦ καὶ n Iohannes ;

ibid. μυστικῶς τε καὶ m : μυστικῶς καὶ n Iohannes ;

19, 196 B ὁμολογεῖν A m : ὁμολογῆσαι n Iohannes ;

36, 12, 280 A σαρκὸς A m Iohannes : γαστρὸς n ;

37, 10, 296 A ἢ κίνδυνον · τῷ νῷ A m Maximus : κινοῦνται νόσῳ n ;

ibid. καὶ πλανάσθω A m Maximus : μὴ πλανάσθω n.

Plus tard, au contraire, la contamination entre les
deux familles semble s'atténuer ; les deux familles se
stabilisent et les manuscrits qui les constituent conservent

une position constante. Une exception est représentée par un manuscrit relativement tardif (il n'est donc peut-être pas une exception mais sa relative ancienneté s'accorde bien avec son comportement), c'est précisément le *Vaticanus Graecus 1249*, du xe siècle, que nous avons collationné en entier justement parce qu'il reflète bien le comportement de la première phase de la tradition manuscrite. Le *Vaticanus 1249*, que nous avons appelé Z, oscille ainsi : dans le Discours 32, les exemples suivants montrent l'accord avec la famille m :

32, 5, 180 A post ποτιστὴν add. ἢ τὸν δεῖνα n, non add. m + Z ;
11, 188 A ἔθετό φησιν ὁ θεός SPC + Z, φησιν ἔθετο ὁ θεός B, ἔθετο ὁ θεός φησιν AD, ἔθετο ὁ θεὸς VWQ ;
20, 197 A τιθείην n : τεθείην m + Z.

En outre, quand A s'accorde avec la famille m, Z en suit constamment l'exemple. Au contraire, dans les autres Discours (33, 34, 36 et 37), il s'accorde de préférence avec les manuscrits de la famille n (ou de la sous-famille VWQ), comme il résulte des cas suivants :

33, 1, 216 A ὑβρίζεις AB + m : ὕβρις VWQ + Z ;
3, 217 B ἐγὼ τοιούτου AB + m : τοιούτου ἐγὼ VWQ + Z ;
34, 4, 244 C ἀκτημοσύνην n + Z : ἀκτησίαν m ;
6, 245 C ὁ κύριος n + Z : κύριος m ;
36, 1, 265 A γὰρ A m : om. n + Z ;
3, 268 C μήτε ἰταμόν A m : μὴ ἰταμόν n + Z ;
37, 1, 281 A ἵνα καὶ A m : καὶ n + Z ;
10, 296 A καταπέσῃ εἰς σάρκα A m : κατενεχθῇς εἰς σάρκα n + Z.

Naturellement, ne rentrent pas dans ce discours les corrections subies par un manuscrit d'une famille sur la base d'un manuscrit d'une autre famille. C'est le cas du manuscrit S, *Mosquensis 57*, de la famille m, qui a été corrigé avec soin par une main tardive (xive siècle ?) d'après un manuscrit de la famille n, vraisemblablement voisin du groupe VW. Pour ne pas nous étendre trop longuement sur ce sujet, il nous suffit de renvoyer le lecteur à l'apparat critique de notre texte.

Pour le Discours 35, au contraire, nous nous trouvons sur un terrain complètement différent. Sinko est le premier à avoir démontré de façon détaillée que ce discours est douteux en se fondant même sur un argument d'importance fondamentale, c'est-à-dire sur le fait que ce discours manque dans la famille m tout entière et en grande partie dans la famille n : cette dernière ne possède le Discours 35 que dans le *Mosquensis Syn. 147* (T), que malheureusement nous n'avons pu collationner, et dans le manuscrit plus tardif *Laurentianus VII, 12*, du xve siècle. Il se trouve, en outre, dans le *Parisinus Graecus 510* (B), où il est écrit non pas de la première main mais plutôt de la main tardive du xve siècle, que nous avons appelée b. Cet exercice scolastique a donc pénétré çà et là dans les manuscrits médiévaux, avec une diffusion assez limitée (si nous nous en tenons du moins aux recherches de Sinko), si on la compare aux dix manuscrits de nos familles m et n — encore plus limitée si on la compare avec la grande masse des manuscrits de Grégoire. Publié pour la première fois par Leuvenklavius dans l'édition de Bâle de 1571 sur la base du manuscrit *Basil. A.VII.1*, mais seulement en traduction latine et à la fin du volume, il fut ensuite publié par Montagu (Eton, 1610), qui l'aurait transcrit du codex *Vat. Palat. gr. 402*, du xie siècle, en le collationnant avec un autre manuscrit du même fonds palatin (*Pal. gr. 217* du xive siècle), ce qui était nécessaire, puisque le *Vat. Pal. gr. 402* est actuellement mutilé. Ensuite, le Discours aurait été retenu pour l'édition parisienne de Morel (1630) et donc par les Mauristes. Les Mauristes lui ont donné autorité et importance en l'insérant dans la collection sous le n° 35, mais il doit en être écarté. En ce qui concerne la présente édition, en nous fondant sur ce que dit Sinko[1], non seulement nous avons collationné le *Vat. Palat. gr. 402* (fol. 320^v-321^r : il s'arrête p. 261 B : διὰ μέσης τῆς πόλεως)

---

1. Cf. *De traditione...*, p. 43-48.

et le *Parisinus Graecus 510* (b), mais, cherchant à nous appuyer sur des manuscrits plus anciens, nous avons utilisé aussi pour le Discours 35 le *Vaticanus graecus 1249* (Z, du Xe siècle) où le D. 35 se trouve à la fin du codex (fol. 425-426). De plus, grâce à l'aide de notre collègue Mme Calvet-Sébasti, que nous voulons cordialement remercier ici pour son amabilité, nous avons eu à notre disposition les collations du *Coislinianus 53* (XIe siècle, sigle *Ca* : fol. 274-276) et du *Parisinus Graecus 545*, du XIe siècle, manuscrit dont nous n'avons pas pu faire grand cas, parce qu'il s'arrête presque subitement p. 257 C 6 κεκλη- (f. 433^v). Nous avons donné au manuscrit *Pal. gr. 402* de la Bibliothèque Vaticane le sigle Pa.

Il est difficile de porter un jugement sur l'ensemble, tellement restreint, de la tradition manuscrite du Discours 35. Étant donné sa faible diffusion, il n'est pas invraisemblable de supposer l'existence d'un archétype ; si nous avions pu collationner le *Mosquensis 147*, nous aurions certainement pu apporter plus de clarté sur l'état des choses. En définitive il semble, de toute façon, que la tradition manuscrite soit restée unitaire : elle ne doit pas en effet être divisée en deux familles de manuscrits car les témoins ne prennent jamais une position nette l'un contre l'autre dans les cas où le sens est important : omissions de mots, inversions et autres cas classiques du genre. Le tableau suivant suffit à le démontrer :

35, 2 ἡμεροφανεῖς Pa Z : ἡμεροφασεῖς Ca, ἡμεροφαεῖς b ;
    ἅπαν Pa Ca : παντὶ Z, κατὰ πάντα b ;
    αἱρετικαὶ Pa Ca : αἱρετικαί τε Zb ;
  3 αἱ λεγεῶνες Pab : οἱ λεγεῶνες Ca, αἱ λεγεῶναι Z ;
    βιοὺς Ca Zb : βίος Pa, etc.

L'accord de deux manuscrits, quels qu'ils soient, contre un troisième laisse donc supposer que chacun d'entre eux dérive indépendamment d'une source commune ; les *lectiones singulares* de chaque manuscrit pourraient être des erreurs dues au même copiste.

*
* *

Je suis heureux de manifester publiquement mon amitié au Père D. Bertrand, au Père Mondésert, qui m'a invité à collaborer à l'édition de Grégoire, à Mme Calvet pour sa compétence et son *acribie* et, enfin, au Père Gallay, dont la connaissance du Nazianzène et la sensibilité stylistique ont représenté, pour moi, un point de repère dans les cas douteux du texte.

SIGLES

Discours 32-34; 36-37

Groupe n

A	*Ambrosianus E 49-50 inf.* (gr. 1014)	saec. IX
Q	*Palmiacus 44*	saec. X
B	*Parisinus gr. 510*	c. 880
W	*Mosquensis Synodalis 64* (Vladimir 142)	saec. IX
V	*Vindobonensis theol. gr. 126*	saec. X-XI
Z	*Vaticanus gr. 1249*	saec. X

Groupe m

S	*Mosquensis Synodalis 57* (Vladimir 139)	saec. IX
D	*Marcianus gr. 70*	saec. X
P	*Palmiacus 33*	an. 940
C	*Parisinus Coislinianus 51*	saec. X

Maur.   Mauristae

Discours 35

Pa	*Vaticanus Palatinus gr. 402*	saec. XI
Z	*Vaticanus gr. 1249*	saec. X
Ca	*Parisinus Coislinianus 53*	saec. XI
b	*Parisinus gr. 510, altera manus*	saec. XV

Étant donné l'impossibilité de disposer du microfilm complet du manuscrit W, ce manuscrit n'a été utilisé que partiellement.

TEXTE ET TRADUCTION

Περὶ τῆς ἐν διαλέξεσιν εὐταξίας, καὶ ὅτι οὐ παντὸς ἀνθρώπου
οὐδὲ παντὸς καιροῦ τὸ διαλέγεσθαι περὶ θεότητος

1. Ἐπειδὴ συνεληλύθατε προθύμως, καὶ πολυάνθρωπος
ἡ πανήγυρις, καὶ διὰ τοῦτο μάλιστα καιρὸς ἐργασίας, φέρε
τι δῶμεν ὑμῖν ἐμπόρευμα, εἰ καὶ μὴ τῆς προθυμίας ἄξιον
τῆς κοινῆς, ἀλλά γε τῆς δυνάμεως τῆς ἡμετέρας μὴ ἐνδεέστε-
5 ρον. Ἡ μὲν γὰρ ἀπαιτεῖ τὰ μείζω, ἡ δὲ εἰσφέρει τὰ μέτρια ·
καὶ κρεῖσσον τὸ κατὰ δύναμιν εἰσενεγκεῖν, ἢ τὸ πᾶν ἐλλείπειν.
Οὐ γὰρ ὁ μὴ δυνηθεὶς τὰ τοιαῦτα ὑπεύθυνος, ἀλλ' ὁ μὴ
βουληθεὶς ὑπαίτιος, κἂν τοῖς θείοις ὁμοίως, κἂν τοῖς ἀνθρωπίνοις πράγμασιν. Εἰμὶ μὲν ποιμὴν ὀλίγος καὶ πένης, καὶ
10 οὔπω τοῖς ἄλλοις ἀρέσκων ποιμέσιν · οὕτω γὰρ εἰπεῖν

Titulus Περὶ τῆς ἐν (obscuratum τῆς ἐν) διαλέξεσιν εὐτα **** οὐδὲ
παντὸς καιροῦ τὸ διαλε **** S τοῦ αὐτοῦ περὶ τῆς ἐν διαλέξεσιν
εὐταξίας, καὶ ὅτι οὐ παντὸς ἀνθρώπου οὐδὲ παντὸς καιροῦ τὸ διαλέγεσθαι περὶ θεότητος. ἐρρήθη ἐν κωνσταντινουπόλει CDZ (τοῦ αὐτοῦ
om. DZ ἐν ταῖς διαλέξεσιν Z) τοῦ αὐτοῦ περὶ τῆς εὐταξίας τῆς ἐν
ταῖς διαλέξεσιν VQ (τοῦ αὐτοῦ om. Q) περὶ τῆς ἐν ταῖς διαλέξεσιν
εὐταξίας W

1, 1 ἐπειδὴ δὲ C ‖ 4 δυνάμεως ex δυάμεως S ‖ 5 ἐκφέρει Z ‖ 6 ἐλλι-
πεῖν Ioh. Damasc. ‖ 7 γὰρ mg. S ‖ 8 κἂν θείοις Ioh. Damasc. ‖
9 μὲν om. Q ‖ ὀλίγοις Z

1, 6-9 κρεῖσσον — πράγμασιν Ioh. Damasc., *Sacr. Parall.*, *PG* 96,
329 D

---

1. Une fête de martyrs ; cf. le début du chap. 2. P.G.
2. Ἐμπόρευμα a ici un sens métaphorique : l'orateur présente son
allocution comme un produit apporté par un négociant qui débarque.

DISCOURS 32

Sur la modération dans les discussions, et qu'il ne convient pas à tout homme ni à toute circonstance de discuter sur la divinité

1. Puisque vous vous êtes rassemblés avec empressement, puisque la fête[1] attire beaucoup de monde et que, pour cette raison surtout, c'est une occasion de traiter des affaires, allons, offrons notre cargaison[2] ; si elle n'est pas digne de votre empressement à tous, que du moins elle ne soit pas inférieure à nos possibilités ! Votre empressement réclame les plus grandes choses ; nos possibilités apportent des choses mesurées. D'ailleurs, mieux vaut présenter ce que l'on peut que de faire totalement défaut. Car en de telles matières, celui qui n'a pas pu n'a pas à se justifier ; celui, au contraire, qui n'a pas voulu est coupable, aussi bien pour les choses divines que pour les choses humaines. Je suis un pasteur infime et pauvre[3], et je ne suis pas encore bien vu des autres pasteurs[4] — c'est le moins qu'on

---

Ce détail, ainsi que l'a noté T. SINKO (*De traditione*, p. 37), permet de penser que le discours date des premiers temps du séjour de Grégoire à Constantinople ; cf. aussi P. GALLAY, *La vie de S. Grégoire*, p. 145.

3. Expression qui souligne la faible influence que Grégoire pouvait exercer alors à Constantinople ; cf. d'autres expressions analogues : πένητες (*Discours* 24, 1), μικρός (23, 5).

4. Ces « autres pasteurs » sont peut-être ceux des sectes hérétiques qui jetaient alors le trouble à Constantinople ; ou, plus probablement, les pasteurs orthodoxes des autres sièges épiscopaux comme Alexandrie, Antioche etc., qui ne connaissaient pas encore Grégoire. Celui-ci avait exercé son ministère à Nazianze, puis s'était consacré à la vie monastique dans la retraite de Séleucie d'Isaurie.

B μέτριον, εἴτε δι' εὐδοκίαν καὶ τὸν ὀρθὸν λόγον εἴτε διὰ
μικροψυχίαν[a] καὶ ἔριν, οὐκ οἶδα τοῦτο · « Ὁ Θεὸς οἶδε »,
176 A φησὶν ὁ θεῖος Ἀπόστολος[b], καὶ δηλώσει σαφῶς ἡ τῆς
ἀποκαλύψεως ἡμέρα[c] καὶ τὸ τελευταῖον πῦρ[d], ᾧ πάντα
15 κρίνεται ἢ καθαίρεται τὰ ἡμέτερα[e]. Πειράσομαι δ' ὅμως
εἰς δύναμιν μὴ κατακρύπτειν τὸ χάρισμα, μηδ' ὑπὸ τὸν
μόδιον τιθέναι τὸν λύχνον[f], μηδὲ καταχωννύειν τὸ τάλαντον[g]
ἃ πολλάκις ἤκουσα παρ' ὑμῶν τὴν ἀργίαν ὀνειδιζόντων, καὶ
20 δυσχεραινόντων τῇ σιωπῇ, ἀλλὰ λόγοις ἀληθείας ἐκπαιδεύειν
ὑμᾶς καὶ συναρμόζειν τῷ Πνεύματι.

2. Πόθεν οὖν ἄρξομαι καταρτίζειν ὑμᾶς, ἀδελφοί ; Καὶ
τίσι λόγοις τιμήσω τοὺς ἀθλητάς, ὧν ἡ παροῦσα πανήγυρις ;

1, 11 δι' εὐδοκίαν : τὴν εὐδοκίαν Maur. ‖ εὐδοξίαν Combefis ‖
14 καὶ om. W ‖ 17 μηδὲ : μήτε WQ ‖ 20 τὴν σιωπὴν VWQ Maur ‖
21 ἡμᾶς Z om. Maur.
2, 1 ἄρξωμαι S ‖ 2 τιμήσω λόγοις Q

---

1. a. Cf. Phil. 1, 15.   b. II Cor. 12, 2.   c. Cf. Rom. 2, 5.
d. Cf. Soph. 1, 18.   e. Cf. I Cor. 3, 13.   f. Cf. Matth. 5, 15.
g. Cf. Matth. 25, 18.

---

1. L'expression ὀρθὸς λόγος associée à la citation de *Phil.* 1, 15
est caractéristique de l'attitude de notre écrivain ; le concept est
d'origine stoïcienne et conserve, de sa signification originelle, la
valeur philosophique qui peut être attribuée au christianisme : la
« doctrine droite » (cf. *Discours* 36, 10 et 43, 68). La même signification
se trouve dans le seul concept de *Logos* en tant que *logos* par
excellence : cf. les chap. 2-3 et *Discours* 2, 35 ; 34, 3 ; 36, 6 ; 37, 20.
Mais il ne faut pas exclure l'hypothèse d'une adaptation de la doctrine
origénienne du *Logos* pour ce sens premier du *logos* chez Grégoire
(cf. C. MORESCHINI, « Influenze di Origene su Gregorio di Nazianzo »,
in *Atti Accademia La Colombaria* 44, 1979, p. 35-57) : de même que le
Logos, selon Origène, rend raisonnables tous les êtres qui participent
de lui (hommes et *noes*), de même le *Logos*, selon Grégoire, enrichit de
toute sa substance le *logos* humain, et plus spécialement le *logos* du
chrétien. Voir les affirmations du *Discours* 11, 6 (... εἰς πάντα τοῦ
λόγου φθάνοντος καὶ ῥυθμίζοντος κατὰ τὸν Θεὸν ἄνθρωπον) et 24, 19
(... ἀλλὰ λόγος — le discours de Grégoire en l'honneur de

puisse dire —, qu'il s'agisse de bonne volonté et de droite
doctrine, que ce soit par mesquinerie ou par chicane[a] [1],
cela je ne le sais pas, « Dieu le sait » dit le divin Apôtre[b] ;
et le jour de la révélation[c] ainsi que le feu du dernier jour[d]
montreront clairement ce qu'il en est — ce feu qui juge et
purifie tout ce qui est nôtre[e]. Je vais m'efforcer cependant,
autant que je le puis, de ne pas cacher le don spirituel que
j'ai reçu, de ne pas placer la lumière sous le boisseau[f],
de ne pas enfouir le talent[g] [2], c'est ce que je vous ai souvent
entendu dire quand vous me reprochez mon inaction[3] et
quand vous vous indignez de mon silence — mais je vais
m'efforcer de vous instruire par des paroles de vérité et de
vous mettre en accord avec l'Esprit.

2. Par où vais-je commencer à vous préparer, frères?
Et par quelles paroles vais-je honorer les athlètes dont

S. Cyprien — τὸ πάντων οἰκειότατον τοῖς Λόγου θεραπευταῖς) ; 25, 1
(ἢ γὰρ φιλοσοφητέον ... ἢ τιμητέον φιλοσοφίαν, εἴπερ μὴ μέλλοιμεν
παντελῶς ἔξω τοῦ καλοῦ πίπτειν, μηδ' ἀλογίαν κατακριθήσεσθαι
λογικοὶ γεγονότες καὶ διὰ λόγου πρὸς Λόγον σπεύδοντες) ; 36, 11 (le
logos de Grégoire possède l'autorité de réprimander même l'empereur) ; 42, 12 (les discours de l'évêque ont eu pour effet de réunir
autour de lui un grand nombre de fidèles de Constantinople) ; et
l'exaltation passionnée des *logoi* auxquels Grégoire s'est voué pour
toute sa vie, en raison même de l'enseignement de Basile (cf.
Discours 43, 1-2) ne s'expliquerait pas, si dans le *logos* humain ne se
trouvait pas reflété le *logos* divin ; voir encore l'exaltation passionnée
du *Logos* dans *Discours* 6, 5 ; 38, 6 ; 39, 2 ; 41, 1. Notons enfin que
l'usage d'une terminologie stoïco-platonicienne est courant dans le
milieu culturel des Cappadociens.
2. Ces images d'origine évangélique sont employées par Grégoire
pour indiquer la doctrine droite dans le problème trinitaire : cf.
aussi *Discours* 6, 9 et 12, 6.
3. Grégoire, après être arrivé à Constantinople, ne prit pas vraiment position pendant quelque temps afin de se rendre compte de
la situation. C'est justement cette attitude que les orthodoxes zélés
lui reprochaient, la considérant comme une inaction (ἀργία). Cf.
aussi *Discours* 42, 20 où Grégoire raconte qu'on l'a accusé à cause
de son ἐπιείκεια.

B Τί πρῶτον εἰπὼν ἢ τί μέγιστον ; Τί μάλιστα συμφέρον ταῖς
   ὑμετέραις ψυχαῖς ; Ἢ τί τῷ παρόντι καιρῷ χρησιμώτατον ;
5 Γνοίημεν δ᾽ ἂν οὕτω. Τί τοῦ ἡμετέρου λόγου τὸ κάλλιστον ;
   Ἡ εἰρήνη · προσθήσω δ᾽ ὅτι καὶ τὸ λυσιτελέστατον. Τί δὲ
   τὸ αἴσχιστον καὶ τὸ βλαβερώτατον ; Ἡ διχόνοια. Ἐπεὶ δὲ
   τοῦτο ἠρώτησα καὶ ἀπεκρινάμην, προσερήσομαι καὶ τὸ
   δεύτερον. Τί τὸ μάλιστα λῦσαν ἐκείνην ; Καὶ τί τὸ ταύτην
10 εἰσαγαγόν ; Ἵν᾽, ὥσπερ ἐν τοῖς νοσήμασι, τὰ αἴτια περικό-
   ψαντες καὶ τὰς πηγὰς τῶν παθῶν ἐμφράξαντες, ἢ ἀποξηράναντες, οὕτω καὶ τὰ ἐκεῖθεν ῥεύματα καὶ ἀποτελέσματα
   συνεκκόψωμεν. Οὐδὲ γὰρ οἷόν τε γνῶναί τι περὶ τῆς τελευτῆς
   καλῶς, μὴ περὶ τῆς ἀρχῆς ὀρθῶς σκεψαμένους. Βούλεσθε
C 15 οὖν ὑμεῖς τὴν αἰτίαν εἰπεῖν καὶ γνωρίσαι ; Ἢ ἐμοὶ τῷ
   θεραπευτῇ παραχωρεῖτε καὶ δηλῶσαι ταύτην καὶ διορθώ-
   σασθαι ; Καὶ γὰρ εἰπεῖν βουλομένων ἕτοιμος, καὶ ἀκούειν
   λεγόντων ἑτοιμότερος. Παραχωρεῖτε μέν, οἶδ᾽ ὅτι · καὶ γὰρ
   οὐ φαύλους ἰατροὺς ἡμᾶς τῶν τοιούτων ἴσως ὑπολαμβάνετε,
20 οὐδ᾽ ἀμαθεῖς θεραπείας ψυχῶν · εἴτε οὖν φαύλως, εἴτε ὀρθῶς
   τοῦτο ὑπολαμβάνοντες. Μὴ θαυμάσητε δέ, εἰ παράδοξον

2, 3 εἴπω Maur. ‖ 4 ἡμετέραις VWQ ‖ 6 τὸ om. VWQ ‖ λυσιτε-
λέστερον S ‖ 7 τὸ² om. VWQ ‖ ἐπειδὴ CQ ‖ 10 ἐπεισαγαγὸν D ‖ 11-
12 ἀποξηράναντες : ἀποφράξαντες Q ‖ 12 καὶ² : ἢ VWQ ‖ 13 οὐδὲ :
οὔτε WQV mg. ‖ τι om. VWQS² ‖ 14 καλῶς om. S ‖ 15 γνωρίσαι :
γνωρίζετε S²Q mg. ‖ ἢ om. V ‖ 17 ἀκοῦσαι W ‖ 18 οἶδ᾽ : εὖ οἶδ᾽
D Maur. ‖ 20 οὐδ᾽ : οὔτε VWQ ‖ 21 τοῦθ᾽ SCZ

---

1. Les « athlètes » sont les martyrs vénérés dans la fête (inconnue)
qui a donné occasion à ce discours. La terminologie remonte à
I Tim. 6, 12 ; *II Tim.* 4, 7. Les plus anciens témoignages de l'emploi
du mot *athlètes* pour désigner les martyrs semblent être la lettre des
Églises de Lyon et de Vienne aux Églises d'Asie (dans Eusèbe *Hist.
eccl.* 5, 1, 19 : *SC* 41, 11) et la *I*ʳᵉ *Lettre de Clément aux Corinthiens* 5, 1
(éd. Schaefer, Bonn 1941, p. 11). P.G. — Cet emploi est très répandu
dans les œuvres de Grégoire : cf. *Discours* 4, 89 (à propos de Marc
d'Aréthuse), 21, 27 (Athanase) ; ἀγωνιστής en 43, 7 ; autres exemples
dans J. Dziech, *De Gregorio Nazianzeno diatribae quae dicitur
alumno*, Poznan 1925, p. 24-25.

c'est la fête aujourd'hui[1] ? Que dire en premier et de plus
grand ? de plus utile à vos âmes ou de plus indiqué pour
la circonstance présente ? Voici comment nous pouvons
le savoir : qu'y a-t-il de plus beau dans notre doctrine ?
La paix[2]. Et j'ajouterai que c'est aussi ce qu'il y a de plus
avantageux. Qu'y-a-t-il donc de plus honteux et de plus
néfaste ? La discorde. Et après avoir posé cette question
et donné la réponse, je vais poser aussi la seconde question :
qu'est-ce qui surtout détruit la paix et introduit la
discorde ? Ainsi, comme dans les maladies, ayant retranché
les causes et fermé les issues aux sources des maux — ou
les ayant asséchées —, nous arrêterons les cours d'eau qui
en dérivent et les effets qui en résultent. Il n'est pas
possible de bien connaître une chose en son achèvement
sans en avoir examiné le début avec exactitude. Voulez-
vous donc que je vous dise la cause et que je la fasse
connaître ? Me permettez-vous, à moi qui veux vous guérir,
de montrer cette cause et de redresser la situation ? Car
je suis disposé à parler, si vous le voulez, et plus disposé
encore à écouter ceux qui veulent parler. Vous nous
permettez de parler, je le sais ; car vous ne nous considérez
ni comme un médecin sans valeur pour ces sortes de choses,
ni comme un ignorant pour la guérison des âmes — que
votre opinion, d'ailleurs, soit fausse ou exacte sur ce
point[3]. Ne vous étonnez pas si je vais vous faire un discours

2. Le thème de la paix est très important chez Grégoire, qui lui a
consacré trois discours (6, 22, 23) ; cependant « loin de tout optimisme
naïf, il considère l'orthodoxie — ou, avec une expression très efficace,
la συμφωνία περὶ Θεοῦ — comme un fondement de la paix. Aussi
accuse-t-il les hérétiques d'avoir détruit la concorde en introduisant
une doctrine étrangère à l'orthodoxie... (*Discours* 33, 2) ». (BELLINI,
in *Gregorio di Nazianzo, Teologia e Chiesa*, Milan 1971, *ad locum* ;
cf. aussi la Note supplémentaire I.)

3. Autre image typique de Grégoire : l'évêque médecin des âmes
(cf. *Discours* 2, 26-27).

ἐρῶ λόγον · καὶ γάρ ἐστι παράδοξος μέν, ἀληθὴς δέ, ὡς
ἔγωγέ φημι, καὶ ὑμεῖς συμφήσετε, ἂν διὰ τέλους μαθεῖν
ἀναμείνητε, ἀλλὰ μή, ὃ ἐγκαλῶ, πάθητε, καὶ προεξαναστῆτε
25 τοῦ λόγου διὰ θερμότητα.

D   3. Φύσεις θερμαὶ καὶ μεγάλαι, τῆς ταραχῆς ταύτης τὸ
αἴτιον · οὔτιγε ἁπλῶς διάπυροι καὶ μεγάλαι — μήπω γὰρ
καταγινώσκωμεν τῆς θερμότητος, ἧς δίχα μέγα τι κατορθω-
θῆναι πρὸς εὐσέβειαν ἢ ἀρετὴν ἄλλην ἀμήχανον —, ἀλλὰ
177 A 5 γενναῖαι σὺν ἀλογίᾳ καὶ ἀμαθίᾳ καὶ τῷ ταύτης ἐκγόνῳ
κακῷ, θράσει · θράσος δὲ ἀμαθίας ἔκγονον. Αἱ μὲν γὰρ
ἀσθενεῖς, καὶ πρὸς ἀρετὴν καὶ πρὸς κακίαν ὁμοίως νωθεῖς
καὶ δυσκίνητοι, οὐδ' ἑτέρωσε μέγα νεύουσαι, οἷα τὰ τῶν
ναρκώντων κινήματα. Αἱ γενναῖαι δέ, λόγου μὲν αὐτὰς
10 παιδαγωγοῦντος καὶ διευθύνοντος, μέγα τι χρῆμα πρὸς
ἀρετήν · ἐπιλειπούσης δὲ ἐπιστήμης καὶ λόγου, τὸ ἴσον εἰς
κακίαν εὑρίσκονται. Ἐπεὶ καὶ ἵππον θυμοειδῆ μὲν εἶναι
χρὴ καὶ γενναῖον, τὸν ἐσόμενον νικηφόρον, εἴτε πολεμιστή-
ριον εἴτε ἀμιλλητήριον · εἴη δ' ἂν ὁ αὐτὸς οὐδὲν ἀγαθοῦ,
15 μὴ χαλινῷ παιδευθεὶς καὶ γυμνασίᾳ φιλοπονωτέρᾳ μαθὼν
ἡμερότητα.

B   4. Καὶ τοῦτό ἐστιν, ὡς ἐπὶ τὸ πλεῖστον, ὃ διέσπασε
μέλη, διέστησεν ἀδελφούς, πόλεις ἐτάραξε, δήμους ἐξέμηνεν,
ὥπλισεν ἔθνη, βασιλεῖς ἐπανέστησεν, ἱερεῖς λαῷ καὶ ἀλλή-

2, 23 ἡμεῖς S ‖ ἂν : ἐὰν VWQ ‖ 24 καὶ om. WQ ‖ 25 λόγου :
τέλους W
3, 1 τὸ om. Maur. ‖ 2 οὔτι : οὔτε CD hic incipit A ‖ 3 καταγιγνώσ-
κωμεν C καταγινώσκομεν AWD Maur. ‖ 4 ἄλλην om. Q ‖ 6 δὲ :
γὰρ Maur. ‖ 7 post ὁμοίως add. εἰσὶ AS² ‖ 8 οὐδ' : καὶ οὐδ' Maur. ‖
ἑτέρως AS corr. S² ‖ 10 χρῆμα ex χρῆ corr. S² ‖ 13 τὸν ex τὸ
S² ‖ πολεμητήριον Q πολεμηστήριον Z ‖ 14 οὐδὲν : μηδὲν VWQD²
mg. ‖ 15 παιδευθεὶς : γυμνασθεὶς Z corr. mg. Z² ‖ 16 ἡμερότητα
hic incipit B

1. L'âme est, selon les stoïciens, πνεῦμα ... ἔνθερμον καὶ διάπυρον

qui vous surprenne ; mon discours est surprenant, certes,
mais il est vrai, je l'affirme. Et vous serez de mon avis si
vous vous laissez instruire jusqu'au bout, si vous ne cédez
pas à vos impressions — c'est un reproche que j'ai à vous
faire — et si vous ne partez pas avant la fin de mon discours,
sous le coup de votre impétuosité.

3. Ce sont des hommes aux caractères ardents et nobles
qui sont la cause de ce trouble ; et ils n'ont pas seulement
des caractères enflammés[1] et nobles — gardons-nous, en
effet, d'accuser l'ardeur, sans laquelle il n'y a pas moyen
de réaliser quelque chose de grand pour la piété ou une
autre vertu —, mais ces hommes ont des caractères
généreux avec peu de bon sens, avec de l'ignorance et
avec le pernicieux rejeton de cette dernière, la témérité[2].
La témérité est, en effet, un rejeton de l'ignorance. Les
caractères faibles sont à la fois paresseux et lents aussi
bien pour la vertu que pour le vice, et ils n'inclinent
fortement ni d'un côté ni de l'autre ; ce sont comme les
mouvements de ceux qui sont engourdis. Au contraire,
les caractères généreux, si c'est la raison qui les morigène,
sont de grande valeur pour atteindre la vertu ; mais si
la science et la raison leur font défaut, on les trouve portés
avec la même force vers le vice. Ainsi un cheval qui
remportera la victoire soit à la guerre, soit à la course,
doit être fringant et généreux ; mais il ne serait d'aucune
valeur s'il n'avait pas été dressé par le frein et s'il n'avait
pas appris la docilité par un exercice assez laborieux.

4. C'est cela qui le plus souvent a disloqué les membres,
divisé les frères, troublé les cités, rendu insensés les peuples,
armé les nations, dressé les rois, soulevé les prêtres les uns

(*SVF* II, 773). Ce devait être une doctrine répandue même en dehors
des milieux philosophiques.
    2. Tous ces traits visent Arius et ses disciples.

λοις, λαὸν ἑαυτῷ καὶ ἱερεῦσι, γονεῖς τέκνοις, τέκνα γονεῦσιν,
5 ἄνδρας γυναιξί, γυναῖκας ἀνδράσι, πάντα τὰ τῆς εὐνοίας
ὀνόματα, δούλους καὶ δεσπότας ἀλλήλοις, διδασκάλους καὶ
μαθητάς, πρεσβύτας καὶ νέους. Καὶ τὸν τῆς αἰδοῦς ἀτιμάσαν
νόμον, τοῦ μεγίστου πρὸς ἀρετὴν βοηθήματος, τὸν τῆς
αὐθαδείας εἰσήνεγκεν · καὶ γεγόναμεν οὐ φυλή, φυλὴ καθ᾽
10 ἑαυτήν[a], ὃ πάλαι ὁ Ἰσραὴλ ὠνειδίζετο, οὐδὲ Ἰσραὴλ καὶ
Ἰούδας[b], τὰ δύο καὶ ἑνὸς ἔθνους καὶ μικροῦ τούτου τμήματα,
κατ᾽ οἴκους δὲ καὶ συζυγίας τὰς ἀναγκαίας, καὶ οἷον πρὸς
ἑαυτὸν ἕκαστος, ἐμερίσθημεν, ἡ οἰκουμένη πᾶσα καὶ γένος
C ἄπαν ἀνθρώπων, ὅσον ὁ θεῖος λόγος ἐπέδραμεν. Καὶ γέγονεν
15 ἀναρχία ἡ πολυαρχία, καὶ « διεσκορπίσθη τὰ ὀστᾶ ἡμῶν
παρὰ τὸν ᾅδην[c] », καὶ χρῆν, ἐπειδὴ τῶν ἐκτὸς ἐχθρῶν κεκρατήκαμεν, ὑπ᾽ ἀλλήλων ἡμᾶς καταλυθῆναι, καί, καθάπερ τοὺς
μαινομένους, τῶν ἰδίων σαρκῶν ἁπτομένους, μηδὲ αἰσθάνεσθαι, ἀλλὰ χαίρειν τῷ κακῷ πλέον ἢ εἰρηνεύοντες ἕτεροι,
20 καὶ κέρδος ποιεῖσθαι τὴν συμφοράν, καὶ ἡγεῖσθαι « λατρείαν
εἰσφέρειν Θεῷ[d] » τὴν κατάλυσιν, καὶ διαιρεθῆναι, καὶ
ἐμπρησθῆναι, οὐ τὴν ἐπαινετὴν διαίρεσιν ἀλλὰ τὴν ψεκτήν,
οὐδὲ τὸν καθάρσιον ἐμπρησμὸν ἀλλὰ τὸν ὀλέθριον. Οὐ γὰρ
ὁ τομὸς διαιρεῖ λόγος, ἡ Χριστοῦ μάχαιρα, τοὺς πιστεύοντας
25 ἀπὸ τῶν ἀπίστων[e], οὐδὲ πῦρ βάλλεται καὶ ἀνάπτεται[f], ἡ

4, 4 λαὸν ἑαυτῷ ex emend. S ‖ καὶ τέκνα A ‖ 6 δεσπότας ἀλλήλους,
ἀλλήλους διδασκάλους Maur. ‖ 7 ἀτιμάσαν ex ἀτιμάσας S ἀτιμάσας D
ἀτιμάσασα CD² ἀτιμάσαντα Z ‖ 8 τῆς om. D add. mg. D² ‖ 9 οὐ φυλὴ
καὶ φυλὴ Maur. ‖ 12 δὲ : οὐδὲ (ut uid.) corr. mg. S² ‖ 16 ἐχρῆν
SCDVWZ ‖ 16-17 κεκρατήκαμεν : κατε- mg. D² ἐκρατήσαμεν
Maur. ‖ 19 ἀλλὰ : καὶ B ἀλλὰ καὶ Maur. ‖ 21 προσφέρειν W ‖ Θεῷ :
τῷ Θεῷ Maur. ‖ 21-22 διαιρεθῆναι καὶ ἐμπρησθῆναι ex διαιρεθῆναι
S² ‖ 24 τομὸς : τομεὺς mg. D²

---

4. a. Cf. III Rois 11, 31-32.   b. Cf. III Rois 12, 16-20.   c. Ps.
140, 7.   d. Jn 16, 2.   e. Cf. Hébr. 4, 12.   f. Cf. Lc 12, 49.

---

1. Ces ennemis du dehors sont les ariens, selon Bellini ; ne
seraient-ils pas plutôt les païens, dont le dernier sursaut avait eu lieu
peu d'années auparavant avec Julien l'Apostat, et que le même

contre les autres et contre le peuple, les gens du peuple les
uns contre les autres et contre les prêtres, les parents
contre les enfants, les enfants contre les parents, les
hommes contre les femmes, les femmes contre les hommes.
C'est cela qui a bouleversé tout ce qui exprime la bienveillance, les serviteurs et les maîtres réciproquement, les
professeurs et les élèves, les vieillards et les jeunes gens ;
c'est cela qui a fait mépriser la loi de la pudeur — le plus
grand auxiliaire de la vertu — pour introduire la loi de
l'impudence. Et nous sommes devenus non pas une tribu
et une autre tribu séparée[a] — reproche fait jadis à
Israël — ; nous ne sommes même pas devenus Israël et
Juda[b], les deux parties d'une seule nation — et celle-ci
était petite — ; mais nous avons été divisés par maisons
et par groupes apparentés, et, pour ainsi dire, nous avons
été divisés chacun contre nous-mêmes, toute la terre et
le genre humain tout entier dans lequel la parole divine
avait fait son chemin ; et nous sommes devenus anarchie
ou polyarchie, et « nos ossements ont été dispersés le long
de l'hadès[c] ». Il a fallu qu'après avoir maîtrisé les ennemis
du dehors[1] nous soyons anéantis les uns par les autres ;
semblables aux fous qui s'attaquent à leur propre chair
sans en avoir conscience, il a fallu que nous nous réjouissions
même de ce mal plus que d'autres ne se réjouissent d'être
en paix ; il a fallu que nous regardions le malheur comme
un gain et que nous croyions que nous anéantir c'est
« rendre hommage à Dieu[d] » ; il a fallu que nous soyons
divisés et consumés par le feu — divisés par la division
qui n'est pas louable mais blâmable, et consumés non
par le feu qui purifie mais par celui qui détruit. Car ce n'est
pas la parole tranchante — le glaive du Christ — qui
sépare les croyants des incroyants[e] ; ce n'est pas non plus
le feu qui est lancé et allumé[f] — c'est-à-dire la foi et le

Grégoire avait redouté ? Les ariens ne pouvaient être considérés
comme battus en 379 quand Grégoire écrit ce discours.

δαπανῶσα τὴν ὕλην καὶ ἐσθίουσα πίστις καὶ ἡ ζέσις τοῦ
D Πνεύματος · ἀλλ᾽ ἐναντίως ἢ πρότερον, δαπανώμεθα καὶ
τεμνόμεθα.

180 A   **5.** Τοῦτό ἐστιν ὃ πολλὰ εἶναι μέρη τὴν μίαν Ἐκκλησίαν
πεποίηκε, καὶ διέστησεν οὐκ εἰς ἕνα Παῦλον ἢ Κηφᾶν ἢ
Ἀπολλὼ ἢ τὸν δεῖνα φυτευτὴν ἢ τὸν δεῖνα ποτιστήν[a] · πολλοὺς
δὲ ἀνέδειξε Παύλους καὶ Ἀπολλὼς καὶ Κηφάς, ἀφ᾽ ὧν ἀντὶ
5 Χριστοῦ καλούμεθα, τὸ μέγα καὶ κοινὸν ὄνομα, καὶ ὧν εἶναι
λεγόμεθα. Καὶ εἴθε τοσοῦτον εἶχον εἰπεῖν · ἀλλὰ καὶ πολλοὺς
— ὃ φρίττω λέγων — Χριστοὺς ἀνθ᾽ ἑνός, καὶ τὸν γεννώμενον καὶ τὸν κτιζόμενον καὶ τὸν ἀπὸ Μαρίας ἀρχόμενον
καὶ τὸν ἀναλύοντα ὅθεν εἰς τὸ εἶναι προῆλθε, καὶ τὸν ἄνουν
10 ἄνθρωπον καὶ τὸν ὄντα καὶ τὸν φαινόμενον. Ὡς δὲ καὶ

4, 26 καὶ[1] : ἢ Z ‖ ἡ om. SCDZVWQ ‖ 28 τεμνώμεθα W
5, 2 ἢ εἰς κηφὰν S ‖ 3 post ποτιστὴν add. ἢ τὸν δεῖνα ABVWQ ‖
4 ἀπολλῶς ex ἀπολλῶ S² ‖ 5 καινὸν SCQ (κοινὸν S²) ‖ 7 post ἑνὸς
add. καὶ πολλὰ πνεύματα ASC del. S² ‖ καὶ ASC del. S² om. cett.
Maur. ‖ 8 καὶ[1] om. Maur. ‖ 9-10 ὅθεν — ὄντα om. W

5. a. Cf. I Cor. 3, 4.

1. C'est la doctrine orthodoxe. P.G.
2. Allusion à l'arianisme, qui faisait du Christ une créature
(κτίσμα).
3. Pour les ariens, le Fils avait été créé par le Père, mais avant
l'Incarnation ; le Christ « qui commence à partir de Marie » est celui
qu'ont imaginé les hérétiques qui ne voient en lui qu'un homme :
c'est le cas de Photin, évêque de Sirmium au IVᵉ siècle (cf. *Discours*
33, 16 ; 25, 16) ; selon lui, le Christ est un homme né de Marie et
adopté par Dieu.
4. C'est l'hérésie modaliste qui est ici visée, et spécialement chez
Marcel d'Ancyre : les personnes divines ne sont que des « modes »,
des manifestations successives de Dieu ; la forme d'existence que
prend le Père à partir de l'Incarnation, c'est le Verbe, et celui-ci fera
retour à l'unité du Père à la fin des temps, et la chair humaine restera

bouillonnement de l'Esprit qui consument et dévorent
l'élément terrestre — ; mais c'est d'une manière contraire
à ce qui eut lieu jadis que nous sommes consumés et
divisés.

5. C'est cela qui, de l'unique Église, a fait plusieurs
fractions ; c'est cela qui l'a divisée non pas entre un Paul
ou un Céphas ou un Apollos ou un tel qui a planté ou un tel
qui a arrosé[a], mais cela nous a valu plusieurs Paul, plusieurs
Apollos, plusieurs Céphas, dont nous prenons le nom
au lieu de celui du Christ — le grand et commun nom —, et
c'est à eux que nous sommes dits appartenir. Et si seulement je pouvais n'en pas dire plus ! Mais il y a plusieurs
Christs — je frémis en le disant — au lieu d'un seul : il y a
celui qui est engendré[1], celui qui est créé[2], celui qui
commence à partir de Marie[3], celui qui revient là d'où
il était parti pour exister[4], celui qui est un homme privé
d'esprit[5], celui qui existe[6], et celui qui n'est qu'une

---

unie à Dieu non pas éternellement, mais seulement jusqu'à la fin du
monde. Un texte de Cyrille de Jérusalem est particulièrement
explicite à ce sujet : « Si tu entends dire que le règne du Christ a une
fin, prends cette hérésie en haine ; c'est une autre tête du dragon
(cf. *Apoc.* 12, 13) qui a poussé récemment en Galatie (allusion à
l'évêque d'Ancyre). Quelqu'un a osé dire qu'après la fin du monde le
Christ ne règne plus ; et il a osé dire que le Verbe sorti du Père, ce
Verbe, ayant fait retour au Père (εἰς Πατέρα πάλιν ἀναλυθείς)
n'existe plus » (*Catéchèse* 15, 27 : *PG* 33, 909 A-B). P.G.
5. Allusion à Apollinaire de Laodicée qui soutenait que l'esprit
humain *(nous)* était remplacé dans le Christ par le *Logos* ; d'où
l'affirmation que le Christ était « sans esprit » *(anous)* ; cf. aussi la
Lettre 101, 32 (*SC* 208, 50). Comme le remarque J. Dräseke
« Gregorios von Nazianz und sein Verhältnis zum Apollinarismus »,
Theologische Studien und Kritiken, 1892, p. 473-512), Grégoire, en
379, ne paraît connaître l'apollinarisme que de façon vague, comme
on s'en rend compte dans ce passage. Même dans le *Discours* 22, 13,
qui est vraisemblablement contemporain du *Discours* 32, il ne parle
pas de l'apollinarisme en termes particulièrement polémiques. Mais
dans les *Lettres théologiques* (*SC* 208) il en sera tout autrement.
6. C'est la doctrine orthodoxe. P.G.

πολλὰ Πνεύματα, τὸ ἄκτιστον καὶ τὸ ὁμότιμον καὶ τὸ κτίσμα
καὶ τὸ ἐνέργημα καὶ τὸ ψιλὸν ὄνομα, δέον ἕνα Θεὸν Πατέρα
B γινώσκειν, ἄναρχον καὶ ἀγέννητον, καὶ Υἱὸν ἕνα γεγεννημέ-
νον ἐκ τοῦ Πατρὸς καὶ Πνεῦμα ἓν ἐκ Θεοῦ τὴν ὕπαρξιν ἔχον,
15 παραχωροῦν Πατρὶ μὲν ἀγεννησίας, Υἱῷ δὲ γεννήσεως · τὰ
δὲ ἄλλα συμφυὲς καὶ σύνθρονον καὶ ὁμόδοξον καὶ ὁμότιμον ·
ταῦτα εἰδέναι, ταῦτα ὁμολογεῖν, μέχρι τούτων ἵστασθαι,
τὴν δὲ πολλὴν φλυαρίαν, καὶ « τὰς βεβήλους κενοφωνίας
τῶν λόγων[b] » τοῖς σχολὴν ἄγουσιν ἀποτίθεσθαι. Τί τὸ ταῦτα
20 πάντα κεκινηκός ; Θερμότης χωρὶς λόγου καὶ ἐπιστήμης
ἄσχετος καὶ πίστεως πλοῦς ἀκυβέρνητος.

5, 11 καὶ τὸ κτίσμα καὶ τὸ ὁμότιμον BV καὶ τὸ ὁμότιμον om.
WQ ‖ 12 ψιλὸν : ὑψηλὸν Q ‖ θεὸν om. VWQ ‖ 13 ἀγέννητον ex ἀγέ-
νητον S² ‖ 14 ἐκ τοῦ θεοῦ C ‖ 18-19 τῶν λόγων κενοφωνίας B καινο-
φωνίας C ‖ 19 ἀποτίθεσθαι : ἀποπέμπεσθαι BVWQS² Maur. παραχωρεῖν καὶ ἀποτίθεσθαι AD ‖ 19-20 πάντα ταῦτα AB ‖ 20 θερμότης
ex emend. A² ‖ ἐπιστήμη C

5. b. I Tim. 6, 20.

1. Allusion aux docètes, suivant lesquels le Christ n'avait pris
que l'apparence d'un corps humain. Le docétisme, qui n'a plus à ce
moment-là une grande actualité sur le plan théologique, était peut-
être encore répandu dans le peuple.

2. C'est la doctrine orthodoxe. P.G.

3. Égalité d'honneur avec le Père et le Fils ; idée chère à Basile.
P.G.

4. C'est l'hérésie arienne appliquée au Saint-Esprit. P.G.

5. Grégoire atteste ailleurs que les disciples de l'arien Eunome
faisaient l'hypothèse que l'Esprit-Saint pourrait être une force
(ἐνέργεια) : Discours 31, 5-6. Il y a dans ce passage encore une
raison pour suggérer une date relativement ancienne (dans le cadre
du séjour à Constantinople) pour le Discours 32 : l'auteur ne parle
pas seulement de l'Esprit comme hypostase (comme cela deviendra
nécessaire après la composition du Discours 31), mais dans les limites
des diverses acceptions du terme pneuma : l'esprit créé (cf. Amos 4, 13)
et l'esprit comme ἐνέργεια.

6. Encore une allusion à l'arianisme.

7. Ὕπαρξις est un mot de la philosophie grecque. Emploi excep-
tionnel chez Grégoire.

apparence[1]. De même, il y a aussi plusieurs Esprits : celui
qui est incréé[2], celui qui a égalité d'honneur[3], celui qui
est une créature[4], celui qui est une force[5], et celui qui est
un simple nom[6]. Ce qu'il faut reconnaître, c'est un seul
Dieu Père sans principe et inengendré, et un seul Fils
engendré du Père, et un seul Esprit tenant de Dieu son
existence[7], laissant au Père le fait d'être inengendré et au
Fils le fait d'être engendré, et, pour le reste, partageant
leur nature, leur trône, et possédant même gloire et même
honneur. Voilà ce qu'il faut savoir, ce qu'il faut confesser,
ce à quoi il faut se tenir[8] ; quant aux multiples bavardages
et aux « propos impies et vides de sens[b] [9] », il faut les
laisser aux oisifs. Qu'est-ce qui a suscité toutes ces choses ?
Une ardeur qui, sans la raison et sans la science, ne peut
être réprimée, et une foi qui vogue comme un navire sans
pilote[10].

8. La formule trinitaire est définie selon les bases de la théologie
de Grégoire : le Père ἄναρχος et ἀγέννητος, le Fils γεγεννημένος,
mais non ἄναρχος. Du Saint-Esprit, Grégoire ne dit pas encore ce
qu'il expliquera plus amplement dans le *Discours* 41 et surtout dans
le *Discours* 31, à savoir qu'il est l'ἐκπόρευσις du Père : il dit seulement
ici qu'il tient de Dieu (c'est-à-dire du Père) son existence (ἐκ Θεοῦ
τὴν ὕπαρξιν ἔχον) et qu'il jouit de certaines prérogatives, identité de
nature (συμφυές) et d'honneur (ὁμοτιμία). Le terme ὁμοούσιον, qui
apparaît au contraire dans le *Discours* 31, 10, n'est pas encore utilisé.
Avec cette prudente réticence, Grégoire paraît encore influencé par
Basile qui, peu d'années auparavant, dans le traité *Sur le Saint-
Esprit*, souligne l'ὁμοτιμία de l'Esprit, mais n'emploie pas le terme
ὁμοούσιον, bien qu'il affirme sans ambages la pleine divinité de
l'Esprit (voir les savantes et convaincantes observations de B. Pruche
dans son édition de ce traité : *SC* 17 *bis*, p. 79-110). L'enseignement
de Basile sur cette question est reconnu ouvertement par Grégoire
lui-même dans le *Discours* 43, 68-69. N'oublions pas cependant que
Grégoire, dans sa *Lettre* 58 (fin de 372), avait essayé de faire sortir
Basile de cette réserve et que Basile n'avait pas admis les observations
de son ami (voir *Lettre* 58 — particulièrement les § 12-15 — et la
Lettre 59, avec les notes de P. Gallay dans son édition de la *CUF*).

9. Βέβηλοι κενοφωνίαι figure aussi dans le *Discours* 27, 1. P.G.

10. Ce pourrait être une allusion au fait que pendant plusieurs

6. Τοῦτο οὖν εἰδότες, ἀδελφοί, μήτε νωθεῖς ὦμεν πρὸς
τὸ καλόν, ἀλλὰ « τῷ Πνεύματι ζέωμεν[a] », μήποτε « ὑπνώ-
σωμεν » κατ᾽ ὀλίγον « εἰς θάνατον[b] », ἢ καθεύδουσιν ἡμῖν
C ἐπισπείρῃ τὰ πονηρὰ σπέρματα ὁ ἐχθρός[c] · νώθεια γὰρ ὕπνου
5 σύζυγος · μήτε διάπυροι σὺν ἀλογίᾳ καὶ φιλαυτίᾳ, ἵνα μὴ
ἐκφερώμεθα, μηδὲ τῆς ὁδοῦ τῆς βασιλικῆς[d] ἔξω πίπτωμεν ·
ἔν γέ τι πταίοντες πάντως, ἢ κέντρων δεόμενοι διὰ τὴν
νώθειαν ἢ κρημνιζόμενοι διὰ τὴν θερμότητα. Ἀμφοτέρων
δὲ ὅσον χρήσιμόν ἐστι λαβόντες, τῆς μὲν τὸ πρᾶον, τῆς δὲ
10 τὸν ζῆλον, ἀμφοτέρων ὅσον ἐστὶ βλαβερὸν διαφύγωμεν, τῆς
μὲν τὸν ὄκνον, τῆς δὲ τὸ θράσος · ἵνα μήτε τῷ ἐλλείποντι
ὦμεν ἄκαρποι μήτε τῷ περισσεύοντι κινδυνεύωμεν. Ὁμοίως
γὰρ ἄχρηστα, καὶ νωθρότης ἄπρακτος καὶ θερμότης ἀπαί-
δευτος · ἡ μὲν οὐκ ἐγγίζουσα τῷ καλῷ, ἡ δὲ ὑπερπίπτουσα
15 καὶ τοῦ δεξιοῦ ποιουμένη τι δεξιώτερον. Ὅπερ καὶ ὁ θεῖος
D Σολομὼν καλῶς ἐπιστάμενος · « Μὴ ἐκκλίνῃς, φησίν, εἰς τὰ

6, 1 οὖν om. Ioh. ‖ 2 ζέομεν S ‖ μήποτε ex μήτε S² ‖ 3 μὴ καθεύδουσιν A ‖ 4 ὕπνου ASCD Ioh. : ὕπνῳ cett. codd. Maur. ‖ 5 μήτε
δὲ Ioh. ‖ σὺν ἀλογίᾳ — ἐκφερώμεθα om. Ioh. ‖ 6 τῆς βασιλικῆς ὁδοῦ
A Ioh. ‖ 7 ἔν γέ τι ex ἐγέτι S² ‖ παίοντες S πτείοντες ex emend.
Z πάντως πταίοντες Ioh. ‖ κέντρου Ioh. ‖ 8 νωθίαν D ‖ ἢ χαλινοῦ
διὰ τὴν θερμότητα καὶ τὸ μὴ κρημνίζεσθαι Ioh. ‖ κρημνιζό- μενοι
ex κρημνηζόμενοι S² κριμνιζόμενοι D ‖ 9 λαμβάνοντες Ioh. ‖ 11 τὸν
om. Ioh. ‖ 12 περιττεύοντι VQ ‖ κινδυνεύομεν S ‖ 14 τὸ καλῷ
S ‖ 15 τι : τὸ V

6. a. Cf. Act. 18, 26 ; Rom. 12, 11.   b. Ps. 12, 4.   c. Cf. Matth.
13, 25.   d. Cf. Nombr. 20, 17.

6, 1-15 τοῦτο — δεξιώτερον Ioh. Damasc., Sacr., Parall. PG 96,
329 CD

décennies il n'y avait pas eu d'évêque nicéen à Constantinople, et la
foi de Nicée, toujours contrariée par des empereurs pro-ariens, avait
été sur le point de disparaître (cf. Sozomène, Hist. eccl. VI, 17, 5 ;
VII, 5, 3). Il ne semble pas que cette expression doive s'entendre

6. Puisque nous savons cela, frères, ne soyons pas paresseux pour le bien, mais « soyons fervents d'esprit[a] », de peur que « nous ne nous endormions » peu à peu « dans la mort[b] », et que pendant notre sommeil l'ennemi ne sème ses mauvaises semences par-dessus les nôtres[c] ; car la parresse est la compagne du sommeil. Ne soyons pas non plus enflammés d'ardeur avec déraison et amour-propre, pour ne pas être emportés de côté et ne pas tomber hors de la voie royale[d] [1] ; nous broncherions nécessairement d'une manière quelconque : dans un cas, nous aurions besoin de l'aiguillon à cause de notre paresse, dans l'autre, nous roulerions dans un précipice à cause de notre ardeur. Mais prenons dans l'une et l'autre de ces dispositions tout ce qu'elle a d'utile : dans l'une, la douceur, dans l'autre, le zèle ; évitons dans l'une et l'autre tout ce qu'elle a de pernicieux : dans l'une, l'indolence, dans l'autre, la témérité. De la sorte, nous ne serons ni stériles par manque, ni exposés au danger par excès. Elles sont pareillement inutiles, la paresse qui n'agit pas et l'ardeur qui ne sait rien ; l'une n'approche pas du bien, l'autre tombe au-delà et produit un résultat plus à droite que la droite[2]. Le divin Salomon le sait bien : « Ne t'écarte, dit-il, ni à droite ni

comme une référence à la barque de Pierre et à certaines faiblesses de son pilote. « Ce reproche même et ce regret contiendraient alors un hommage indirect à la primauté romaine », selon PLAGNIEUX, *op. cit.*, p. 407 s.

1. La voie royale est celle par laquelle passe le roi, celle qui, toujours libre, est réservée à son passage (cf. *Nombr.* 20, 17 où on lit que les messagers de Moïse passeront par la voie royale, sans dévier ni à droite ni à gauche). Cette affirmation figure dans un contexte doctrinal, comme dans EUSÈBE, *De Eccl. theol.* I, 8, *PG* 24, 837 A, et moral, comme ici ; cf. aussi *Discours* 2, 34 ; 42, 16 ; CYRILLE DE JÉRUSALEM, *Catéchèse* 16, 5.

2. La droite est synonyme de réussite, de bien, comme on va le voir plus bas. P.G.

δεξιὰ μηδ᾿ εἰς τὰ ἀριστερά[e] » · μηδὲ διὰ τῶν ἐναντίων εἰς
κακὸν ἴσον πέσῃς, τὴν ἁμαρτίαν. Καίτοιγε τὸ φύσει δεξιὸν
ἐπαινῶν · « Ὁδοὺς γάρ, φησί, τὰς ἐκ δεξιῶν οἶδεν ὁ Θεός ·

181 A διεστραμμέναι δέ εἰσιν αἱ ἐξ ἀριστερῶν[f]. » Πῶς οὖν ἐπαινεῖ
21 τὸ δεξιὸν καὶ ἀπάγει τοῦ δεξιοῦ πάλιν ; Τούτου δηλαδὴ τοῦ
φαινομένου δεξιοῦ, καὶ οὐκ ὄντος. Πρὸς ὃ βλέπων ἑτέρωθι ·
« Μὴ γίνου δίκαιος πολύ, φησί, μηδὲ σοφίζου περισσά[g]. »
Τὸ γὰρ αὐτὸ καὶ περὶ δικαιοσύνην καὶ περὶ σοφίαν πάθος,
25 θερμότης περὶ πρᾶξιν καὶ λόγον, ἔξω τοῦ καλοῦ καὶ τῆς
ἀρετῆς δι᾿ ὑπερβολὴν πίπτουσα, ᾗ καὶ τὸ ἐνδέον καὶ τὸ
ὑπερβάλλον ὁμοίως λυμαίνεται, ὥσπερ καὶ τῷ κανόνι πρόσ-
θεσις ἢ ὑφαίρεσις.

B 7. Μηδεὶς οὖν ἔστω πλέον ἢ καλῶς ἔχει σοφός, μηδὲ
τοῦ νόμου νομιμώτερος, μηδὲ λαμπρότερος τοῦ φωτός, μηδὲ
τοῦ κανόνος εὐθύτερος, μηδὲ τῆς ἐντολῆς ὑψηλότερος. Ἔσται
δὲ τοῦτο πῶς ; Ἐὰν εἰδῶμεν κόσμον καὶ ἐπαινῶμεν φύσεως
5 νόμον, καὶ ἑπώμεθα λόγῳ καὶ μὴ ἀτιμάζωμεν εὐταξίαν.
« Ἐμβλέψατε εἰς τὸν οὐρανὸν ἄνω καὶ εἰς τὴν γῆν κάτω[a] »,
καὶ ἐννοήσατε πῶς συνέστη τὸ πᾶν καὶ ὅθεν, καὶ τί πρὸ
τῆς διακοσμήσεως ἦν καὶ τί νῦν ὄνομα τῷ παντί. Τάξει
τὰ πάντα διεκοσμήθη, καὶ ὁ διακοσμήσας Λόγος · καίτοιγε
10 ὡς ἓν τὰ πάντα καὶ ἀθρόως ὑποστῆναι δυνατὸν ἦν — ὁ

6, 17 τὰ om. Z ‖ 18 κακῶν C ‖ ἐκπέσῃς A ἐμπέσῃς DZ Maur. ‖
19 θεός : κύριος A ‖ 21 ἀπάγει ex ἐπάγει D ‖ πάλιν τοῦ δεξιοῦ
VWQ ‖ 22 μὲν δεξιοῦ C ‖ 26 ὑπερβολῆς BVWQ ‖ πίπτουσαι C ‖
28 ἀφαίρεσις VWQS² mg.
7, 1 οὖν om. Ioh. ‖ 2 μηδὲ λαμπρότερος τοῦ φωτός om. VWQ
Ioh. ‖ μήτε ... μήτε Ioh. ‖ 4 ἴδωμεν ABVWQ ‖ 5 νόμον : λόγον Z
(νόμον mg.) ‖ μὴ ἀτιμάζωμεν εὐταξίαν hic incipit P ‖ 8 νῦν om. B ‖
10 ἓν : ἑνὶ D

6. e. Prov. 4, 27.   f. Prov. 4, 27 (LXX).   g. Eccl. 7, 17.
7. a. Is. 51, 6.

7, 1-3 μηδεὶς — ὑψηλότερος Ιοη. Damasc., Sacr. Parall., PG 96,
329 C

à gauche[e] », et ne tombe pas, par des moyens contraires, dans un mal égal, le péché. Cependant il n'en loue pas moins ce qui est naturellement à droite : « Car, dit-il, les voies qui sont à droite, Dieu les connaît ; mais celles qui sont à gauche sont perverses[f]. » Comment se fait-il qu'il loue ce qui est à droite et qu'inversement il nous détourne de la droite ? C'est qu'il entend évidemment ce qui paraît être à droite et ne l'est pas. C'est ce qu'il envisage dans un autre passage : « Ne sois pas juste trop abondamment, dit-il, et ne sois pas sage à l'excès[g]. » Car la justice et la sagesse pâtissent de même du fait de l'ardeur pour l'action et la parole, quand cette ardeur se pousse jusqu'à l'excès en dehors du bien et de la vertu. Le défaut et l'excès leur portent également préjudice, de même qu'adjonction ou suppression portent préjudice à la norme.

7. Que personne ne soit donc plus sage qu'il ne convient, ni plus légaliste que la loi, ni plus brillant que la lumière, ni plus rigide que la norme, ni plus hautement exigeant que le précepte. Comment cela se fera-t-il ? Si nous connaissons le bon ordre, si nous approuvons la loi de la nature, si nous suivons la raison et si nous ne faisons pas fi de la discipline. « Regardez en haut le ciel et en bas la terre[a] », et réfléchissez : comment le tout s'est-il constitué, d'où vient-il, qu'y avait-il avant la mise en ordre, et quel est maintenant le nom de ce tout[1] ? C'est par l'ordre que toutes les choses ont été mises en place, et celui qui les a placées, c'est le Verbe[2]. Pourtant il était possible que toutes les choses reçoivent leur existence comme une seule chose et d'un seul coup — car celui qui a donné l'être à ce

---

1. C'est-à-dire : au début était le chaos, qui devient univers *(cosmos)* grâce à l'ordre *(taxis)*.

2. Le *Logos* créateur de l'univers (selon une ancienne tradition d'origine apologétique s'inspirant de *Jn* 1, 3) est le Fils. Voir encore ci-dessous chap. 27 et *Discours* 7, 24 ; 8, 8 ; 14, 20 (τεχνίτης Λόγος) ; 34, 8 ; 38, 11 (δημιουργὸς Λόγος).

γὰρ τοῖς οὐκ οὖσι τὸ εἶναι δοὺς καὶ τοῖς γενομένοις τὰς
ἰδέας καὶ τὰ σχήματα, οὐδ' ὁμοῦ τὸ πᾶν ἀναδεῖξαι καὶ
διακοσμῆσαι ἀσθενὴς ἦν — · ἀλλὰ διὰ τοῦτο πρῶτόν τι καὶ
C δεύτερον ἀριθμεῖται, καὶ τρίτον καὶ τὰ ἑξῆς, ἵνα τάξις
15 εὐθὺς συνεισέλθη τοῖς κτίσμασι.

8. Τάξις οὖν τὸ πᾶν συνεστήσατο. Τάξις συνέχει καὶ τὰ
οὐράνια καὶ τὰ ἐπίγεια · τάξις ἐν νοητοῖς, τάξις ἐν αἰσθητοῖς · τάξις ἐν ἀγγέλοις, τάξις ἐν ἄστροις, καὶ κινήσει καὶ
μεγέθει καὶ σχέσει τῇ πρὸς ἄλληλα καὶ λαμπρότητι. « Ἄλλη
5 δόξα ἡλίου καὶ ἄλλη δόξα σελήνης καὶ ἄλλη δόξα ἀστέρων ·
ἀστὴρ γὰρ ἀστέρος διαφέρει ἐν δόξῃ[a] » · τάξις ἐν ὥραις
καὶ καιροῖς, ἐν κόσμῳ προϊοῦσί τε καὶ ὑπαπιοῦσι καὶ διὰ
τῆς μεσότητος τὸ αὐστηρὸν τιθασσεύουσι · τάξις ἐν ἡμέρας
καὶ νυκτὸς μέτροις καὶ διαστήμασι. Τάξις ἐν στοιχείοις,
10 ἐξ ὧν τὰ σώματα · τάξις περιήγαγεν οὐρανόν, ἥπλωσεν
ἀέρα, γῆν ὑπέθηκεν ἢ καὶ ὑπερέθηκε, φύσιν ὑγρὰν ἔχεε καὶ
συνήγαγεν, ἀνέμους ἀφῆκε καὶ οὐκ ἐπαφῆκεν, ὕδωρ ἔδησεν
D ἐν νεφέλαις καὶ οὐ κατέσχεν, ἀλλ' ἔσπειρεν ἐπὶ πρόσωπον
184 A πάσης τῆς γῆς, εὐτάκτως καὶ ὁμοτίμως · καὶ ταῦτα οὐκ
15 ἐπ' ὀλίγον οὐδὲ εἰς ἕνα καιρὸν ἢ χρόνον, ἀλλ' ἀπ' ἀρχῆς
εἰς τέλος, τὴν αὐτὴν ὁδὸν εὐθυνόμενα καὶ περιπορευόμενα,

7, 15 εἰσέλθη Z
8, 2 οὐράνια : ἐπουράνια SPCDZ Maur. ‖ 3 καὶ[1] om. B ‖ 6 γὰρ
om. Q ‖ 7 ἐν κόσμῳ AVWQSB²P² : ἐγκόσμως BPCDZS² ‖
προσιοῦσι SCVWQ ‖ 8 ἡμέραις AW ‖ 11 ἢ καὶ ὑπερέθηκε om. P add.
mg. P² ‖ 13 ἐν om. A ‖ πρόσωπον om. Q

---

8. a. I Cor. 15, 41.

---

1. D'après Bellini, les νοητά seraient les anges, mais on peut
remarquer qu'il est question des anges immédiatement après et que
Grégoire définit habituellement les anges comme des νοηταὶ φύσεις,
et n'emploie pas le neutre. Peut-être le mot νοητά signifie-t-il ici
l'ensemble de la réalité intellectuelle : l'ordre règne aussi bien dans
le monde sensible que dans le monde intelligible.

qui n'était pas et qui a donné aux choses une fois produites leur forme et leur manière d'être n'était pas trop faible pour faire paraître au jour le tout et lui donner en même temps son arrangement —, mais on compte une première chose, une seconde, une troisième et ainsi de suite, pour que l'ordre s'introduise aussitôt parmi les créatures.

8. C'est donc l'ordre qui a constitué le tout. C'est l'ordre qui maintient et les choses célestes et les choses terrestres. Il y a un ordre dans les choses spirituelles[1] ; un ordre dans les choses sensibles ; un ordre parmi les anges ; un ordre parmi les astres à la fois pour le mouvement, pour la grandeur, pour la position des uns par rapport aux autres, et pour la luminosité. « Autre est la clarté du soleil, autre est la clarté de la lune, autre est la clarté des étoiles, car une étoile diffère d'une autre étoile en clarté[a]. » Il y a un ordre dans les saisons et les périodes de l'année qui s'avancent et se retirent d'une manière organisée et qui atténuent la dureté du changement par la progression[2]. Il y a un ordre dans les dimensions et les intervalles respectifs du jour et de la nuit ; un ordre dans les éléments qui composent les corps. C'est l'ordre qui a étendu le ciel, qui a déployé l'air, qui a placé la terre au-dessous ou au-dessus, qui a versé et rassemblé l'élément liquide, qui a libéré les vents sans leur lâcher la bride, qui a enchaîné l'eau dans les nuages sans l'y enfermer, mais en la répandant sur la face de la terre avec bon ordre et avec égalité ; et ce n'est pas pour un peu de temps ni pour un instant ou une période, mais c'est depuis le commencement jusqu'à la fin que ces éléments suivent tout droit la même route ou accomplissent des évolutions : ils sont fixes aussi bien que mobiles, cela en vertu du

2. Idée semblable, mais exprimée en d'autres termes dans *Discours* 6, 15 et 28, 30. Μεσότης est employé ici au même sens que dans Platon : « ce qui remplit les intervalles », « médiété » (*Timée* 36 a). P.G.

πεπηγότα τε καὶ κινούμενα, τὸ μὲν τῷ Λόγῳ, τὸ δὲ τῇ
ῥεύσει · « Ἔστησεν αὐτὰ εἰς τὸν αἰῶνα καὶ εἰς τὸν αἰῶνα
τοῦ αἰῶνος · πρόσταγμα ἔθετο καὶ οὐ παρελεύσεται[b]. » Τοῦτο
20 τῆς πήξεως · καὶ εἴ τι γέγονεν ἢ γενήσεται, τοῦτο τοῦ ῥεύ-
ματος. Καὶ τάξεως μὲν ἐπικρατούσης, κόσμος, τὸ πᾶν, καὶ
τὸ κάλλος ἀκίνητον. Ἀταξία δὲ καὶ ἀκοσμία, ἐν μὲν ἀέρι
τοὺς σκηπτούς, ἐν δὲ γῇ τοὺς σεισμούς, ἐν δὲ θαλάσσῃ τὰς
ἐπικλύσεις, ἐν δὲ πόλεσι καὶ οἴκοις πολέμους, ἐν δὲ τοῖς
25 σώμασι τὰς ἀρρωστίας, ἐν δὲ ταῖς ψυχαῖς τὰς ἁμαρτίας
ἐκαινοτόμησεν. Ταῦτα πάντα οὐ τάξεως, οὐδὲ εἰρήνης, ἀλλὰ
B ταραχῆς καὶ ἀταξίας ὀνόματα. Καὶ τὴν θρυλλουμένην φθορὰν
καὶ προσδοκωμένην, μὴ ἄλλο τι, ἀδελφοί, ἢ πλεονασμὸν
ἀταξίας εἶναι νομίζωμεν. Συνδεῖ μὲν γὰρ τάξις, λύει δὲ
30 ἀταξία, ὅταν λῦσαι τὸ πᾶν ἢ μεταποιῆσαι παραστῇ τῷ
συνδήσαντι.

9. Τάξις καὶ τοῖς ζῴοις ἅπασι γένεσιν καὶ τροφὴν καὶ
τὰς καταλλήλους ἑκάστοις χώρας ἐνομοθέτησε. Καὶ οὔτε
δελφῖνά τις εἶδεν αὔλακα τέμνοντα, οὔτε βοῦν δι᾽ ὕδατος
ὀλισθαίνοντα, ὥσπερ οὐδ᾽ ἥλιον ἐν νυκτὶ μειούμενον ἢ πλη-
C 5 ρούμενον οὔτε σελήνην ἐν ἡμέρᾳ πυρσεύουσαν. « Ὄρη τὰ
ὑψηλὰ ταῖς ἐλάφοις, πέτρα καταφυγὴ τοῖς λαγωοῖς. Ἐποίησε
σελήνην εἰς καιρούς · ὁ ἥλιος ἔγνω τὴν δύσιν αὐτοῦ[a] » · νύξ,
καὶ ἄνθρωπος ὕπνῳ συστέλλεται καὶ τὰ θηρία παρρησιάζεται
καὶ ζητεῖ τροφὴν ἕκαστον τὴν δεδομένην παρὰ τοῦ κτίσαν-

8, 17 τῷ μὲν ... τῷ δὲ W τὰ μὲν ... τὰ δὲ A ‖ 18 ῥεύσῃ Z ‖ εἰς
τὸν αἰῶνα καὶ om. BVWQ ‖ 20 ἢ : ἢ καὶ A ‖ γεννήσεται Maur. ‖
20-21 ῥήματος P corr. P² ‖ 23 σκηπτούς ex σκιπτούς S² ‖ 25 ἐν δὲ
ψυχαῖς Z ‖ 26 ἐκενοτόμησεν S ‖ 27 θρυλουμένην VWQ θρυλλουμένην
δὲ Maur. ‖ 28 καὶ προσδοκωμένην : καὶ τὴν προσδοκωμένην S ἢ
προσδοκωμένην BVWQ ‖ 29 εἶναι ἀταξίας B ‖ νομίζομεν S
9, 2 ἑκάστῳ BVWQ ‖ 3 ἴδεν AWD ‖ 4 ὀλισθένοντα S ‖ ἢ : καὶ
VWQ ‖ 7 καὶ ὁ ἥλιος Z ‖ ἔθου σκότος καὶ ἐγένετο νύξ A ‖ 9 διδομένην
VWQS² Ioh.

8. b. Ps. 148, 6.
9. a. Ps. 103, 18-19.

principe rationnel, ceci en vertu de l'écoulement[1]. « Il les a
établis pour le siècle et pour le siècle du siècle[2] ; il a posé un
précepte, et celui-ci ne passera pas[b] », cela relève de la
fixité ; et tout ce qui est né ou naîtra, cela relève de
l'écoulement. Puisque l'ordre domine, il y a le monde, le
tout, et sa beauté est stable ; au contraire, le désordre
et le dérèglement ont fait apparaître dans l'air les coups
de tonnerre, sur la terre les séismes, sur la mer les débor-
dements des flots, dans les villes et les maisons les guerres,
dans les corps les maladies, dans les âmes les péchés.
Toutes ces choses ne sont pas les noms de l'ordre ni de la
paix, mais du trouble et du désordre. Et cette dissolution
dont tout le monde parle et que l'on attend[3], ne nous
la représentons pas, frères, autrement que comme une
multiplication de désordre. Car si l'ordre fait l'unité, le
désordre la défait, lorsqu'il plaît à celui qui a uni de
défaire le tout ou de le transformer.

9. C'est l'ordre aussi qui a fixé pour tous les êtres
vivants leur mode de génération, leur nourriture et les
habitats propres à chacun d'eux. Et nul n'a vu un dauphin
tracer un sillon, ni un bœuf glisser à travers les eaux ; pas
plus que le soleil décroître ou prendre de la plénitude
pendant la nuit, ou la lune éclairer pendant le jour. « Les
montagnes élevées sont pour les cerfs, le rocher est un
refuge pour les lièvres. Il a fait la lune pour marquer les
temps ; le soleil connaît son coucher[a] » ; la nuit vient et
l'homme se recueille dans le sommeil et les bêtes sauvages
sont en liberté et chacune cherche la nourriture qui lui

9, 7-11 νύξ, καὶ ἄνθρωπος — ὑποχωροῦμεν ἐν τάξει Ιοη. Damasc.,
Sacr. Parall., *PG* 95, 1585 D

---

1. Comparer la sentence d'Héraclite : « Tout s'écoule ». P.G.
2. Αἰών signifie à la fois « siècle » et « éternité ». P.G.
3. La fin du monde. P.G.

10 τος[b] · ἡμέρα, καὶ τὰ θηρία συνάγεται[c] καὶ ἄνθρωπος ἐπὶ
τὴν ἐργασίαν ἐπείγεται[d] · καὶ ἀλλήλοις ὑποχωροῦμεν τάξει
νόμου καὶ λόγῳ φύσεως. Προσθήσω τὸ μέγιστόν τε καὶ
οἰκειότατον. Τάξις ἐκ λογικοῦ τε καὶ ἀλόγου κράματος,
τὸν ἄνθρωπον, ζῷον λογικόν, συνεστήσατο · καὶ συνέδησε
15 μυστικῶς τε καὶ ἀρρήτως τὸν χοῦν τῷ νοΐ καὶ τὸν νοῦν
τῷ πνεύματι. Καὶ ἵνα θαυματουργήσῃ τι μεῖζον ἐν τῷ
D ἑαυτοῦ πλάσματι, τὸ αὐτὸ καὶ διεσώσατο καὶ διέλυσε. Τὸ
μὲν γὰρ ἐπεισήγαγε, τὸ δὲ ὑπεξήγαγεν, ὥσπερ ἐν ῥεύματι,
καὶ τῷ θνητῷ τὴν ἀθανασίαν ἐπραγματεύσατο διὰ λύσεως.
20 Αὕτη καὶ τῶν ἀλόγων ἡμᾶς διέστησε καὶ πόλεις ᾤκισε
185 A καὶ νόμους ἔθετο καὶ ἀρετὴν ἐτίμησε καὶ κακίαν ἐκόλασε
καὶ τέχνας εὕρετο καὶ συζυγίας ἡρμόσατο καὶ τῷ περὶ τὰ
γεννώμενα φίλτρῳ τὸν βίον ἡμέρωσε, καὶ μεῖζόν τι τοῦ
κάτω πόθου καὶ σαρκικοῦ, τὸν περὶ Θεὸν ἐνιδρύσατο.

10. Καὶ τί δεῖ καθ' ἕκαστον λέγειν ; Τάξις μήτηρ τῶν
ὄντων ἐστὶ καὶ ἀσφάλεια · καὶ τὸ τοῦ Λόγου μόνη καλῶς
ἂν εἴποι, τοῦ πάντα δημιουργήσαντος, εἴ γε λάβοι φωνήν ·
ὅτε τὸ πᾶν οὐσίωτο Θεῷ καὶ ὑφίστατο, « ἐγὼ ἤμην παρ'
5 αὐτῷ ἁρμόζουσα[a] » · ἡνίκα ἡτοίμαζε τὸν ἑαυτοῦ θρόνον

9, 11 ἐργασίαν αὐτοῦ AD ‖ ἐπήγεται A ‖ τάξει : ἐν τάξει BVWQ
Iohannes ‖ 12 νόμου : νόμῳ BVWQS² ‖ λόγῳ mg. S ‖ μέγιστον :
μέγα W ‖ 13 τάξις : τάξις τὸν ἄνθρωπον (omisso mox τὸν ἄνθρωπον)
BVWQ Ioh. ‖ τε om. ABVW Ioh. ‖ κράματος : συγκρίματος Ioh.
15 τε om. ABVWQZS² Ioh. ‖ καὶ² om. Ioh. ‖ 16 ἐν om. Z ‖ 17
ἑαυτοῦ add. supra uersum P² ‖ 17-18 τὸν μὲν ... τὸν δὲ Ioh. ‖
19 διαλύσεως C ‖ 20 καὶ τὰς πόλεις Z ‖ ᾤκησε BQPD ‖ 22 ηὕρατο
A εὕρατο BW ‖ καὶ συζυγίας ἡρμόσατο om. S add. S² ‖ συζυγίαν
Maur. ‖ 24 τοῦ σαρκικοῦ Maur. ‖ τὸν : τὸ BVWPC
10, 1 τὰ καθ' ἕκαστον DZ ‖ 1-2 τῶν ὄντων ἐστὶ μήτηρ BVWQS² ‖
3 εἴ γε ABS² : εἰ SPCDZVWQ ‖ 4 οὐσιοῦτο BVWQ Maur. ‖
θεῷ : τῷ θεῷ S²

st donnée par le créateur[b] ; le jour vient et les bêtes
auvages se rassemblent[c] et l'homme se hâte vers son
ravail[d], et nous cédons la place les uns aux autres suivant
'ordre qui fait loi et le principe rationnel de la nature.
'ajouterai ce qu'il y a de plus grand et de plus propre
nous : c'est l'ordre qui compose l'homme, animal
aisonnable, d'après un mélange de raisonnable et de
on raisonnable ; d'une manière secrète et inexprimable,
joint la poussière à l'intelligence et l'intelligence à
'esprit. Et pour accomplir une merveille plus grande
ans l'être qu'il a façonné lui-même, l'ordre fait durer
e même être et il le dissout, il introduit en lui la durée
t la lui retire — c'est comme le mouvement des eaux
ui s'écoulent —, et il produit dans l'être mortel l'immor-
alité par l'intermédiaire de la dissolution[1]. De plus,
'ordre nous distingue des animaux sans raison : il fonde
es villes, il établit les lois, il honore la vertu, il châtie le
ice, il invente les métiers, il organise le mariage, il
doucit la vie grâce à l'affection envers les enfants et
inculque l'amour de Dieu — quelque chose de plus grand
ue l'amour qui est d'ici-bas et du domaine de la chair.

10. Et pourquoi faut-il énumérer chaque chose une
une ? L'ordre est le père des êtres ; il les met en sécurité, et
eul — si du moins il recevait une voix — il pourrait
ire exactement le rôle du Verbe qui a produit toutes
hoses. Lorsque le tout recevait de Dieu l'être et commen-
ait d'exister, « j'étais à côté de lui, organisant tout[a][2] »,

9, 13-19 τάξις ἐκ λογικοῦ — διὰ λύσεως Ιοн. Damasc., *Sacr. Parall.*,
G 95, 1105 B

---

1. La mort est le passage à l'immortalité. P.G.
2. Le passage cité est notablement différent du texte de la
eptante ; la citation est probablement faite de mémoire. Le texte
Prov. 8, 30) était un des passages les plus célèbres de l'Ancien
estament.

B ἐπ' ἀνέμων[b] καὶ ἰσχυρὰ ἐποίει τὰ ἄνω νέφη[c] · ἡνίκα ἐθεμε-
   λίου τὴν γῆν[d] καὶ ὡς ἀσφαλεῖς ἐτίθει πηγὰς τὰς ὑπ
   οὐρανόν[e], καὶ « τῷ Πνεύματι τοῦ στόματος » αὐτοῦ
   « πᾶσαν δύναμιν » ἐχαρίσατο[f]. 'Αλλ' — οὐ ταῦτα πάντα
10 διῆλθον χάριν καὶ πρὸς ὃ πάλαι ὁ λόγος ἠπείγετο —, τάξι
   κἂν ταῖς 'Εκκλησίαις τὸ μὲν εἶναί τι ποίμνιον, τὸ δὲ ποιμένα
   διώρισε · καὶ τὸ μὲν ἄρχειν, τὸ δὲ ἄρχεσθαι · καὶ τὸ μὲν
   οἷον εἶναι κεφαλήν, τὸ δὲ πόδας, τὸ δὲ χεῖρας, τὸ δὲ ὀφθαλμόν
   τὸ δὲ ἄλλο τι τῶν μελῶν τοῦ σώματος, πρὸς τὴν τοῦ παντὸς
15 εὐαρμοστίαν καὶ τὸ συμφέρον, ἢ προεχομένων ἢ προεχόντων
   καὶ ὥσπερ ἐν τοῖς σώμασιν οὔτε ἀπέρρηκται ἀλλήλω
   τὰ μέλη, ἀλλ' ἓν σῶμα τὸ πᾶν ἐστιν ἐκ διαφόρων συγκεί-
   μενον · οὔτε ταὐτὸ πάντων ἐνέργημα, εἰ καὶ ταὐτὸ τὸ
C χρῄζειν ἀλλήλων εἰς ἀνάγκην εὐνοίας τε καὶ συννεύσεω
20 καὶ ἰσοτιμίας ἐν τοῖς ἀνίσοις · καὶ οὔτε ὀφθαλμὸς βαδίζει
   ἀλλ' ὁδηγεῖ · οὔτε πούς προβλέπει, ἀλλὰ μεταβαίνει κα
   μετατίθησιν · οὔτε γλῶσσα δέχεται φωνάς, ἀκοῆς γάρ · οὔτ
   ἀκοὴ φθέγγεται, γλώσσης γάρ · καὶ ῥὶς μὲν ὀδμῶν αἰσθητήριον
   « λάρυγξ δὲ σῖτα γεύεται[g] », φησὶν ὁ 'Ιώβ · χεὶρ δὲ τοῦ
25 διδόναι καὶ τοῦ λαμβάνειν ὄργανον · νοῦς δὲ τοῖς πᾶσι
   ἡγεμών, παρ' οὗ τὸ αἰσθάνεσθαι καὶ εἰς ὃν ἡ αἴσθησις
   οὕτω καὶ παρ' ἡμῖν, τῷ κοινῷ Χριστοῦ σώματι.

10, 6 ἐποίη A ‖ 7 ἐτίθη C ‖ τὰς : τῆς A ‖ 9 πᾶσιν W ‖ ταῦτα
πάντα AQS Maur. : πάντα ταῦτα cett. ‖ 10 χάριν post διῆλθον ABW
post οὗ cett. codd. Maur. ‖ ἠπείγετο ex emend. S² ἐπείγετο SC ‖ 1
οἷον mg. D ‖ καὶ ὀφθαλμὸν A ‖ 14 παντὸς : σύμπαντος A ‖ 1
προεχομένων ex emend. W ‖ 16 οὔτε : οὐ mg. D² ‖ ἀλλήλων ε
emend. S² ‖ 18 ταῦτο¹ ex αὐτὸ S² ‖ τὸ om. Q uacuum relinquens
19 εἰς ex εἰ D² ‖ 20 καὶ ἰσοτιμίας ἐν τοῖς ἀνίσοις om. BVWQS
Maur. ‖ ἰσοτιμίαν D ‖ 21 βλέπει C ‖ 23 ὀσμῶν WQ ‖ 24 λάρυξ S
χεῖρες PC ‖ 25 λαβεῖν P corr. P² ‖ 26 αἱ αἰσθήσεις A ‖ 27 χριστοῦ
ἰησοῦ V

10, b. Prov. 8, 27 (LXX).   c. Prov. 8, 28.   d. Prov. 8, 29
e. Prov. 8, 28 (LXX).   f. Ps. 32, 6.   g. Job 34, 3.

de même, lorsqu'il délimitait son propre trône au-dessus
des vents[b] et affermissait les nuages d'en haut[c], lorsqu'il
posait les fondements de la terre[d] et plaçait d'une façon
stable les sources qui sont au-dessous du ciel[e] et lorsque
« avec le souffle de sa bouche » il leur accorda « toute
puissance[f] ». Mais c'est aussi dans les Églises qu'il y a
l'ordre — c'est pour en venir là que j'ai fait toute cette
énumération et c'est vers ce point que depuis longtemps
mon discours se hâtait — : l'ordre a fixé que les uns soient
le troupeau, et les autres les pasteurs ; que les uns
commandent et que les autres soient commandés ; que l'un
soit, pour ainsi dire, la tête, d'autres les pieds, d'autres les
mains, d'autres les yeux, d'autres un autre membre du
corps, pour la bonne harmonie et l'avantage de l'ensemble,
qu'il s'agisse des inférieurs ou des supérieurs. Et, de même
que dans les corps les membres ne sont pas disjoints,
mais que l'ensemble est un seul corps composé de membres
différents — l'activité de tous n'est pas la même, bien
qu'ils aient besoin de la même façon les uns des autres,
vu la nécessité de la bienveillance et de la concorde, ainsi
que de la valeur égale entre choses inégales : l'œil ne
marche pas, mais il indique la route, le pied ne voit pas
devant lui, mais il passe d'un endroit à un autre et fait
changer de place, la langue n'accueille pas les sons, car
c'est le rôle de l'oreille, et l'oreille ne parle pas, car c'est
le rôle de la langue, le nez est sensible aux odeurs, « la gorge
goûte les aliments[g] », comme dit Job, la main est l'organe
qui sert à donner et à recevoir, et l'esprit dirige[1] l'ensemble,
c'est de lui que vient la faculté de percevoir par les sens et
c'est vers lui que va la sensation — ; de même en est-il
chez nous, qui sommes le corps commun du Christ.

---

1. Ἡγεμών est dit de l'esprit humain, terminologie qui rappelle
la philosophie stoïcienne ; pour d'autres exemples de cet usage, voir
Dziech, *op. cit.*, p. 158 s.

D   **11.** Οἱ γὰρ πάντες « ἓν σῶμά ἐσμεν ἐν Χριστῷ · οἱ δὲ
καθ' ἕνα Χριστοῦ καὶ ἀλλήλων μέλη[a] ». Τὸ μὲν γὰρ ἄρχει
καὶ προκαθέζεται, τὸ δὲ ἄγεται καὶ εὐθύνεται, καὶ οὔτε
ταὐτὸν ἀμφότερα ἐνεργεῖ, εἴπερ μὴ ταὐτὸν ἄρχειν καὶ
5 ἄρχεσθαι · καὶ γίνεται ἀμφότερα ἓν εἰς ἕνα Χριστόν, ὑπὸ
τοῦ αὐτοῦ « συναρμολογούμενα[b] » καὶ συντιθέμενα Πνεύματος.
Κἄν τοῖς ἀρχομένοις πάλιν, ὅσον τὸ μέσον καὶ παιδεύσει
188 A καὶ ἀσκήσει καὶ ἡλικίᾳ διεστηκόσι · κἄν τοῖς ἄγουσι τὸ
διάφορον ὅσον · καὶ πνεύματα προφητῶν προφήταις ὑπο-
10 τάσσεται[c], Παύλου λέγοντος μὴ ἀμφίβαλλε. Καὶ « οὓς
μὲν ἔθετο, φησίν, ὁ Θεὸς ἐν τῇ Ἐκκλησίᾳ, πρῶτον ἀποστό-
λους, δεύτερον προφήτας, τρίτον ποιμένας καὶ διδασκάλους[d] · πρῶτον διὰ τὴν ἀλήθειαν, δεύτερον διὰ τὴν σκιάν,
τρίτον διὰ τὸ μέτρον τῆς ὠφελείας καὶ τῆς ἐλλάμψεως.
15 Καὶ τὸ μὲν πνεῦμα ἕν[e], τὰ χαρίσματα δὲ οὐκ ἴσα[f], ὅτι
μηδὲ τὰ δοχεῖα τοῦ πνεύματος. « Ὧ μὲν γὰρ διὰ τοῦ
Πνεύματος δίδοται λόγος σοφίας[g] » καὶ θεωρίας, « ἄλλῳ
δὲ λόγος γνώσεως[h] » ἢ ἀποκαλύψεως, « ἄλλῳ πίστις[i] »
βεβαία καὶ ἀνενδοίαστος, « ἄλλῳ δὲ ἐνεργήματα δυνάμεων[j] »
20 καὶ θαυμάτων ὑψηλοτέρων, « ἄλλῳ δὲ χαρίσματα ἰαμά-
B   των[k] », ἀντιλήψεις, εἴτουν « προστασίαι[l] », « κυβερνή-
σεις[m] », εἴτουν παιδαγωγίαι σαρκός, « γένη γλωσσῶν,

11, 3 ἄγεται ex ἄλγεται S ‖ 6 συναρμολογούμενα καὶ om. Z ‖
7 ἐναρχ-Dmg. ‖ πάλιν : μᾶλλον Z ‖ 8 καὶ[2] om. Z ‖ 11 φησιν ἔθετο
B φησιν om. VWQ ἔθετο ὁ θεός φησιν AD ‖ ὁ θεὸς om. Z ‖ 12
ποιμένας καὶ om. VWQ ‖ 15 τὰ δὲ χαρίσματα A ‖ 17 καὶ : ἢ
AVWQ ‖ 18 δὲ om. Q ‖ δὲ πίστις BVS[2] ‖ 19 ἀνενδύαστος BPCD
corr. P[2]D[2] ‖ 20 δὲ om. VWQ ‖ 21 καὶ ἀντιλήψεις PC ‖ εἴτουν
προστασίαι habet in mg. S ‖ 22 παιδαγωγία Z

---

11. a. Rom. 12, 5.   b. Éphés. 4, 16.   c. I Cor. 14, 32.
d. I Cor. 12, 28.   e. I Cor. 12, 11 ; Éphés. 4, 4.   f. Cf. I Cor. 12, 31.
g. I Cor. 12, 8.   h. *Ibid.*   i. I Cor. 12, 9.   j. I Cor. 12, 10.
k. I Cor. 12, 9.28.   l. I Cor. 12, 28.   m. *Ibid.*

---

1. Comme le remarque justement Bellini, Grégoire divise les
ἄρχοντες en trois groupes, ainsi que le faisait déjà S. Paul dans le

11. Car tous « nous sommes un seul corps dans le Christ, chacun » membre du Christ, et « membres les uns des autres[a] ». Les uns commandent et président, les autres sont conduits et dirigés ; et les uns et les autres deviennent un dans un seul Christ, « ajustés ensemble[b] » et réunis par le même Esprit. Et de plus, parmi ceux qui sont commandés, quelle distance ! Ils se distinguent les uns des autres par l'instruction, par l'entraînement et par l'âge. Et parmi ceux qui guident les autres, quelle différence ! Les esprits des prophètes sont soumis aux prophètes[c] ; c'est Paul qui le dit, n'en doute pas. Et « Dieu a placé certains dans son Église, dit-il, premièrement comme apôtres, deuxièmement comme prophètes, troisièmement comme pasteurs et docteurs[d] » : premièrement à cause de la vérité, deuxièmement à cause de l'ombre, troisièmement à cause de la juste mesure de l'utilité et de l'illumination[1]. Et l'Esprit est un[e], mais les « charismes » ne sont pas égaux[f], parce que ceux qui reçoivent l'Esprit[2] ne le sont pas non plus. « A l'un, en effet, est donnée par l'Esprit une parole de sagesse[g] » et de contemplation, « à un autre une parole de science[h] » ou de révélation, « à un autre la foi[i] » sûre et qui ne connaît pas le doute, à un autre « la puissance d'opérer des miracles[j] » et des prodiges les plus élevés, « à un autre le don de guérir[k] », le don « d'assister[l] » — c'est-à-dire de défendre —, le don « de gouverner[m] » — c'est-à-dire de discipliner la chair —, « la diversité des langues,

---

passage de la *Lettre aux Corinthiens* auquel il est fait allusion ici ; mais les trois groupes ne comprennent pas les mêmes personnes : pour Grégoire, les prophètes sont ceux de l'Ancien Testament qui ont préfiguré l'Église (l'ombre), les apôtres sont les fondateurs (la vérité), et les autres sont les ministres de second ordre. Ainsi dans le *Discours* 4, 67 (*SC* 309, p. 176), à propos de l'Église, il dit que « la Loi la préfigure, la grâce la réalise et le Christ l'inaugure : les prophètes l'ont plantée, les apôtres l'ont unie et les évangélistes l'ont consolidée ».

2. Littéralement : « les réceptacles de l'Esprit ». P.G.

ἑρμηνεῖαι γλωσσῶνⁿ », τὰ μείζω χαρίσματα, καὶ τὰ δεύτερα,
« κατὰ τὴν ἀναλογίαν τῆς πίστεως° ».

12. Ταύτην αἰδώμεθα τὴν τάξιν, ἀδελφοί, ταύτην φυλάτ-
τωμεν. Ὁ μὲν ἔστω τις ἀκοή, ὁ δὲ γλῶττα, ὁ δὲ χείρ, ὁ
δὲ ἄλλο τι τούτων. Ὁ μὲν διδασκέτω, ὁ δὲ μανθανέτω ·
ὁ δὲ « ἐργαζέσθω τὸ ἀγαθὸν ταῖς ἰδίαις χερσὶν εἰς μετάδοσιν
5 τοῦ δεομένουᵃ » καὶ χρήζοντος. Ὁ μὲν ἀρχέτω καὶ προβε-
βλήσθω · ὁ δὲ δικαιούσθω διὰ τῆς ὑπουργίας · καὶ ὁ
C διδάσκων, ἐγκόσμως. « Προφῆται » γὰρ « δύο ἢ τρεῖς
λαλείτωσαν » καὶ ἀνὰ μέρος « καὶ εἷς διερμηνευέτωᵇ ».
« Ἄλλου δὲ τρανωθέντος, ὁ πρῶτος ὑποχωρείτωᶜ ». « Καὶ ὁ
10 μανθάνων, ἐν εὐπειθείᾳ · καὶ « ὁ χορηγῶν, ἐν ἱλαρότητιᵈ » ·
καὶ ὁ ὑπουργῶν, ἐν προθυμίᾳ. Μὴ πάντες ὦμεν γλῶσσα,
τὸ ἑτοιμότατον · μὴ πάντες προφῆται, μὴ πάντες ἀπόστολοι, μὴ πάντες διερμηνεύωμενᵉ. Μέγα τὸ περὶ Θεοῦ
λαλεῖν ; Ἀλλὰ μεῖζον τὸ ἑαυτὸν καθαίρειν Θεῷ · ἐπειδὴ
15 « εἰς κακότεχνον ψυχὴν σοφία οὐκ εἰσελεύσεταιᶠ ». Καὶ
σπείρειν ἐκελεύσθημεν εἰς δικαιοσύνην καὶ τρυγᾶν καρπὸν
ζωῆςᵍ, ἵνα φωτισθῶμεν τῷ φωτὶ τῆς γνώσεως. Καὶ Παῦλος

11, 23 διερμηνεῖαι BWQ
12, 1 αἰδοῖμεθα W εἰδώμεθα Q ‖ 3 τούτων AB om. cett. ‖ 4 ἐργα-
ζέτω C ‖ 5 χρήζοντος ex χρίζοντος S² ex χήζοντος P² ‖ 7 ἐγκόσμως :
ἐν κόσμῳ BW εὐκόσμως PC ‖ 8 λαλήτωσαν SD² ‖ 9 τρανωθέντος
ex τρανωθενωθέντος P ‖ 10 εὐπειθία W corr. W² ‖ 12-13 μὴ πάντες
ἀπόστολοι μὴ πάντες προφῆται ABVWQ Maur. ‖ 13 τὸ om. S ‖
15 οὐκ εἰσελεύσεται σοφία ABVW ‖ 16 σπείρειν μὲν Z ‖ 17 ἵνα :
ἵνα καὶ P²VWQZ Maur. ἵνα οὕτω A ‖ φωτισθῶμεν ὡς οὐ κενὸν
ἀλλ' ὡς τῷ φωτὶ A

11. n. *Ibid.*   o. Rom. 12, 6.
12. a. Éphés. 4, 28.   b. I Cor. 14, 29.   c. I Cor. 14, 30.
d. Cf. Rom. 12, 8.   e. Cf. I Cor. 12, 29.   f. Sag. 1, 4.   g. Os.
10, 12.

12, 1-3 Ταύτην — τούτων, cf. Ioh. Damasc., *Sacr. Parall.*, *PG* 95,
1553 C

l'interprétation des langues[n] » — voilà les charismes
les plus grands et aussi ceux qui viennent en second,
« en proportion de la foi[o] ».

12. Cet ordre, respectons-le, frères ; cet ordre, gardons-le.
Que l'un soit l'oreille, un autre la langue, un autre la
main, un autre quelque autre organe. Que l'un enseigne,
qu'un autre apprenne, qu'un autre « travaille de ses
propres mains au bien, pour partager avec celui qui a
besoin[a] » et qui demande. Que l'un commande et se charge
de cette fonction ; qu'un autre soit reconnu juste à cause
du service qu'il accomplit. Et que celui qui enseigne
le fasse dans la dignité : en effet, « que deux ou trois
prophètes parlent » et chacun à leur tour, et « qu'un autre
explique[b] » ; et « si un autre est éclairé, que le premier
lui cède la place[c] », et que celui qui apprend le fasse dans
l'obéissance : que « celui qui donne » le fasse « dans la
joie[d] », et que celui qui s'acquitte d'un service le fasse
dans l'empressement. Ne soyons pas tous la langue — c'est
ce à quoi on est le plus porté — ; ne soyons pas tous
prophètes ; ne soyons pas tous apôtres ; ne soyons pas
tous interprètes du langage inspiré[e] [1]. Il est grand de
parler de Dieu ; mais il est plus grand de se purifier pour
Dieu[2], puisque « la sagesse n'entrera pas dans une âme
perverse[f] » et nous avons reçu l'ordre de semer en vue
de la justice et de vendanger le fruit de vie[g], afin d'être
illuminés par la lumière de la connaissance. Et Paul

---

1. On trouve dans le *Discours* 43, 26 aussi de tristes considérations
sur le désordre et la légèreté avec lesquels les tâches sont assumées et
attribuées à l'intérieur de l'Église.
2. La doctrine selon laquelle la purification de la matière et du
corps est une condition indispensable pour connaître Dieu (et, donc
pour parler de lui) est typique du Nazianzène : cf. aussi *Discours* 2,
39, 74 ; 8, 23 ; 12, 4 ; 27, 3 et C. MORESCHINI, dans « Luce e purificazione nella dottrina di Gregorio Nazianzeno », *Augustinianum*,
1973, p. 535-549.

διὰ τοῦ ἀγαπᾶν ἡμᾶς τὸν Κύριον[h] ὑπὸ Κυρίου γινώσκεσθαι
βούλεται, διὰ δὲ τοῦ γινώσκεσθαι[i] τὸ διδάσκεσθαι, καὶ
20 ταύτην βελτίονα ὁδὸν οἶδεν εἰς γνῶσιν τῆς φυσιούσης[j]
οἰήσεως.

D   **13.** Μέγα τὸ διδάσκειν ; Ἀλλὰ τὸ μανθάνειν ἀκίνδυνον.
Τί σεαυτὸν ποιεῖς ποιμένα, πρόβατον ὤν ; Τί γίνῃ κεφαλή,
πούς τυγχάνων ; Τί στρατηγεῖν ἐπιχειρεῖς, τεταγμένος
ἐν στρατιώταις ; Τί τὰ μεγάλα καὶ οὐκ ἀσφαλῆ κέρδη τῆς
5 θαλάσσης διώκεις, ἐνὸν ἀκινδύνως γεωργεῖν γῆν, εἰ καὶ
189 A κερδαίνοις ἐλάσσονα ; Καὶ εἰ μὲν ἀνὴρ εἶ κατὰ Χριστὸν
καὶ γεγύμνασταί σοι τὰ αἰσθητήρια[a] καὶ λαμπρόν σοι τὸ
φῶς τῆς γνώσεως, λάλει Θεοῦ σοφίαν τὴν λαλουμένην ἐν
τοῖς τελείοις καὶ τὴν ἀποκεκρυμμένην ἐν μυστηρίῳ[b]·
10 καὶ ταύτην, ὅταν καιρὸν λάβῃς καὶ πιστευθῇς. Τί γὰρ ἔχεις
παρὰ σεαυτοῦ ὃ μὴ δέδοται μηδὲ εἴληφας[c] ; Εἰ δὲ ἔτι
νήπιος εἶ καὶ χαμερπής τὴν διάνοιαν καὶ τοῖς ὑψηλοτέροις
προσβαίνειν οὐχ ἱκανός, γενοῦ Κορίνθιος, γάλακτι τράφηθι[d].
Τί χρῄζεις στερεωτέρας τροφῆς, ἣν οὐκ ἀναλίσκει τὰ μέλη,
15 καὶ ποιεῖ τροφὴν δι' ἀσθένειαν ; Φθέγγου μέν, εἴ τι κρεῖττον
σιωπῆς ἔχεις — καὶ γὰρ τὸ τάξιν στείλασθαι χείλεσιν ἐπαινούμενον[e], ἔγνως —, ἀγάπα δὲ ἡσυχίαν, ἔνθα κρεῖττον λόγου
τὸ σιωπᾶν· καὶ τὰ μὲν εἰπεῖν, τὰ δὲ ἀκοῦσαι· καὶ τὰ μὲν
B   ἐπαινέσαι, τὰ δὲ μὴ πικρῶς ἀποπέμψασθαι.

12, 18 διὰ τὸ PC διὰ μὲν τοῦ DZS² ‖ ὑπὸ κυρίου om. BVW del.
S² ‖ 19 δὲ om. B ‖ 20 ὁδὸν βελτίονα Maur.
13, 1 μέγα τι D ‖ 5 ἐπιδιώκεις Maur. μεταδιώκεις Z ‖ 5-6 εἰ καὶ
κερδαίνοις ἐλάσσονα καὶ om. VWQ ‖ 5 εἰ καὶ : καὶ εἰ ABS² εἰ D (εἰ
καὶ D²) ‖ 6 καὶ om. B ‖ 7 γεγύμνασθαι S ‖ 14 χρῄζεις ex χρῄζει
S² ‖ 15 μέν : ἕν Q δέ Ioh. ‖ 19 μὴ mg. S

12. h. Cf. I Cor. 8, 3.   i. Cf. *Ibid.*   j. Cf. I Cor. 8, 1.
13. a. Cf. Hébr. 5, 14.   b. Cf. I Cor. 2, 6-7.   c. Cf. I Cor. 4, 7.
d. Cf. I Cor. 3, 2.   e. Cf. Prov. 10, 19.

1. La « terminologie de la lumière » est une caractéristique de la

veut que nous soyons connus du Seigneur parce que nous
aimons le Seigneur[h], et que nous soyons instruits parce
que nous sommes connus[i] ; et il sait que, pour arriver
à la connaissance, c'est là une voie meilleure que celle
de l'opinion qui enfle[j].

13. Il est grand d'enseigner ? Mais il est sans danger
d'apprendre. Pourquoi t'ériges-tu pasteur, quand tu es
brebis ? Pourquoi deviens-tu la tête, quand ton sort est
d'être le pied ? Pourquoi entreprends-tu de conduire
l'armée, quand tu es dans les rangs des soldats ? Pourquoi
recherches-tu les gains considérables et peu sûrs de la mer,
quand il est possible de cultiver la terre sans risque, alors
même que tu gagnerais moins ? Et si tu es un homme selon
le Christ, si tes sens sont exercés[a] et si la lumière de la
science brille pour toi[l], parle de la sagesse de Dieu, celle
dont on parle parmi les parfaits et qui est cachée dans
le mystère[b] ; et cela, lorsque tu auras atteint le moment
voulu et que cette sagesse t'aura été confiée. Qu'as-tu
en effet en toi-même qui ne t'ait été donné et que tu n'aies
reçu[c] ? Au contraire, si tu es encore un enfant, si ta pensée
ne s'élève pas au-dessus de la terre et si tu n'es pas capable
de t'avancer vers les choses les plus élevées, sois un
Corinthien, nourris-toi de lait[d]. Quel besoin as-tu d'une
nourriture plus solide, que tes membres, à cause de leur
faiblesse, n'assimilent pas et ne convertissent pas en
aliment ? Parle, si tu as à dire quelque chose de meilleur
que le silence — et, de fait, mettre ordre à ses lèvres est
une chose louable[e], tu le sais — ; aime à rester tranquille,
là où le silence vaut mieux que la parole ; aime à dire
certaines choses et à écouter certaines autres ; aime
à louer certaines choses et à rejeter, sans amertume,
certaines autres.

---

mentalité de notre auteur (cf. « Luce e purificazione », *op. cit.*), même
si le concept de la « lumière de la connaissance » n'est pas, naturellement, particulier à Grégoire.

14. Οὐκ ἴστε τὸν ἀγῶνα τὸν ἡμέτερον, ἀδελφοί, τῶν
σοβαρῶς ἐνταῦθα προκαθεζομένων, καὶ ταῦτα νομοθε-
τούντων ὑμῖν τοῖς πολλοῖς. Τάχα δὲ οὐδὲ ἡμῶν αὐτῶν οἱ
πλείους γινώσκομεν — ὃ καὶ δακρύειν ἄξιον — ὅπως
5 παρὰ Θεῷ ταλαντεύεται καὶ νόημα πᾶν καὶ λόγος καὶ
πρᾶξις· καὶ οὐ παρὰ Θεῷ μόνον, ἀλλὰ καὶ τῶν ἀνθρώπων
τοῖς πλείστοις οἳ βραδεῖς μέν εἰσι τῶν ἰδίων κριταί, ταχεῖς
δὲ τῶν ἀλλοτρίων ἐξετασταί, καὶ ῥᾷον ἂν ἄλλοις τὰ μέγιστα,
ἢ τὰ ἐλάχιστα ἡμῖν συγχωρήσαιεν. Κἂν ὦσιν ἀμαθέστεροι,
10 θᾶττον ἂν ἡμῶν ἀσέβειαν καταγνοῖεν ἢ μετρίαν ἑαυτῶν
ἄγνοιαν. Οὐκ ἴστε ἡλίκον ἐκ Θεοῦ δῶρον ἡ σιωπὴ καὶ τὸ
μὴ ἀνάγκην ἔχειν λόγου παντός, ὥστε κατ᾽ ἐξουσίαν τὸ
C μὲν αἱρεῖσθαι, τὸ δὲ ἀποδιδράσκειν, καὶ ταμιεύειν ἑαυτῷ
καὶ λόγον καὶ σιωπήν. Φύσει μὲν γὰρ ἅπας λόγος σαθρὸς
15 καὶ εὐκίνητος καὶ διὰ τὸν ἀντιμαχόμενον λόγον ἐλευθερίαν
οὐκ ἔχων· ὁ δὲ περὶ Θεοῦ, τοσούτῳ μᾶλλον ὅσῳ μεῖζον
τὸ ὑποκείμενον, καὶ ὁ ζῆλος πλείων καὶ ὁ κίνδυνος χαλεπώτε-
ρος. Καὶ τί φοβηθέντες, τί θαρρήσωμεν; νοῦν ἢ λόγον ἢ
ἀκοήν, ἐν τρισὶ τούτοις τοῦ κινδύνου σαλεύοντος; Καὶ γὰρ
20 νοῆσαι χαλεπὸν καὶ ἑρμηνεῦσαι ἀμήχανον καὶ ἀκοῆς κεκα-
θαρμένης ἐπιτυχεῖν ἐργωδέστερον.

14, 3 ὑμῖν : ἡμῶν, ἡμῖν mg. C ‖ 5 ταλαντεύηται ABWCD ταλαν-
τεύσται SP (-εται P²) ‖ 6 ἀνθρώπων : ἄλλων Z ‖ 7 πλείστοις : πλείοσιν
ASPCDZ ‖ 8 ἀλλοτρίων : ἰδίων C ‖ 11 ἡλίκον : πηλίκον VWQ (ἡλίκον
Ioh.) ‖ 12-13 τὸ μὲν ... τὸ δὲ : τὸν μὲν ... τὸν δὲ ABVW QZ ‖
14 λόγον ex λόγῳ S² ‖ καὶ φύσει A ‖ γὰρ om. VWQ Ioh. ‖ 15
τὸν ἀντιμαχόμενον λόγον ex τῶν - νων λόγων S² τὸν ἀντίμαχον
λόγου Ioh. ‖ 16 τοσοῦτον ... ὅσον SC τοσούτω ... ὅσον PD ‖
17 πλείω A ‖ 18 θαρρήσομεν VQP²Z Maur. ‖ 19 τοῦ om. Ioh. ‖
21 τυχεῖν BVWQ Ioh.

14, 11 οὐκ ἴστε — ἡ σιωπή + 13, 15-16 φθέγγου μὲν — ἔχεις +
13, 17-18 ἀγάπα — σιωπᾶν, cf. Ioh. Damasc., Sacr. Parall., PG 95,
1341 C
14, 14-21 φύσει μὲν γὰρ — ἐργωδέστερον Ioh. Damasc., Sacr.
Parall., PG 95, 1084 CD

14. Vous ne savez pas, frères, la lutte que nous soutenons, nous qui présidons ici majestueusement et qui légiférons ainsi pour la foule que vous êtes. Peut-être, pour le plus grand nombre d'entre nous — ce qui mérite les larmes—, ne comprenons-nous même pas comment toute pensée, toute parole et toute action sont pesées par Dieu, et non seulement par Dieu, mais aussi par la plupart des hommes ; ces derniers sont des juges lents pour leurs propres affaires, mais des enquêteurs rapides pour celles d'autrui, et ils pardonneraient plus facilement aux autres les plus grandes fautes qu'à nous les plus petites ; et s'ils sont moins instruits, ils nous accuseraient plus vite d'impiété qu'ils ne s'accuseraient eux-mêmes d'avoir une bonne mesure d'ignorance. Vous ne savez pas quel don de Dieu est le silence, ainsi que le fait de n'être pas obligé de dire une parole quelle qu'elle soit, de pouvoir à son gré choisir une de ces deux choses et éviter l'autre, et d'être pour soi-même le dispensateur de la parole et du silence. Toute parole est, en effet, de par sa nature, faible et facile à ébranler, et la parole qui la contredit ne lui laisse pas sa liberté ; mais, quand il s'agit de Dieu, cela est d'autant plus vrai que le sujet est plus grand, le zèle plus considérable et le danger plus pressant. Sur quoi portera notre crainte ? sur quoi, notre assurance ? sur notre esprit, ou sur notre parole, ou sur notre auditoire ? Autour des trois rôde le danger : réfléchir (sur Dieu) est difficile ; l'expliquer est impossible[1] ; et rencontrer des auditeurs aux oreilles purifiées est une entreprise très laborieuse.

---

1. Allusion à une célèbre sentence platonicienne (*Timée* 28 c : τὸν μὲν οὖν ποιητὴν καὶ πατέρα τοῦδε τοῦ παντὸς εὑρεῖν τε ἔργον καὶ εὑρόντα εἰς πάντας ἀδύνατον λέγειν. Cf. *Discours* 28, 4 (*SC* 250, p. 106-109 et la note 1 de la p. 108).

D   **15.** « Φῶς μὲν ὁ Θεός[a] », καὶ φῶς τὸ ἀκρότατον[b], οὗ
βραχεῖά τις ἀπορροὴ καὶ ἀπαύγασμα κάτω φθάνον, φῶς
192 A   ἅπαν, κἂν ὑπέρλαμπρον φαίνηται · ἀλλ' ὁρᾷς, γνόφον πατεῖ
τὸν ἡμέτερον καὶ « ἔθετο σκότος ἀποκρυφὴν αὐτοῦ[c] »,
5 μέσον αὐτοῦ τε καὶ ἡμῶν θείς, ὥσπερ καὶ Μωϋσῆς πάλαι
τὸ κάλυμμα ἑαυτοῦ τε καὶ τῆς πωρώσεως Ἰσραήλ[d], ἵνα
μὴ ῥᾳδίως ἴδῃ σκοτεινὴ φύσις τὸ ἀπόθετον κάλλος καὶ
ὀλίγων ἄξιον, μηδὲ ῥᾳδίως ἐπιτυχοῦσα, ῥᾳδίως καὶ ἀποβάλῃ
διὰ τὴν εὐκολίαν τῆς κτήσεως · φῶς δὲ ὁμιλήσῃ φωτί, ἀεὶ
10 πρὸς τὸ ὕψος ἕλκοντι διὰ τῆς ἐφέσεως, καὶ νοῦς πλησιάσῃ
τῷ καθαρωτάτῳ κεκαθαρμένος, καὶ τὸ μὲν ἄρτι φανῇ τὸ
δὲ ὕστερον, ἆθλον ἀρετῆς καὶ τῆς ἐντεῦθεν πρὸς αὐτὸ
νεύσεως, εἴτουν ἐξομοιώσεως. « Βλέπομεν γὰρ ἄρτι, φησί,
δι' ἐσόπτρου καὶ ἐν αἰνίγματι, τότε δὲ πρόσωπον πρὸς
15 πρόσωπον · ἄρτι γινώσκω ἐκ μέρους, τότε δὲ ἐπιγνώσομαι
B   καθὼς καὶ ἐπεγνώσθην[e] ». Καὶ τὸ ταπεινὸν ἡμῶν ὅσον

15, 2 φθάνον ex φθάνων S² ‖ 3 ὁρᾷ Z γρ. ὁρᾷς Z mg. ‖ πατεῖ :
παντὶ A ‖ 5 ἑαυτοῦ BVWQS²Z αὐτοῦ PD ‖ θείς : ὁ θεός S corr. S² ‖
ὥσπερ καὶ AB : ὥσπερ cett. ‖ μωσῆς SVWQ ‖ πάλαι om. W ‖ 6
τοῦ ἰσραὴλ D ‖ 8 ἐπιτυχοῦσα : ἐπιτυχὸν uel - ὸν BVW²S ῥᾳδίως
ἐπιτυχοῦσα om. Q ‖ ἀποβάλῃ ex ἀποβάλλῃ W ἀποβάλλῃ A ‖ 9 τῆς
εὐκολίας S ‖ ὁμιλήσει ex ὁμηλήσει A ‖ 10 διὰ om. S add. S² ‖ πλη-
σιάσει B ‖ 11 κεκαθαρμένοις Z ‖ φανεῖ A ‖ 14 ἐν om. S add. S² ‖ δι'
αἰνίγματος A ‖ 16 καὶ¹ om. PC corr. P²

---

15. a. I Jn 1, 5.   b. Cf. I Tim. 6, 16.   c. Ps. 17, 12.
d. Cf. Ex. 34, 33.   e. I Cor. 13, 12.

---

1. La « ténèbre » est le lieu où se cache par contraste la suprême
lumière de Dieu ; c'est un thème mystique développé surtout par
Grégoire de Nysse (cf. J. Daniélou, *Platonisme et théologie mystique*,
Paris 1947, p. 190 s.).

2. Cette interprétation du voile de Moïse est analogue à celle de
Basile dans son traité *Sur le Saint-Esprit* 21, 52 : « Le voile avec
lequel Moïse se couvrait la face correspond à l'obscurité de l'enseignement de la Loi, et la contemplation spirituelle correspond au fait
de se tourner vers le Seigneur. »

15. « Dieu est lumière[a] », et la plus haute lumière[b] ;
un faible écoulement, un faible rayonnement venant
jusqu'ici-bas, c'est toute notre lumière, encore qu'elle
nous paraisse très brillante ; mais, vois-tu, Dieu foule notre
obscurité, et « il a placé les ténèbres comme sa retraite[c] »
entre lui et nous[1] ; comme jadis Moïse plaça aussi le voile
entre lui-même et l'endurcissement d'Israël[d] : c'est pour
que notre nature enténébrée ne voie pas facilement la
beauté cachée et que bien peu méritent de voir[2] ; c'est aussi
pour éviter que, si nous l'atteignions facilement, nous
ne la perdions facilement aussi, à cause de l'aisance qu'il y
aurait à l'acquérir ; il faut que notre lumière[3] prenne
contact avec la Lumière — cette dernière l'attirant sans
cesse vers les hauteurs par le désir[4] —, il faut que notre
esprit purifié s'approche de la pureté absolue[5] et qu'une
partie de celle-ci lui apparaisse maintenant, et le reste
plus tard, en récompense de la vertu, de l'élan d'ici-bas[6]
vers cette pureté absolue, ou plutôt de l'assimilation à
elle[7]. « Car nous voyons maintenant, dit l'Écriture, à
travers un miroir et en énigme, mais alors nous verrons
face à face ; maintenant je connais en partie, mais alors
je connaîtrai comme j'ai été connu[e]. » Quelle est notre

3. C'est-à-dire la nature humaine débarrassée, en partie, de ses
ténèbres. P.G.

4. Ἔφεσις est peut-être employé dans son sens philosophique ;
il désigne chez Plotin le désir de s'unir à l'hypostase supérieure
(cf. aussi *Discours* 21, 2 et C. Moreschini, « Il platonismo cristiano
di Gregorio Nazianzeno », dans *Annali Scuola Normale Superiore di
Pisa* III, 4, 1974, p. 1347-1392, p. 1369-1370).

5. Encore un terme platonicien pour définir Dieu : καθαρώτατος
νοῦς ; cf. *Discours* 18, 4 et « Il platonismo cristiano », p. 1382-1383.

6. Littéralement : « en récompense de l'inclinaison vers... ». La
métaphore grecque devait être transposée. P.G.

7. Autre thème très fréquent chez Grégoire, en dehors de toute
une tradition chrétienne inspirée du platonisme, celui de l'ὁμοίωσις
Θεῷ (cf. « Il platonismo cristiano », p. 1365 s.). Bellini observe que
Grégoire de Nysse conçoit également la ressemblance comme un
engagement moral (cf. *De oratione dominica, PG* 44, 1141, 1144-1145).

καὶ ἡ ἐπαγγελία πηλίκη · γνῶναι Θεὸν τοσοῦτον ὅσον ἐγνώσμεθα. Ταῦτα Παῦλος ὁ μέγας κῆρυξ τῆς ἀληθείας, ὁ τῶν ἐθνῶν ἐν πίστει διδάσκαλος[f], ὁ τὸν πολὺν κύκλον
20 τοῦ Εὐαγγελίου πληρώσας[g], ὁ μὴ ἄλλῳ τινὶ ζῶν ἢ Χριστῷ[h], ὁ μέχρι οὐρανοῦ τρίτου φθάσας[i], ὁ τοῦ παραδείσου θεατής[j], ὁ ποθῶν διὰ τὴν τελειότητα τὴν ἀνάλυσιν[k].

16. Καὶ Μωϋσῆς μόλις εἶδε Θεοῦ τὰ ὀπίσθια διὰ τῆς πέτρας[a] — ἅτινα ταῦτά ἐστι, καὶ ἥτις ἡ πέτρα —, καὶ
C ταῦτα πολλὰ δεηθεὶς καὶ τυχὼν ὑποσχέσεως · πλὴν ὅτι μή, ὅσον ἐπόθησεν, εἶδεν, ἀλλὰ πλέον τοῦ φαντασθέντος
5 ἦν ὁ διέφυγεν · Μωϋσῆς, ὁ τοῦ Φαραὼ Θεός[b], ὁ τοσοῦτον ἄγων λαόν, ὁ τηλικαύτην σημείων ἐπιδειξάμενος δύναμιν. Σὺ δὲ τίνας ἔθρεψας ἐξ οὐρανοῦ[c]; Ποῖον ὕδωρ ἐκ πέτρας δέδωκας[d]; Ποίαν ἔρρηξας θάλασσαν ῥάβδῳ[e]; Τίνα λαὸν διήγαγες ὡς διὰ ξηρᾶς τῆς ὑγρᾶς[f]; Τίνας ἐχθροὺς κατε-
10 πόντισας[g]; Τίνα στύλῳ πυρὸς καὶ νεφέλης ὡδήγησας[h]; Τίνα κατεπολέμησας Ἀμαλὴκ εὐχῇ καὶ χειρῶν ἐκτάσει[i] καὶ τῷ σταυρῷ προτυπουμένῳ πόρρωθεν μυστικῶς, ἵν' ᾖ σοι συμφορὰ τὸ μὴ τελείως καταλαβεῖν Θεὸν καὶ διὰ τοῦτο πάντα δονῆται καὶ ἄνω καὶ κάτω φέρηται; Ἐπεὶ δὲ

15, 18 καὶ κῆρυξ C ‖ 19 ἐν om. W ‖ 21 τρίτου οὐρανοῦ SPCDZ (οὐρανοῦ τρίτου S²) οὐρανοῦ Q
16, 1 μωυσῆς μὲν D Maur. ‖ 2 ἥτις : τις ASPCD (ἥτις S²) ‖ 3 ταῦτα δὲ A ‖ 4 πλεῖον W ‖ 5 μωσῆς BVWQ ‖ τοῦ φαραὼ ὁ θεὸς D ‖ 8 ἔδωκας BVWS² ‖ 10 νεφέλη B ‖ 12 προτυπωμένῳ A ‖ 13 σοι om. S add. S² ‖ καταλαμβάνειν SVWQ ‖ 14 δονῆται ... φέρηται AVW²QP² : δονεῖται ... φέρεται BSPCDZW

15. f. Cf. II Tim. 1, 11.   g. Cf. Rom. 15, 19.   h. Cf. Gal. 2, 20.   i. II Cor. 12, 2.   j. II Cor. 12, 4.   k. Cf. Phil. 1, 23.
16. a. Cf. Ex. 33, 18-23.   b. Ex. 7, 1.   c. Cf. Ex. 16, 13 s. Ps. 77, 24.   d. Cf. Ex. 17, 6.   e. Cf. Ex. 14, 16.21.   f. Cf. Ex. 14, 29 ; 15, 19.   g. Cf. Ex. 14, 27-29.   h. Cf. Ex. 13, 21. i. Cf. Ex. 17, 10 s.

bassesse, et de quelle envergure est la promesse : connaître Dieu autant que nous sommes connus de lui ! Voilà ce que dit Paul, le grand héraut de la vérité, le maître des nations dans la foi[f], celui qui a rempli de l'Évangile le vaste cercle qu'il a parcouru[g], celui qui ne vivait pour aucun autre que pour le Christ[h], celui qui parvint jusqu'au troisième ciel[i], celui qui contempla le paradis[j], celui qui désirait la mort pour atteindre la perfection[k].

16. Et encore Moïse vit-il tout juste Dieu par derrière, grâce au rocher[a] — quoi que fût ce qu'il vit et quel que fût ce rocher[1]—, et de plus il adressa une demande instante pour obtenir que Dieu lui promît cela. Néanmoins il lui en échappa plus qu'il ne lui en apparut, à lui, Moïse, qui était un dieu pour le Pharaon[b], qui conduisait un si grand peuple et qui manifesta une si grande puissance de miracles. Mais toi, quels hommes as-tu nourris avec une nourriture venant du ciel[c]? Quelle eau jaillie du rocher leur as-tu donnée[d]? Quelle mer as-tu divisée avec ton bâton[e]? Quel peuple as-tu fait passer à travers l'eau comme à travers la terre ferme[f]? Quels ennemis as-tu engloutis dans les flots[g]? Quels hommes as-tu guidés par une colonne de feu et de nuée[h]? Quel Amalec as-tu vaincu par la prière et les mains étendues[i] — préfiguration lointaine et mystérieuse de la croix —, pour que tu considères comme un malheur de ne pas comprendre Dieu parfaitement et que, dès lors, tout te semble tourner et chavirer? Et puisque

---

1. Ces mots ne semblent pas être une observation oiseuse, de caractère purement rhétorique, mais révèlent, à notre avis, l'incertitude dans laquelle se trouve Grégoire devant les expressions excessivement concrètes qu'il lisait dans ce passage de l'*Exode* et pour lesquelles il cherchait une interprétation correcte. C'est au même problème, du reste, que sera affronté GRÉGOIRE DE NYSSE peu d'années après (*De vita Moysis* II, 219 s.). Grégoire utilise le même texte dans le *Discours* 28, 3 pour décrire la situation du théologien qui essaie de contempler la divinité, et il voit dans le rocher le Verbe incarné : par l'Incarnation le Christ nous permet d'atteindre Dieu, dans la mesure où c'est possible.

15 Μωϋσέως ἐμνήσθην, οὐκ ἔμαθες ἐντεῦθεν χαρίσματος
D ἀκολουθίαν καὶ νόμον τάξεως ; Εἰ μὲν εἶ Μωϋσῆς, καὶ
τῆς νεφέλης εἴσω χώρησον καὶ λάλει Θεῷ καὶ φωνῆς ἄκουε
καὶ δέξαι νόμον καὶ νομοθέτησον[j]. Εἰ δὲ Ἀαρών, συνα-
193 A νάβηθι μέν, ἀλλὰ τῆς νεφέλης ἔξω στῆθι πλησίον[k]. Εἰ δὲ
20 Ἰθάμαρ τις ἢ Ἐλεάζαρ[l] καὶ τρίτος ἀπὸ Μωϋσέως, ἢ τῆς
γερουσίας τις καὶ τῶν Ἑβδομήκοντα[m], ἔτι πόρρωθεν στῆθι,
κἂν τῇ στάσει τὸ τρίτον ἔχων. Εἰ δὲ τοῦ λαοῦ καὶ τῶν
πολλῶν εἷς, οὐ προσίεταί σε τὸ ὄρος[n], οὗ κἂν θηρίον θίγῃ,
λιθοβοληθήσεται[o]. Κάτω μεῖνον καὶ μόνης ἄκουε τῆς φωνῆς,
25 καὶ ταύτης ἁγνίσας σεαυτὸν καὶ καθήρας, ὡς διατέταξαι[p].

17. Καὶ ἵνα σε παιδεύσω διὰ πλειόνων, τίς τῶν ἱερέων
ἐτελείου τὰς χεῖρας ; Μωϋσῆς[a]. Τίς τῶν τελειουμένων ὁ
πρῶτος ; Ἀαρών[b]. Καὶ ἔτι πρὸ τούτων, τίς τὰ πρὸς Θεὸν
B ἦν ; Καὶ τίς ἀντὶ φωνῆς τῷ λαῷ[c] ; Εἰς δὲ τὰ Ἅγια τῶν
5 ἁγίων εἰσῄει τίς, πλὴν ἑνός[d] ; Ἀεὶ δὲ οὗτος ; Οὐδαμῶς ·
ἀλλ' ἅπαξ τοῦ ἐνιαυτοῦ καὶ ἦν ὅτε[e]. Ἔφερον δὲ τὴν σκηνὴν
τίνες, πλὴν Λευϊτῶν[f] ; Καὶ οὗτοι καθὼς διετέτακτο[g], οἱ
μὲν τὰ τιμιώτερα ταύτης, οἱ δὲ τὰ δεύτερα, καθὼς ἡ τῶν
φερόντων ἀξία. Ἐπεὶ δὲ καὶ φυλάσσεσθαι ταύτην ἔδει,
10 ἐφύλασσον τίνες καὶ πῶς[h] ; Οἱ μὲν τόδε τὸ κλίτος, οἱ δὲ

16, 15 μωσέως VWQP² ‖ ἐντεῦθεν : ἐνταῦθα Ζ ‖ χαρίσματος ex
χαρίματος S² ‖ 16 καὶ τάξεως S ‖ μωσῆς WQ ‖ 20 μωσέως BVW
QP² ‖ 21 τις om. A ‖ εἴ τι πόρρω στῆθι Ζ ‖ 24 λιθοβοληθήση W ‖
25 σεαυτὸν : σαυτὸν A ἑαυτὸν Q ‖ καθάρας S Maur. καθαρίσας V
17, 2 μωσῆς VWQ ‖ 3 πρὸς τὸν θεὸν AB ‖ 5 εἴσει A εἰσίει D ‖
6 δὲ om. W ‖ 7 πλὴν : πλὴν τῶν Maur.

16. j. Cf. Ex. 19, 3-9 ; 21, 1-19.   k. Cf. Ex. 24, 1-2.   l. Cf. Ex.
28, 1.   m. Cf. Ex. 24, 1.   n. Cf. Ex. 19, 12.   o. Cf. Ex. 19,
13.   p. Cf. Ex. 19, 10.
17. a. Cf. Ex. 29, 24.   b. Cf. Ex. 29, 1-37.   c. Cf. Ex. 20, 10.
d. Cf. Lév. 16, 2 ; Hébr. 9, 7.   e. Cf. Lév. 16, 34 ; Hébr. 9, 7.
f. Cf. Nombr. 2, 50 ; II Chron. 16, 4-5.   g. Cf. Nombr. 2, 50-51.
h. Cf. Nombr. 2, 53.

j'ai fait mention de Moïse, n'as-tu pas appris de lui les phases successives de la grâce et la loi de l'ordre ? Si tu es Moïse, avance à l'intérieur de la nuée, parle à Dieu, entends sa voix, reçois la loi et établis des lois[j]. Si tu es Aaron, monte avec Moïse, mais tiens-toi à proximité, en dehors de la nuée[k]. Si tu es Ithamar ou Éléazar[l] et le troisième après Moïse, ou un membre du groupe des vieillards, un des soixante-dix[m], tiens-toi encore plus loin, bien que tu ne sois qu'au troisième rang. Et si tu n'es qu'une unité du peuple et de la foule, la montagne ne t'admet pas[n] — même si une bête touche cette montagne, elle sera lapidée[o] —, reste en bas et écoute seulement la voix, et encore après t'être sanctifié et purifié, comme cela t'a été prescrit[p] [1].

17. Et, pour que je t'instruise plus en détail, qui consacrait les mains des prêtres ? — Moïse[a]. — Quel est le premier de ceux qui furent consacrés ? — Aaron[b]. — Et, bien avant cela, qui s'occupait des choses de Dieu ? Qui servait de voix à Dieu auprès du peuple[c] ? Et qui entrait dans le Saint des Saints sinon un seul homme[d] ? Était-ce tout le temps ? — Nullement, mais une fois par an et à un moment déterminé[e]. — Et qui portait l'arche d'alliance, sinon les Lévites[f] ? et ceux-ci le faisaient comme il leur avait été prescrit[g], les uns portaient les éléments les plus précieux, les autres les éléments de second ordre, suivant la dignité des porteurs. Et comme il fallait garder l'arche, qui la gardait, et comment[h] ? Les uns gardaient ce côté-ci, les autres celui-là. Il n'y avait rien qui

---

1. Cette gradation sera reprise dans la description du *Discours* 28, 2-3. J. Barbel (Gregor von Nazianz, *Die Fünf Theologischen Reden*, Düsselforf 1963, *ad locum*) constate la diffusion de ce thème exégétique dans Philon d'Alexandrie (*De post Cain*. 13, 15), Clément (*Stromates* V, 11, 71, 5), Origène (*Exod. Hom.* 12, 3). Les autres passages où Grégoire parle de la montée de Moïse sont : *Discours* 2, 92 ; 20, 2 ; 37, 3. En tout cas, l'interprétation spirituelle du passage biblique a été développée surtout per le Nazianzène.

τόδε · καὶ οὐδὲν ἀόριστον οὐδὲ ἄτακτον, οὐδὲ τῶν ἐλα-
χίστων. Ἡμεῖς δὲ ἂν μικροῦ δοξαρίου τύχωμεν ἢ οὐδὲ
τούτου πολλάκις, ἀλλ᾽ ὡς ἔτυχεν, ἢ δύο ἢ τρία ῥήματα τῆς
Γραφῆς ἐκμελετήσωμεν, καὶ ταῦτα περικεκομμένως καὶ
15 ἀνοήτως — τοῦτο ἐκεῖνο, ἡ αὐθημερινὴ σοφία καὶ ὁ ἐν
C Χαλάνῃ πύργος, ὃς καλῶς τὰς γλώσσας ἐμέρισεν[1] —, καὶ
ἀπονοηθῆναι δεῖ κατὰ Μωϋσέως καὶ γενέσθαι Δαθὰν καὶ
Ἀβειρὼν[j] τοὺς ὑβριστὰς καὶ ἀθέους. Ὧν φύγωμεν τὴν
αὐθάδειαν καὶ μηδὲ τὴν ἀπόνοιαν μιμησώμεθα μηδὲ τὸ
20 τέλος δεξώμεθα.

18. Βούλει δὲ καὶ ἄλλην σοι παραστήσω τάξιν, καὶ
ταύτην ἐπαινετήν, καὶ ταύτην ἀξίαν τῆς εἰς τὸ παρὸν μνήμης
καὶ νουθεσίας ; Ὁρᾷς τῶν Χριστοῦ μαθητῶν, πάντων
ὄντων ὑψηλῶν καὶ τῆς ἐκλογῆς ἀξίων, ὁ μὲν Πέτρα καλεῖται
5 καὶ τοὺς θεμελίους τῆς Ἐκκλησίας πιστεύεται[a], ὁ δὲ ἀγα-
πᾶται πλέον καὶ ἐπὶ τὸ στῆθος τοῦ Ἰησοῦ ἀναπαύεται[b],
καὶ φέρουσιν οἱ λοιποὶ τὴν προτίμησιν. Ἀναβῆναι δὲ εἰς
D τὸ ὄρος ἐδέησε τρεῖς, ἵνα τῇ μορφῇ λάμψῃ καὶ τὴν θεότητα
παραδείξῃ καὶ γυμνώσῃ τὸν ἐν τῇ σαρκὶ κρυπτόμενον.
10 Τίνες συναναβαίνουσιν — οὐ γὰρ πάντες ἐπόπται τοῦ
θαύματος — ; Πέτρος καὶ Ἰάκωβος καὶ Ἰωάννης[c], οἱ πρὸ
τῶν ἄλλων καὶ ὄντες καὶ ἀριθμούμενοι. Παρεῖναι δὲ ἀγωνιῶντι
196 A καὶ ἀναχωροῦντι μικρὸν πρὸ τοῦ πάθους καὶ εὐχομένῳ[d],

17, 11 οὐδὲν : οὐδὲ Maur. ‖ 13 τούτου : τοῦτο WV (τούτου mg.)
corr. W² ‖ ὡς ἔτυχεν : ὥστε τυχεῖν VmgQW ‖ ἢ¹ om. SPCDV ‖
14 μελετήσωμεν C ‖ καὶ² : ἢ C ‖ 16 χαλάννῃ VWC ‖ 17 ἀπονοησθῆναι
S ‖ δεῖ : δὴ D ‖ μωσέως VWQP² ‖ 19 καὶ om. BSPCDZ add. P²D²
18, 1 δὲ om. SVWQ ‖ διάταξιν A ‖ 2 ταύτην² om. SPCD ‖ 5 τῆς
ἐκκλησίας om. S add. mg. S² ‖ 6 τοῦ om. BVWQS²C ‖ 7 ἀναβῆναι
ex emend. S ‖ 8 ἐδέησε τρεῖς : δεῆσαν BVWQS² Maur. ‖ 10 τίνες οὖν
ἀναβαίνουσιν A ‖ 13 καὶ ἀναχωροῦντι mg. S

---

17. i. Cf. Gen. 11, 1-9.   j. Cf. Nombr. 16, 1-35.
18. a. Cf. Matth. 16, 18.   b. Cf. Jn 13, 25.   c. Matth. 17, 1 s.
d. Cf. Matth. 26, 36.

---

1. Le mot περικεκομμένως ne figure pas dans Liddell-Scott. Il a

ne fût fixé, qui ne fût réglé, même parmi les plus petits détails. Mais nous, si nous avons obtenu une pauvre petite gloire, et même non pas fréquemment mais à l'occasion, et si nous avons travaillé deux ou trois paroles de l'Écriture, et encore d'une façon fragmentaire[1] et inintelligente — voilà bien la sagesse acquise en un jour et la tour de Chalanè[2] qui causa une belle confusion des langues[1] — et il faut que nous ayons la folie de nous révolter contre Moïse et de devenir des Dathan et des Abiron[J] insulteurs et ennemis de Dieu. Évitons l'audace de ces hommes, n'imitons pas leur folie et ne subissons pas ce qui en fut le résultat[3].

18. Veux-tu que je te propose un autre exemple d'ordre, louable lui aussi et digne lui aussi d'être mentionné et de servir d'avertissement pour le présent ? Tu vois ce qui se passe parmi les disciples du Christ : bien qu'ils soient tous élevés et dignes d'être choisis, l'un est appelé « Pierre » et se voit confier les fondements de l'Église[a], l'autre est le plus aimé et il repose sur la poitrine de Jésus[b], et les autres supportent cette préférence. Il a fallu que trois d'entre eux gravissent la montagne pour voir le Christ resplendir dans sa forme humaine, montrer sa divinité et dévoiler celui qui se cachait dans la chair. Quels sont ceux qui montent avec lui ? Tous ne contemplent pas la merveille, mais ce sont Pierre, Jacques et Jean[c], placés et comptés avant les autres. Et quand le Christ est en agonie, quand il se retire un peu avant sa Passion et qu'il prie[d], quels sont ceux qui doivent être auprès de lui ?

été relevé par Lampe qui donne une référence à Justin, *Dial.* 118, 4. P.G.

2. C'est la tour de Babel. Bellini observe que Grégoire fait allusion à la définition géographique de *Gen.* 10, 10 (le royaume de Nemrod fut d'abord « Babylone, Arac, Acad et Chalanè dans le pays de Senaar »), mais il ne tient compte que de la dernière ville mentionnée.

3. La terre s'entr'ouvrit et engloutit Dathan, Abiron et leurs partisans. P.G.

τίνες ; Οἱ αὐτοὶ πάλιν. Αὕτη μὲν ἡ τοῦ Χριστοῦ προτίμησις.
15 Ἡ λοιπὴ δὲ εὐκοσμία καὶ τάξις, ὅση ; Τὸ μὲν Πέτρος
ἐρωτᾷ[e], τὸ δὲ Φίλιππος[f], τὸ δὲ Ἰούδας[g], τὸ δὲ Θωμᾶς[h],
τὸ δὲ ἄλλος τις, καὶ οὐδὲ τὸ αὐτὸ πάντες οὐδὲ τὰ πάντα
εἷς, ἀλλ᾽ ἕκαστος ἐν μέρει καὶ καθ᾽ ἕν. Οὗπερ ἕκαστος
ἔχρῃζεν εἴποις ἄν ; Ἀλλ᾽ ἐκεῖνό γε, τί σοι φαίνεται ;
20 Βούλεταί τι Φίλιππος εἰπεῖν, καὶ οὐ θαρρεῖ μόνος, ἀλλὰ
καὶ Ἀνδρέαν προσπαραλαμβάνει[i]. Χρῄζει πυθέσθαι Πέτρος,
καὶ Ἰωάννην προβάλλεται διὰ νεύματος[j]. Ποῦ τὸ αὐστηρὸν
ἐνταῦθα ; Ποῦ δὲ τὸ φίλαρχον ; Πῶς ἂν μᾶλλον ἔδειξαν
ὄντες μαθηταὶ Χριστοῦ, τοῦ πράου καὶ ταπεινοῦ τὴν καρδίαν[k]
25 καὶ δούλου δι᾽ ἡμᾶς τοὺς αὐτοῦ δούλους[l] καὶ πᾶσαν τῷ
Πατρὶ τὴν δόξαν ἐν ἅπασιν ἀναπέμποντος[m], ἵν᾽ ἡμῖν
B δῷ τύπον εὐταξίας καὶ μετριότητος ; Ἢν τοσοῦτον τιμᾶν
ἀπέχομεν ὥστε ἀγαπῴην ἄν, εἰ μὴ καὶ θρασύτεροι πάντων
εἴημεν, οἵ γε περὶ μεγίστων κἂν τοῖς μεγίστοις ταύτην
30 ἐπιδεικνύμεθα.

19. Οὐκ οἶσθα ὅτι τὸ ταπεινὸν οὐκ ἐν τοῖς μικροῖς
κρίνεται τοσοῦτον — γένοιτο γὰρ ἂν καὶ δι᾽ ἔνδειξιν καὶ
ψευδῆ μόρφωσιν ἀρετῆς — ὅσον ἐν τοῖς μείζοσι δοκιμάζεται ;
Καὶ ταπεινόφρων ἐμοὶ οὐχ ὅστις περὶ ἑαυτοῦ μικρὰ διαλέ-
C γεται, καὶ τοῦτο πρὸς ὀλίγους καὶ ὀλιγάκις, οὐδ᾽ ὅστις
6 ταπεινῶς προσαγορεύει τὸν ἀτιμότερον, ἀλλ᾽ ὅστις μετρίως
περὶ Θεοῦ φθέγγεται · καὶ τὰ μὲν εἰπεῖν οἶδε, τὰ δὲ κατέχειν,
τῶν δὲ ὁμολογεῖν τὴν ἄγνοιαν, καὶ παραχωρεῖν τοῦ λόγου

18, 14 ἡ χριστοῦ ABVW ‖ 15 καὶ supra uersum S ‖ 17 οὐδὲ ...
οὐδὲ : οὔτε ... οὔτε BVWQ ‖ 20 τι om. A ‖ 21 προσλαμβάνει
VS²Z Maur. ‖ 26 ἅπασιν : πᾶσιν SPCDZ (ἐν πᾶσιν mg. S) (ἅπασιν
S³) ‖ 26-27 ἵν᾽ — μετριότητος om. S add. S³ ‖ 29 οἵ : εἰ BWQS
PCZ ‖ μεγίστων κἂν τοῖς om. Q ‖ κἂν uel κἂν : καὶ WPCD (κἂν P²) ‖
30 ἐπιδεικνύμεθα τραχύτητα A
19, 4 ἐν ἐμοὶ D ἐμὸς Ioh. ‖ μικρὰ περὶ ἑαυτοῦ SPCD ‖ 6-7 περὶ
θεοῦ μετρίως AB Ioh. ‖ 8 ὁμολογῆσαι BVWQ Ioh. ‖ παραχωρεῖ
BVWQ Maur. παραχωρεῖται Ioh.

Encore les mêmes. Telle est la préférence du Christ. Et
pour le reste, quelle harmonie et quel ordre ! Tantôt c'est
Pierre qui interroge[e], tantôt Philippe[f], tantôt Judas[g],
tantôt Thomas[h], tantôt un autre, et non pas tous la même
fois ni un seul toutes les fois, mais chacun à son tour et
isolément. Tu diras peut-être : chacun demande ce qu'il
désire savoir ? mais considère ce qui suit. Que t'en semble-
t-il ? Philippe veut parler et il n'ose le faire seul, mais
il s'adjoint André[i] ; Pierre désire savoir quelque chose
et il prend Jean comme truchement en lui faisant un signe
de tête[j]. Où est la dureté là-dedans ? Où est la soif de domination ? Comment aurait-ils mieux montré qu'ils sont
les disciples du Christ « doux et humble de cœur[k] », esclave
à cause de nous, ses esclaves[l], et renvoyant en toute
circonstance toute la gloire à son Père[m] pour nous donner
un modèle de bon ordre et de mesure ? Ces dispositions,
nous sommes si loin de les avoir en honneur que je serais
content si nous n'étions pas les plus audacieux de tous,
nous qui affectons d'avoir cette mesure sur les plus grands
sujets et dans les plus grandes choses.

19. Ne sais-tu pas que l'humilité se juge moins dans les
petites choses — il peut arriver que l'on fasse de petites
choses par ostentation et fausse apparence de vertu
— qu'elle ne se révèle dans les grandes ? L'homme humble,
c'est, à mon avis, non pas celui qui parle de lui-même
modestement, en présence de peu de personnes et en peu
d'occasions, ni celui qui adresse la parole humblement
à son inférieur, mais celui qui parle de Dieu avec mesure :
il sait dire certaines choses, en garder d'autres, et avouer

18, e. Cf. Jn 13, 6.   f. Cf. Jn 14, 8.   g. Cf. Jn 14, 22.   h. Cf.
Jn 14, 5.   i. Cf. Jn 12, 22.   j. Cf. Jn 13, 24.   k. Matth. 11, 29.
l. Cf. I Cor. 7, 22.   m. Cf. Jn 8, 50.

19, 4-10 ταπεινόφρων ἐμοὶ — ἐν θεωρίᾳ Ιοη. Damasc., *Sacr.
Parall.*, *PG* 95, 1084 C

τῷ πιστευθέντι, καὶ εἶναί τινα πνευματικώτερον δέχεται,
10 καὶ διαβεβηκότα μᾶλλον ἐν θεωρίᾳ. Αἰσχρὸν γὰρ ἐσθῆτος
μὲν καὶ διαίτης μὴ τὴν ὑψηλοτέραν αἱρεῖσθαι, ἀλλὰ τὴν
εὐτελεστέραν, καὶ τύλοις γονάτων καὶ δακρύων πηγαῖς,
ἔτι δὲ νηστείαις καὶ ἀγρυπνίαις καὶ χαμευνίαις, κόπῳ καὶ
πᾶσιν ὑπωπιασμοῖς τὸ ταπεινὸν ἐπιδείκνυσθαι καὶ τὴν τῆς
15 ἰδίας ἀσθενείας συναίσθησιν, αὐτοκράτορα δὲ εἶναι καὶ
τύραννον ἐν τοῖς περὶ Θεοῦ λόγοις καὶ μηδενὶ τὸ παράπαν
ὑφίεσθαι καὶ τὴν ὀφρὺν αἴρειν ὑπὲρ πάντα νομοδιδάσκαλον,
D ἔνθα τὸ ταπεινὸν μετὰ τῆς εὐδοξίας ἔχει καὶ τὴν ἀσφάλειαν.

20. Τί οὖν ; σιωπησόμεθα περὶ Θεοῦ, καὶ τοῦτο κελεύεις
— ὑπέκρουσέ τις τῶν θερμοτέρων —; Καὶ περὶ τίνος
μᾶλλον ἢ τούτου φθεγξόμεθα ; Καὶ ποῦ θήσομεν τό · « Διὰ
παντὸς ἡ αἴνεσις αὐτοῦ ἐν τῷ στόματί μου[a] » · καὶ
5 « Εὐλογήσω τὸν Κύριον ἐν παντὶ καιρῷ[b] » · καὶ « Ἀλήθειαν
197 A μελετήσει ὁ λάρυγξ μου[c] » · καὶ « Ἰδού, τὰ χείλη μου οὐ
μὴ κωλύσω[d] » · καὶ τοιαῦτα ἐρεῖ μεμελετημένα καὶ ὡρισμένα
ῥήματα ; Πρὸς ὃν δεῖ πράως καὶ μὴ χαλεπῶς ἀπαντῆσαι
τοῖς λόγοις, ἐντεῦθεν διδάσκοντας εὐταξίαν. Οὐ σιωπᾶν
10 διακελεύομαι, ὦ σοφώτατε, ἀλλὰ μὴ φιλονείκως ἵστασθαι ·
οὐ κρύπτειν τὴν ἀλήθειαν, ἀλλὰ μὴ διδάσκειν παρὰ τὸν
νόμον. Ἐγὼ πρῶτος τῶν ἐπαινούντων εἰμὶ σοφίαν, κἂν
τοῖς θείοις λόγοις ἀσχολουμένων ἢ ἀσχολεῖσθαί γε βουλομένων, καὶ μή ποτε πρὸ ταύτης τι θείην τῆς ἀσχολίας μηδὲ

19, 9 πιστωθέντι V ‖ 10 γὰρ om. VWQ ‖ ἐσθῆτος ex emend.
W² ‖ 14 ὑποπιασμοῖς ABQ ‖ ὑποδείκνυσθαι S ‖ τὴν om. SPC add.
S² ‖ 16 μηδενὶ : μὴ δεῖν W
20, 1 σιωπησόμεθα SPCD (-σόμεθα S²P²) ‖ 2 ὑπέκρουε Maur. ‖
3 φθεγξόμεθα B ‖ θήσομεν ex θήσωμεν W² ‖ 5-6 καὶ ἀλήθειαν — μου
om. VWQ ‖ 6 λάρυξ S ‖ καὶ supra uersum S ‖ 9 ἐνταῦθα C ‖ διδάσκοντα
in ras. A ‖ 10 διακελεύομεθα C ‖ 11 μὴ ex emend. C ‖ 13-14 ἢ —
βουλομένων om. S add. mg. S² ‖ 14 τι θείην : τεθείην SPCDZ (τι θ.
S²P²) ‖ μηδὲ : καὶ μὴ S

20. a. Ps. 33, 2.   b. Ibid.   c. Prov. 8, 7.   d. Ps. 39, 10.

son ignorance sur certaines autres ; il cède la parole à
celui auquel cette mission a été confiée ; et il accepte qu'il y
ait quelqu'un de plus rempli que lui de l'Esprit-Saint et
de plus avancé dans la contemplation. Il serait honteux
que nous choisissions le vêtement et le régime les plus
simples au lieu des plus somptueux, que le cal des genoux,
l'abondance des larmes et, de plus, les jeûnes, les insomnies,
le coucher sur la dure, la fatigue et tous les genres de
macération manifestent notre humilité et la conscience
de notre propre faiblesse, — et que nous soyons des
despotes tyranniques quand il s'agit de parler de Dieu,
que nous ne cédions la place absolument à personne et que
nous levions le sourcil[1] plus que tous les docteurs de la Loi.
En ce domaine, l'humilité détient aussi la sécurité, avec
la gloire.

20. Quoi donc ? Garderons-nous le silence sur Dieu ?
Est-ce là ce que tu commandes ? — Ainsi nous a interpellés
un de ceux qui sont trop ardents. — Et sur quoi parlerions-
nous plutôt que sur lui[2] ? Et que ferons-nous du texte :
« Toujours sa louange en ma bouche[a] », et : « Je bénirai
le Seigneur en tout temps[b] », et : « Ma gorge proclamera
la vérité[c] », et : « Voici, je ne retiendrai pas mes lèvres[d] » ?
Et notre homme citera d'autres paroles proclamées et
définies de la même façon. Il faut aller au-devant de cet
homme avec des paroles douces et sans brusquerie, et lui
enseigner le bon ordre à partir de là. Je ne t'invite pas
à garder le silence, homme plein de sagesse, mais à ne
pas avoir une attitude chicanière ; je ne t'invite pas à
cacher la vérité, mais à ne pas l'enseigner contrairement
à la loi. Moi, je suis le premier de ceux qui louent la Sagesse
et qui s'occupent des paroles divines, ou du moins qui
ont le désir de s'en occuper ; et puissé-je ne rien mettre
avant cette occupation, pour ne pas m'entendre appeler

---

1. C'est-à-dire : que nous prenions un air arrogant. P.G.
2. Cf. *Discours* 27, 4 (*SC* 250, 78). P.G.

15 ταλαίπωρος ὑπ' αὐτῆς ἀκούσαιμι τῆς Σοφίας, ὡς σοφίαν
καὶ παιδείαν ἐξουθενῶνᵉ. Φεύγω δ' ὅμως τὸ ἄμετρον καὶ
κολάζω τὴν ἀπληστίαν · καὶ ἀργὸς εἶναι μᾶλλον τοῦ δέοντος
ἢ περίεργος δέχομαι, ἂν μὴ ἀμφότερα διαφυγεῖν ἐξῇ
B καὶ τοῦ μετρίου τυγχάνειν, καὶ δειλότερος μᾶλλον τοῦ
20 δέοντος ἢ θρασύτερος. Σὺ δὲ ποιεῖς παραπλήσιον ὥσπερ
ἂν εἰ κωλύοντά με τροφῆς ἀμετρίαν καὶ καθόλου τροφὴν
κωλύειν κατητιῶ · ἢ καὶ τυφλότητα ἐπαινεῖν σωφρόνως
ὁρᾶν εἰσηγούμενον.

21. « Εἰ ἔστι σοι λόγος συνέσεως, ἀποκρίθητί, φησί,
καὶ οὐδεὶς ὁ κωλύσων · εἰ δὲ μή, δεσμὸς κείσθω σοῖς
χείλεσιᵃ. » Πόσῳ μᾶλλον ἁρμόζει τοῦτο τοῖς εἰς τὸ διδάσκειν
ἑτοίμοις ; Εἰ μὲν ἔστι σοι καιρός, δίδαξον · εἰ δὲ μή, τὴν
C 5 γλῶσσαν πεδήσας, λῦσον τὴν ἀκοήν. Μελέτα μὲν ἐν τοῖς
θείοις, ἀλλ' εἴσω τῶν ὅρων μένων. Φθέγγου μὲν τὰ τοῦ
Πνεύματος καί, εἰ δυνατόν, μηδ' ἄλλο τι · καὶ φθέγγου
μᾶλλον ἢ ἀνάπνει — καλὸν γὰρ τοῦτο καὶ ἔνθεον, τῇ μνήμῃ
τῶν θείων ἀεὶ κεντρίζεσθαι πρὸς Θεόν —, ἀλλ' ἃ προσε-
10 τάχθης διανοούμενος. Μὴ περιεργάζου Πατρὸς φύσιν,
Μονογενοῦς οὐσίωσιν, Πνεύματος δόξαν καὶ δύναμιν, τὴν

20, 16 ἐξουθενῶν καὶ παιδείαν D ‖ φεύδ' ὅμως Q ‖ 17 κολάζων Z ‖
18-20 ἢ περίεργος — δέοντος om. W ‖ διαφεύγειν BVQS² ‖ 20 παρα-
πλήσια in ras. P ‖ 21-22 τροφὴν κωλύειν ex τροφεύειν S² τροφὴν
ex τροφὴ C ‖ 22 κατητιῶ S καιτηστιῶ P ‖ ἢ ex emend. W²
21, 1 ἀποκρίθητί μοι PC ‖ 2 σοῖς : τοῖς A ‖ 5 γλῶτταν B ‖ παιδήσας
ex παιδίσας S² ‖ 6 ὅρων μένων ex ὁρωμένων S² ὁρωμένων A ‖ μένων
ex μόνων D² ‖ μὲν τὰ : μετὰ PC (corr. P²) δὲ τὰ Z ‖ 8 μνήμῃ om.
Q ‖ 9 ἀλλὰ ἃ Q ‖ 11 υἱοῦ ante μονογενοῦς add. SPCDZ Maur.

20. e. Cf. Sag. 3, 11.
21. a. Sir. 5, 14.

1. La sagesse et l'éducation (σοφία, παιδεία) que Grégoire demande
ici d'exalter sont, naturellement, celles du christianisme et non celles
du paganisme ; cela, au moins dans ses intentions, car, en pratique, la

malheureux par la Sagesse elle-même parce que je mépri-
serais la sagesse et l'éducation[e][1]! Cependant je fuis
la démesure et je réprimande l'insatiabilité[2]. J'accepte
d'être inactif plus qu'il ne faut plutôt que d'être trop
actif, s'il n'est pas possible d'éviter les deux et d'atteindre
la juste mesure. J'accepte d'être plus lâche qu'il ne faut
plutôt que trop hardi. Toi, tu te comportes à peu près
comme si je t'interdisais l'excès de nourriture et si tu
m'accusais de t'interdire toute nourriture, ou encore comme
si tu m'accusais de louer la cécité parce que je te conseil-
lerais la modestie des regards.

21. « Si tu as une parole d'intelligence, réponds, dit
l'Écriture, et personne ne t'empêchera ; sinon, qu'un lien
soit placé sur tes lèvres[a]. » Combien ce texte s'applique-t-il
plus à ceux qui sont prêts à enseigner ! Si le moment est
venu pour toi, enseigne ; sinon, enchaîne ta langue et
ouvre tes oreilles. Applique-toi aux choses divines, mais en
restant dans les limites[3]. Fais entendre les paroles de
l'Esprit, et, si possible, rien d'autre ; et fais-les entendre
plus souvent que tu ne respires — car il est beau et divin
de s'aiguillonner sans cesse à tendre vers Dieu par le
souvenir des choses divines[4] —, mais en pensant à ce qui
t'a été prescrit. Ne t'occupe pas indiscrètement de la nature
du Père, de l'appel à l'existence de l'Unique[5] de la gloire
et de la puissance de l'Esprit[6], de l'unique divinité et

---

culture chrétienne de notre auteur est tout entière fondée sur la
culture hellénique.

2. On retrouvera la condamnation de l'ἀπληστία et de l'ἀμετρία
dans le *Discours* 27, 4 (*SC* 250, p. 78).

3. Cf. *Discours* 27, 4 : « Restons dans nos limites pour discuter... »

4. Cf. *ibidem*. P.G.

5. Cf. *Discours* 29, 8 fin (*SC* 250, 192). P.G.

6. A propos de l'Esprit-Saint sont employés encore (comme on l'a
déjà vu plus haut) des termes généraux : « gloire », « puissance ».

μίαν ἐν τοῖς τρισὶ θεότητα καὶ λαμπρότητα, τὴν ἀμέριστον
φύσιν καὶ ὁμολογίαν καὶ δόξαν καὶ τῶν πεπιστευκότων
ἐλπίδα. Ἔχου τῶν συντρόφων ῥημάτων · ὁ λόγος ἔστω
15 τῶν σοφωτέρων. Ἀρκεῖ σοι τὸν θεμέλιον ἔχειν · ἐποικο-
δομείτω δὲ ὁ τεχνίτης. Ἀρκεῖ τῷ ἄρτῳ τὴν καρδίαν στηρί-
ζεσθαι · τὰ ὄψα δὲ τοῖς πλουσίοις συγχώρησον. Οὐδεὶς
κρίνει σε μὴ τρέφοντα πολυτελῶς, τῶν νοῦν ἐχόντων,
D   ἀλλ᾽ ἐὰν μὴ παραθῇς ἄρτον μηδὲ ποτίσῃς ὕδωρ, εἴτουν
20 μαθητὴν Χριστοῦ εἴτε ἄλλον τινὰ μέχρι τούτων δυνάμενος.
« Μὴ ἴσθι ταχὺς ἐν λόγοις[b] », ἡ σοφία διακελεύεταί σοι ·
μὴ συμπαρεκτείνου, πένης ὤν, πλουσίῳ, μηδὲ ζήτει τῶν
200 A   σοφῶν εἶναι σοφώτερος. Σοφία καὶ τὸ γινώσκειν ἑαυτόν,
ἀλλὰ μὴ ὑπεραίρεσθαι, μηδὲ ταὐτὸν ταῖς φωναῖς πάσχειν,
25 αἱ παντελῶς ἐκλείπουσιν ἐὰν ὑπερφωνῶνται δι᾽ ἀμετρίαν.
Κρεῖσσον ὄντα σοφὸν ὑφίεσθαι δι᾽ ἐπιείκειαν ἢ ἀμαθῶς
ἔχοντα διὰ θράσος ὑπερεκτείνεσθαι. Τὸ τάχος ἔστω σοι
μέχρι τῆς ὁμολογίας, εἴ ποτε ταύτην ἀπαιτηθείης, τὸ δὲ
ὑπὲρ ταύτην εἶναι δειλότερος. Ἐκεῖ μὲν γὰρ ἡ βραδυτής,
30 ἐνταῦθα δὲ ἡ ταχυτὴς ἔχει τὸν κίνδυνον.

21, 12 λαμπρότητα καὶ θεότητα C ‖ 13 καὶ φύσιν BVW QS²Z ‖
14 ἐλπίδας C ‖ 16 τεχνίτης ex τεχνήτης S² ‖ τῷ : τὸ BVW ‖
18 τὸν νοῦν BW τῶν νοῦν ἐχόντων om. Q ‖ 19 μηδὲ : ἢ VWQ ‖ 20
χριστοῦ μαθητὴν ABVW ‖ 22 μὴ : μηδὲ mg. D² ‖ ζήτει om. W ‖ 24
ὑπερεπαίρεσθαι Ioh. ‖ 26 κρεῖττον SPCZD² mg. VWQ ‖ 28 εἴ ποτε :
ὁπότε B ‖ 30 τὸν κίνδυνον ex τὸ κίνδυνον D²

---

21. b. Sir. 5, 1.

21, 23-25 σοφία — δι᾽ ἀμετρίαν Ioh. Damasc., Sacr. Parall., PG
96, 329 C

---

1. A la divinité (θεότης) est toujours associée la splendeur
(λαμπρότης) dans le vocabulaire trinitaire de Grégoire ; cf. 2, 5, 76 ;

de l'unique splendeur dans les trois[1], de l'indivisibilité de
nature, de gloire[2] et d'espérance des croyants. Attache-toi
aux paroles avec lesquelles tu as été nourri[3] ; que la
discussion soit l'affaire des plus sages. Il te suffit d'avoir
les fondations ; que l'architecte construise par-dessus.
Il te suffit que ton cœur soit fortifié avec le pain ; laisse
les autres aliments aux plus riches. Personne parmi les
gens sensés ne t'accuse si tu ne nourris pas somptueusement
tes hôtes ; on t'accuse seulement si tu ne présentes pas
du pain et si tu ne donnes pas de l'eau à boire au disciple
du Christ ou à quelque autre, alors que tu peux aller
jusque-là. « Ne sois pas prompt en paroles[b] », c'est ce que
la Sagesse te conseille ; ne rivalise pas avec le riche, si
tu es pauvre, et ne cherche pas à être plus sage que les
sages. La sagesse, c'est aussi se connaître soi-même[4], au lieu
de s'élever trop haut et de subir la même mésaventure
que les voix qui font totalement défaut si on les force
sans mesure. Il vaut mieux, même si l'on est un sage, céder
à un autre par modération, plutôt que de s'élever trop
haut par témérité, alors qu'on est un ignorant. Que ta
promptitude aille jusqu'à la confession de la foi, si jamais
on te la demande ; mais pour ce qui est au-delà de cette
confession, sois plutôt timide. Dans le premier cas, en
effet, c'est la lenteur qui est dangereuse ; dans le second cas,
c'est la promptitude.

36, 5 ; 37, 18, etc. Τὰ τρία est un terme courant chez les nicéens pour
désigner les personnes divines.

2. Ἀμέριστος φύσις, c'est-à-dire ὁμοούσιον, la « consubstan-
tialité » ; et un égal honneur est dû aux trois Personnes.

3. Cf. *Discours* 31, 33 fin (*SC* 250, p. 340-342). P.G.

4. Interprétation chrétienne de la célèbre maxime : « Connais-toi
toi-même » ; cf. plus loin chap. 27, et Dziech, *op. cit.*, p. 165 s. ; sur
la question, récemment : P. Courcelle, *Connais-toi toi-même*,
Paris 1974-1975, p. 108-111.

B   **22.** Τί σοι δεινὸν ἐὰν μὴ πᾶσι λόγοις ἐνδυναστεύσῃς
καὶ τὴν προεδρίαν ἔχῃς ἐπὶ παντὸς προβλήματος ἢ ζητήμα-
τος, ἀλλ' ἕτεροί σου φανῶσιν ἢ σοφώτεροι ἢ θρασύτεροι ;
Τῷ Θεῷ χάρις, ὅτι καὶ τὰ ἐξαίρετα δίδωσι καὶ διὰ τῶν
5 κοινῶν σῴζειν ἐπίσταται. Καὶ τοῦτο οὐ περὶ λόγους μόνον
τὸ θαῦμα, ἀλλὰ καὶ περὶ τὴν δημιουργίαν αὐτήν, εἴ ποτε
κατενόησας. Οὔτε ἐν τοῖς κτίσμασι τὰ πρωτεῖά τινῶν
ἐστιν, ἀλλὰ πάντων, καὶ κοινὴ χάρις τοῦ ἑνὸς πλάσματος ·
οὔτε ἐν τῇ πίστει τὰ σῴζοντα τῶν δυνατωτέρων, ἀλλὰ
10 τῶν βουλομένων. Τί κάλλιον ἀέρος, πυρός, ὕδατος, γῆς,
ὑετῶν, καρπῶν ἡμέρων τε καὶ ἀγρίων, στέγης, ἐνδύματος ;
Τούτων ἡ μετουσία κοινή, τῶν μὲν καὶ παντάπασι, τῶν δὲ
μετρίως, καὶ οὐδεὶς οὕτω τύραννος ὥστε μόνος ἀπολαῦσαι
C   τῆς κοινῆς χάριτος. « Ἀνατέλλει τὸν ἥλιον » ὁμοτίμως,
15 « βρέχει[a] » πλουσίοις καὶ πένησι, κοινὴ νυκτὸς καὶ ἡμέρας
ἐναλλαγή, κοινὸν δῶρον ὑγίεια, κοινὸς ὅρος ζωῆς, κοινὸν
μέτρον καὶ χάρις σώματος, κοινὸν αἰσθήσεων δύναμις ·
τάχα δὲ καὶ πλεῖον ὁ πένης ἔχει, τὸ ἐπὶ τούτοις πλεῖον
εὐχαριστεῖν καὶ ἀπολαύειν ἥδιον τῶν κοινῶν ἢ τῶν ἐκ
20 περιουσίας οἱ δυνατώτεροι. Ταῦτα μὲν οὖν κοινὰ καὶ ὁμότιμα
καὶ Θεοῦ δικαιοσύνης γνωρίσματα · ὁ χρυσὸς δὲ καὶ οἱ
διαφανεῖς λίθοι καὶ ἀγαπώμενοι καὶ τῆς ἐσθῆτος ὅση μαλακὴ
καὶ περίεργος καὶ ἡ φλεγμαίνουσα καὶ ἐκμαίνουσα τράπεζα

22, 2 ἔχῃς ex ἔχεις S² ἔχεις Z ‖ 3 ἢ θρασύτεροι om. Q ‖ 4 καὶ τὰ
διὰ C ‖ 5 λόγους : λόγον VWQ ‖ 5-6 τὸ θαῦμα μόνον VW ‖ 7 πρωτεῖα :
πρῶτα VWQ ‖ 10 πυρὸς mg. D ‖ 14 τῆς : τοῖς P ‖ τὸν ex emend.
S² ‖ 16 ὑγίεια ex ὑγεία S² ὑγεία DQ ‖ 17 μέτριον D² ‖ 18 τὸ ἐπὶ
πλέον τούτοις C τὸ ἐπὶ τοῦτο πλέον Z ‖ 21 γνωρίσματα ex emend.
S² ‖ ὁ : οὐ mg. D² ‖ 22 αἰσθητὸς A

---

22. a. Matth. 5, 45.

---

1. La doctrine chrétienne est commune à tous, elle n'appartient
pas seulement aux riches ; cela est dit aussi dans le *Discours* 22, 9.

22. Qu'y a-t-il de terrible pour toi si tu ne domines pas dans toutes les discussions et si tu n'as pas la préséance à propos de tout problème et de toute recherche, mais si d'autres se montrent plus sages que toi, ou plus audacieux ? Grâces soient rendues à Dieu à la fois parce qu'il fait des dons de choix et parce qu'il sait sauver par des dons communs. Cette merveille se produit non seulement à propos des exposés théologiques, mais aussi à propos de l'organisation même du monde, si jamais tu l'as remarqué. La supériorité n'est pas le fait de quelques-unes des créatures, mais de toutes, et les bienfaits communs de Dieu sont accordés à l'univers dans son unité ; dans la foi aussi, ce qui sauve n'appartient pas aux puissants, mais à ceux qui le veulent. Qu'y a-t-il de plus beau que l'air, le feu, l'eau, la terre, les pluies, les fruits doux et les fruits sauvages, les habitations, les vêtements ? La participation à ces biens est commune à tous, aux uns pleinement, aux autres partiellement ; mais aucun homme n'est tyrannique au point de jouir seul de ces bienfaits communs. Dieu « fait lever son soleil » également sur tous, il « fait pleuvoir[a] » pour les riches et pour les pauvres ; commune pour tous est l'alternance de la nuit et du jour ; commun, le don de la santé ; commun, le terme de la vie ; communes, la juste mesure et la grâce du corps ; commune, la faculté de connaître par les sens ; et peut-être le pauvre a-t-il plus, en ce sens qu'il remercie plus pour ces choses et qu'il jouit de ces bienfaits communs avec plus de plaisir que n'en éprouvent les puissants, à cause de leur surabondance[1]. Tels sont les bienfaits communs, égaux et significatifs de la justice de Dieu ; mais l'or, les pierres diaphanes et que l'on aime, les vêtements si moelleux et si recherchés, la table qui enflamme et rend furieuse la convoitise, bref,

---

Noter le ton et l'argumentation, typiques de la « diatribe » cynique : sur l'εὐτέλεια cf. Dziech, p. 103 s. ; contre la φιλοκερδία, *ibid.*, p. 180 s. ; sur le pauvre, *ibid.*, p. 58-59 ; les autres richesses, p. 50 s.

καὶ τὰ περιττὰ τῆς κτήσεως, ὁ πόνος τῶν κεκτημένων,
D 25 ὀλίγων ἐστὶν ἐκγαλλωπίσματα.

23. Τοῦτο καὶ περὶ τὴν πίστιν ἐγὼ θεωρῶ. Κοινὰ νόμος,
προφῆται, λόγια Διαθηκῶν, χάρις, « παιδαγωγία[a] », τελείωσις,
πάθη Χριστοῦ, « καινὴ κτίσις[b] », ἀπόστολοι, Εὐαγγέλια,
201 A διανομὴ Πνεύματος, πίστις, ἐλπίς, ἀγάπη εἰς Θεόν τε καὶ
5 ἐκ Θεοῦ, καὶ οὐ πρὸς μέτρον, ὡς ἡ τοῦ μάννα ποτὲ δωρεὰ
τῷ ἀχαρίστῳ Ἰσραὴλ καὶ ἀγνώμονι[c], ἀλλὰ καθ' ὅσον ἕκαστος
βούλεται, ἀνάβασις, ἔλλαμψις, ὀλίγη μὲν ἡ ἐντεῦθεν, τρανο-
τέρα δὲ ἡ ἐλπιζομένη· τὸ μέγιστον, ἡ Πατρὸς καὶ Υἱοῦ
καὶ ἁγίου Πνεύματος ἐπίγνωσις καὶ ὁμολογία τῆς πρώτης
10 ἡμῶν ἐλπίδος. Τούτων τί μεῖζον ; τί δὲ κοινότερον ; Τὰ
δὲ ὑπὲρ ταῦτα, κἂν τῷ σπανίῳ τὸ τιμιώτερον ἔχῃ, ἀλλὰ
τῷ γε ἀναγκαίῳ τὸ δεύτερον· ὧν γὰρ ἄνευ τὸ Χριστιανὸν
οὐχ οἷόν τε, ταῦτα τῶν ὀλίγοις ἐφικτῶν χρησιμώτερα.

B **24.** Ὁ μέν τις πλουτεῖ θεωρίᾳ καὶ ὑπὲρ τοὺς πολλοὺς
αἴρεται καὶ πνευματικὰ συγκρίνει πνευματικοῖς[a], καὶ ἀπογρά-
φεται τρισσῶς ἐπὶ « τὸ πλάτος τῆς καρδίας[b] » τὸν πάντας
οἰκοδομοῦντα λόγον, καὶ τὸν πολλοὺς καὶ τὸν τινὰς ἀντὶ

22, 24 κτίσεως BVWPD corr. P² ‖ πόνος : κόπος WQγρ. ‖ 25
ἐγκαλλώπισμα BZ
23, 2 προφῆται διαθῆκαι BVWQZS² Maur. ‖ 3 κοινὴ V ‖ 5 δωρεὰ
om. W ‖ 8 ἦν ἐλπίζομεν VWQ ‖ τοῦ πατρὸς S ‖ 10 καινότερον Q ‖
12 τὸ εἶναι VWQ Maur.
24, 1 ὁ : καὶ ὁ SPCD (del. καὶ S²) ‖ 3 ἐπὶ τὸ πλάτος τῆς καρδίας
SPCDZQ ἐπὶ πλάτος καρδίας ABVW ἐπὶ πλάτος τῆς καρδίας S² ‖
4 καὶ τῶν τινὰς SD ‖ 4-5 καὶ τὸν τινὰς — πάντων om. Q ‖ ἀντὶ τῶν
πλειόνων C

---

23. a. Cf. Gal. 3, 24.   b. II Cor. 5, 17. Gal. 6, 15.   c. Cf.
Ex. 16, 13 s.
24. a. I Cor. 2, 13.   b. Jér. 17, 1 ; Prov. 22, 20 *(LXX)*.

---

1. Comme l'observe BELLINI, παιδαγωγία désigne l'Ancien Testament, d'après *Gal.* 3, 24 où la Loi est « pédagogue » pour conduire au
Christ ; la τελείωσις désigne le Nouveau Testament.

l'excès dans ce que l'on possède — vraie fatigue pour
les possesseurs —, c'est la parure de quelques-uns.

23. A l'égard de la foi, je remarque, moi, qu'il en va
aussi de même. Il y a des biens communs : la Loi, les
Prophètes, les oracles des Testaments, la grâce, la « péda-
gogie[a] », la perfection[1], les souffrances du Christ, la
« nouvelle création[b] », les apôtres, les évangiles, la distribution de l'Esprit, la foi, l'espérance, la charité qui
tend vers Dieu et qui vient de Dieu[2] ; et tous ces biens
ne sont pas donnés avec mesure comme jadis le don de
la manne à l'ingrat et inintelligent Israël[c]. Mais d'autres
biens sont donnés selon la bonne volonté de chacun :
l'élévation, l'illumination — celle d'ici-bas, faible ; celle
qui est objet d'espérance, plus claire —, et, ce qui est
plus grand, la connaissance du Père, du Fils et du
Saint-Esprit[3] et la confession de notre première espérance.
Qu'y a-t-il de plus grand que cela? Qu'y a-t-il donc de
plus commun à tous? Mais ce qui est au-delà, bien que
ce soit plus précieux à cause de sa rareté, c'est néanmoins
au second rang au point de vue de la nécessité ; car ce
qui est indispensable pour être chrétien est plus utile que ce
qui est seulement à la portée de quelques-uns.

24. L'un est riche en contemplation, il s'élève au-dessus
de la multitude, il compare les choses spirituelles aux
choses spirituelles[a], il inscrit d'une triple façon sur « la
largeur de son cœur[b] » la parole qui édifie[4] tous les hommes,
celle qui en édifie beaucoup et celle qui en édifie quelques-

2. Énumération analogue dans *Discours* 2, 36 et cf. BERNARDI,
p. 153-154.

3. La connaissance de Dieu (ἐπίγνωσις) est la chose la plus importante : cf. *Discours* 28, 17 ; 20, 12.

4. Au sens étymologique : « construire ». P.G.

5 πλειόνων ἢ πάντων, καὶ οὐκ ἀνέχεται πένης ὢν καὶ ἐμβατεύει
τοῖς βάθεσιν. Ἀνίτω καὶ ὁδηγείσθω καὶ ὑπὸ τοῦ νοῦ φερέσθω
καί, εἰ βούλεται, μέχρις οὐρανοῦ τρίτου κατὰ τὸν Παῦλον[c] ·
μόνον σὺν λόγῳ καὶ ἐπιστήμῃ, καὶ μὴ καταπιπτέτω διὰ
τὴν ἔπαρσιν[d], μηδὲ πτεροῤῥυείτω διὰ τὸ ὕψος τῆς πτήσεως.
10 Τίς φθόνος ἐπαινετῆς ἀναβάσεως ; Καὶ τί πτῶμα τοιοῦτο
οἷον ἐπάρσει περιπαρῆναι καὶ μὴ γνῶναι τῆς ἀνθρωπίνης
ἀναβάσεως τὴν ταπείνωσιν καὶ ὅσον ἔτι λείπεται τοῦ
C ἀληθινοῦ ὕψους ὁ πάντων ἀνώτατος ;

25. Ὁ δὲ ὀλίγος ἐστὶ τὴν διάνοιαν καὶ πένης τὴν γλῶτταν
καὶ οὐκ οἶδε λόγων στροφάς, ῥήσεις τε σοφῶν καὶ αἰνίγματα,
καὶ τὰς Πύρρωνος ἐνστάσεις ἢ ἐφέξεις ἢ ἀντιθέσεις, καὶ
τῶν Χρυσίππου συλλογισμῶν τὰς διαλύσεις ἢ τῶν Ἀριστο-
5 τέλους τεχνῶν τὴν κακοτεχνίαν ἢ τῆς Πλάτωνος εὐγλωττίας

24, 5 ἀλλ᾽ ἐμβατεύει Q ‖ 6 ἀνείτω APSCD (ἀνίτω P²) ἀνιείτω B
‖ νοῦ om. Q νοὸς Z ‖ 8 μόνον om. Q ‖ 9 πτερορυείτω PD corr. P²
‖ πτήσεως ex emend. P² ‖ 11 περιπαρεῖναι SZVW (-ῆναι S²W²) ‖
12 ἀναβάσεως : ἀνανεύσεως AVW Maur. (ἀναβάσεως Ioh.) ‖ ἔτι
λείπεται : ἐπιλείπεται Z ‖ 13 ἀνώτερος Ioh.
25, 1 γλῶτταν SPCD² mg. ZBQ : γλῶσσαν ADVW ‖ 4 λογισμῶν
S ‖ λύσεις A

24. c. Cf. II Cor. 12, 2.   d. Cf. Ps. 101, 11.

24, 10-13 τίς φθόνος — ἀνώτατος Ioh. Damasc., Sacr. Parall.,
PG 95, 1084 D

1. Grégoire, selon Bellini, en divisant les chrétiens en trois
catégories, s'est probablement inspiré de la distinction origénienne
entre les trois sens de l'Écriture, théorie exposée dans le De principiis
IV, 2, 4, et qui provient du même passage : Proverbes 22, 20.
2. Allusion à la légende d'Icare. P.G.
3. Philosophe sceptique (2e moitié du ive s. av. J. C.). Grégoire
indique quelques-uns des procédés par lesquels il justifiait son doute
universel ; l'un des principaux était la « suspension de jugement »
(ne rien affirmer), ce que le texte désigne par ἔφεξις ; mais le terme
ordinaire est ἐποχή.

uns[1], au lieu de beaucoup ou de tous ; il ne supporte pas
d'être pauvre et il pénètre dans les profondeurs. Qu'il
monte, qu'il guide les autres, qu'il soit porté par son
esprit et, s'il le veut, jusqu'au troisième ciel, comme Paul[c] ;
seulement, que ce soit avec raison et science, et qu'il ne
retombe pas à cause de son élévation[d], et qu'il ne voie
pas fondre ses ailes à cause de la hauteur de son vol[2] !
Quelle jalousie peut susciter une louable ascension ? Mais
aussi quelle chute est comparable à celle d'un homme
transpercé par son élévation ? Il n'a pas compris la
faiblesse de cette montée humaine ; il n'a pas saisi combien
celui qui est arrivé le plus haut de tous est encore loin
de la véritable hauteur.

25. Un autre, au contraire, est d'une intelligence
moyenne ; sa langue est pauvre ; il ignore les détours
de langage, les sentences et les énigmes des sages, les
objections ou les suspensions de jugement ou les oppositions
de propositions de Pyrrhon[3], les solutions de syllogismes
de Chrysippe[4], ou l'usage frauduleux fait par Aristote
de l'art oratoire[5], ou l'imposture du beau langage de
Platon[6] — tout ce qui s'est introduit pernicieusement

4. Philosophe stoïcien (280-205) célèbre par sa subtilité comme
dialecticien.

5. Comme dans le *Discours* 27, 10 (*SC* 250, p. 94-96), Grégoire ne
voit dans Aristote que le théoricien de la rhétorique et il ne retient
de celle-ci que le mauvais usage qui en est fait par les hérétiques. La
κακοτεχνία et les termes analogues liés à la τέχνη désignent chez
Grégoire la recherche du divin à l'aide des seules forces humaines,
et qu'on ne trouve pas dans l'enseignement de l'Église ; celle
d'Eunome, par exemple, est une τέχνη par excellence : cf. *Discours*
27, 10 ; 31, 18 et 20.

6. La philosophie grecque est toujours condamnée ouvertement
par Grégoire, qui s'exprime habituellement de façon assez rude à
propos de n'importe quel philosophe (pour Aristote, voir J. DE
GHELLINCK, *Patristique et Moyen Age* III, Bruxelles-Paris 1948,
p. 245-310, particulièrement p. 264-265). Même à l'égard de Platon
il ne ménage pas ses critiques (outre ce passage, cf. *Discours* 27, 10 ;

τὰ γοητεύματα, οἳ κακῶς εἰς τὴν Ἐκκλησίαν ἡμῶν εἰσέφρησαν
ὥσπερ Αἰγυπτιακαί τινες μάστιγες. Ἔχει καὶ οὗτος ὅθεν
σωθῇ. Καὶ διὰ τίνων ῥημάτων ; Οὐδὲν τῆς χάριτος πλου-
σιώτερον. « Οὐδὲν δεῖ σοι, φησίν, εἰς τὸν οὐρανὸν ἀνελθεῖν
10 ἵν’ ἐκεῖθεν ἑλκύσῃς Χριστόν · οὐδὲ εἰς τὴν ἄβυσσον
κατελθεῖνᵃ », ἵν’ ἐντεῦθεν αὐτὸν ἐκ νεκρῶν ἀνασπάσῃς, ἢ
τὴν πρώτην πολυπραγμονῶν φύσιν ἢ τὴν τελευταίαν οἰκο-
D νομίαν. « Ἐγγύς σου, φησί, τὸ ῥῆμά ἐστινᵇ » · ἡ διάνοια
τοῦτον ἔχει τὸν θησαυρὸν καὶ ἡ γλῶσσα · ἡ μὲν πιστεύουσα
15 ἡ δὲ ὁμολογοῦσα. Τί τούτου συντομώτερον τοῦ πλού-
204 A του ; τί τῆς δωρεᾶς εὐκολώτερον ; Ὁμολόγησον Ἰησοῦν
Χριστόν, καὶ πίστευσον ὅτι ἐκ νεκρῶν ἐγήγερται, καὶ
σωθήσῃᶜ. Δικαιοσύνη μὲν γὰρ καὶ τὸ πιστεῦσαι μόνον ·
σωτηρία δὲ παντελὴς τὸ καὶ ὁμολογῆσαι καὶ προσθεῖναι
20 τῇ ἐπιγνώσει τὴν παρρησίαν. Σὺ μεῖζόν τι σωτηρίας ζητεῖς,
τὴν ἐκεῖθεν δόξαν τε καὶ λαμπρότητα · ἐμοὶ καὶ τὸ σωθῆναι
μέγιστον καὶ τὰς ἐκεῖθεν φυγεῖν βασάνους. Σὺ βαδίζεις
τὴν ἀτριβῆ καὶ ἀπρόσιτον · ἐγὼ τὴν τετριμμένην καὶ ἡ
πολλοὺς ἔσωσεν.

25, 6 εἰσεφθάρησαν ABWQ ‖ 8 σωθεῖ A ‖ 11 ἀνασπάσῃς : ἀναστη-
σῃς BV ‖ 16 ταύτης τῆς δωρεᾶς PCDZ ‖ 16-17 χριστὸν ἰησοῦν AB
VW ‖ 17 ἐγείγερται A ‖ 19 παντελῶς B ‖ καὶ τὸ ὁμολογῆσαι A ‖
20 γνώσει BVWQ ‖ τι μεῖζον SPCD (μεῖζον τι S²) ‖ 21 ἐμοὶ δὲ Z ‖
καὶ supra uersum add. S² ‖ 22 φεύγειν W ‖ 24 διασέσωκεν VWZ
διέσωσεν A

---

25. a. Rom. 10, 6-7.   b. Rom. 10, 8.   c. Cf. Act. 16, 31 ;
Rom. 10, 9.

28, 4). Cependant la doctrine platonicienne et la doctrine néoplato-
nicienne ont exercé une forte influence sur lui, malgré ses négations
et ses refus en face de la philosophie. Il faut remarquer pourtant que
les critiques de Platon ne sont pas essentielles, mais presque toujours
occasionnelles : ici, par exemple, la nécessité de valoriser la foi des
plus simples porte avec elle la condamnation des obscurités philosophiques. Dans ce passage, Platon est un symbole comme Aristote

dans l'Église, comme des plaies d'Égypte. L'homme dont je parle a aussi de quoi se sauver. Et grâce à quelles paroles ? Rien n'est plus riche que la grâce. Nul besoin pour toi, dit l'Écriture, « de monter au ciel pour en tirer de là le Christ, ni de descendre dans l'abîme[a] » pour le retirer d'entre les morts en faisant des recherches indiscrètes ou sur la nature première[1] ou sur la dernière « économie »[2]. « La parole est près de toi[b] », dit l'Écriture ; la pensée et la langue possèdent ce trésor, l'une en croyant, l'autre en confessant. Qu'y a-t-il de plus condensé que cette richesse ? Qu'y a-t-il de plus facile à exploiter que ce don ? Confesse Jésus-Christ et crois qu'il est ressucité des morts, et tu seras sauvé[c]. La justice, en effet, consiste seulement à croire ; mais le salut complet consiste aussi à confesser et à ajouter à la connaissance la liberté de parole. Toi, tu cherches quelque chose de plus grand que le salut, tu cherches la gloire et la splendeur de l'au-delà ; pour moi, ce qu'il y a de plus grand, c'est précisément d'être sauvé et d'éviter les châtiments de l'au-delà. Toi, tu marches par le chemin qui n'est pas frayé ni praticable ; moi, je marche par le chemin qui est frayé et qui a conduit beaucoup de monde au salut.

et Pyrrhon, non une personnalité concrète avec laquelle l'auteur polémique. On lit une autre condamnation de la philosophie grecque dans le *Discours* 25, 2 : à celle-ci, à la νόθος σοφία ἐν λόγῳ κειμένη καὶ δι᾽ εὐγλωττίας γοητευούσα, Grégoire oppose la vraie philosophie, c'est-à-dire le christianisme. Sur la signification du terme φιλοσοφία qu'on trouve souvent chez Grégoire (voir d'autres acceptions dans *Discours* 33, 5 ; 34, 6 ; 36, 4), cf. A.-M. MALINGREY *Philosophia, Étude d'un groupe de mots dans la littérature grecque*, Paris 1961, p. 207-261 ; T. SPIDLIK, *Grégoire de Nazianze. Introduction à l'étude de sa doctrine spirituelle*, Rome 1971, p. 132 s.

    1. Πρώτη φύσις est un terme technique souvent employé par Plotin ; cf. « Il platonismo cristiano », p. 1385.

    2. Ce terme désigne l'Incarnation. P.G.

26. Οὐδὲν ἂν ἦν τῆς πίστεως ἡμῶν ἀδικώτερον, ἀδελφοί, εἴ γε εἰς τοὺς σοφοὺς ἔπιπτε μόνον καὶ τοὺς περιττοὺς ἐν λόγῳ καὶ ταῖς λογικαῖς ἀποδείξεσι, τοὺς πολλοὺς δὲ ἔδει,
B καθάπερ χρυσοῦ καὶ ἀργύρου καὶ τῶν ἄλλων, ὁπόσα τίμια
5 κάτω καὶ περισπούδαστα τοῖς πολλοῖς, οὕτω δὴ καὶ ταύτης ἀποτυγχάνειν · καὶ τὸ μὲν ὑψηλόν τε καὶ εἰς ὀλίγους φθάνον φίλον ἦν Θεῷ καὶ οἰκεῖον, τὸ δὲ ἐγγυτέρω καὶ τοῖς πολλοῖς ἐφικτὸν ἀπόπτυστον καὶ ἀπόβλητον. Οὐδὲ γὰρ τῶν ἀνθρώπων οἱ μετριώτεροι τοῦτο πάθοιεν ἄν, ὥστε μὴ τὰς κατὰ δύναμιν
10 ἀπαιτεῖν τιμὰς ἀλλὰ χαίρειν μόνον ταῖς προεχούσαις, μήτιγε δὴ Θεός · οὗ, πολλῶν ὄντων ἐφ' οἷς θαυμάζεται, οὐδὲν οὕτως ὡς τὸ πάντας εὐεργετεῖν ἰδιώτατον. Μὴ ἀτίμαζε τὸ εἰωθός, μὴ θήρευε τὸ καινόν, ἵν' εὐδοκιμῇς ἐν τοῖς πλείοσι. « Κρείσσων μικρὰ μερὶς μετὰ ἀσφαλείας ἢ μεγάλη
15 μετὰ σαθρότητος[a] », παιδευέτω σε τῇ συμβουλῇ Σολομών ·
C καὶ « Κρείσσων ἄπορος πορευόμενος ἐν ἁπλότητι αὐτοῦ[b] » — μία καὶ αὕτη τῶν παροιμιῶν σοφῶς ἔχουσα —, ὁ πένης ἐν λόγῳ καὶ γνώσει, τοῖς ἁπλοῖς ῥήμασιν ἐπερειδόμενος καὶ ἐπὶ τούτων ὥσπερ ἐπὶ λεπτῆς σχεδίας διασῳζόμενος,
20 ὑπὲρ στρεβλόχειλον ἄφρονα, τὸν ἀποδείξει λόγου θαρροῦντα σὺν ἀμαθίᾳ καὶ « κενοῦντα τὸν σταυρὸν τοῦ Χριστοῦ[c] », πρᾶγμά τι λόγου κρεῖττον, διὰ τῆς ἐν λόγοις δυνάμεως, ἔνθα τὸ ἀσθενὲς τῆς ἀποδείξεως « τῆς ἀληθείας ἐστὶν ἐλάττωσις[d] ».

26, 1 ἂν ἦν : ἂν VWS[2] νῆν (sic) in ras. Q ‖ ἀδελφοὶ ἀδικώτερον QPCZ Maur. ἀδικώτερον ἦν ἀδελφοὶ VWS[2] ‖ 2 μόνον : μόνους PC ‖ 5 καὶ[1] om. S add. S[2] ‖ 8 ἀπόπτυστόν τε PC ‖ οὐδὲ ex οὐ C ‖ 10 γε om. VWQ add. W[2] ‖ 12 ἰδιαίτατον W[2] ἰδιώτατον ex οἰκείοτατον corr. mg. (γρ.) Z ‖ 13 καινόν : κοινόν BV κενόν C ‖ εὐδοκιμήσῃς DZ ‖ 14 πλείοσι καὶ S corr. S[2] ‖ κρεῖσσον ASVW[2] ‖ 15 σαθρότητος : θρασύτητος γρ. S[2] ‖ τῆς συμβουλῆς B ‖ 16 κρεῖσσον AS ‖ 18 γνώσει : γλώσσῃ Q ‖ κα τοῖς ἁπλοῖς Maur. ‖ 19 ἐπὶ[1] : ὑπὸ A ‖ 20 στρεβλόχειρον D corr. mg. D[2] ‖ ἄφρονα : ἄρχοντα mg. P[2] ‖ 21 κενοῦντα ex καινοῦντα S[2] ‖ 22 τι om. A ‖ ἐν λόγῳ VWQZ

26. a. Prov. 16, 8.   b. Prov. 19, 1.   c. Cf. I Cor. 1, 16. d. Cf. Ps. 11, 2 *(LXX)*.

1. L'εὐεργετεῖν, qui résulte de la définition : « Dieu est amour »

26. Rien ne serait plus inique que notre foi, frères, s'il était vrai qu'elle échoie seulement aux sages, aux gens doués de faconde, et aux démonstrations logiques ; il faudrait alors que les gens du commun en soient frustrés, comme ils le sont de l'or, de l'argent et de tous les autres objets précieux d'ici-bas si avidement recherchés par la multitude ; alors, ce qui est élevé et à la portée du petit nombre serait agréable à Dieu et accepté par lui, mais ce qui est plus près et que la multitude peut atteindre serait dédaigné et rejeté par lui. Même les plus modérés des hommes ne sauraient éprouver ce sentiment qui leur ferait non pas réclamer les honneurs qu'on peut leur rendre, mais ne vouloir que des honneurs extraordinaires ; encore bien moins pourra-t-on faire ce reproche à Dieu, car, parmi les nombreux titres qu'il a à notre admiration, aucun ne lui est aussi propre que celui d'être le bienfaiteur de tous[1]. Ne méprise pas ce qui est en usage, ne fais pas la chasse aux nouveautés avec l'intention de te mettre en valeur parmi la multitude. Que Salomon t'instruise avec ce conseil : « Mieux vaut une petite part avec la sécurité qu'une grande avec le délabrement[a] », et : « Mieux vaut l'indigent qui marche avec simplicité[b] » — il y a là aussi un proverbe plein de sagesse —, cet indigent, pauvre en discours et en connaissance, s'appuie sur les paroles simples et, s'y tenant comme sur un petit radeau, il parvient au salut mieux que l'insensé aux lèvres tortueuses[2] qui se confie sottement dans la démonstration de son discours et qui, à cause de son aptitude à discourir, « rend vaine la croix du Christ[c] [3] », cette chose supérieure au discours, car la faiblesse de la démonstration est une « diminution de la vérité[d] [4] ».

(*I Jn* 4, 16 : cf. *Discours* 11, 7 ; 14, 2 ; 22, 4), est caractéristique de Dieu.

2. Στρεβλόγχειλος n'est pas dans Liddell-Scott. Lampe ne cite, comme référence, que ce passage. P.G.

3. Cf. *Discours* 29, 21.

4. Allusion à ce que dit le texte de la *Septante*, au *Psaume* 11, 2 : « Les vérités ont été diminuées d'entre les fils des hommes. » P.G.

142 DISCOURS

D **27.** Τί πρὸς οὐρανὸν ἀνίπτασαι, πεζὸς ὤν ; Τί πύργον
οἰκοδομεῖς, τὰ πρὸς ἀπαρτισμὸν οὐκ ἔχων[a] ; Τί καὶ σὺ μετρεῖς
τῇ χειρὶ τὸ ὕδωρ καὶ τὸν οὐρανὸν σπιθαμῇ[b] καὶ πᾶσαν τὴν
γῆν δρακί, στοιχεῖα μεγάλα καὶ μόνῳ μετρητὰ τῷ ποιήσαντι ;
5 Γνῶθι σαυτὸν πρῶτον · τὰ ἐν χερσὶ κατανόησον · τίς εἶ καὶ
πῶς ἐπλάσθης καὶ πῶς συνέστης, ἵν' εἰκὼν ᾖς Θεοῦ[c] καὶ
205 A τῷ χείρονι συνδεθῇς, καὶ τί τὸ κινῆσάν σε, τίς ἡ περὶ σὲ
σοφία καὶ τί τῆς φύσεως τὸ μυστήριον · πῶς μετρῇ τόπῳ
καὶ νοῦς οὐχ ὁρίζεται, ἀλλ' ἐν ταὐτῷ μένων πάντα ἐπέρχεται ·
10 πῶς ὄψις ὀλίγη καὶ ἐπιπλεῖστον φθάνουσα, καὶ πότερον
παραδοχή τίς ἐστι τοῦ ὀφθέντος ἢ πρὸς ἐκεῖνο διάβασις ·
πῶς τὸ αὐτὸ κινεῖ καὶ κινεῖται, διὰ βουλήσεως κυβερνώμε-
νον · τίς δὲ παῦλα κινήσεως · τίς ὁ τῶν αἰσθήσεων μερισμὸς
καὶ πῶς διὰ τούτων ὁ νοῦς ὁμιλεῖ τοῖς ἔξω καὶ τὰ ἔξωθεν
15 παραδέχεται · πῶς ἀναλαμβάνει τὰ εἴδη καὶ τίς ἡ τήρησις
τοῦ ἀναληφθέντος, ἡ μνήμη · καὶ τίς ἡ τοῦ ἀπελθόντος
ἀνάληψις, ἡ ἀνάμνησις · πῶς λόγος νοῦ γέννημα καὶ γεννᾷ
λόγον ἐν ἄλλῳ νοῖ, καὶ πῶς λόγῳ νόημα διαδίδοται · πῶς
B τρέφεται διὰ ψυχῆς σῶμα καὶ πῶς ψυχὴ διὰ σώματος
20 κοινωνεῖ πάθους · πῶς πήγνυσι φόβος καὶ λύει θάρσος

27, 1 ἀνίπτασαι ex emend. S² ‖ 2 οἰκοδομεῖς ex emend. S² ‖
4 μεγάλα ex μεγάλω corr. mg. D² ‖ 5 εἶ : ᾖ corr. P² ‖ 6 συνέστης :
συνεσέθης S συνετέθης BVWQS² ‖ 7 συνδεθεὶς W²D συνεδέθης A ‖ 8
μετρεῖ WD corr. mg. D² ‖ 9 ὁρίζεται SPCW (ὁρ- S²) ‖ ταὐτῷ ex
emend. W ‖ 10 πότερον om. PCD add. mg. P² ‖ 11 ἐκεῖνον A ‖
12 κινεῖ : καὶ κινεῖ VWQ ‖ 16 ἡ μνήμη D : ᾖ μνήμη cett. codd.
Maur. ‖ 17 ἡ ἀνάμνησις BD : ᾖ ἀνάμνησις cett. codd. Maur. ‖ 18
δίδοται WQC ‖ 20 θράσος BZ

27. a. Lc 14, 28.   b. Is. 40, 12.   c. Cf. Gen. 1, 26-27

1. Nouvelle allusion au mot de Socrate, comme ci-dessus, chap. 21.
2. La dépréciation du corps, *topos* courant dans la littérature
chrétienne antique, est caractéristique également des courants
ascétiques grecs, et, dans l'œuvre de Grégoire, elle est exprimée dans

27. Pourquoi t'envoles-tu vers le ciel, alors que tu es fait pour marcher sur le sol? Pourquoi construis-tu une tour sans avoir de quoi l'achever[a]? Pourquoi encore mesures-tu l'eau à la main, le ciel à l'empan[b], et toute la terre à la poignée? Immenses éléments, ils ne sont mesurables que par celui qui les a faits. Connais-toi d'abord toi-même[1], commence par bien comprendre ce qui est à ta portée : qui tu es, comment tu as été façonné et comment tu as été composé pour être l'image de Dieu[c] et pour être lié à ce qui est inférieur[2], qu'est-ce qui t'a mis en mouvement, quelle est la sagesse qui se manifeste en toi et quel est le mystère de ta nature ; comment tu es mesuré par un lieu et comment ton esprit n'est pas enfermé dans des limites, mais comment, restant au même endroit, il parcourt toutes choses ; comment l'œil, qui est si petit, atteint tant de choses, soit qu'il admette en lui, pour ainsi dire, l'objet aperçu, soit qu'il passe en cet objet ; comment le même être, grâce à l'impulsion de la volonté, est principe de mouvement et terme de ce mouvement ; de plus, qu'est-ce que la cessation du mouvement, qu'est-ce que la division des sens, et comment par eux l'esprit entre en contact avec le dehors et reçoit les choses extérieures ; comment l'esprit reçoit les « formes »[3], et qu'est-ce que l'aptitude à conserver ce qu'il a reçu, c'est-à-dire la mémoire ; qu'est-ce que le pouvoir de retrouver ce qui est parti, c'est-à-dire la réminiscence ; comment la parole est le produit de l'esprit et comment elle engendre la parole dans un autre esprit[4] et comment la pensée se communique par la parole ; comment le corps

les termes typiques de la philosophie platonicienne ; cf. « Il platonismo cristiano », p. 1352 s.

3. C'est-à-dire l'élément intelligible correspondant à chaque objet extérieur et permettant à l'esprit de le connaître. P.G.

4. ÉLIE DE CRÈTE explique : « Celui qui pose une question éveille l'esprit de son interlocuteur et le provoque à répondre » (*PG* 36, 860 D). P.G.

καὶ συστέλλει λύπη καὶ διαχεῖ ἡδονὴ καὶ τήκει φθόνος
καὶ μετεωρίζει τῦφος καὶ κουφίζει ἐλπίς· πῶς ἐκμαίνει
θυμὸς καὶ αἰδὼς ἐρυθραίνει δι' αἵματος, ὁ μὲν ζέσαντος, ἡ
δὲ ἀναχωρήσαντος· καὶ πῶς οἱ χαρακτῆρες τῶν παθῶν ἐν
25 τοῖς σώμασι· τίς ἡ τοῦ λογισμοῦ προεδρία καὶ πῶς πᾶσι
τούτοις ἐπιστατεῖ καὶ ἡμεροῖ τὰ τῶν παθῶν κινήματα·
πῶς αἵματι κρατεῖται καὶ πνοῇ τὸ ἀσώματον· καὶ πῶς ἡ
τούτων ἔκλειψις ψυχῆς ἐστιν ἀναχώρησις. Ταῦτα, ἢ τούτων
τι κατανόησον, ἄνθρωπε· οὔπω γὰρ λέγω φύσιν ἢ κίνησιν
30 οὐρανοῦ καὶ τάξιν ἀστέρων καὶ μίξιν στοιχείων καὶ ζώων
διαφορὰς καὶ δυνάμεων οὐρανίων ὑποβάσεις καὶ ὑπερθέσεις
C καὶ πάντα εἰς ὅσα ὁ δημιουργικὸς λόγος καταμερίζεται,
καὶ λόγους προνοίας καὶ διοικήσεως· καὶ τότε οὔπω λέγω
« θάρρησον », ἀλλ' « ἔτι φοβήθητι προσβῆναι τοῖς ὑψηλοτέ-
35 ροις καὶ τοῖς μᾶλλον ὑπὲρ τὴν σὴν δύναμιν ».

28. Μάλιστα μὲν γυμνασία τῆς περὶ τὰ μείζω φιλονεικίας
ἅπας λόγος δύσερις καὶ φιλότιμος· καὶ δεῖ, καθάπερ τοὺς
παῖδας πλάττομεν ἐν τοῖς πρώτοις ἤθεσιν, ἵνα τὴν ὕστερον

27, 21 τήκει A ex emend. W² ‖ 23 ἐρυθαίνει AVWQPD corr. D² ‖ ἡ :
ὁ W ‖ 24 τῶν παθῶν ex παθῶν S² ‖ 26 τούτοις om. Q ‖ τὰ om. VW ‖
τὰ κινήματα VW ‖ 28 τούτων : τούτου Z ‖ 29 ὦ ἄνθρωπε Z Maur. ‖
32 δημιουργὸς VW ‖ 34 φοβήθητι καὶ προβῆναι A ‖ 35 τὴν δύναμιν V
28, 1 μὲν : μὲν γὰρ Maur. ‖ γυμνασία om. W ‖ 2 φιλότιμος :
φιλόνεικος mg. P² ‖ 3 ἐν om. WQ

1. Même expression dans le poème *Sur sa vie*, que Grégoire écrira
un peu plus tard (*PG* 37, 1165, v. 1942). P.G.
2. On trouve une même liste de problèmes à examiner (problèmes
pour lesquels les forces humaines se révèlent insuffisantes) dans le
Discours 28, 22 s. Ici, au contraire, ces problèmes sont considérés
comme le champ spécifique de la recherche réservée aux laïcs. Sur
l'interprétation de ce passage, cf. J. BERNARDI, *La prédication*,
p. 153-154.
3. Les δυνάμεις οὐράνιαι sont les anges (terminologie qui remonte
à Origène et, plus haut encore, à Philon d'Alexandrie : cf.

est nourri par l'âme et comment l'âme participe aux passions par le moyen du corps ; comment la crainte fige et l'assurance dilate, comment le chagrin resserre et le plaisir met à l'aise, comment l'envie consume, comment l'orgueil élève et l'espérance allège[1] ; comment la colère rend furieux et la pudeur fait rougir, par le moyen du sang qui, dans un cas, bouillonne, et, dans l'autre, se retire : comment les passions impriment leurs marques sur les corps ; quelle prééminence exerce la raison, et comment elle dirige tout cela et adoucit les mouvements des passions ; comment ce qui est incorporel est dominé par le sang et le souffle, et comment la défection de ces éléments cause le départ de l'âme. Cela, ou du moins une partie de cela, commence par le bien comprendre, homme[2]. Et je ne parle pas encore de la nature, ou du mouvement du ciel, de l'ordre des astres, du mélange des éléments, de la diversité des êtres vivants, des puissances célestes[3] supérieures et inférieures, de tout ce à propos de quoi l'Intelligence organisatrice diversifie son action, et des principes de la providence et du gouvernement de l'univers[4]. Et alors, je ne dis pas encore : « Ose », mais : « Crains encore de t'approcher de ce qui est le plus élevé et de ce qui dépasse tes forces[5]. »

28. Toute discussion acharnée et ambitieuse, voilà ce qui entraîne surtout à la passion de chicaner sur les plus grandes choses. De même que nous formons les mœurs des enfants dans leurs premières années pour qu'ils évitent

---

C. Moreschini, « Influenze... », p. 54-55). Dans la liste du *Discours* 28, 22 s. sont également posés, à la fin (chap. 31), des problèmes pour lesquels l'homme n'arrive pas à trouver de solution.

4. Le Fils est le créateur de l'univers, comme il est dit plus haut (chap. 6) ; par lui, l'univers est tout entier rationnel. P.G.

5. Cf. *Discours* 27, 10 : la discussion concernant les problèmes humains, si elle confère une moindre dignité, met davantage à l'abri des erreurs.

μοχθηρίαν φύγωσιν, οὕτω δὴ κἂν τῷ λόγῳ μηδὲ περὶ τὰ μικρὰ
5 φαίνεσθαι θρασὺν καὶ ἀπαίδευτον, ἵνα μὴ περὶ τὰ μείζω τῇ με-
λέτῃ καταχρησώμεθα. Ῥᾷον γὰρ ἀπ' ἀρχῆς μὴ ἐνδοῦναι κακίᾳ
καὶ προσιοῦσαν διαφυγεῖν ἢ προβαίνουσαν ἀνακόψαι καὶ
D φανῆναι ταύτης ἀνώτερον· ὥσπερ καὶ πέτραν ἀπ' ἀρχῆς
ἐρεῖσαι καὶ κατασχεῖν ἢ φερομένην ἀνώσασθαι. Εἰ δὲ
10 ἀπληστότερος εἶ καὶ κατέχειν τὴν νόσον ἀδυνατεῖς, ταῦτα
208 A μελέτα, ἐν τούτοις ἴσθι· κενούσθω σοι τὸ φιλότιμον ἐν
τοῖς ἀκινδύνοις.

29. Οὐ δέχῃ τοῦτο οὐδὲ ἡ γλῶσσά σου χαλινὸν ἔχει
οὐδὲ κρείττων εἶ τῆς φορᾶς, δεῖ δὲ ἀπονοεῖσθαι πάντως καὶ
ταῖς πρώταις δυνάμεσι μὴ ὑφίεσθαι — εἴπερ μὴ κἀκείναις
μέτρον ἐστὶ τῆς γνώσεως — καὶ πλέον εἶναι μέγαν ἢ ὅσον
5 συμφέρει· σὺ δὲ μὴ κατακρίνῃς τὸν ἀδελφὸν μηδὲ τὴν
δειλίαν ἀσέβειαν ὀνομάσῃς μηδὲ ἀπέλθῃς προπετῶς κατα-
γνοὺς ἢ ἀπογνούς, ὁ τὴν ἐπιείκειαν ὑπισχνούμενος. Ἀλλ'
B ἐνταῦθά μοι φάνηθι ταπεινός, ἕως ἔξεστιν· ἐνταῦθα τὸν
ἀδελφὸν προτίμησον, μὴ μετὰ τῆς σεαυτοῦ βλάβης, ἔνθα
10 τὸ κατακρῖναι καὶ ἀτιμάσαι ἐκβαλεῖν ἐστι Χριστοῦ καὶ
τῆς μόνης ἐλπίδος, καὶ τὸν λανθάνοντα σῖτον — καὶ σῖτον
ἴσως σου τιμιώτερον — συνεκκόψαι τοῖς ζιζανίοις[a]. Ἀλλὰ
τὸ μὲν ἐκεῖνον διόρθωσαι, καὶ τοῦτο πράως καὶ φιλανθρώπως,

28, 4 φύγωμεν V ‖ δὴ ex δεῖ S² ‖ κἂν : καὶ C Maur. ‖ 7 προϊοῦσαν
B προιοῦσαν uel προσιοῦσαν Maximus ‖ 9 ἀνώσασθαι : ἀπώσασθαι
SCDW ἀπόσασθαι P (ἀνώ- P²) ἀνασώσασθαι AZ ‖ 12 ἀκινδύνοις ex
κινδύνοις Q
29, 1 σου : σοι B ‖ 2 κρεῖττον Z ‖ 3 μὴ om. SPCDVZ Elias ‖ 4 μέγα
PC corr. P² ‖ 5 συμφέρον D Maur. corr. D² ‖ 7 ἢ : ἢ καὶ VD καὶ
WZ ‖ 8 ταπεινός : τὰ πλείονος W ‖ μοι τὸν ἀδελφὸν A ‖ 9 μετά : κατὰ
W ‖ ἑαυτοῦ SP BWZ (σε- B²) ‖ 12 τὸν ἴσως A ‖ συνεκόψαι A

---

29. a. Cf. Matth. 13, 29.

28, 6-9 ῥᾷον γὰρ ἀπ' ἀρχῆς — ἀνώσασθαι Maximus Conf., *Loci
Communes*, *PG* 91, 989 A et 1016 A

plus tard le vice, de même nous ne devons pas nous
montrer audacieux et effrontés dans la discussion sur les
petites choses pour que la pratique de la discussion ne
nous conduise pas à en abuser à propos des plus grandes.
Il est, en effet, plus facile de ne pas se laisser aller à la
perversité dès le début et de l'éviter dès qu'elle se présente,
plutôt que de la retrancher quand elle progresse et de se
montrer supérieur à elle ; de même aussi est-il plus facile
d'étayer un rocher dès le début et de le retenir, plutôt
que de le repousser quand il glisse. Et si tu es par trop
insatiable, si tu ne peux pas réprimer ta maladie[1], voici à
quoi t'appliquer, voici où te placer : que ton ambition
s'épuise sur des sujets sans danger[2].

29. Tu n'acceptes pas cela, ta langue n'a pas de frein,
tu ne peux pas maîtriser ton élan ; il faut que tu sois
complètement insensé, que tu ne le cèdes pas aux premières
puissances[3] — si toutefois, même pour elles, il n'y a pas
une mesure à leur connaissance —, et que tu sois plus
grand qu'il n'est utile ; du moins, ne juge pas défavorablement ton frère, n'appelle pas impiété sa timidité, ne
t'éloigne pas en le condamnant hâtivement ou en déses-
pérant de lui, toi qui professes la modération. Ici[4], je t'en
prie, montre-toi humble tant que c'est possible ; ici, donne
la préférence à ton frère, sans porter préjudice à toi-même,
car sur ce point juger défavorablement ton frère et le
mépriser, c'est l'écarter du Christ et de l'unique espérance,
et c'est arracher avec l'ivraie le blé[a] caché, le blé qui a
peut-être plus de valeur que toi. Redresse d'abord ton
frère, mais avec douceur et avec humanité, non comme

---

1. Même mot pour désigner la manie des discussions théologiques
dans le *Discours* 27, 9. P.G.
2. Dans le *Discours* 27, 10, les sujets sans danger sont énumérés en
détail. P.G.
3. Les êtres spirituels les plus élevés. P.G.
4. Dans le domaine de la discussion théologique. P.G.

μὴ ὡς ἐχθρὸς μηδὲ ὡς ἀπότομος ἰατρὸς μηδὲ ὡς ἓν τοῦτο
15 μόνον εἰδώς, τὴν καῦσιν καὶ τὴν τομήν · τὸ δὲ σεαυτοῦ
κατάγνωθι καὶ τῆς ἀσθενείας τῆς σῆς. Τί γὰρ εἰ λημῶν ἢ
ἄλλο τι πάσχων τὰς ὄψεις, ἀμυδρὸν βλέπεις τὸν ἥλιον ; Τί
δὲ εἰ στρέφεσθαί σοι τὸ πᾶν δοκεῖ, ναυτιῶντι τυχὸν ἢ μεθύοντι,
καὶ τὴν σὴν ἄγνοιαν ἑτέρων ὑπολαμβάνεις ; Πολλὰ δεῖ
20 στραφῆναι καὶ παθεῖν πρὶν ἄλλου καταγνῶναι δυσσέβειαν.

C   30. Οὐκ ἔστιν ἴσον φυτὸν ἐκτεμεῖν ἢ ἄνθος τι τῶν
προσκαίρων, καὶ ἄνθρωπον. Εἰκὼν εἶ Θεοῦ[a] καὶ εἰκόνι
Θεοῦ διαλέγῃ, κρίνῃ καὶ αὐτὸς ὁ κρίνων[b] · καὶ κρίνεις
ἀλλότριον οἰκέτην[c], καὶ ὃν ἄλλος οἰκονομεῖ. Οὕτω δοκίμαζε
5 τὸν ἀδελφόν σου, ὡς καὶ αὐτὸς ἐν τοῖς αὐτοῖς μέτροις
κρινόμενος[d]. Διὰ τοῦτο μὴ ταχέως τέμῃς μηδὲ ἀλλοτριώσῃς
τὸ μέλος · ἄδηλον, εἰ μὴ διὰ τούτου προσλυμανῇ τι τῷ
ὑγιαίνοντι · ἀλλὰ « νουθέτησον, ἐπιτίμησον, παρακάλεσον[e] ».
Ἔχεις ἰατρείας κανόνα. Χριστοῦ μαθητὴς εἶ, τοῦ πράου[f]
10 καὶ φιλανθρώπου καὶ τὰς ἀσθενείας ἡμῶν βαστάσαντος[g].
Κἂν τὸ πρῶτον ἀντιβῇ, μακροθύμησον · κἂν τὸ δεύτερον,
μὴ ἀπελπίσῃς, ἔτι καιρὸς θεραπείας · κἂν τὸ τρίτον, γενοῦ
D   φιλάνθρωπος γεωργός · ἔτι τοῦ Δεσπότου δεήθητι, μὴ
209 A   ἐκκόψαι μηδὲ μισῆσαι τὴν ἄκαρπον συκῆν καὶ ἀνόνητον
15 ἀλλ' ἐπιστρέψαι καὶ θεραπεῦσαι καὶ περιβαλεῖν κόπρια[h],
τὴν δι' ἐξαγορεύσεως καὶ τῆς εἰς τὸ φανερὸν αἰσχύνης καὶ
ἀτιμοτέρας ἀγωγῆς ἐπανόρθωσιν. Τίς οἶδεν εἰ μεταβαλεῖ
καὶ καρποφορήσει καὶ θρέψει τὸν Ἰησοῦν ἀπὸ Βηθανίας
ἐπανερχόμενον[i] ;

29, 14 μηδὲ[1] : μὴ VW ‖ μηδὲ[2] AB : μὴ cett. ‖ 19 πολλὰ : ἀλλὰ
PCD mg. corr. mg. P[2] ‖ 20 στραφῆναι ex emend. S[2]
30, 1 ἐκτεμεῖν φυτὸν Q ‖ 3 διαλέγῃ θεοῦ PC ‖ καὶ κρίνῃ καὶ αὐτὸς
A ‖ καὶ κρίνης D ‖ 4 ὃν ὁ ἄλλος Maur. ‖ δοκίμαζε : δίκαζε C ‖ 5 σου
om. BVWQS[2] ‖ 7 προσλυμανῇ τι : προσλυμανεῖ τι CD προσλυμα-
νεῖται BWQZ ‖ 8 παρακάλεσον ἐπιτίμησον B ‖ 9 κανόνας VWQZ ‖
14-15 μηδὲ μισῆσαι — ἐπιστρέψαι om. W ‖ 14 μισῆναι B ‖ ἀνόνητον
ex emend. P[2] ‖ 15 καὶ θεραπεῦσαι post κόπρια AB ‖ 19 ἐρχόμενον Z

30. a. Cf. Gen. 1, 26-27.   b. Matth. 7, 1.   c. Rom. 14, 4.
d. Cf. Matth. 7, 2 ; Lc 6, 38.   e. II Tim. 4, 2.   f. Cf. Matth. 11, 29.

un ennemi, sans te comporter comme un médecin abrupt,
comme un médecin ne connaissant que la cautérisation
et l'amputation ; ensuite, condamne-toi toi-même et ta
propre faiblesse. Pourquoi trouves-tu le soleil obscur, si
tu le regardes en étant atteint de chassie ou en ayant
une autre affection des yeux ? Si tu crois voir tout tourner
— peut-être parce que tu as le mal de mer ou parce que
tu es ivre —, pourquoi supposes-tu que les autres éprouvent
la même illusion que toi ? Il faut avoir été tourné et
retourné, et avoir passé par de multiples états, avant
de condamner un autre pour impiété.

30. Ce n'est pas la même chose de retrancher une plante
ou une fleur éphémère, et un homme. Tu es l'image de
Dieu[a], tu parles à une image de Dieu, tu seras jugé aussi
toi-même, toi qui juges[b] ; de plus, tu juges le serviteur d'un
autre[c], et c'est un autre qui est son maître. Examine
ton frère en songeant que toi aussi tu seras jugé avec les
mêmes mesures[d]. Aussi, ne te presse pas de couper et de
rejeter ce membre tant que tu ne sais pas si le membre
qui se porte bien n'en souffrira pas ; mais « avertis,
reprends, exhorte[e] ». Tu connais la règle de la médecine
(des âmes) ; tu es le disciple du Christ doux[f] et ami des
hommes, qui a porté nos faiblesses[g]. Si l'on te résiste la
première fois, fais preuve de longanimité ; la seconde fois,
ne désespère pas : il y a encore un moment pour la guérison ;
la troisième fois, sois un cultivateur ami des hommes,
demande encore au Maître de ne pas arracher ni prendre
en haine le figuier stérile et inutile, mais de le transformer
et de mettre du fumier autour de lui[h], c'est-à-dire de le
corriger par l'aveu de la faute, par la honte publique et
par une vie plus humiliée. Qui sait s'il ne changera pas,
s'il ne portera pas du fruit et s'il ne nourrira pas Jésus
revenant de Béthanie[i] ?

g. Cf. Is. 53, 4 ; I Pierre 2, 24.   h. Lc 13, 6-9.   i. Cf. Matth.
21, 17-18 ; Mc 11, 12.

31. Ἔνεγκέ τι τῆς τοῦ ἀδελφοῦ δυσωδίας — ἢ οὔσης ἢ δοκούσης — ὁ τῷ πνευματικῷ μύρῳ συγκεχρισμένος, τῷ συντεθειμένῳ τέχνῃ μυρεψικῇ, ἵνα μεταδῷς τούτῳ τῆς σῆς εὐωδίας[a]. Οὐκ ἔστιν ἐχίδνης ἰὸς ἡ κακία, ἵν' ὁμοῦ τῷ
5 πληγῆναι περιβληθῇς ὀδύναις, ἢ καὶ διαφθαρῇς, καὶ διὰ
B τοῦτο ἦ σοι συγγνώμη φυγόντι τὸ θηρίον ἢ ἀποκτείναντι. Ἀλλ' εἰ μὲν εἶ δυνατός, κἀκεῖνον θεράπευσον · εἰ δὲ μή, τό γε ἀσφαλὲς ἔχεις, ἐν τῷ μηδὲν αὐτὸς τῆς μοχθηρίας μεταλαβεῖν. Ὀσμή τίς ἐστιν ἀηδὴς τὸ ἐκείνου πάθος, ἣν
10 ἀπελάσει τυχὸν τὸ σὸν εὖῶδες ὑπερνικῆσαν. Ταχὺ ἂν ἐδέξω τι τοιοῦτον ὑπὲρ τοῦ ὁμοδούλου καὶ συγγενοῦς, οἷον Παῦλος ὁ ζηλωτὴς καὶ διανοηθῆναι καὶ εἰπεῖν ἐτόλμησεν, ἑαυτοῦ, εἰ οἷόν τε, τὸν Ἰσραὴλ ἀντεισαχθῆναι Χριστῷ διὰ τὸ συμπαθές[b] · ὅς γε καὶ ἐξ ὑπονοίας πολλάκις μόνης ἀπο-
15 τέμνεις τὸν ἀδελφόν, καὶ ὃν ἴσως ἐκέρδανας ἂν τῇ χρηστότητι, τοῦτον ἀπολλύεις τῇ θρασύτητι, τὸ σὸν μέλος[c], ὑπὲρ οὗ Χριστὸς ἀπέθανεν[d]. Εἴ τοι καὶ ἰσχυρὸς εἶ, φησὶν ὁ Παῦλος περὶ βρωμάτων διαλεγόμενος, καὶ θαρρεῖς τῷ λόγῳ καὶ τῷ γενναίῳ τῆς πίστεως, ἀλλὰ καὶ τὸν ἀδελφὸν οἰκοδό-
C 20 μησον[e]. Μὴ τῷ βρώματί σου κατάλυε[f] τὸν ὑπὸ Χριστοῦ τῷ κοινῷ πάθει τετιμημένον. Καὶ γὰρ εἰ τὸ πρᾶγμα ἕτερον, ἀλλ' ὅ γε τῆς παραινέσεως λόγος ὁμοίως χρήσιμος.

32. Χρὴ δὲ καὶ νόμον κεῖσθαι παρ' ἡμῖν, καθάπερ τοῖς πάλαι σοφοῖς Ἑβραίων, ἔστιν ἃς τῶν ἱερῶν βίβλων μὴ ἀνεῖσθαι τοῖς νέοις, ὡς οὐ λυσιτελούσας ταῖς ἀστηρίκτοις ἔτι

31, 4 τῷ : τὸ ABPC corr. P² ‖ 5 καὶ¹ om. V ‖ 6 φεύγοντι PCDZW ‖ ἀποκτείνοντι Maur. ‖ 7-8 μήγε, τόγε C μήγε τὸ DZQ μήγε τότε P εἰ δὲ μὴ *** S ‖ 8 ἐν τῷ — μοχθηρίας om. S add. mg. S² ‖ 9 τίς ex τι S²D² ‖ 10 ταχὺ ἂν : τυχὸν γὰρ A ‖ 13 ἀντεισαχθῆναι τὸν ἰσραὴλ Z ‖ 14 μόνης πολλάκις VW ‖ ἀποτέμνης Z ‖ 15 καὶ om. BWQ Maur. ‖ 16 ἀπολλὺς VWQS² ‖ 17 εἴ τοι : εἰ τοίνυν BV WQZS² Maur. ‖ 19-20 οἰκονόμησον AW
32, 1 χρὴ δὲ : χρῆν δὲ Q Maur. χρῆναι δὲ BS² ἐχρῆν δὲ W ‖ 2 βιβλίων Z ‖ 3 λυσιτελούσαις A

31. a. Cf. II Cor. 2, 15.   b. Rom. 9, 3.   c. Cf. Rom. 12, 5.

31. Toi qui as reçu l'onction du parfum spirituel composé
avec l'art de produire les parfums, apportes-en à la
mauvaise odeur — réelle ou apparente — de ton frère,
afin de le faire participer à ta bonne odeur[a]. La méchanceté
(de ton frère) n'est pas un venin de vipère : tu ne risques
pas, dès la piqûre, d'être saisi de douleurs ou même de
mourir, ce qui te donnerait une excuse pour fuir la bête
ou pour la tuer. Si tu en es capable, soigne ton frère, lui
aussi ; sinon, tu as du moins la sécurité en ne participant
pas toi-même à sa perversité. Sa maladie est comme une
odeur désagréable que ta bonne odeur chassera peut-être,
après en avoir triomphé. Bien vite tu accepterais pour ton
compagnon de servitude et ton « frère de race » quelque
chose de semblable à ce que Paul, dans son zèle, osa
imaginer et dire à cause de sa compassion : qu'Israël
soit introduit, au lieu de lui-même, auprès du Christ[b] ;
d'ailleurs, c'est souvent d'après un simple soupçon que
tu retranches ton frère. Celui que tu aurais peut-être
gagné par la bonté, par la rudesse tu causes sa perte à lui,
ton membre[c], pour qui le Christ est mort[d]. Si tu es fort,
dit Paul en parlant des aliments, et si tu as confiance
dans la parole et la générosité de ta foi, édifie du moins
ton frère[e]. Par les aliments que tu prends, ne va pas
détruire[f] celui à qui le Christ a fait, comme aux autres,
l'honneur de souffrir pour lui sa passion. En effet, si le
sujet est différent, du moins le principe de l'exhortation
a une utilité semblable.

32. Il faut que soit établie chez nous une loi s'inspirant
de l'attitude des anciens sages Hébreux qui ne permettaient
pas la lecture de certains des saints Livres aux jeunes
gens, car ces livres ne profiteraient pas à des âmes encore

I Cor. 12, 27 ; Éphés. 5, 30.   d. I Cor. 8, 11.   e. Cf. Rom. 14, 15.
f. Cf. *Ibid.*

καὶ ἀπαλωτέραις ψυχαῖς · οὕτω μὴ παντὶ μηδὲ πάντοτε, ἀλλ'
5 ἔστιν ὅτε καὶ οἷς, τὸν περὶ πίστεως συγχωρεῖσθαι λόγον,
τοῖς μὴ παντελῶς ὀλιγωροτέροις λέγω καὶ νωθροῖς τὴν
D διάνοιαν, ἢ τοῖς μὴ λίαν ἀπλήστοις καὶ φιλοτίμοις καὶ
θερμοτέροις τοῦ δέοντος εἰς εὐσέβειαν · καὶ τοὺς μὲν τάττειν
212 A ἐνταῦθα, οὗ μήτε ἑαυτοὺς βλάψωσι μήτε ἄλλους ταττόμενοι ·
καὶ τὴν ἐν λόγοις ἐλευθερίαν ἔχειν τοὺς μετρίους ἐν λόγῳ,
11 καὶ ὡς ἀληθῶς κοσμίους καὶ σώφρονας · τοὺς πολλοὺς δὲ
ἀπάγοντας τῆς ὁδοῦ ταύτης καὶ τῆς νῦν κατεχούσης φιλολα-
λίας καὶ ἀρρωστίας, ἐπ' ἄλλο τι τρέπειν ἀρετῆς εἶδος
ἀκινδυνότερον, ἔνθα καὶ τὸ ὀλίγωρον ἧττον βλαβερὸν καὶ τὸ
15 ἄπληστον εὐσεβέστερον.

33. Εἰ μὲν γάρ, ὥσπερ « εἷς Κύριος, μία πίστις, ἓν
βάπτισμα, εἷς Θεός, ὁ Πατὴρ πάντων, καὶ διὰ πάντων,
καὶ ἐν πᾶσιν[a] », οὕτω καὶ μία τις ἦν σωτηρίας ὁδός, ἡ διὰ
λόγου καὶ θεωρίας, καὶ ταύτης ἐκπεσόντας ἔδει τοῦ παντὸς
B 5 ἁμαρτεῖν καὶ ἀπορριφθῆναι Θεοῦ καὶ τῆς ἐκεῖθεν ἐλπίδος ·
οὐδὲν ἂν ἦν οὔτε τοῦ συμβουλεύειν τὰ τοιαῦτα οὔτε τοῦ
πείθεσθαι σφαλερώτερον. Εἰ δέ, ὥσπερ ἐν τοῖς ἀνθρωπίνοις,

32, 4 καὶ ἀπαλωτέραις ἔτι A ‖ μὴ : μηδὲ BVWQ καὶ μηδὲ Maur. ‖
5 οἷς om. VWQ ‖ 6 ὀλιγώροις VWQS² Maur. ὀλιγωτέροις B ‖
9 οὗ : οἱ D οἱ A ‖ βλάψουσι SVWQ ‖ 10 μετρίως SCD ‖ 12 ἀπάγοντας :
ἀπάγειν A Maur. ‖ 13 ἀρρωστίας καὶ A Maur. ‖ τι om. AWZ ‖ 14
ἀκινδυνότερον S ‖ ὀλιγώτερον BD ὀλίγορον A ‖ 15 ἀπλησότερον AW
33, 1 καὶ μία πίστις BVWQ ‖ 5 ἀπορριφθῆναι Maur. : ἀπορριφῆναι
codd. ‖ 6 τάτοι τοιαῦτα D ‖ τοῦ² om. Z ‖ 7 σφαλερώτερον S ἀσφα-
λέστερον S²

---

33. a. Éphés. 4, 5-6.

---

1. Cette donnée historique concernant les Écritures hébraïques
avait déjà été utilisée dans le *Discours* 2, 48, qui, bien qu'écrit dans
des circonstances différentes (Grégoire était encore simple prêtre),
traite de la bonne organisation de l'Église.

instables et trop délicates[1] ; de même faut-il que le discours
sur la foi ne soit permis ni à tout le monde, ni partout, mais
en de certaines circonstances et à certains hommes : je veux
dire à ceux qui ne sont pas totalement négligents et qui
n'ont pas une pensée débile ; ou encore qu'il ne soit pas
permis à ceux qui sont trop avides, trop ambitieux et qui
s'échauffent plus qu'il ne faut pour la piété[2] ; il faut placer
certains hommes là où ils ne nuisent pas à eux-mêmes et
aux autres dans cette situation ; ceux qui sont modérés
dans la discussion, vraiment rangés et sages doivent avoir
la liberté pour discuter. Quant aux autres, il faut les
écarter de cette voie, de la manie de bavardage qui triomphe
maintenant et qui est une maladie[3] ; il faut les tourner
vers un autre genre de vertu où la négligence est moins
funeste et l'avidité plus pieuse.

33. En effet, si, de même qu'il y a « un seul Seigneur,
une seule foi, un seul baptême, un seul Dieu, le Père de
tous et par tous et en tous[a][4] », s'il y avait de même une
seule voie de salut, celle qui passe par la discussion et
l'étude, et si ceux qui s'écartent de cette voie devaient
perdre le tout et être rejetés loin de Dieu et de l'espérance
de l'au-delà, rien ne serait plus risqué que de donner de
tels conseils et de les suivre. Mais il y a, dans les choses

---

2. Terme qui désigne l'orthodoxie. L'orateur ne blâme pas ici le
zèle pour l'orthodoxie, il met en garde contre un attachement exclusif
à un aspect de la doctrine au détriment des autres, ce qui expose à des
erreurs. P.G.

3. On peut lire aussi dans les *Discours* 20, 1 et 27, 2-4 une
description de cette φιλολαλία ou γλωσσαλγία (cf. aussi PLAGNIEUX,
p. 13-20).

4. Le texte de S. Paul porte καὶ Πατήρ au lieu de ὁ Πατήρ de la
citation qui en est faite ici ; Grégoire omet ensuite ὁ ἐπὶ πάντων.
P.G.

πολλαὶ διαφοραὶ βίων καὶ προαιρέσεων, μειζόνων τε καὶ
ἡττόνων, λαμπροτέρων τε καὶ ἀφανεστέρων, οὕτω κἂν τοῖς
10 θείοις οὐχ ἕν τι τὸ σῷζόν ἐστιν, οὐδὲ μία τῆς ἀρετῆς ὁδός,
ἀλλὰ πλείονες, καὶ τὸ πολλὰς εἶναι μονὰς παρὰ τῷ Θεῷ[b],
— τοῦτο δὴ τὸ θρυλλούμενον κἂν ταῖς πάντων κείμενον γλώσσαις —, οὐκ ἄλλο τι ἢ τοῦτο αἴτιον, τὸ πολλὰς εἶναι τὰς
ἐκεῖσε φερούσας ὁδούς, τὰς μὲν ἐπικινδυνοτέρας τε καὶ λαμ-
15 προτέρας, τὰς δὲ ταπεινοτέρας τε καὶ ἀσφαλεστέρας — τί τὰς
ἀσφαλεστέρας ἀφέντες ἐπὶ μίαν ταύτην τρεπόμεθα, τὴν
C οὕτως ἐπισφαλῆ καὶ ὀλισθηρὰν καὶ οὐκ οἶδ' ὅποι φέρουσαν ;
"Ἡ τροφὴ μὲν οὐχ ἡ αὐτὴ πᾶσι κατάλληλος, ἄλλῳ δὲ
ἄλλη κατὰ τὴν διαφορὰν καὶ τῶν ἡλικιῶν καὶ τῶν ἕξεων·
20 βίος δὲ ὁ αὐτὸς πᾶσι συμφέρων ἢ λόγος ; Οὐκ ἔγωγε τοῦτο
εἴποιμ' ἂν οὐδὲ προσθοίμην τοῖς λέγουσιν. Εἴ τι οὖν ἐμοὶ
πείθεσθε, νέοι καὶ γέροντες, ἄρχοντες λαῶν καὶ ἀρχόμενοι,
μονασταὶ καὶ μιγάδες, τὰς μὲν περιττὰς καὶ ἀχρήστους
φιλοτιμίας χαίρειν ἐάσατε· αὐτοὶ δὲ διὰ βίου καὶ πολιτείας
25 καὶ λόγων τῶν ἀκινδυνοτέρων τῷ Θεῷ πλησιάζοντες
τεύξεσθε τῆς ἐκεῖθεν ἀληθείας καὶ θεωρίας, ἐν Χριστῷ
Ἰησοῦ τῷ Κυρίῳ ἡμῶν, « ᾧ ἡ δόξα εἰς τοὺς αἰῶνας[c] ».
Ἀμήν.

33, 8-9 μειζόνων — ἀφανεστέρων om. Z ‖ 9 ἡσσόνων VWD corr.
D² mg ‖ τε om. PC ‖ ἀφανεστέρων : σφαλερωτέρων VWQS² ἀσφα-
λεστέρων D mg. ‖ 11 τὸ : τοῦ BVWQP² Maur. ‖ μονὰς εἶναι ABVW ‖
παρὰ θεῷ VWQ ‖ 12 δὴ : δὲ Maur. ‖ τὸ θρυλλούμενον : τὸ θρυλούμενον
Z τοῦ θρυλουμένου BVWQS² Maur. ‖ κειμένου BVWQS² Maur. κι-
νούμενον A ‖ 13 τὸ om. Z ‖ 14 τε καὶ : καὶ APCDS² τε καὶ λαμπροτέρας om. S καὶ λαμπροτέρας S² mg. ‖ 16 ἀφιέντες Z ‖ 17 ὅποι :
ὅπου SPCD ZQ ὅπι B (ὅποι S²D²) ‖ 19 καὶ¹ om. VWQZ ‖ 20 πᾶσιν ὁ
αὐτὸς B ‖ 21 εἴποιμ' : συμβουλεύσαιμι B ‖ προσθείμην C ‖ 22 λαῶν :
λαοῦ A om. SPCZ ‖ 26 τεύξησθε S ‖ 27 τῷ κυρίῳ ἡμῶν om. B ‖ ᾧ
πᾶσα ἡ δόξα καὶ τιμὴ καὶ κράτος A ᾧ πᾶσα δόξα V ‖ τοὺς om. Maur. ‖
αἰῶνας τῶν αἰώνων SPC

περὶ τῆς ἐν διαλέξεσιν εὐταξίας (περὶ εὐταξίας tantum C) καὶ
ὅτι οὐ παντὸς ἀνθρώπου οὐδὲ παντὸς καιροῦ τὸ διαλέγεσθαι περὶ

humaines, nombre de vies et d'options différentes, plus
grandes ou moins grandes, plus brillantes ou moins
brillantes, et il y a, de même, dans les choses divines,
non pas un seul moyen de salut ni une seule voie pour
la vertu, mais plusieurs, et la cause pour laquelle il existe
de multiples demeures auprès de Dieu[b] — refrain qui est
sur les langues de tous —, ce n'est pas autre chose que
l'existence de plusieurs voies menant au but, alors,
pourquoi délaissons-nous les voies plus sûres pour nous
tourner vers la seule qui est si risquée, si glissante, et
qui mène je ne sais où[1]?

— Mais est-ce que les mêmes aliments ne conviendraient
pas à tous indistinctement? Est-ce que certains conviendraient à celui-ci, d'autres à celui-là, selon la différence
des âges et des tempéraments? Est-ce que la même vie ou la
même discussion théologique ne seraient pas avantageuses
à tous? — Ce n'est pas moi, certes, qui dirai cela ni qui
me mettrai du côté de ceux qui l'affirment. Si donc vous
m'en croyez, jeunes gens et vieillards, chefs des peuples
et subordonnés, moines et gens mêlés au monde, laissez
de côté les prétentions superflues et inutiles. Au contraire,
en vous approchant de Dieu par votre vie, par votre
conduite et par les paroles les plus dépourvues de danger,
vous atteindrez la vérité et la contemplation de l'au-delà,
dans le Christ Jésus, notre Seigneur, « à qui est la gloire
pour les siècles[c] ». Amen.

θεότητος AC περὶ τῆς εὐταξίας τῆς ἐν ταῖς διαλέξεσιν Q περὶ εὐταξίας
στίχοι ͞ω͞ι͞α PD subscriptionem erasit S, om. BVWZ

33, b. Cf. Jn 14, 2.   c. Gal. 1, 5 ; Hébr. 13, 21.

---

1. Mêmes idées, mais exprimées avec plus de mordant dans le
Discours 27, 8.

Πρὸς ἀρειανοὺς καὶ εἰς ἑαυτόν

1. Ποῦ ποτέ εἰσιν οἱ τὴν πενίαν ἡμῖν ὀνειδίζοντες, καὶ τὸν πλοῦτον κομπάζοντες; Οἱ πλήθει τὴν Ἐκκλησίαν ὁρίζοντες καὶ τὸ « βραχὺ » διαπτύοντες « ποίμνιον[a] »; οἱ καὶ θεότητα μετροῦντες καὶ λαὸν σταθμίζοντες; οἱ τὴν ψάμμον
5 τιμῶντες καὶ τοὺς φωστῆρας ὑβρίζοντες; οἱ τοὺς κάχληκας θησαυρίζοντες καὶ τοὺς μαργαρίτας ὑπερορῶντες; Οὐ γὰρ ἴσασιν ὅτι οὐ τοσοῦτον ψάμμος ἀστέρων ἀφθονωτέρα καὶ λίθων διαυγῶν κάχληκες, ὅσον ταῦτα ἐκείνων καθαρώτερά τε καὶ τιμιώτερα.
10 Πάλιν ἀγανακτεῖς; πάλιν ὁπλίζῃ; πάλιν ὑβρίζεις; Ἡ καινὴ πίστις; Μικρὸν ἐπίσχες τὴν ἀπειλήν, ἵνα φθέγξωμαι. Οὐχ ὑβρίσομεν, ἀλλ᾽ ἐλέγξομεν · οὐκ ἀπειλήσομεν, ἀλλ᾽ ὀνειδίσομεν · οὐ πλήξομεν, ἀλλὰ ἰατρεύσομεν. Ὕβρις σοι

Titulus, πρὸς ἀρειανοὺς καὶ εἰς ἑαυτόν, ἐρρήθη ἐν κωνσταντινουπόλει SPD² (καὶ εἰς ἑαυτὸν del. S²) πρὸς ἀρειανοὺς καὶ εἰς ἑαυτὸν AV WDZ τοῦ αὐτοῦ εἰς (πρὸς Q) ἀρειανοὺς καὶ εἰς ἑαυτὸν CQ inscriptio euanida in B

1, 4 καὶ τὴν ψάμμον Z ‖ 5 κάχλικας P corr. P² ‖ 6 ὑπερορῶντες : ὑπεροφίζοντες A περιοφίζοντες WQV mg. S²Z περιορῶντες V ‖ 7 οὐ om. Q ‖ ψάμμους S ‖ 10 ὑβρίζεις : ὕβρις VWQS²Z ‖ 11 κενὴ ASPD ‖ 12 ὑβρίσομεν BZ corr. B² ‖ ἐλέγξωμεν BZ ‖ ἀπειλήσωμεν WZ corr. W² ‖ 13 ὀνειδίσωμεν BZ ‖ πλήξωμεν WZ corr. W² ἰατρεύσωμεν BZ

---

1. a. Lc 12, 32.

---

1. Indication prouvant que ce discours a été prononcé au début du séjour de Grégoire à Constantinople.
2. Allusion polémique à la théologie arienne, qui, refusant l'égalité

DISCOURS 33

Aux ariens et sur lui-même

1. Où sont donc ceux qui nous reprochent notre pauvreté et se vantent de leur richesse, ceux pour qui l'Église se borne à une multitude et qui font fi du « petit troupeau[a] [1] », ceux qui mesurent la divinité[2] et pèsent le peuple à la balance, ceux qui estiment le sable et insultent aux flambeaux du ciel, ceux qui amassent les cailloux et dédaignent les perles ? Ils ne savent pas, en effet, que si les grains de sable sont plus nombreux que les astres et les cailloux plus nombreux que les brillants, ces derniers sont d'autant plus purs et plus précieux.

Tu t'indignes encore ? Tu prends encore les armes ? Tu insultes encore ? Notre foi est nouvelle[3] ? Réprime un peu tes menaces pour que je puisse parler. Nous n'insulterons pas, mais nous réfuterons ; nous ne ferons pas des menaces, mais des reproches ; nous ne frapperons pas, mais nous soignerons[4]. Est-ce encore là une insulte, à tes yeux ? Quel

---

des personnes, « mesurait » la nature divine, l'attribuait en réalité seulement au Père, et en privait le Fils et l'Esprit, les considérant comme des créatures. L'Esprit était, d'ailleurs, placé par les ariens à un niveau encore inférieur à celui du Fils, à propos duquel ils abusaient du mot de l'Apôtre : « premier-né de toute la création » (*Col.* 1, 15) pour prétendre qu'il était créé, lui aussi. Contre l'« inégalité de nature », cf. *Discours* 18, 16 ; 34, 10 ; 36, 10 ; 40, 42 ; 43, 30.

3. Pour des gens habitués à l'arianisme, la doctrine orthodoxe paraît une foi nouvelle ; Grégoire fait allusion à ce grief dans le poème *Sur sa vie* : « Tout d'abord la ville s'échauffa contre nous : on croyait que nous introduisions plusieurs dieux au lieu d'un seul » (v. 654-655, *PG* 37, 1074). P.G.

4. Cf. la métaphore du médecin : *Discours* 32, 2.

καὶ τοῦτο δοκεῖ ; Τῆς ὑπερηφανίας. Κἀνταῦθα δοῦλον ποιεῖς
15 τὸν ὁμότιμον ; Εἰ δὲ μή, δέξαι μου τὴν παρρησίαν. Καὶ
B ἀδελφὸς ἀδελφὸν ἐλέγχει πλεονεκτούμενος[b].

2. Βούλει σοι τὰ τοῦ Θεοῦ πρὸς τὸν Ἰσραὴλ φθέγξομαι,
τραχηλιῶντα καὶ σκληρυνόμενον ; « Λαός μου, τί ἐποίησά
σοι, ἢ τί ἠδίκησά σε, ἢ τί παρηνώχλησά σοι[a] ; » Μᾶλλον
δὲ πρὸς σέ μοι τὸν ὑβριστὴν ὁ λόγος. Κακῶς μὲν τοὺς
5 ἀλλήλων ἐπιτηροῦμεν καιροὺς καὶ τὸ σύμψυχον τῷ ἑτεροδόξῳ
λύσαντες, μικροῦ καὶ τῶν νῦν πολεμούντων ἡμῖν βαρβάρων,
οὓς ἡ Τριὰς λυομένη συνέστησεν. Γεγόναμεν ἀλλήλοις
ἀπανθρωπότεροι καὶ θρασύτεροι, πλὴν ὅσον οὐ ξένοι βάλλο-
C μεν ξένους οὐδὲ ἀλλογλώσσους ἀλλόγλωσσοι — ὃ καὶ
10 βραχεῖα παραμυθία τῆς συμφορᾶς —, ἀλλήλους δέ, καὶ
οἷον οἱ τῆς αὐτῆς οἰκίας, φέρομέν τε καὶ ἄγομεν. Εἰ βούλει
δέ, τὰ τοῦ αὐτοῦ σώματος μέλη[b] δαπανῶμεν καὶ δαπανώμεθα · καὶ οὐχὶ τοῦτό πω δεινόν, καίπερ ὂν τηλικοῦτον,
ἀλλ᾽ ὅτι καὶ προσθήκην νομίζομεν τὴν ὑφαίρεσιν. Ἐπεὶ
15 δὲ οὕτως ἔχομεν καὶ μετὰ τῶν καιρῶν πιστεύομεν, ἀντιθῶμεν

1, 14 δοκεῖ ex δοκεῖς W[a] ‖ ποιῇς A ‖ 15 τὸν : τὸ P[a] mg. CWZ ‖
μου BSPCD om. AVWQZ
2, 1 φθέγξωμαι AW ‖ 6 μικροῦ : μικραὶ Z ‖ ἡμᾶς C ‖ 11 οἰκίας
ex emend. B ‖ 13 τοῦτό πω : τοῦτό πως CD τουτού ποτε S (τοῦτό πω
S[a]D[a]) τοῦτο οὔπω B τοῦτο A τοῦτό που Maur. ‖ τὸ δεινὸν AD ‖ 14
νομίζομεν : πεποιήμεθα DP mg. νομίζομεν D mg. ‖ 15 καιρῶν :
πιστῶν B

1, b. Cf. Matth. 18, 15.
2. a. Mich. 6, 6.   b. Cf. Rom. 12, 5 ; I Cor. 12, 27 ; Éphés. 5, 30.

---

1. Καιρός désigne ici la chance d'un parti religieux, surtout s'il
est soutenu par le pouvoir temporel ; cf. ci-dessous chap. 5 et
Discours 18, 16 ; 31, 28 ; 34, 4 ; 36, 9.
2. Grégoire dit que la destruction infligée à la Trinité a « réuni
les Barbares » (c'est-à-dire les Goths) qui font la guerre à l'Empire ;
c'est une allusion aux dévastations des Goths qui, après la bataille
d'Andrinople (378), ravagèrent la Thrace et arrivèrent jusque sous

orgueil ! Ici encore tu considères comme un esclave ton
égal en dignité ? Sinon, accepte ma franchise ; même
le frère réfute son frère, quand celui-ci lui porte préjudice[b].

2. Veux-tu que je te fasse entendre les paroles de
Dieu à Israël, quand il raidit le cou et manifeste son
endurcissement : « Mon peuple, que t'ai-je fait » ou quelle
injustice ai-je commise envers toi, « ou en quoi t'ai-je
peiné[a] » ? Mais plutôt à toi qui insultes, voici ce que j'ai
à dire : nous épions méchamment les occasions[1] de nous
faire du mal, nous avons détruit la concorde par des
opinions hétérodoxes, et nous sommes devenus, ou peu
s'en faut, les uns pour les autres plus inhumains et plus
violents que ceux qui nous font maintenant la guerre, ces
Barbares qu'a réunis la destruction infligée à la Trinité[2] ;
il y a cependant une différence : nous ne sommes pas des
étrangers qui frappons des étrangers, ni des gens d'une
autre langue qui frappons ceux qui ne parlent pas la
même langue — ce qui est une faible consolation dans
notre désastre —, mais nous sommes comme des hommes
de la même famille et nous nous livrons au pillage les
uns chez les autres, ou bien, si tu le veux, nous sommes les
membres du même corps[b] et nous nous déchirons mutuelle-
ment. Et ce qui est terrible, ce n'est pas encore cette
situation — bien qu'elle soit telle —, mais c'est le fait que
nous regardons notre diminution[3] comme un accroissement.
Puisque nous en sommes là, et que notre foi se règle sur
les circonstances, opposons ces circonstances les unes

les murs de Constantinople. Les Goths n'avaient pas encore été
vaincus par Théodose, ce qui ne sera fait qu'à l'automne de 380
(Théodose entrera en vainqueur à Constantinople le 24 novembre
380 ; voir Gallay, *Vie*, p. 177-178 et la note de cette dernière page).
P.G.

3. Τὴν ὑφαίρεσιν, c'est-à-dire la scission provoquée par l'hérésie
et qui enlevait une partie des fidèles à l'évêque orthodoxe.

τοὺς καιροὺς ἀλλήλοις · σὺ τὸν σὸν βασιλέα κἀγὼ τοὺς
ἐμούς · σὺ τὸν Ἀχαάβ, ἐγὼ τὸν Ἰωσίαν. Διήγησαί μοι
τὴν σὴν ἐπιείκειαν, κἀγὼ τὴν ἐμὴν θρασύτητα. Μᾶλλον
δέ, τὴν μὲν σὴν πολλαὶ καὶ γλῶσσαι καὶ βίβλοι φέρουσιν,
217 A ἃς καὶ ὁ μέλλων ὑπολήψεται χρόνος, ἐμοὶ δοκεῖν, ἡ ἀθάνατος
21 στήλη τῶν πράξεων · ἐγὼ δὲ τὴν ἐμαυτοῦ διηγήσομαι.

3. Τίνα δῆμον ἐπήγαγόν σοι θράσει φερόμενον ; Τίνας
ὁπλίτας παρέταξα ; Τίνα στρατηγὸν θυμῷ ζέοντα καὶ τῶν
ἐπιτασσόντων θρασύτερον, καὶ τοῦτον οὐδὲ Χριστιανόν,
ἀλλ᾽ οἰκείαν θρησκείαν προσάγοντα τοῖς ἑαυτοῦ δαίμοσι,
5 τὴν καθ᾽ ἡμῶν ἀσέβειαν ; Τίνας εὐχομένους ἐπολιόρκησα
καὶ τὰς χεῖρας πρὸς Θεὸν αἴροντας ; Τίνας ψαλμῳδίας
σάλπιγξιν ἔστησα ; Τίνων μυστικὸν αἷμα φονικοῖς αἵμασιν
B ἔμιξα ; Τίνων οἰμωγὰς θρήνοις ἔπαυσα, πνευματικὰς ὀλεθρίοις, καὶ δάκρυσι τραγῳδίας δάκρυα κατανύξεως ; Ποῖον
10 « προσευχῆς οἶκον[a] » πεποίηκα πολυάνδριον ; Ποῖα λειτουρ-
γικὰ σκεύη καὶ τοῖς πολλοῖς ἄψαυστα χερσὶν ἀνόμων

2, 17 ἀχαάμ A ‖ κἀγὼ SZ ‖ 19 καὶ βίβλοι καὶ γλῶσσαι SCB
corr. S²
3, 2 ὁπλίτας : πολίτας V ‖ ζέσαντα B ‖ 6 θεὸν : τὸν θεὸν BQPCD
(uacuum in W) ‖ 8 θρήνοις post ὀλεθρίοις habent AD ‖ 9-15 [ξεως]
— [ὡς] uacuum in B

3. Is. 56, 7 ; Lc 19, 46.

1. L'empereur des ariens, c'est-à-dire Valens, était déjà mort, à
Andrinople ; mais, tant que Théodose n'était pas entré à Constantinople, les autorités de la ville continuaient évidemment une
politique pro-arienne.
2. Achab, le roi impie, représente Valens ; les scholiastes
présentent cette identification. Pour Josias, le roi pieux, les scholiastes
proposent Théodose avec quelque hésitation. Cette réticence vient
du fait que Grégoire a énoncé un pluriel (« les miens »), mais la
difficulté disparaît si l'on entend par Josias à la fois Gratien (375-383)
et Théodose, associé à l'Empire par Gratien le 19 janvier 379. P.G.

aux autres : présente ton roi[1], et moi je présenterai les
miens ; toi, ton Achab, moi, mon Josias[2] ; raconte-moi
ta « douceur » et moi je te raconterai mon « audace[3] ».
Mais plutôt, ce qui te concerne, beaucoup de langues et de
livres le rapportent, et ce sera, je pense, recueilli par la
postérité, stèle immortelle relatant tes actes. Quant à
moi, ce qui me concerne, je vais le raconter.

3. Quel peuple emporté par son audace ai-je amené
contre toi? Quels hoplites ai-je rangés en bataille? Quel
général[4] ai-je envoyé, bouillant de colère, plus audacieux
que ses maîtres, et qui, n'étant même pas chrétien[5], offrait
son impiété envers nous à ses dieux, comme un hommage
qui leur convenait? Quelles personnes en prière, les mains
levées vers Dieu, ai-je assiégées? Quelles psalmodies ai-je
arrêtées par le bruit des trompettes? De qui ai-je versé le
sang en le mêlant au sang mystique? De qui ai-je fait
cesser les gémissements spirituels par des lamentations
de mort, et les larmes de componction par des larmes
tragiques? De quelle « maison de prière[a] » ai-je fait un
cimetière? Quels vases liturgiques, que la foule ne doit
pas toucher, ai-je livrés aux mains des impies, soit à un

3. Dit avec ironie, comme sont ironiques toutes les questions du
chap. 3, qui suit.
4. Il s'agit de Palladios, préfet d'Égypte sous Valens et connu par
ses violences contre les orthodoxes. On a ici la description de l'assaut
donné à l'église de Téonè, à Alexandrie, par Palladios, qui avait
profité de la discorde entre ariens et nicéens (l'évêque arien, Lucius,
avait chassé Pierre, successeur d'Athanase). Pierre raconte cet
assaut dans une lettre conservée par THÉODORET, *Hist. eccl.* IV, 21-22
(*GCS*, éd. Parmentier, p. 249 s.). Peut-être Grégoire avait-il lu un
exemplaire de cette lettre. Cet épisode, auquel se réfère aussi le
Discours 25, 12, semble avoir inspiré le faussaire qui a composé le
Discours 35.
5. THÉODORET l'affirme par trois fois : *Hist. eccl.* IV, 21 (p. 247)
et IV, 22 (p. 249 et 258). P.G.

ἐξέδωκα, ἢ Ναβουζαρδὰν τῷ ἀρχιμαγείρῳ[b] ἢ Βαλτάσαρ
τῷ κακῶς ἐν τοῖς ἁγίοις τρυφήσαντι, καὶ μέντοι καὶ δίκας
εἰσπραχθέντι τῆς ἀπονοίας ἀξίας[c] ; « Θυσιαστήρια ἠγα-
15 πημένα[d] », ὥς φησιν ἡ θεία Γραφή, νῦν δὲ καθυβρισμένα ·
ὑμῶν δὲ ποῖον δι' ἡμᾶς κατωρχήσατο μειράκιον ἀσελγές,
αἰσχρὰ λυγιζόμενον καὶ καμπτόμενον ; μᾶλλον δέ, διὰ
τίνος ἐγὼ τοιούτου τὸ μέγα μυστήριον καὶ θεῖον ἐξωρχησά-
μην ; Καθέδρα τιμία καὶ τιμίων ἀνδρῶν ἵδρυμα καὶ ἀνά-
C παυμα, καὶ πολλοὺς εὐσεβεῖς ἀμείψασα ἱερέας ἄνωθεν τὰ
21 θεῖα μυσταγωγήσαντας · ἐπὶ δὲ σὲ τίς ἀνέβη δημηγόρος
Ἕλλην καὶ γλῶσσα πονηρὰ τὰ Χριστιανῶν στηλιτεύουσα ;
Παρθένων αἰδὼς καὶ σεμνότης, ὄψεις ἀνδρῶν μηδὲ σωφρόνων
φέρουσα, σὲ δὲ τίς ἡμῶν ᾔσχυνε καὶ καθύβρισε μέχρι τῶν
25 ἀθεάτων, καὶ ἀσεβῶν ὄψεσι προὔθηκε θέαν ἐλεεινὴν καὶ τοῦ
Σοδομιτικοῦ πυρὸς[e] ἀξίαν ; Ἐῶ γὰρ θανάτους λέγειν τῆς
αἰσχύνης ἀνεκτοτέρους.

D   4. Τίνας ἐπαφήκαμεν θῆρας ἁγίων σώμασιν, ὥς τινες
τὴν ἀπάνθρωπον φύσιν δημοσιεύσαντες, ἓν ἐγκαλέσαντες
μόνον, τὸ μὴ τῇ ἀσεβείᾳ συνθέσθαι μηδὲ τῇ κοινωνίᾳ χρανθῆ-
220 A ναι, ἣν ὡς ἰὸν ὄφεως φεύγομεν, οὐ σῶμα βλάπτουσαν, τὰ

3, 12 ναβουζαρδᾶ PC ‖ 14-15 ἠγαπημένα : ἡγιασμένα W ‖ 15 θεία
om. Q ‖ νυνὶ W ‖ 16 ποῖον δὲ ex ποιδὲ A² ‖ 17 λογιζόμενον C ‖ 18
τοιούτου ἐγὼ VWQZ ‖ καὶ θεῖον om. S add. S² ‖ 19 ἵδρυμα ex
ἵδρυμμα S² ‖ 20 ἀμείψας C ἀμεῖψαν W ‖ 21 ἐπὶ ex emend. S² ‖
22 καὶ τὰ χριστιανῶν S ‖ 23 παρθένων ex παρθένων S² ‖ 24 ὕβρισε καὶ
κατήσχυνε D ‖ καὶ μέχρι D ‖ 26 σοδομιτικοῦ : σοδομιτῶν AVWQZ
4, 2 ἀπάνθρωπον : ἀπανθρωπίαν AP² ἀνθρωπείαν VQZ Maur. ἀπανθρωπεία W ‖ φύσιν del. P² ‖ ἐν ἐγκαλέσαντες om. P mg. P² ‖ 4
φεύγωμεν S corr. S²

3, b. Cf. IV Rois 25, 8.11.20 (LXX).   c. Dan. 5, 1.30.
d. Os. 8, 11 (LXX).   e. Cf. Gen. 11, 24.

1. Grégoire appelle Nabuzardan (comme le cuisinier de Nabucho-
donosor : IV Rois 25, 8.11.20 [LXX]) le chef cuisinier de l'empereur
Valens, qui se nommait en réalité Démosthène. C'est lui qui, en

Nabuzardan, le chef de cuisine[b] [1], soit à un Balthazar[2], qui fit le mal en se livrant à la débauche avec les objets saints, et qui vraiment paya le juste prix de sa folie[c]? « Autels chéris[d] », comme dit la divine Écriture, mais maintenant outragés, devant lequel d'entre vous un jeune impudique a-t-il dansé à cause de nous par dérision avec des contorsions et des inflexions honteuses[3], ou plutôt, quel personnage de cette sorte ai-je employé pour bafouer en une danse le grand et divin mystère? Chaire vénérable, siège et repos d'hommes vénérables, où beaucoup de prêtres pieux se sont succédé et, depuis le début, ont initié aux mystères divins, quel harangueur grec[4] est monté jusqu'à toi, et quelle langue perverse flétrissant la foi des chrétiens[5]? Pudeur et gravité des vierges, qui ne supportez même pas les regards d'hommes vertueux, qui d'entre nous vous a insultées et outragées jusqu'à montrer ce qui ne doit pas être vu et jusqu'à présenter au regard des impies un spectacle lamentable et digne du feu de Sodome[e]? Car je ne parle pas des meurtres, moins intolérables que cette honte.

4. Quelles bêtes avons-nous lancées contre les corps des saints[6], comme l'ont fait certains qui ont révélé leur naturel inhumain, en n'ayant contre eux qu'un seul grief,

---

discutant de théologie avec Basile, laissa échapper un barbarisme ; sur quoi Basile répliqua : « Voilà un Démosthène illettré ! » (THÉODORET, *op. cit.* IV, 19, p. 245). P.G.

2. Balthazar désigne l'empereur Valens. P.G.

3. THÉODORET, *Hist. eccl.* IV, 22, p. 251-252. P.G.

4. L'expression δημηγόρος Ἕλλην (c'est-à-dire païen) correspond au δημηγόρος αἰσχρὸς κατὰ Χριστοῦ dont parle la lettre de Pierre (THÉODORET, *op. cit.* IV, 22, p. 252, ligne 1) ; cf. aussi la description de Grégoire dans le *Discours* 25, 12 : δημηγορήσας ἐπὶ τῶν ἱερῶν θρόνων γλώσσας βλασφήμους, μυστήρια κωμῳδούμενα...

5. Voir aussi dans le *Discours* 42, 26 une invocation à la καθέδρα τιμία.

6. Autres violences des ariens contre les nicéens, qui ne sont cependant, pour la plupart, qu'imparfaitement connues.

5 δὲ βάθη μελαίνουσαν τῆς ψυχῆς ; τίσι καὶ τὸ θάψαι νεκροὺς
ἔγκλημα γέγονεν, οὓς καὶ θῆρες ᾐδέσθησαν ; καὶ τὸ
ἔγκλημα πόσον ; Ἄλλου θεάτρου καὶ θηρῶν ἄλλων ἄξιον.
Τίνων ἐπισκόπων γηραιαὶ σάρκες τοῖς ὄνυξι κατεξάνθησαν,
παρόντων τῶν μυηθέντων καὶ βοηθεῖν οὐκ ἐχόντων, πλὴν
τοῦ δακρύειν · μετὰ Χριστοῦ κρεμασθεῖσαι τῷ παθεῖν
10 νικήσασαι, καὶ τῷ τιμίῳ αἵματι τὸν λαὸν ῥαντίσασαι[a]
καὶ τέλος ἀπαχθεῖσαι τὴν ἐπὶ θάνατον, Χριστῷ καὶ συντα-
φησόμεναι[b] καὶ συνδοξασθησόμεναι[c], Χριστῷ τῷ τὸν κόσμον
νικήσαντι[d] διὰ τοιούτων σφαγίων τε καὶ θυμάτων ; Τίνας
πρεσβυτέρους ἐναντίαι φύσεις, ὕδωρ καὶ πῦρ, ἐμερίσαντο,
B 15 πυρσὸν ἄραντας ξένον ἐπὶ θαλάσσης καὶ τῇ νηῒ συμφλεχθέντας
ἐφ᾽ ἧς ἀνήχθησαν ; Τίνες — ἵνα τὰ πλείω συγκαλύψω τῶν
ἡμετέρων κακῶν — καὶ ὑπ᾽ αὐτῶν τῶν ἀρχόντων ἀπανθρωπίαν
ἐνεκλήθησαν, τῶν τὰ τοιαῦτα χαριζομένων ; Καὶ γὰρ εἰ
ταῖς ἐπιθυμίαις ὑπηρέτουν, ἀλλ᾽ οὖν ἐμίσουν τῆς προαιρέσεως
20 τὸ ὠμόν. Τὸ μὲν γὰρ ἦν τοῦ καιροῦ, τὸ δὲ τοῦ λογισμοῦ,
καὶ τὸ μὲν τῆς τοῦ βασιλέως παρανομίας, τὸ δὲ τῆς τῶν
νόμων, οἷς δικάζειν ἐχρῆν, συναισθήσεως.

4, 5 τῆς ψυχῆς : τῶν ψυχῶν S om. A WQZ ‖ 7 θηρῶν : θρηνῶν mg.
D θηρίων A ‖ 8 γηραιαὶ SW γηρειαὶ V ‖ 9 τὸ δακρύειν S ‖ τῷ πάθει C
DQ τὸ παθεῖν S ‖ 11 ἀπαχθῆσαι A ἀπήχθησαν Z ‖ τὴν ἐπὶ θάνατον
AD²mg. τὴν ἐπὶ θανάτῳ cett. codd. τὸν ἐπὶ θάνατον Maur. ‖ post
Χριστῷ add. καὶ συσταυρωθησόμεναι Maur. ‖ 12 τῷ om. S add.
S² ‖ 13 τῶν τοιούτων PC ‖ 15 ἄραντες BSD ‖ ἐπὶ : ὑπὲρ AVQZ W
uacuum ‖ 18 ἀνεκλήθησαν C ‖ χειριζομένων W ‖ 20 τὸν ὠμὸν S del.
S² om. WQ ‖ 21 τῆς² : τοῖς C

---

4. a. Cf. Hébr. 9, 19.   b. Cf. Rom. 6, 4 ; Col. 2, 12.   c. Cf.
Rom. 8, 7.   d. Cf. Jn 16, 33.

---

1. Peut-être s'agit-il des châtiments de l'au-delà. P.G.
2. Terme qui désigne alors couramment le baptême chrétien.
Une preuve péremptoire de ce sens est fournie par Grégoire lui-même,
quand il écrit : τῷ βαπτίσματι τελεσθείς (Discours 43, 48, PG 37,
557 C). P.G.

celui de ne s'être pas agrégés à l'impiété et de ne s'être
pas souillés par la communion avec les impies, cette
communion que nous évitons comme un venin de serpent,
car elle ne nuit pas au corps mais elle noircit jusqu'aux
profondeurs de l'âme. A qui également a-t-on fait grief
d'avoir enseveli des cadavres que même les bêtes avaient
respectés? Et ce grief, que vaut-il? C'est d'un autre
théâtre et d'autres bêtes qu'il est digne[1]. De quels évêques
a-t-on déchiré les chairs séniles avec des ongles de fer en
présence de leurs initiés[2] qui ne pouvaient apporter d'autre
secours que leurs larmes? Mais c'est avec le Christ que
ces chairs ont été suspendues, qu'elles ont remporté la
victoire par la souffrance, qu'elles ont aspergé le peuple[a]
avec leur sang précieux, et, à la fin, qu'elles ont été
emmenées à la mort pour être ensevelies avec le Christ[b] et
glorifiées avec le Christ[c], ce Christ qui a vaincu le monde
grâce à de telles victimes et de telles offrandes. Quels
prêtres furent séparés par deux éléments contraires, le feu
et l'eau, élevant un étrange fanal sur la mer et brûlant
avec le navire sur lequel ils avaient été embarqués[3]? Et,
pour dissimuler la majeure partie de nos maux, qui donc
a été accusé d'inhumanité par ces magistrats eux-mêmes
qui cherchaient si bien à plaire? Car, s'ils servaient les
passions d'un autre, ils haïssaient du moins la cruauté de la
décision. L'obéissance était due aux circonstances, la
cruauté était raisonnée ; d'un côté il y avait la scélératesse
de l'empereur[4], de l'autre, la pleine conscience des lois
selon lesquelles il fallait juger.

3. Quatre-vingts prêtres, qui avaient protesté auprès de l'empereur
Valens contre la nomination de l'évêque arien Démophile au siège
de Constantinople, furent embarqués par ordre du préfet Modestus
sur un navire que l'on abandonna en pleine mer, après y avoir mis le
feu. L'événement est encore raconté par Grégoire dans les *Discours*
25, 10 et 43, 46, ainsi que par SOCRATE (*Hist. eccl.* IV, 16, *PG* 67,
499 C) et par THÉODORET (*Hist. eccl.* IV, 24, p. 262). P.G.

4. L'empereur est Valens.

C 5. Ἢ ἵνα τὰ παλαιότερα λέγωμεν, καὶ ταῦτα γὰρ τῆς
αὐτῆς φρατρίας, τίνας περιελὼν χεῖρας, ἢ τεθνηκότων ἢ
ζώντων ἁγίων, κατεψευσάμην, ἵνα τὴν πίστιν πολεμήσω
διὰ τῆς ἐπηρείας ; Τίνων ἐξορίας ὡς εὐεργεσίας ἠρίθμησα
5 καὶ οὐδὲ φιλοσόφων ἱερέων ἠδέσθην ἱερὰ συστήματα, ὅθεν
τοὺς ἱκέτας ἐζήτουν ; Τοὐναντίον μὲν οὖν κἀκείνους ἐποίησα
μάρτυρας, ὑπὲρ τοῦ καλοῦ κινδυνεύοντας ; Τίσιν ἐπεισήγαγον
πόρνας ἀσάρκοις μικροῦ καὶ ἀναίμοσι, τὴν περὶ τῶν λόγων
ἀσέλγειαν ἐγκαλούμενος ; Τίνας τῶν εὐσεβῶν τῆς πατρίδος
221 A ὑπερορίσας, ἀνδρῶν ἀνόμων χερσὶ παρέδωκα, ἵν᾽ ὡς θῆρες
11 εἰρχθέντες ἐν ἀφεγγέσιν οἴκοις καὶ ἀλλήλων διαζευχθέντες
— τοῦτο γὰρ δὴ τὸ τῆς τραγῳδίας βαρύτατον — λιμῷ καὶ δίψει
κακοπαθήσωσι, τροφὴν μετρούμενοι, καὶ ταύτην διὰ στενῶν
τῶν πόρων, καὶ οὐδὲ τοὺς συναλγοῦντας ὁρᾶν ἐώμενοι ;
15 Καὶ ταῦτα, τίνες ; « Ὧν οὐκ ἦν ἄξιος ὁ κόσμος[a] ». Οὕτω
τιμᾶτε πίστιν ὑμεῖς ; οὕτω ξενίζετε ;

Ἀγνοεῖτε τὰ πλείω τούτων, καὶ λίαν εἰκότως, διὰ τὸ
πλῆθος τῶν δραμάτων καὶ τῆς ἐν τῷ ποιεῖν τρυφῆς · ἀλλὰ
τὸ πάσχον μνημονικώτερον.

5, 2 φρατρίας A Maur. : φατρίας cett. codd. ‖ 4 ἐπηρείας ex
ἐπήρας Q² ‖ 5 ἱερέων : ἱερῶν VQZ ‖ 6 οὖν om. Q ‖ 8 τῶν λόγων Maur. :
τὸν λόγον codd. ‖ 9 ἐγκαλουμένους C ‖ 12 δὴ mg. S ‖ δίψει ex emend.
S ‖ 14 τῶν om. Q ‖ 15 ταύτας V ‖ 17 ἀγνωεῖτε S corr. S² ‖ εἰκότως :
εἰκὸς BD ‖ 17-18 διὰ τὸ — τρυφῆς om. Q ‖ 19 πάσχον ex πάσχων S²

---

5. a. Hébr. 11, 38.

1. Ce terme désignait chez les Athéniens les membres d'une
association religieuse ; il est appliqué ici aux hérétiques. P.G.

2. Suite de la description des violences ; mais celles-ci datent de
périodes plus anciennes. La calomnie évoquée ici est l'accusation
portée par les ariens contre Athanase d'avoir coupé une main à
l'évêque Arsène et de l'avoir tué. Mais Arsène fut retrouvé vivant et
avec ses deux mains (ATHANASE, Apologie contre les ariens 65-69,
éd. Opitz, Berlin et Leipzig 1935, p. 144, 3 - 148, 8 ; RUFIN, Hist.
eccl. I, 17, PL 21, 490 B ; SOCRATE, Hist. eccl. I, 29, PG 67, 160 B-
161 B). P.G.

3. De nombreux évêques orthodoxes furent exilés par les empereurs
ariens Constance et Valens. P.G.

5. Ou bien, pour parler des actes plus anciens et accomplis, en effet, par des gens de la même phratrie[1], à qui, parmi les saints personnages morts ou vivants ai-je coupé les mains, pour accuser faussement et faire la guerre à la foi par le moyen de la calomnie[2]? De qui ai-je compté les bannissements comme des bienfaits[3] et de quels saints philosophes[4] ai-je violé les saintes assemblées, en y cherchant des gens qui me supplieraient? Bien plus, ai-je, à l'inverse, fait de ceux-là aussi des martyrs, parce qu'ils bravaient le danger pour le bien? Auxquels de ces hommes, qui n'ont presque ni chair ni sang, ai-je envoyé des femmes de mauvaise vie, moi à qui l'on reproche d'être impudent dans mes paroles? Quels pieux personnages ai-je bannis de leur patrie et ai-je livrés aux mains de peuples sans loi, pour qu'ils fussent parqués comme des bêtes dans des bâtiments obscurs, pour qu'ils fussent séparés les uns des autres — c'est là le plus pénible de cette tragédie —, pour qu'on les fît souffrir de la faim et de la soif, leur mesurant la nourriture et la faisant passer par des orifices étroits, sans même leur laisser apercevoir ceux qui souffraient avec eux? Et ce sort, pour qui était-il? Pour ceux « dont le monde n'était pas digne[a] [5] ». Est-ce ainsi que vous honorez la foi? Est-ce ainsi que vous pratiquez l'hospitalité?

Vous ignorez la plupart de ces faits? C'est très vraisemblable, étant donné le grand nombre des actes et le plaisir que vous prenez à les accomplir ; mais ce qui souffre a plus de mémoire.

---

4. Les saints philosophes sont les moines. Le verbe φιλοσοφεῖν signifie aussi « mener une vie contemplative » : cf. T. Spidlik, p. 133-134, qui renvoie opportunément aux *Discours* 26, 7 et 39, 8.

5. Élie de Crète pense qu'il s'agit de Paul, évêque de Constantinople, trois fois exilé, et finalement étranglé à Cucuse, en Cappadoce (cf. Socrate, *Hist. eccl.* II, 26, *PG* 67, 268 B, et voir *Lexicon für Theologie und Kirche*, Freiburg i. B. 1930, 8, 47). Mention est faite aussi de sévices de ce genre par Théodoret, *Hist. eccl.* IV, 21, 3-13 (lettre de Pierre d'Alexandrie), p. 247-249. P.G.

20 Τί μοι τὰ πόρρω λέγειν ; Ἀλλά τινες καὶ τοῦ καιροῦ
γεγόνασι βιαιότεροι, καθάπερ οἱ κατὰ φραγμῶν ὠθούμενοι
σύες. Ζητῶ μου τὸ χθὲς ὑμῶν σφάγιον, τὸν γέροντα καὶ
Ἀβραμιαῖον πατέρα, ὃν ἐκ τῆς ὑπερορίας ἀχθέντα λίθοις
B ἐδεξιώσασθε, μεσούσης ἡμέρας, ἐν μέσῃ πόλει. Ἡμεῖς
δὲ καὶ τοὺς φονεῖς, εἰ μὴ φορτικὸν εἰπεῖν, ἐζητησάμεθα
26 κινδυνεύοντας. « Ποῖα τούτων ἵλεως ἔσομαί σοι » ; φησί
που τῆς Γραφῆς ὁ Θεός[b]. Τί τούτων ἐπαινέσω ; μᾶλλον δέ,
ἐκ ποίων ὑμᾶς ἀναδήσομαι ;

6. Ἐπεὶ δὲ τοιαῦτα τὰ σὰ καὶ οὕτως ἔχοντα, λέγε μοι
καὶ τὰς ἐμὰς ἀδικίας, ἵν' ἢ παύσωμαι κακὸς ὢν ἢ αἰσχύνωμαι.
Ὡς ἔγωγε μάλιστα μὲν εὔχομαι μηδὲν ἁμαρτεῖν · εἰ δ'
οὖν, καὶ ἀδικῶν ἐπανάγεσθαι · δευτέρα μερὶς αὕτη τῶν
5 εὖ φρονούντων. Καὶ γὰρ εἰ μὴ κατήγορος ἐμαυτοῦ κατὰ
C τὸν δίκαιον ἐν πρωτολογίᾳ γίνομαι[a], χαίρω γε ὑπ' ἄλλου
θεραπευόμενος. « Μικρά σοι, φησίν, ἡ πόλις, καὶ οὐδὲ
πόλις, ἀλλὰ χωρίον ξηρὸν καὶ ἄχαρι καὶ ὀλίγοις οἰκούμενον. »

5, 20 καὶ om. V ‖ 24 ἐδέξασθε A ‖ 25 εἰ μὴ φορτικὸν εἰπεῖν καὶ
τοὺς φονεῖς W ‖ 26 κινδυνεύοντες P ‖ 27 μᾶλλον δέ : μᾶλλον cum
ἐκ ποίων coniunctum A cum ἐπαινέσω VWQZ
6, 6 προτολογία S ‖ γένωμαι W γένομαι A γίνωμαι D ‖ χαίρω
γε : χαίρομαι C χαίρω καὶ P

---

5. b. Jér. 5, 7.
6. a. Prov. 18, 17 *(LXX)*.

---

1. Ce qui veut dire que les ariens persistent dans leurs violences,
bien que la situation ait changé avec l'avènement de Théodose. Cette
allusion permettrait d'arrêter, comme le pense BERNARDI (p. 166), la
date du *Discours* 33 à 380.
2. Il faut sans doute voir ici, avec Élie de Crète, une allusion à
Eusèbe de Samosate : revenant d'exil, il fut tué par une tuile lancée
du haut d'une maison par une femme arienne (THÉODORET, *Hist.
eccl.* V, 4, 7-9, p. 283 ; NICÉPHORE CALLISTE, *Hist. eccl.* XII, 5,
PG 146, 761 C). Les termes élogieux employés dans ce passage
correspondent bien à la haute estime que Grégoire avait pour Eusèbe,

Qu'ai-je à parler de faits éloignés ? Certains se sont montrés trop violents pour les circonstances[1], comme les sangliers qui foncent sur des palissades. Je revendique comme mienne votre victime d'hier, ce vieillard, ce père semblable à Abraham, qu'à son retour d'exil vous avez accueilli avec des pierres, en plein jour, en pleine ville[2]. Nous, au contraire — qu'on nous permette de le dire —, nous avons sollicité la grâce des meurtriers qui étaient accusés[3]. « Pour lequel de ces actes te serai-je propice ? », dit Dieu quelque part dans l'Écriture[b]. Lequel de ces actes louerai-je ? Ou mieux, pour lequel vous ceindrai-je d'un diadème ?

6. Puisque tels sont tes agissements et puisqu'il en est ainsi, énumère-moi aussi mes injustices, afin que je cesse d'être pervers ou que j'en rougisse. Personnellement, je souhaite par-dessus tout n'avoir commis aucune faute ; à défaut de cela, je souhaite revenir à résipiscence si je suis coupable, attitude qui est celle de la seconde catégorie des hommes sensés[4]. En effet, si je n'assume pas le premier rôle pour m'accuser moi-même, comme le juste[a] [5], je me réjouis du moins d'être soigné par un autre. — Tu es d'une petite ville[6], dit mon adversaire, et ce n'est même pas une ville, mais un lieu sec, sans agrément[7] et peu habité[8].

comme en témoignent les lettres qu'il lui a adressées (*Lettres* 42, 44, 64, 65, 66). P.G.

3. Cette indication est à rapprocher des *Lettres* 77 et 78, où Grégoire dissuade ses correspondants de poursuivre en justice les ariens qui les avaient attaqués dans la veillée pascale de 379. P.G.

4. Allusion aux vers 293-295 des *Travaux et jours* d'Hésiode. Grégoire se référait sans doute volontiers à ce texte, car il l'évoque aussi dans sa *Lettre* 11. P.G.

5. Le texte de la Septante écrit : « Le juste est le premier à s'accuser lui-même » (*Prov.* 18, 17). P.G.

6. Il s'agit évidemment de Nazianze.

7. Ξηρὸν καὶ ἄχαρι : même association d'épithètes dans la *Lettre* 51, 5. P.G.

8. Ces critiques sont formulées avec plus de détails dans le poème *Sur sa vie*, v. 701-720, *PG* 37, 1078-1079. P.G.

Τοῦτο πέπονθα μᾶλλον, ὦ βέλτιστε, ἢ πεποίηκα, εἴπερ
10 δεινόν · καὶ εἰ μὲν ἄκων, ἀνέχομαι δυστυχῶν — λεγέσθω
γὰρ οὕτως — · εἰ δὲ ἑκών, φιλοσοφῶ. Πότερον τούτων
ἔγκλημα ; Εἰ μὴ καὶ τὸν δελφῖνα κακίζοι τις ὅτι μὴ χερσαῖος,
καὶ τὸν βοῦν ὅτι μὴ πελάγιος, καὶ τὴν σμύραιναν ὅτι ἀμφίβιος.
« Ἡμῖν δέ, φησί, τείχη καὶ θέατρα καὶ ἱππικὰ καὶ βασίλεια
15 καὶ κάλλη στοῶν καὶ μεγέθη καὶ τὸ ἄπιστον τοῦτο ἔργον,
ὁ ὑποχθόνιος καὶ ἀέριος ποταμός, καὶ ὁ λαμπρὸς στύλος
224 A οὑτοσὶ καὶ ἀπόβλεπτος καὶ ἀγορὰ πλήθουσα καὶ δῆμος
κυμαίνων καὶ ἀνδρῶν εὐγενῶν συνέδριον ἐπαινούμενον. »

7. Πῶς δὲ οὐ λέγεις καὶ θέσεως εὐκαιρίαν καὶ γῆν καὶ
θάλασσαν, ὥσπερ ἁμιλλωμένας ποτέρας ἂν εἴη μᾶλλον
ἡ πόλις, καὶ τοῖς παρ' ἑαυτῶν ἀγαθοῖς τὴν βασιλίδα δεξιου-
μένας ; Τοῦτο οὖν ἀδικοῦμεν, ὅτι μεγάλοι μὲν ὑμεῖς καὶ
5 ὑπέρλαμπροι, μικροὶ δὲ ἡμεῖς καὶ ἐκ μικρῶν ἥκοντες ;
Πολλοὶ καὶ ἄλλοι τοῦτο ἀδικοῦσιν ὑμᾶς, μᾶλλον δὲ πάντες

6, 9 μᾶλλον δεινὸν A ‖ εἴπερ : εἴπερ ἔστι BSPCD Maur. W
uacuum (del. ἔστι S²) ‖ 11 πότερον : πρότερον B ‖ τούτων ex τούτω S² ‖ 12 κακίζοιτο BSPCDZ Maur. (κακίζοι S²) ‖ 13 μύραιναν S²
σμύρναν BS corr. B² σμίραιναν W ‖ μὴ ἀμφίβιος SPD (μὴ supra
uersum D del. P²) ‖ 14 καὶ ἱππικὰ om. QZ ‖ 15 ἔργον τοῦτο W ‖
17 οὑτοσὶ W

7, 2 ἁμιλλομένας SB ‖ ὁποτέρας P ‖ ἂν om. A ‖ εἴη ex εἰ S² ‖
3 βασιλίδα ex βασιλεῖδα B²S² ‖ 4 τοῦτο mg. D

---

1. La patrie ne dépend pas de notre choix : cf. *Discours* 26, 14 ;
c'est un thème cynique, cf. Dziech, p. 70.

2. Ici l'expression signifierait « avoir une juste manière de vivre »,
selon la classification de Spidlik (p. 133). Le verbe est employé pour
introduire des thèmes de la philosophie cynique.

3. Les remparts de Constantinople, qui furent ensuite doublés et
renforcés par Théodose II. Les beautés de la ville de Constantinople
sont énumérées dans la *Notitia urbis Constantinopolitanae* (dans
Notitia dignitatum, ed. O. Seeck, 1876, réimpr. Frankfürt/Main
1962).

4. Le stade était un élément essentiel de la vie du peuple et de la
politique de Constantinople.

5. Il n'y a pas moins de cinquante-quatre portiques cités dans la

— Cela, je le subis[1], excellent homme, plus que je n'en
suis cause, si toutefois c'est révoltant ; et si je le subis
contre mon gré, je supporte mon misérable sort — admettons qu'on parle ainsi —, mais si je le subis de bon gré,
je suis un philosophe[2] : laquelle de ces deux attitudes
donne matière à grief ? A moins qu'on ne reproche aussi
au dauphin de ne pas vivre sur terre, au bœuf de ne pas
vivre dans la mer et à la murène d'être amphibie ! — Mais
nous, dit-il, nous avons des remparts[3], des théâtres, des
cirques[4], des palais, de beaux et grands portiques[5], cet
ouvrage incroyable qu'est le fleuve coulant sous terre et
à l'air libre[6], cette illustre colonne que l'on voit de si loin[7],
une agora remplie de monde, un peuple tumultueux et
une assemblée d'hommes de haute naissance[8].

7. — Mais comment ne mentionnes-tu pas la commodité
de l'emplacement, la terre et la mer qui sont comme en
rivalité pour savoir à laquelle des deux appartient la ville[9],
et qui font honneur à la capitale de leurs propres avantages ? Est-ce que nous vous portons préjudice par le fait
que vous êtes grands et plus qu'illustres, et que nous
sommes petits et de petite origine ? Beaucoup d'autres
aussi vous portent préjudice de cette façon, ou plutôt ce
sont tous ceux au-dessus desquels vous vous élevez ; et
devons-nous périr parce que nous n'avons pas fait surgir

Notitia ; pour de plus amples détails, cf. R. JANIN, *Constantinople
byzantine*, Paris 1964, p. 87-94.

6. L'aqueduc de Valens, en partie sur arcades, en partie souterrain,
cf. JANIN, *op. cit.*, p. 199-200.

7. La *columna purpurea Constantini*, sur le forum, cf. JANIN,
p. 77-80.

8. Allusion probable au sénat de Constantinople.

9. Construite sur la mer, Constantinople était baignée de façon
merveilleuse ; voici ce qu'en dit la *Notitia* : « largo tractu in promun-
torii qualitatem spatiosior terra, faucibus Pontici maris opposita,
sinuosis portuosa lateribus, angustior latitudine, circumflui maris
tutela vallatur ; hoc quoque spatium, quod solum apertum maris
circulus derelinquit, duplici muro acies turrium extensa custodit ».

ὧν ὑπεραίρετε · καὶ δεῖ τεθνάναι ἡμᾶς ὅτι μὴ πόλιν ἠγείραμεν
μηδὲ τείχη περιεβαλόμεθα μηδὲ ἱππικοῖς μεγαλαυχοῦμεν
B μηδὲ σταδίοις τε καὶ κυνηγεσίοις καὶ ταῖς περὶ ταῦτα
10 μανίαις, μηδὲ λουτρῶν χάρισι καὶ λαμπρότησι, καὶ μαρμάρων
πολυτελείαις καὶ γραφαῖς καὶ κεντήσεσι χρυσαυγέσι τε
καὶ πολυειδέσι μικροῦ μιμουμέναις τὴν φύσιν ; Θάλασσαν
δὲ οὔπω περιερρήξαμεν ἡμῖν αὐτοῖς οὐδὲ τὰς ὥρας ἐκερασά-
μεθα — ὃ σὺ δηλαδὴ πεποίηκας, ὁ νέος δημιουργός —, ἵν'
15 ὡς ἥδιστά τε ὁμοῦ καὶ ἀσφαλέστατα βιοτεύοιμεν. Πρόσθες,
εἰ βούλει, καὶ ἄλλας κατηγορίας, ὁ λέγων · « Ἐμόν ἐστι τὸ
ἀργύριον, καὶ ἐμόν ἐστι τὸ χρυσίον[a] », τὰς τοῦ Θεοῦ φωνάς.
Ἡμεῖς οὔτε πλούτῳ μέγα φρονοῦμεν, ᾧ ῥέοντι μὴ προστίθεσθαι τῆς ἡμετέρας ἐστὶ νομοθεσίας[b], οὔτε προσόδους
20 ἀριθμοῦμεν ἐτησίας τε καὶ ἡμερησίας οὔτε τραπέζης ὄγκῳ
φιλοτιμούμεθα καὶ φαρμακείαις τῆς ἀναισθήτου γαστρός.
C Οὐδὲ γὰρ ἐπαινοῦμέν τι τῶν μετὰ τὸν λαιμὸν ὁμοτίμων,
μᾶλλον δὲ ἀτίμων ὁμοίως καὶ ἀποβλήτων · ἀλλὰ ζῶμεν
οὕτως ἁπλῶς καὶ σχεδίως καὶ μικρόν τι τῶν θηρίων, οἷς
25 ὁ βίος ἄσκευος καὶ ἀνεπιτήδευτος, διαφέροντες.

8. Ἦ καὶ τῆς ἐσθῆτός μου τὸ τρύχινον αἰτιάσῃ καὶ τοῦ
προσώπου τὴν θέσιν οὐκ εὐφυῶς ἔχουσαν, ἐπεὶ καὶ τούτοις
ὁρῶ τινας τῶν λίαν ταπεινῶν αἰρομένους. Τὴν κεφαλὴν

7, 8 περιεβάλλομεθα Z Maur. περιεβαλώμεθα C περιβαλλόμεθα
A ‖ μεγαλαυχῶμεν C ‖ 12 φύσιν ex emend. B ‖ 13 διερρέξαμεν Q ‖
ὑμῖν P ‖ 15 τε om. Q ‖ βιωτεύοιμεν BVWSD corr. V² ‖ 17 ἐστι om.
BVWQSD ‖ 18 μεγαλοφρονοῦμεν B ‖ 19 οὐδὲ Maur. ‖ 22 οὐδὲ :
οὐδὲν BWSPCD ‖ τι AVWQZ Maur. : om. BSPCD ‖ τῶν om.
B ‖ λαιμῶν W ex emend. B ‖ ὁμότιμον B ‖ 23 ὁμοίως om. PC ‖ 24
καὶ² om. D
8, 1 τρύχιον BS corr. B² ‖ 2 θέσιν : ἕξιν WCDQZP² γρ. (θέσιν D
mg.) ‖ 3 τινας mg. S ‖ αἱρουμένους AVWQ

7. a. Aggée 2, 8.   b. Ps. 61, 11.

1. Les courses de chevaux, les stades, la chasse sont des passions

une cité, parce que nous ne sommes pas entourés de
remparts, parce que nous ne pouvons pas nous enorgueillir
d'avoir des cirques, des meutes de chiens de chasse avec
la folie qui en résulte[1], des thermes construits avec élégance
et splendeur[2], des marbres précieux, des peintures et
des broderies brillantes d'or et multiples d'aspect, jusqu'à
imiter presque la nature ? Nous n'avons pas encore brisé
la mer pour l'étendre tout autour de nous et nous n'avons
pas opéré le mélange des saisons[3] — ce que tu as fait
évidemment, toi, le nouvel organisateur du monde — pour
nous procurer l'existence à la fois la plus agréable et la
plus sûre. Ajoute, si tu veux, encore d'autres accusations,
toi qui dis : « L'argent est à moi, et l'or est à moi[a] » en
t'appropriant les paroles de Dieu. Nous, nous ne tirons pas
vanité de la richesse, à laquelle notre loi nous enseigne
de ne pas attacher notre cœur si elle afflue vers nous[b] ;
nous ne comptons pas non plus nos revenus de l'année
et de la journée, et nous ne nous glorifions pas du faste de
la table et des mets qui flattent le ventre stupide. Car nous
ne louons rien de ce qui, après avoir franchi le gosier, est
aussi estimable, ou plutôt aussi peu estimable que lui,
et qui doit être éliminé[4] ; mais nous vivons comme cela,
simplement, sans recherche, et sans beaucoup différer des
animaux, dont la vie est sans apprêt et sans complication.

8. Est-ce que tu vas me reprocher d'avoir des vêtements
usés et mon visage qui n'est pas assez soigné ? Car j'en vois
certains qui sont des plus bas et que cela élève. Laisseras-tu

bien connues des Byzantins : cf. L. Bréhier, *La civilisation byzantine*,
Paris 1950, p. 93 s. Elles sont appelées « folies » dans les attaques
que Grégoire fait plus d'une fois contre ces mœurs : cf. *Discours* 21, 5 ;
27, 3 ; 36, 12 ; 42, 22.

2. Les bains sont en très grand nombre : 153 bains privés et
neuf bains publics, selon la *Notitia* (cf. Janin, p. 216-224).

3. Allusion au climat tempéré, dû à la proximité de la mer.

4. Considération de type cynique et populaire.

δὲ ἀφήσεις καὶ οὐκ ἐπισκώψεις ἃ καὶ τὸν Ἐλισσαῖον οἱ
D 5 παῖδεςᵃ ; τὸ γὰρ ἑξῆς σιωπήσομαι. Ἀπαιδευσίαν δὲ οὐκ
ἐγκαλέσεις ἢ ὅτι τραχύ σοι δοκῶ καὶ ἄγροικον φθέγγεσθαι ; Τὸ δὲ μὴ στωμύλον εἶναι ποῦ θήσεις, μηδὲ
γελοιαστήν τινα καὶ τοῖς παροῦσι κεχαρισμένον, μηδὲ
225 A ἀγοράζειν τὰ πολλὰ μηδὲ λαλεῖν τε καὶ περιλαλεῖν οἷς
10 ἔτυχε καὶ ὡς ἔτυχεν, ὥστε ποιῆσαι φορτικοὺς καὶ τοὺς
λόγους, μηδὲ τὴν νέαν Ἱερουσαλήμ, τὸν Ζεύξιππον, ἐπισκέ-
πτεσθαι, μηδὲ οἰκίαν ἐξ οἰκίας ἀμείβεινᵇ θωπεύοντά τε καὶ
γαστριζόμενον, ἀλλ' οἴκοι τὰ πολλὰ μένειν κατηφῆ τε καὶ
σκυθρωπάζοντα καὶ καθ' ἡσυχίαν ἐμαυτῷ συγγινόμενον,
15 τῷ γνησίῳ τῶν πραττομένων ἐξεταστῇ καὶ τοῦ δεθῆναι
τυχὸν ἀξίῳ διὰ τὸ δύσχρηστον ; Πῶς ταῦτα συγχωρεῖς
ἡμῖν καὶ οὐκ ἐγκαλεῖς ; Ὡς ἡδὺς εἶ καὶ φιλάνθρωπος.

B 9. Ἐγὼ δὲ οὕτως ἀρχαίως ἔχω καὶ φιλοσόφως, ὥστε
ἕνα μὲν οὐρανὸν καὶ κοινὸν ἅπασι τὸν αὐτὸν ὑπολαμβάνω,
κοινὴν δὲ ἡλίου καὶ σελήνης περίοδον, κοινὴν δὲ ἀστέρων
τάξιν καὶ θέσιν, κοινὴν δὲ ἡμέρας καὶ νυκτὸς ἰσομοιρίαν καὶ

8, 4 δὲ om. C ‖ ἐπισκόψεις SB ἐπίσκωψις P corr. P² ‖ ἃ καὶ :
ἀλλὰ καὶ S ἃ κατὰ P² ‖ τὸν om. Maur. ‖ 5 τὸ : τὰ A ‖ 6 ἄγρυκον A ‖
7 στομῦλον W ‖ θήσεις : στήσεις Maur. ‖ μηδὲ : μήτε AVWQZ ‖
8 παροῦσι : συνοῦσι Maur. ‖ 9 ἀγοραιάζειν PCD ἀγοράζειν S
corr. S² μήτε ἀγοράζειν A ‖ καὶ τὰ πολλὰ W ‖ 14 συγγενόμενον
Maur. ‖ 16 τυχὸν in mg. D ‖ 17 ἐγκαλέσεις W
9, 1 ἀρχαίως : αἰωρῶς in calce SD mg. (ut uid.) ‖ 3 δὲ² om. W ‖
4 θέσιν καὶ τάξιν W

8. a. Cf. IV Rois 2, 23-24.   b. Cf. Lc 10, 7.

1. Élisée avait été insulté par un groupe de jeunes gens à cause de
sa calvitie ; mais deux ours sortirent de la forêt et mirent en pièces
quarante d'entre eux (IV *Rois* 2, 23-24).
2. Le bain Zeuxippos, le plus grand et le plus beau de tous,
construit par Septime-Sévère, était appelé ainsi soit parce qu'il était
près du temple de Zeus Hippias (selon Hésychius), soit (selon le
Chronicon Paschale) à cause de la statue de bronze du Soleil, située à

ma tête tranquille, et t'abstiendras-tu de la railler comme firent les enfants à l'égard d'Élisée[a]? Et je tairai la suite[1]. Et ne me reproches-tu pas de manquer de culture et d'avoir, paraît-il, un parler rude et campagnard? Mais feras-tu figurer dans tes accusations le fait que je ne suis ni un grand parleur, ni un bouffon ou quelqu'un qui plaît à ceux qui sont là, que je ne passe pas la plus grande partie du temps sur l'agora, que je ne suis pas un bavard, que je ne bavarde pas à l'entour avec ceux que je rencontre et comme cela se rencontre, au point de rendre odieuse la parole même, que je ne fréquente pas la nouvelle Jérusalem, c'est-à-dire Zeuxippos[2], que je ne passe pas de maison en maison[b] en flattant les gens et en me livrant à la gloutonnerie, mais que je reste ordinairement chez moi, les yeux baissés et le visage austère, recueilli tranquillement en moi-même, examinant sincèrement mes actions, et méritant peut-être d'être lié parce que je suis insupportable? Comment nous accordes-tu cela et ne nous le reproches-tu pas? Comme tu es doux et humain !

9. Quant à moi, je suis antique et philosophe[3], au point de penser qu'il n'y a qu'un ciel et que ce même ciel est commun à tous[4] ; commune aussi, la révolution du soleil et de la lune ; communs, l'ordre et la position des astres ; commune, l'exacte proportion et l'utilité du jour et de la nuit, et encore l'alternance des saisons, les pluies,

---

l'endroit du Tétrastoos, et sur la base de laquelle était inscrit le nom de Zeus Hippias. Il avait été restauré et inauguré en même temps que la ville, le 11 mars 330 (cf. Janin, p. 222-223). Avec ironie, Grégoire définit le Zeuxippos comme la nouvelle Jérusalem, ce lieu sublime étant adoré par les amoureux des choses du monde, ses adversaires.

3. Grégoire se dit ironiquement « antique », c'est-à-dire imbu d'idées démodées, et « philosophe », c'est-à-dire isolé du monde. P.G.

4. Autre thème de la diatribe cynique : la nature est commune à tous — comme sont communs à tous les éléments fondamentaux de la doctrine chrétienne.

5 εὐχρηστίαν · ἔτι δὲ ὡρῶν ἀλλαγὰς καὶ ὑετοὺς καὶ καρποὺς
καὶ ἀέρος ζωτικὴν δύναμιν · ἕλκεσθαι δὲ ποταμοὺς πᾶσιν
ὁμοίως τὸν κοινὸν πλοῦτον καὶ ἄφθονον, μίαν δὲ καὶ τὴν
αὐτὴν εἶναι γῆν, μητέρα καὶ τάφον, ἐξ ἧς ἐλήφθημεν καὶ
εἰς ἣν ἀποστραφησόμεθα, μηδὲν πλέον ἀλλήλων ἔχοντες ·
10 καὶ ἔτι πρὸ τούτων, κοινὸν λόγον, νόμον, προφήτας, αὐτὰ
τὰ Χριστοῦ πάθη, δι᾽ ὧν ἀνεπλάσθημεν, οὐχ ὁ μὲν ὁ δ᾽ οὔ,
πάντες δὲ οἱ τοῦ αὐτοῦ Ἀδὰμ μετασχόντες καὶ ὑπὸ τοῦ
ὄφεως παραλογισθέντες[a] καὶ τῇ ἁμαρτίᾳ θανατωθέντες[b]
C καὶ διὰ τοῦ ἐπουρανίου Ἀδὰμ ἀνασωθέντες[c] καὶ πρὸς τὸ
15 ξύλον τῆς ζωῆς[d] ἐπαναχθέντες διὰ τοῦ ξύλου τῆς ἀτιμίας[e],
ὅθεν ἀποπεπτώκαμεν.

10. Ἥπάτα δέ με καὶ ἡ Σαμουὴλ Ἀρμαθαὶμ[a], ἡ μικρὰ
τοῦ μεγάλου πατρίς, οὐκ ἀτιμάσασα τὸν προφήτην οὐδὲ
παρ᾽ ἑαυτῆς μᾶλλον ἢ παρ᾽ ἐκείνου γενομένη τιμιωτέρα ·
ἐξ ἧς ἐκεῖνος οὐδὲν ἐκωλύθη καὶ Θεῷ δοθῆναι πρὸ γενέσεως[b]
5 καὶ χρηματίσαι βλέπων τὰ ἔμπροσθεν[c] · οὐ μόνον δέ, ἀλλὰ
καὶ χρίειν βασιλέας[d] καὶ ἱερέας καὶ κρίνειν τοὺς ἐκ τῶν
λαμπρῶν πόλεων[e]. Περὶ δὲ τοῦ Σαοὺλ ἤκουον ὅτι τὰς

9, 5 εὐχαριστίαν P² mg. ‖ δὲ om. PC (add. P²) ‖ 6 ζωτικοῦ
VW ‖ 9 ἀποστραφησώμεθα B ‖ 11 τοῦ Χριστοῦ Q ‖ ὅ² AS² Maur. :
ὅς cett. ‖ 13 τῇ ἁμαρτίᾳ : τῇ αὐτῇ ἁμαρτίᾳ SPCD (αὐτῇ del. S² mg.
D) ‖ 14 σωθέντες A
10, 1 ἡ τοῦ Σαμουὴλ Maur. ‖ ἀρμαθὲμ BSPCD (-θαὶμ P²) ‖ 2-3 οὐ
παρ᾽ ἑαυτῆς A ἑαυτῆς ex ἑαυτὴν corr. mg. D ‖ 4 οὐδὲν D mg. ‖ 6 καὶ
κρίνειν ex καίνειν S² ‖ 7 ἤκουον ex ἦκον S

---

9. a. Cf. Gen. 3, 13.   b. Cf. Rom. 5, 12.   c. Cf. I Cor. 15, 49.
d. Cf. Gen. 2, 9.   e. Cf. Gal. 3, 13.
10. a. I Sam. 1, 1.   b. Cf. I Sam. 1, 11.   c. Cf. I Sam. 3, 20.
d. I Sam. 10, 1 ; 16, 13. Cf. Sir. 46, 13.   e. I Sam. 7, 15-17.

---

1. Cf. la remarque de THÉODORET : « la croix du Sauveur est
devenue pour nous le bois de la vie » (Commentaire sur Isaïe 65, 22,
SC 315, p. 348). P.G.

les fruits, la puissance vivifiante de l'air ; le cours des fleuves aussi, cette richesse commune également à tous et surabondante, et la terre, unique et identique comme mère et comme sépulture, elle de qui nous avons été tirés et à laquelle nous retournerons, sans rien avoir de plus les uns que les autres ; et encore avant tout cela, ce sont des biens communs que la raison, la loi, les prophètes, les souffrances mêmes du Christ par lesquelles nous avons été remodelés, non pas l'un et non l'autre, mais nous tous qui avons participé au même Adam, qui avons été trompés par le serpent[a], qui avons été soumis à la mort par le péché[b], qui avons été rétablis dans le salut par l'Adam céleste[c] et qui, écartés du bois de la vie[d], avons été ramenés vers lui par le bois de l'ignominie[e] [1].

10. Ce qui me trompait aussi, c'était la ville natale de Samuel, Armathaïm[a] [2], petite patrie[3] de ce grand homme ; mais elle ne déprécia pas ce prophète et elle lui valut moins d'honneur qu'elle n'en reçut de lui. La petitesse de sa patrie n'empêcha nullement Samuel d'être donné à Dieu avant sa naissance[b] et de prophétiser en voyant l'avenir[c] ; et non seulement cela, mais il conféra aussi l'onction à des rois[d] et à des prêtres[4] et jugea des hommes originaires de villes illustres[e]. Et au sujet de Saül, j'entendais dire qu'en cherchant les ânesses de son père

2. Armathaïm est la forme qu'on lit dans la Septante ; l'hébreu écrit Ramathaïm. P.G.

3. « Petite patrie » est dit avec ironie : Grégoire reprend les sarcasmes de ses ennemis à propos de son lieu d'origine, Nazianze (cf. *Discours* 32, 1 ; 36, 1 ; 38, 6 où est défini ἄγροικος).

4. La Bible ne dit pas que Samuel conféra l'onction à des prêtres ; c'est une amplification justifiée par le fait que les prêtres recevaient l'onction (cf. *Ex.* 30, 30). P.G.

ὄνους τοῦ πατρὸς ζητῶν βασιλείαν εὕρετο[f]. Καὶ Δαβὶδ
αὐτὸς ἐκ τῶν ποιμνίων τῶν προβάτων ἀναλαμβάνεται
D   καὶ ποιμαίνει τὸν Ἰσραήλ[g]. Τί δὲ Ἀμώς ; οὐκ αἰπόλος
11 ὢν καὶ κνίζων συκάμινα προφητείαν πιστεύεται[h] ; Πῶς
228 A τὸν Ἰωσὴφ παρέδραμον, ὃς καὶ δοῦλος ἐγένετο[i] καὶ σιτοδότης
Αἰγύπτου[j] καὶ πατὴρ πολλῶν μυριάδων, αἳ τῷ Ἀβραὰμ
προηγγέλθησαν[k] ; Ἀβραὰμ δέ, ἵν᾽ εἴπω τὸ μεῖζον, οὐ
15 μετανάστης[l] ; Μωϋσῆς δὲ οὐκ ἔκθετος πρότερον[m], εἶτα
νομοθέτης[n] καὶ στρατηγὸς τῶν πρὸς τὴν γῆν τῆς ἐπαγγελίας
ἐπειγομένων, οὗ τὰ μεγάλα καὶ θαυμαστὰ διηγήματα ;
Ἡπάτα με καὶ ὁ Κάρμηλος Ἠλίου, τὸ τοῦ πυρὸς ἅρμα
δεξάμενος[o]· καὶ ἡ μηλωτὴ Ἐλισσαίου[p], πλείω δυνηθεῖσα
20 ἢ τὰ σηρῶν νήματα, καὶ ὁ βιασθεὶς εἰς ἐσθῆτα χρυσός.
Ἡπάτα με καὶ ἡ ἔρημος Ἰωάννου[q], τὸν μέγιστον ἐν γεν-
νητοῖς γυναικῶν ἔχουσα[r], μετὰ τῆς τροφῆς ἐκείνης καὶ
τῆς ζώνης καὶ τοῦ ἐσθήματος[s]. Ἐτόλμησά τι καὶ ὑπὲρ
ταῦτα, Θεὸν εὗρον τῆς ἐμῆς ἀγροικίας συνήγορον. Μετὰ
25 Βηθλεὲμ ταχθήσομαι, μετὰ τῆς φάτνης ἀτιμασθήσομαι,
B   δι᾽ ἣν σὺ Θεὸν ἀτιμάζων, τί θαυμαστὸν εἰ ἐκ τῆς αὐτῆς αἰτίας
περιφρονεῖς καὶ τὸν κήρυκα ; Προσοίσω σοι καὶ τοὺς
ἁλιεῖς[t] καὶ « τοὺς εὐαγγελιζομένους πτωχούς[u] », πολλῶν
πλουσίων προτιμηθέντας. Παύσῃ ποτὲ ταῖς πόλεσιν ἐπαι-
30 ρόμενος ; αἰδεσθήσῃ ποτὲ τὴν ἀπόπτυστόν σοι καὶ ἄτιμον
ἐρημίαν ; Οὔπω λέγω χρυσὸν ἐν ψάμμοις τικτόμενον καὶ

10, 8 εὕρατο ABP²D² Maur. ‖ 10 ὁ ἀμὼς P ‖ οὐκ ex emend.
S² ‖ αἰπόλος ex αἴπωλος S² ‖ 11 καὶ πῶς Maur. ‖ 13 ἀβραάμ :
ἰσραὴλ PC corr. mg. P² ‖ 14 ἐπηγγέλθησαν PCD corr. mg.
P²D² ‖ τὸ : τι VWQP²Z ‖ 15 μωσῆς AVQZ ‖ 17 οὗ : ὦν
WQS²DZ corr. mg. D² ‖ 19 πλείω ex πλήω S² ‖ 20 σειρῶν D ‖
βιασθεὶς ex βιασθὴς S² ‖ 26 ἀτιμάζεις AD mg. ‖ αἰτίας : οὐσίας A ‖
26-27 εἰ ἐκ — περιφρονεῖς in ras. A ‖ 27 προσοίσω ex προοίσω A² ‖
σοι om. B ‖ 29 παύσαι W παύσῃ μοι VZ

---

10. f. Cf. I Sam. 9, 3-20.   g. Cf. I Sam. 16, 11-13.   h. Amos
1, 1 ; 7, 14-15.   i. Cf. Gen. 37, 36 ; 39, 1.   j. Cf. Gen. 41, 56.
k. Gen. 17, 4.   l. Gen. 12, 6.9 ; 13, 3.   m. Ex. 2, 3.   n. Ex.

il trouva la royauté[r] [1]. Et David lui-même est pris parmi les troupeaux de brebis et devient le berger d'Israël[g]. Et que dire d'Amos? N'est-ce pas quand il est chevrier et qu'il pince les sycomores qu'il se voit confier la charge de prophète[h]? Et comment ai-je passé sous silence Joseph, qui fut esclave[i] et dispensateur du blé à l'Égypte[j] et père de nombreuses myriades qui avaient été annoncées d'avance à Abraham[k]. Et Abraham, pour mentionner ce qu'il y a de plus grand, ne fut-il pas nomade[1]? Et Moïse, ne fut-il pas d'abord exposé[m], puis législateur[n] et chef de ceux qui se dirigeaient vers la terre promise — Moïse dont on raconte de grandes et admirables choses? Ce qui me trompait aussi, c'était le Carmel d'Élie qui fut enlevé par un char de feu[o] ; c'était aussi le manteau d'Élisée[p] qui eut plus de puissance que les fils de soie et l'or plaqué de force sur le vêtement. Ce qui me trompait aussi, c'était le désert de Jean[q], abritant le plus grand parmi les enfants des femmes[r], ainsi que cette nourriture qui était la sienne, et sa ceinture, et son vêtement[s]. J'ose encore dire quelque chose au-dessus de cela : j'ai trouvé Dieu pour défendre ma rusticité. Je vais me mettre au rang de Bethléem, je vais subir le mépris avec la crèche ; si à cause d'elle tu méprises Dieu, quoi d'étonnant si, pour la même raison, tu dédaignes aussi son héraut? Je te présenterai aussi les pêcheurs[t] et « les pauvres qui sont évangélisés[u] » et qui ont été préférés à beaucoup de riches. Cesseras-tu enfin de

---

3, 10 s.   o. IV Rois 2, 11.   p. Cf. IV Rois 2, 14.   q. Cf.
Matth. 3, 2.   r. Matth. 11, 11.   s. Cf. Matth. 3, 4.   t. Cf.
Matth. 4, 18-22 ; Mc 1, 16-20 ; Lc 5, 1-11.   u. Matth. 11, 15.

---

1. Mentionnons l'application touchante de cet épisode dans l'*Oraison funèbre* de Basile : Grégoire dit que, venu à Athènes pour y chercher l'éloquence, il y trouva l'amitié de Basile, comme Saül qui, cherchant les ânesses de son père, trouva la royauté (*Discours* 43, 14). P.G.

λίθους διαφανεῖς, πετρῶν προβλήματα καὶ δωρήματα ·
οἷς εἰ ἀντιθείην καὶ ὅσα ἐν πόλεσιν ἄτιμα, τάχα ἂν οὐκ εἰς
καλὸν τῆς παρρησίας ἀπολαύσαιμι.

C   **11.** « Ἀλλὰ καὶ ξένος ἡμῖν ὁ κῆρυξ καὶ ὑπερόριος », τάχα
ἂν εἴποι τις τῶν σφόδρα περιγραπτῶν καὶ φιλοσάρκων.
Οἱ ἀπόστολοι δὲ οὐ ξένοι τῶν πολλῶν ἐθνῶν τε καὶ πόλεων
εἰς ἃς ἐμερίσθησαν, ἵνα πανταχοῦ δράμῃ τὸ Εὐαγγέλιον,
5 ἵνα μηδὲν ἀλαμπὲς ᾖ τοῦ τρισσοῦ φωτὸς καὶ τῆς ἀληθείας
ἀφώτιστον, ὥστε καὶ « τοῖς ἐν σκότῳ καὶ σκιᾷ θανάτου
καθημένοις[a] » λυθῆναι τὴν νύκτα τῆς ἀγνωσίας ; « Ἵν' ἡμεῖς
μέν, φησίν, εἰς τὰ ἔθνη, αὐτοὶ δὲ εἰς τὴν περιτομήν »,
ἤκουσας Παύλου λέγοντος[b]. Ἔστω Πέτρου ἡ Ἰουδαία ·
10 τί Παύλῳ κοινὸν πρὸς τὰ ἔθνη, Λουκᾷ πρὸς Ἀχαίαν,
Ἀνδρέᾳ πρὸς τὴν Ἤπειρον, Ἰωάννῃ πρὸς Ἔφεσον, Θωμᾷ
πρὸς Ἰνδικήν, Μάρκῳ πρὸς Ἰταλίαν ; τί δὲ τοῖς ἄλλοις
πᾶσιν, ἵνα μὴ καθ' ἕκαστον λέγω, πρὸς τοὺς οἷς ἐπεδήμησαν ;
D   Ὥστε ἢ κἀκείνοις ἐπιτίμησον ἢ κἀμοὶ συγχώρησον ἢ
15 δεῖξον ὅτι τὸν ἀληθῆ λόγον πρεσβεύων ἐπηρεάζῃ τὴν
φλυαρίαν.

Ἐπεὶ δὲ μικροπρεπῶς διελέχθην σοι περὶ τούτων, φέρε,
φιλοσοφήσω καὶ μεγαλοπρεπέστερον.

10, 32 καὶ δωρήματα om. WQZ ‖ 33 ἀντιτιθείην BP ‖ 34 ταῖς
παρρησίαις C
11, 2 περιγραπτῶν τε καὶ Maur. ‖ 6 σκότει PC ‖ 7 ἵν' : ἢν
S ‖ 8 μέν om. VWQZ ‖ τὴν om. Z ‖ 9 παύλου : τοῦ ἀποστόλου A
τοῦ παύλου Z ‖ ἢ supra uersum W ‖ 11 τὴν add. mg. S² ‖ ἤπειρον ex
ἤπειρων S² ‖ 13 τὰ καθ' ἕκαστον Maur. ‖ 15 ἀληθῆ : ἀληθινὸν B ‖
17 δὲ om. S add. mg. S² ‖ διελέχθην ex -ελέγχθην B

11. a. Lc 1, 79. Cf. Is. 9, 1.   b. Gal. 2, 9.

1. C'est-à-dire que ses adversaires l'empêcheraient de continuer,
étant blessés par des propos trop véridiques. P.G.
2. Le héraut, c'est Grégoire, comme plus haut (chap. 10).
3. Le thème de Dieu-lumière est déjà dans le *Discours* 16,9 ; il sera
magistralement repris dans le *Discours* 31, 3 (*SC* 250, p. 280), où
Grégoire souligne la divinité des trois Personnes : le terme φῶς

t'enorgueillir de tes villes? Respecteras-tu enfin le désert
rejeté et méprisé par toi? Je ne parle pas encore de l'or,
enfant des sables, et des pierres transparentes, produit et
don des rochers; à cela, si j'opposais tout ce qu'il y a de
méprisable dans les villes, je ne jouirais peut-être pas
comme il le faut de la liberté de parole[1] !

11. — Mais le héraut[2] que nous avons là est un hôte de
passage et un homme de l'extérieur, dira peut-être un de
ceux qui sont tout à fait bornés et s'en tiennent à la chair.
— Or, les Apôtres ne furent-ils pas des hôtes de passage
dans beaucoup de nations et de villes entre lesquelles
ils se partagèrent, afin que l'Évangile se répande partout,
afin qu'il n'y ait rien qui ne soit éclairé par la triple
lumière[3] et qui ne soit illuminé par la vérité[4], de façon
que se dissipe la nuit de l'ignorance pour « ceux qui étaient
assis dans les ténèbres et l'ombre de la mort[a] »? « Afin
que nous allions, dit-il, vers les nations païennes, et eux
vers la circoncision », parole que tu as entendue de Paul[b].
Admettons que la Judée soit à Pierre ; qu'y avait-il de
commun entre Paul et les nations païennes, entre Luc et
l'Achaïe, entre André et l'Épire, entre Jean et Éphèse,
entre Thomas et l'Inde, entre Marc et l'Italie[5] ? Et pour
ne pas mentionner chacun en particulier, qu'y avait-il
donc de commun entre tous les autres et ceux chez lesquels
ils séjournèrent? Par conséquent, blâme-les eux aussi,
ou bien accepte-moi, moi aussi ; ou bien montre qu'étant
l'ambassadeur de la vraie doctrine, tu es calomnié par
des propos sans fondement.

Et maintenant que je me suis entretenu avec toi sur
ce sujet en m'abaissant, allons, que je discute de façon
plus grandiose !

appliqué à chacune d'elles sert à désigner l'égalité de nature (cf. aussi
32, 15 ; 40, 5).

4. Cf. la « lumière de la connaissance » dans le *Discours* 32, 13.

5. C'est l'attribution traditionnelle de différentes contrées à
l'activité des Apôtres. P.G.

229 A   **12.** Πᾶσι μία τοῖς ὑψηλοῖς πατρίς, ὦ οὗτος, ἡ ἄνω
Ἱερουσαλήμ, εἰς ἣν ἀποτιθέμεθα τὸ πολίτευμα[a]. Πᾶσι
γένος ἕν, εἰ μὲν τὰ κάτω βούλει σκοπεῖν, ὁ χοῦς[b] · εἰ δὲ
τὰ ὑψηλότερα, τὸ ἐμφύσημα[c], οὗ μετειλήφαμεν καὶ ὃ
5 τηρεῖν ἐκελεύσθημεν καὶ μεθ' οὗ παραστῆναί με δεῖ λόγον
ὑφέξοντα τῆς ἄνωθεν εὐγενείας καὶ τῆς εἰκόνος[d]. Πᾶς μὲν
οὖν εὐγενὴς ὁ τοῦτο φυλάξας ἐξ ἀρετῆς καὶ τῆς πρὸς τὸ
ἀρχέτυπον νεύσεως · δυσγενὴς δὲ ἅπας ὁ τῇ κακίᾳ συγχέας
καὶ μορφὴν ἑτέραν ἐπιβαλών, τὴν τοῦ ὄφεως. Αἱ δὲ κάτω
10 πατρίδες αὗται καὶ τὰ γένη ταῦτα τῆς προσκαίρου ζωῆς
καὶ σκηνῆς ἡμῶν γέγονε παίγνια. Πατρίς τε γάρ, ἣν προκα-
τέλαβεν ἕκαστος ἢ τυραννήσας ἢ δυστυχήσας, ἧς πάντες
ὁμοίως « ξένοι καὶ πάροικοι[e] », κἂν ἐπὶ πολὺ τὰ ὀνόματα
B   παίξωμεν. Καὶ γένος εὐγενὲς μέν, ἢ τὸ πάλαι πλούσιον
15 ἢ τὸ νῦν φυσώμενον · δυσγενὲς δέ, τὸ πενήτων πατέρων,
ἢ διὰ συμφορὰν ἢ δι' ἐπιείκειαν. Ἐπεὶ πῶς ἄνωθεν εὐγενές,
οὗ τὸ μὲν ἄρχεται νῦν, τὸ δὲ καταλύεται, καὶ τοῖς μὲν οὐ
δίδοται, τοῖς δὲ γράφεται ; Οὕτως ἐγὼ περὶ τούτων ἔχω.
Καὶ διὰ τοῦτο σὲ μὲν ἀφίημι τοῖς τάφοις μέγα φρονεῖν ἢ
20 τοῖς μύθοις. Ἐγὼ δὲ πειρῶμαι, ὡς οἷόν τε, ἀνακαθαίρειν
ἐμαυτὸν τῆς ἀπάτης, ἵν' ἢ φυλάξω τὴν εὐγένειαν, ἢ ἀνακαλέσωμαι.

12, 3 σκοπεῖν βούλει C ‖ 4 ἐμφύσημα ex -ιμα D² ‖ μετειλήχαμεν
S ‖ 9 ἐπιβαλὼν ἑαυτῷ VS²P² Maur. ‖ τὴν ex τῆς S² ‖ 14 πέξωμεν Z ‖
15 δυσγενὴς Q ‖ 19 τάφοις : ἄλλοις mg. D ‖ μεγαλοφρονεῖν Maur. ‖
21-22 ἀνακαλέσωμαι ex -σομαι P²

12. a. Cf. Phil. 3, 20.   b. Cf. Gen. 3, 19.   c. Cf. Gen. 2, 7.
d. Cf. Gen. 1, 26-27.   e. Cf. Éphés. 2, 19.

1. La Jérusalem céleste est une expression fréquente dans le
christianisme ancien pour désigner le paradis ; cf. chez Grégoire les
Discours 15, 5 ; 19, 11 ; 24, 15 ; 43, 59, etc.

2. C'est le *topos* cynique περὶ εὐγενείας (cf. R. Asmus, « Gregor von
Nazianz und sein Verhältnis zum Kynismus », *Theol. Studien und
Kritiken* 1894, p. 314-339, surtout p. 323-325 ; Dziech, *op. cit.*, p. 67) ;
mais il est employé dans le sens chrétien : nous sommes égaux en ce
qui concerne la patrie et nous participons tous à l'ἄνωθεν εὐγένεια

12. Pour tous les êtres élevés, il n'y a qu'une patrie
— entends-tu? —, la Jérusalem d'en haut[1] où nous nous
réservons le droit de cité[a]. Pour tous, il n'y a qu'une race,
si tu veux regarder les choses d'ici-bas, c'est la poussière[b] ;
et si tu regardes les choses plus élevées, c'est le souffle[c],
dont nous avons reçu une part, que nous avons ordre de
conserver, et avec lequel je dois me présenter pour rendre
compte de la noblesse et de l'image venues d'en haut[d].
Est donc noble quiconque a conservé cela en pratiquant
la vertu et en tendant vers son archétype[2] ; est au contraire
sans noblesse quiconque a mêlé cela avec le mal et a revêtu
une forme autre, celle du serpent[3]. Ces patries et ces races
d'ici-bas, ce sont des jeux d'une vie momentanée et d'une
scène où nous figurons pour un temps. Car la patrie, c'est
le pays que chacun occupe tout d'abord au rang de prince ou
de miséreux, mais où nous sommes tous semblablement
« des hôtes et des étrangers de passage[e] », même si, pour
l'ordinaire, nous ne prenons pas ces noms au sérieux[4]. Noble
est une race qui depuis longtemps est riche ou qui s'enfle
présentement d'orgueil ; sans noblesse est celle qui est
issue de parents pauvres, soit par suite de revers de fortune,
soit par suite de leur modération. En effet, comment vien-
drait-elle d'en haut, cette noblesse qui tantôt commence
maintenant, tantôt disparaît, et qui est refusée aux uns
et accessible aux autres par rescrit? Telle est mon opinion
en ces matières. C'est pourquoi je te laisse tirer vanité
des tombeaux ou des légendes. Moi, je m'efforce, autant
que je le peux, de me purifier de la tromperie[5], afin
de conserver ma noblesse ou de la recouvrer.

(cf. *Discours* 2, 17, 91 ; 20, 1) ; la vraie noblesse consiste dans le fait
de tendre (νεύειν, cf. *Discours* 32, 15) vers notre archétype ou de lui
ressembler (ὁμοιοῦσθαι : cf. *Discours* 6, 14 ; 8, 6 ; 32, 15).

3. Allusion à la chute originelle, d'après *Genèse* 3. P.G.

4. Autre thème cynique : peu importe quelle est notre patrie
(cf. Dziech, *op. cit.*, p. 70).

5. Nouvelle allusion à la faute originelle ; cf. la réponse d'Ève à
Dieu : « Le serpent m'a trompée » (*Gen.* 3, 13). P.G.

C   **13.** Οὕτω μὲν οὖν καὶ διὰ ταῦτα ἐπέστην ὑμῖν ὁ μικρὸς
ἐγὼ καὶ κακόπατρις, καὶ τοῦτο οὐχ ἑκὼν οὐδ' αὐτεπάγγελτος,
κατὰ τοὺς πολλοὺς τῶν νῦν ἐπιπηδώντων ταῖς προστασίαις,
ἀλλὰ κληθεὶς καὶ βιασθεὶς καὶ κατακολουθήσας φόβῳ καὶ
5 Πνεύματι. Ἢ μακρότερα πολεμηθείην ἐνταῦθα διὰ κενῆς
καὶ μηδένα τῆς πλάνης ἐλευθερώσαιμι, ἀλλ' οἱ ἀτεκνίαν τῆς
ἐμῆς κατευχόμενοι ψυχῆς ἐπιτύχοιεν[a], εἰ ψευδὴς ὁ λόγος.
Ἐπεὶ δὲ ἦλθον, καὶ ἴσως οὐ μετὰ φαύλης τῆς ἐξουσίας
— ἵνα μικρόν τι καυχήσωμαι τῶν τῆς ἀφροσύνης[b] —, τίνα
10 τῶν ἀπλήστων ἐμιμησάμην; τί τοῦ καιροῦ παρεζήλωσα,
καίτοιγε τοιαῦτα ἔχων τὰ ὑποδείγματα, ὧν καὶ δίχα, μὴ
κακὸν εἶναι τῶν χαλεπῶν καὶ σπανίων; Τίνων Ἐκκλησιῶν
ὑμῖν ἠμφισβητήσαμεν; Ποίων χρημάτων, καίτοιγε τοῖς
D ἀμφότερα πλουτοῦσιν ὑπὲρ τὴν χρείαν, οἱ ἐνδεεῖς ἀμφότερα;
15 Ποῖον βασιλικὸν δόγμα διαπτυσθὲν ἐζηλοτυπήσαμεν; Τίνας
ἀρχόντων ἐθεραπεύσαμεν καθ' ὑμῶν; Τίνων θρασύτητα
232 A κατεμηνύσαμεν; Τὰ δὲ εἰς ἐμέ, τίνα; « Κύριε, μὴ στήσῃς
αὐτοῖς τὴν ἁμαρτίαν ταύτην[c] », καὶ τότε εἶπον — ἐμνήσθην

13, 1 ταῦτα ex ταῦ Q ‖ 3 κατὰ πολλοὺς AZ ‖ 5 διὰ κενῆς ἐνταῦθα
VWQZ ‖ 7 ψυχῆς κατευχόμενοι Q cum signis transp. ‖ ἐπιτύχειεν A ‖
ὁ om. Q ‖ 10 παρεδήλωσα A ‖ 14 οἱ δὲ ἐνδεεῖς Maur. ‖ 15 βασιλεικὸν
B corr. B² ‖ δόγμα : γράμμα AVWQ mg. Z ‖ ἐζηλοποιήσαμεν A ‖
17 στήσεις Maur.

---

13. a. Ps. 34, 12.   b. Cf. II Cor. 11, 17.   c. Act. 7, 60.

---

1. Appelé de sa retraite de Séleucie par la communauté nicéenne
de Constantinople, Grégoire devra préciser plus d'une fois, en face des
insinuations des malveillants, qu'il n'a jamais intrigué pour obtenir
le siège épiscopal de cette ville (cf. *Discours* 25, 19 ; 26, 15, 17 ; 36, 3,
6 ; 42, 19 et *Poèmes* II, I, 12, v. 90, *PG* 37, 1172-1173 ; II, I,
11, v. 607-608, *ibid.* 1071).
2. Cette expression volontairement ambiguë laisserait entendre
— c'est ainsi que la comprend BERNARDI (p. 166) — que Grégoire
prévoyait comme proche la victoire des nicéens, grâce à la protection
de Théodose, dont il avait demandé l'intervention à Constantinople.
Nous avons préféré dans l'Introduction (p. 27-28) entendre ces mots
d'une façon générale : Grégoire est venu de par la volonté divine.

13. C'est dans ces conditions et pour ces raisons que je suis venu à vous, moi qui suis petit et originaire d'un pays méprisé. De plus, je suis venu non pas de mon plein gré ni en me proposant moi-même, comme la plupart de ceux qui maintenant se poussent au premier rang ; au contraire, j'ai été appelé, contraint, et je n'ai cédé qu'à la crainte et à l'Esprit[1]. Ou bien, si mes propos sont mensongers, je consens à être plus longtemps ici en butte à une guerre inutile, à ne délivrer personne de l'erreur et à voir exaucés les vœux de ceux qui me reprochent « la stérilité de mon âme[a] ». Mais maintenant que je suis venu, et peut-être avec une puissance qui n'est pas médiocre[2] — pour me glorifier un peu de ce qui est folie[b] —, qui ai-je imité parmi les gens avides ? Quelle envie ai-je conçue pour ce qui se fait en ce moment, malgré de tels exemples ? D'ailleurs, même sans ces exemples, ne pas être mauvais est chose difficile et rare. Au sujet de quelles Églises ai-je eu des contestations avec vous ? Et au sujet de quels biens[3] ? Et pourtant les uns sont riches des deux côtés au-delà du nécessaire, tandis que des deux côtés les autres sont indigents. Quel décret impérial[4] avons-nous méprisé, pour que nous provoquions l'animosité ? Quels magistrats avons-nous sollicités contre vous ? De qui avons-nous dénoncé l'audace ? Mais les maux qui m'ont atteint, quels sont-ils ? Je disais alors : « Seigneur, ne leur impute pas ce péché[c] », car je me souviens à propos

---

3. Grégoire ne revendiqua aucune des églises occupées par les ariens ; il se contenta d'installer une chapelle dans une maison amie (*Discours* 26, 27) ; il appela cette chapelle *Anastasia* (*Poèmes* II, I, 16, v. 1-2, *P G* 37, 1254), parce que c'est là que s'opéra la résurrection *(anastasis)* de la vraie foi (*Poèmes* II, I, 11, v. 1079-1080, *ibid.* 1103). Il atteste aussi qu'il ne réclama aucun des biens de l'Église de Constantinople (*Poèmes* II, I, 11, v. 1475-1485, *ibid.* 1131-1132). P.G.

4. Ce βασιλικὸν δόγμα est on ne peut plus obscur. BERNARDI (p. 165) y voit le décret de Théodose reconnaissant comme seule foi légitime de l'Empire celle qui était professée aux sièges d'Alexandrie et de Rome. Nous avons écarté cette hypothèse.

γὰρ ἐν καιρῷ τῶν Στεφάνου ῥημάτων — καὶ νῦν προσεύχομαι.
20 « Λοιδορούμενοι εὐλογοῦμεν · διωκόμενοι ἀνεχόμεθα · βλασ-
φημούμενοι παρακαλοῦμεν[d]. »

14. Εἰ δέ, ὅτι τυραννούμενος φέρω, τοῦτο ἀδικῶ, χαρί-
σασθέ μοι τὴν ἀδικίαν ταύτην · καὶ ὑπ' ἄλλων ἤνεγκα
τυραννούμενος · καὶ χάρις, ὅτι τὴν ἐπιείκειαν ἐνεκλήθην,
ὡς ἄνοιαν. Λογίζομαι γὰρ οὕτω, λίαν ὑψηλοτέροις ἢ καθ'
5 ὑμᾶς λογισμοῖς χρώμενος · πόσον μέρος ταῦτα τῶν ἐμπτυ-
B σμάτων Χριστοῦ καὶ ῥαπισμάτων[d], ὑπὲρ οὗ καὶ δι' ὃν οἱ
κίνδυνοι ; Ἑνὸς οὐ τιμῶμαι πάντα τοῦ ἀκανθίνου στεφάνου[b],
ὃς τὸν νικητὴν ἡμῶν ἀπεστεφάνωσε, δι' οὗ καὶ μανθάνω
τῇ τοῦ βίου τραχύτητι στεφανούμενος · ἑνὸς τοῦ καλάμου[c],
10 δι' οὗ τὸ σαθρὸν κράτος ἐπαύσατο · μιᾶς τῆς χολῆς, ἑνὸς
ὄξους[d], δι' ὧν τὴν πικρὰν γεῦσιν[e] ἐθεραπεύθημεν · μιᾶς τῆς
ἐν τῷ πάθει μακροθυμίας[f]. Ἄν φιλήματι προδοθῇ[g], ἐλέγχει[h]
μέν, οὐ πλήττει[i] δέ. Ἄν ἄφνω συλληφθῇ, ὀνειδίζει μέν,

13, 20 λοιδωρούμενοι S
14, 1-2 χαρίσασθαι S ‖ 5 πόσον S² Maur. : πόστον cett. ‖ 7 τοῦ :
τὰ D ‖ 8 ὃς : ὡς ex emend. Z ‖ 13 ὀνειδίζει ex emend. S

---

13. d. I Cor. 4, 12.
14. a. Mc 15, 19 ; 14, 65 ; Jn 19, 3.　　b. Cf. Matth. 27, 27 ;
Mc 15, 17 ; Jn 19, 2.5.　　c. Cf. Matth. 27, 29-30 ; Mc 15, 19.
d. Cf. Matth. 27, 34.48 ; Mc 15, 36 ; Jn 19, 29.　　e. Cf. Gen. 2, 17 ;
3, 6.　　f. Matth. 26, 36 ; 27, 12.14 ; Mc 14, 61 ; 15, 5.　　g. Matth.
26, 49 ; Mc 14, 45 ; Lc 22, 48.　　h. Matth. 26, 55 ; Mc 14, 48 ;
Lc 22, 52.　　i. Matth. 26, 52 ; Jn 18, 11.

---

1. L'évocation des paroles d'Étienne pendant qu'on le lapidait
est une allusion au fait que Grégoire fut attaqué à coups de pierre
par les ariens, dans la chapelle de l'Anastasia, alors qu'il baptisait
pendant la veillée pascale de 379 (*Lettre* 77, 3). Dans les *Lettres* 77
et 78, il dissuade deux de ses fidèles de porter plainte. P.G.
2. Cette expression veut dire qu'il a été contraint d'accepter
l'évêché de Constantinople ; ailleurs il emploie ce verbe pour désigner
l'ordination reçue malgré lui, sur l'intervention de son père, et qui
l'arracha à la vie contemplative.

des paroles d'Étienne ; et maintenant je fais cette même prière[1]. « Insultés, nous bénissons ; persécutés, nous supportons ; calomniés, nous implorons[d]. »

14. Et si je commets une injustice parce que je supporte d'être tyrannisé[2], pardonnez-moi cette injustice : j'ai supporté aussi d'être tyrannisé par d'autres[3] ; et je suis reconnaissant de ce que l'on me reproche ma modération comme une folie. Car je raisonne en recourant à des raisonnements qui dépassent de beaucoup les vôtres : quelle part y a-t-il là aux crachats et aux soufflets supportés par le Christ[a], pour lequel et à cause duquel nous nous exposons aux dangers ? A mon avis, tout cela ne vaut pas la seule couronne d'épines[b], qui a découronné celui qui nous avait vaincus[4] et par laquelle j'apprends, moi aussi, à porter la couronne des aspérités de la vie ; cela ne vaut pas le seul roseau[c] qui a mis fin à un pouvoir débile[5] ; cela ne vaut pas le seul fiel, le seul vinaigre[d] par lesquels nous avons été guéris du goût amer[e] [6] ; cela ne vaut pas la seule longanimité dans le cours de la Passion[f]. S'il est trahi par un baiser[g], il fait des reproches[h], mais il ne frappe pas[i] ; s'il est arrêté soudainement, il blâme (ses

3. C'est-à-dire son père, qui l'avait ordonné prêtre, et Basile, qui l'avait nommé évêque de Sasimes. Noter avec quelle amertume Grégoire fait allusion à son épiscopat, qui fut toujours pour lui un sujet de trouble ; il en parlera encore avec douleur dans l'*Oraison funèbre* de Basile, en 382 (cf. *Discours* 43, 59, *PG* 36, 573 A-B).

4. Le démon a remporté la victoire en faisant céder Ève et Adam à la tentation. P.G.

5. Le roseau entre les mains du Christ couronné d'épines représente par dérision un sceptre royal ; cependant la royauté du Christ a mis fin à la domination du démon (cf. *Jn* 12, 31 : « maintenant le prince de ce monde va être jeté dehors » et aussi *Jn* 14, 30 ; 16, 11). THÉODORET écrira : « par le roseau il indique la faiblesse et la fragilité de la puissance du diable » (*De l'Incarnation du Seigneur*, 27, *PG* 75, 1467). P.G.

6. Le goût du fruit défendu : cf. *Discours* 8, 14 ; 30, 20 (fin), *SC* 250, p. 270 ; 37, 4.

ἕπεται[j] δέ · κἂν μαχαίρᾳ Μάλχου τέμῃς τὸ ὠτίον διὰ
15 ζῆλον, ἀγανακτήσει καὶ ἀποκαταστήσει[k] · κἂν ἐν σινδόνι
τις φεύγῃ, περιστελεῖ[l] · κἂν πῦρ αἰτήσῃς Σοδομιτικὸν ἐπὶ
τοὺς ἄγοντας, οὐκ ἐπικλύσει[m] · κἂν λῃστὴν λάβῃ διὰ κακίαν
κρεμάμενον, εἰς τὸν παράδεισον εἰσάξει διὰ χρηστότητα[n].
C Πάντα ἔστω τὰ τοῦ φιλανθρώπου φιλάνθρωπα, ὡς δὲ καὶ
20 τῶν Χριστοῦ παθημάτων, οἷς τί τῶν μειζόνων ἂν δοίημεν,
εἰ Θεοῦ καὶ θανατωθέντος ὑπὲρ ἡμῶν αὐτοὶ τοῖς ὁμοίοις
μηδὲ τὰ σμικρὰ συγχωρήσαιμεν ;

15. Πρὸς δὲ καὶ ταῦτα ἐλογιζόμην τε καὶ λογίζομαι,
καὶ σκοπεῖτε, εἰ μὴ καὶ λίαν ὀρθῶς, ἃ καὶ πολλάκις ὑμῖν
ἐφιλοσόφησα. Ἔχουσιν οὗτοι τοὺς οἴκους, ἡμεῖς τὸν ἔνοικον ·
οὗτοι τοὺς ναούς, ἡμεῖς τὸν Θεόν, καὶ τὸ « ναοὶ Θεοῦ
D 5 γενέσθαι ζῶντος[a] » καὶ ζῶντες, ἱερεῖα ἔμψυχα, ὁλοκαυτώματα
λογικά[b], θύματα τέλεια, θεοὶ διὰ Τριάδος προσκυνουμένης.
233 A Οὗτοι δήμους, ἡμεῖς ἀγγέλους · οὗτοι θράσος, πίστιν
ἡμεῖς · οὗτοι τὸ ἀπειλεῖν, ἡμεῖς τὸ προσεύχεσθαι · οὗτοι
τὸ βάλλειν, ἡμεῖς τὸ φέρειν · οὗτοι χρυσὸν καὶ ἄργυρον,
10 ἡμεῖς λόγον κεκαθαρμένον. « Ἐποίησας σεαυτῷ διώροφα
καὶ τριώροφα » — γνῶθι τὰ ῥήματα τῆς Γραφῆς —, « οἶκον
ῥιπιστόν, διεσταλμένον θυρίσιν[c] » ; ἀλλ' οὔπω ταῦτα τῆς
ἐμῆς πίστεως ὑψηλότερα, καὶ τῶν οὐρανῶν πρὸς οὓς φέρομαι.

14, 14 μαχαίρᾳ om. VWQZ ‖ τέμῃς : τέμνης A Maur. ‖ 15 καὶ
ἀποκαταστήσει mg. A ‖ 16 περιστέλλει AVWQPC ‖ σοδομητικὸν
ABSP corr. B²P² ‖ 17 ἐπικαύσει D ἐπικλύσει D mg. ‖ 18 κρεμμάμενον
SB (corr. B²) κρεμνώμενον VWQ mg. κρεμώμενον W²Z ‖ εἰσάγει
Maur. ‖ 20 τῶν[1] : τὸν B ‖ παθημάτων : μαθητῶν WD mg. Q mg. ‖
22 συγχωρησαίμην B
15, 2 καὶ[2] om. BVWQZS ‖ ἃ : ἂν S ‖ 4 τὸ supra uersum S² ‖ 4-5
γενέσθαι θεοῦ BSPCD Maur. ‖ 5 ὁλοκαυτώματα S ‖ 6 θεοὶ : θεοῦ P² θεῷ
APD mg. ‖ 7 δῆμον A ‖ 8 τὸ ἀπειλεῖν : ἀπειλεῖν B ἀπειλὴν A ‖ προσεύχεσθαι : εὔχεσθαι AVWQ²Z ‖ 10 ἑαυτῷ S ‖ 12 διεσταλμένων A

14. j. Matth. 26, 55-57 ; Mc 14, 48.53 ; Lc 22, 52-54 ; Jn 18,
12.   k. Matth. 26, 51-52 ; Mc 14, 47 ; Lc 22, 50-51 ; Jn 18,
10-11.   l. Cf. Mc 14, 51-52.   m. Lc 9, 54-55.   n. Lc 23, 43.

agresseurs), mais il les suit[j] ; si, emporté par ton zèle, tu
coupes avec une épée l'oreille de Malchus, il s'indignera et
il la remettra[k] ; si quelqu'un, couvert seulement d'un drap,
s'enfuit, il le vêtira[l] ; si tu demandes le feu de Sodome sur
ceux qui le poursuivent, il ne le fera pas pleuvoir[m] ; s'il
accepte que le brigand soit suspendu (à la croix) à cause
de ses crimes, il l'introduit par bonté dans le paradis[n].
Que soient empreints de bonté tous les actes de celui qui
possède la bonté ! Il en va de même des souffrances du
Christ[1] : que saurions-nous donner de plus grand, puisque
Dieu est mort pour nous, si nous ne pardonnions pas
à ceux qui sont comme nous même les petites choses ?

15. Et, en outre, je faisais les réflexions suivantes,
je les fais encore, et je vous demande d'examiner si ces
idées, que j'ai maintes fois développées[2] devant vous, ne
sont pas tout à fait justes. Eux, ils ont les demeures[3], et
nous, Celui qui y demeure ; eux, ils ont les temples, et nous,
Dieu et le fait d'être « des temples du Dieu vivant[a] » et des
temples vivants, des offrandes animées, des holocaustes
doués de raison[b], des sacrifices parfaits, des « dieux » grâce
à la Trinité adorée par nous. Eux, ils ont les peuples, nous,
les anges ; eux, ils ont la témérité, nous, la foi ; eux, ils
ont la menace, nous la prière ; eux, ils ont le pouvoir de
porter les coups, nous, de les supporter ; eux, ils ont de
l'or et de l'argent, nous, une parole purifiée. « Tu t'es fait
deux et trois étages, une maison aérée, munie de baies[c] »
— reconnais ici les paroles de l'Écriture — ; mais cela
n'est pas encore plus élevé que ma foi et que les cieux, vers

15. a. II Cor. 6, 16.   b. Cf. Hébr. 10, 4 s.   c. Jér. 22, 14.

---

1. *Philanthrôpos* est un titre du Christ (cf. *Tite* 3, 4) ; le Fils
révèle aux hommes la *philanthrôpia* du Père. P.G.
2. Ici, le verbe φιλοσοφεῖν désigne, à l'arrière-plan, le fait de
philosopher par excellence, c'est-à-dire de raisonner chrétiennement.
3. Les ariens occupent toutes les églises de la ville. P.G.

Μικρόν μοι τὸ ποίμνιον ; Ἀλλ' οὐκ ἐπίκρημνον φερόμενον.
15 Στενή μοι ἡ μάνδρα, πλὴν λύκοις ἀνεπίβατος, πλὴν οὐ παρα-
δεχομένη λῃστὴν οὐδὲ ὑπερβαινομένη κλέπταις καὶ ξένοις[d].
Ὄψομαι ταύτην, εὖ οἶδα, καὶ πλατυτέραν. Πολλοὺς καὶ
τῶν νῦν λύκων ἐν προβάτοις ἀριθμῆσαί με δεῖ, τυχὸν καὶ
ποιμέσιν. Τοῦτο εὐαγγελίζεταί μοι « ὁ ποιμὴν ὁ καλός »,
20 δι' ὃν « ἐγὼ τίθημι τὴν ψυχὴν ὑπὲρ τῶν προβάτων[e] ». Οὐ
B φοβοῦμαι τὸ « μικρὸν ποίμνιον[f] » · εὐσύνοπτον γάρ, ὅτι
« γινώσκω τὰ ἐμὰ καὶ γινώσκομαι ὑπὸ τῶν ἐμῶν[g] ».
Τοιαῦτα τὰ Θεὸν γινώσκοντα καὶ Θεῷ γινωσκόμενα. « Τὰ
πρόβατα τὰ ἐμὰ τῆς φωνῆς μου ἀκούει[h] », ἧς ἤκουσα παρὰ
25 τῶν θείων λογίων, ἣν ἐδιδάχθην παρὰ τῶν ἁγίων Πατέρων,
ἣν ἐδίδαξα κατὰ πάντα καιρὸν ὁμοίως, οὐ συμμορφούμενος
τοῖς καιροῖς, καὶ διδάσκων οὐ παύσομαι, μεθ' ἧς ἐγεννήθην,
καὶ ᾗ συναπέρχομαι.

C   16. Ταῦτα καλῶ κατ' ὄνομα[a] — οὐκ ἀνώνυμα γάρ, ὥσπερ
οὐδὲ ἀστέρες ἀριθμούμενοι καὶ ὀνομαζόμενοι[b] — καὶ ἀκολου-
θοῦσί μοι[c], ἐκτρέφω γὰρ ἐπὶ ὕδατος ἀναπαύσεως[d] · ἀκολου-
θοῦσι δὲ καὶ παντὶ τοιούτῳ ποιμένι, οὗ τὴν φωνὴν ὁρᾶτε
5 ὅπως ἡδέως ἤκουσαν · « ἀλλοτρίῳ δὲ οὐ μὴ ἀκολουθήσωσιν,
ἀλλὰ φεύξονται ἀπ' αὐτοῦ[e] », ὅτι διαγνωστικὴν ἕξιν ἔχουσιν
ἤδη φωνῆς οἰκείας καὶ ἀλλοτρίας. Φεύξονται Οὐαλεντίνου

15, 14 ἐπίκρημνον : ἐπὶ κρημνῶν S²BPCD ‖ φερόμενον om. VW
QZ ‖ 17 καὶ¹ om. V ‖ καὶ² om. Maur. ‖ 19 μοι : με VWDZ ‖ 20
ὃν ex emend. B ‖ ἐγὼ om. VWZ ‖ 22 ἐμῶν : ἰδίων AD corr. D
mg. ‖ 26 συμμορφουμένοις B συμμορφίζομενος VWQ συμμορφαζό-
μενος P²
16, 2-3 ἀκουλουθοῦσι A corr. A² (et postea) ‖ 3 ἐπὶ ὕδατος : καὶ
ἐπὶ ὕδατος S ἐφ' ὕδατος C ‖ 4 δὲ : τε C ‖ παντὶ τῷ Z ‖ 5 ἀκολουθήσου-
σιν A

15. d. Cf. Jn 10, 1.   e. Jn 10, 11.   f. Lc 12, 32.   g. Jn
10, 14.   h. Jn 10, 27.
16. a. Jn 10, 3.   b. Cf. Ps. 146, 4.   c. Cf. Jn 10, 4.   d. Ps.
22, 2.   e. Jn 10, 5.

lesquels je suis emporté. Mon troupeau est petit ; mais il
n'est pas emporté vers les précipices. Ma bergerie est
étroite ; cependant elle n'est pas accessible aux loups,
cependant elle ne laisse pas entrer le brigand et elle n'est
pas escaladée par les voleurs et les étrangers[d]. Cette
bergerie, je le sais bien, je la verrai aussi plus vaste :
beaucoup de ceux-là même qui sont maintenant des loups,
il faut que je les compte au nombre des brebis, peut-être
même au nombre des pasteurs. C'est la bonne nouvelle
que m'annonce « le bon Pasteur », à cause duquel « je
donne ma vie pour mes brebis[e] » ; je ne crains pas pour le
« petit troupeau[f] », car il est facile à voir d'un coup d'œil,
puisque « je connais mes brebis, je suis connu par mes
brebis[g] »; telles elles sont : elles connaissent Dieu et sont
connues de Dieu. « Mes brebis entendent ma voix[h] », et
cette voix dit ce que j'ai entendu des oracles divins, ce
que j'ai appris des saints Pères[1], ce que j'ai enseigné en
toute circonstance de la même façon[2], sans me modeler
sur les circonstances, ce que je ne cesserai pas d'enseigner,
ce avec quoi je suis né et avec quoi je partirai.

16. Ces brebis, je les appelle par leur nom[a], car elles
ne sont pas anonymes — les astres non plus, eux dont
le nombre est connu et le nom aussi[b] —, et ces brebis me
suivent[c], car je les nourris près de l'eau du repos[d] ; elles
suivent aussi tout autre pasteur tel que moi, et vous voyez
avec quel plaisir elles entendent sa voix ; elles ne suivront
pas un étranger, mais elles s'enfuiront loin de lui[e], parce
qu'elles ont désormais une aptitude à distinguer la voix de
leur propre pasteur et celle de l'étranger. Mes brebis
fuiront la division de l'Un en deux professée par Valentin,

---

1. Le premier exemple cité par Lampe du mot « Père » au sens de
« Père de l'Église » est dans Eusèbe, *Contre Marcellus* 1, 4 (*PG* 24,
752 B). Ce témoignage est donc peu antérieur à Grégoire. P.G.
2. Cf. plus haut, chap. 2. Grégoire n'adapte pas sa foi aux circonstances, il ne plie pas devant l'autorité terrestre.

τὴν τοῦ ἑνὸς εἰς δύο κατατομήν, οὐκ ἄλλον τοῦ ἀγαθοῦ τὸν
Δημιουργὸν πιστεύοντες, καὶ τὸν Βυθὸν καὶ τὴν Σιγὴν καὶ
10 τοὺς μυθικοὺς Αἰῶνας, τὰ βυθοῦ καὶ σιγῆς ὄντως ἄξια.
Φεύξονται Μαρκίωνος τὸν ἐκ στοιχείων καὶ ἀριθμῶν Θεόν ·
Μοντανοῦ τὸ πονηρὸν πνεῦμα καὶ γυναικεῖον · Μάνου τὴν
ὕλην μετὰ τοῦ σκότους · Ναυάτου τὴν ἀλαζονείαν, καὶ
D τὴν ἐν ῥήμασι καθαρότητα · Σαβελλίου τὴν ἀνάλυσιν καὶ
15 τὴν σύγχυσιν καὶ τήν, ἵν' οὕτως εἴπω, κατάποσιν, τὰ τρία
εἰς ἓν συναιροῦντος, ἀλλ' οὐκ ἐν τρισὶν ὑφεστῶσι τὸ ἓν
ὁρίζοντος · Ἀρείου καὶ τῶν ὑπ' Ἀρείῳ τὴν τῶν φύσεων
236 A ἀλλοτρίωσιν καὶ τὸν καινὸν Ἰουδαϊσμόν, μόνῳ τῷ ἀγεννήτῳ
τὴν θεότητα περιγράφοντος · Φωτεινοῦ τὸν κάτω Χριστὸν
20 καὶ ἀπὸ Μαρίας ἀρχόμενον. Αὐτοὶ δὲ προσκυνοῦσι τὸν
Πατέρα καὶ τὸν Υἱὸν καὶ τὸ Πνεῦμα τὸ ἅγιον, μίαν θεότητα ·

16, 10 καὶ τὰ βυθοῦ S corr. S² ‖ 16 συνείροντος VWQZ corr. Q mg.
‖ τρισὶν : τρὶν A ‖ 17 ὑπ' ἄρειον VWQ ‖ 18 κοινὸν A κενὸν B ‖ 19
περιγράφοντες Z ‖ κάτω : κατὰ B ‖ 20-21 τὸν πατέρα καὶ τὸν υἱὸν :
πατέρα υἱὸν Z ‖ 21 τὸ πνεῦμα τὸ ἅγιον : τὸ ἅγιον πνεῦμα BSPCD
‖ μίαν θεότητα om. VWQZ τὴν μίαν θεότητα P²

1. Grégoire n'a qu'une connaissance limitée des idées du
gnostique Valentin, antérieur à lui de deux siècles ; la doctrine est
exposée selon la terminologie du ivᵉ siècle : κατατομή n'a rien à faire
avec les théories de Valentin, mais est lié aux controverses trinitaires
(cf. Discours 21, 35 ; 31, 14). Il est vrai, d'autre part, que Valentin
distingue le démiurge des autres éons, mais la distinction entre
démiurge et Dieu bon rejoint finalement le marcionisme.
2. Même ce qui est dit de Marcion est imaginaire. Sur la lente
extinction du marcionisme au ivᵉ siècle, cf. A. von Harnack,
Marcion, Das Evangelium vom fremden Gottes, Leipzig 1924, p. 346*.
Il ne faut pas exclure, du reste, comme le supposent les Mauristes,
que Grégoire ait confondu Marcion et Marc le Mage, dont la doctrine,
exposée par Irénée (Contre les hérésies I, 14, 8, 3-5) correspond à ce
qui est dit ici.
3. Autres connaissances superficielles et limitées. Grégoire fait
simplement allusion à l'esprit prophétique de Montan, comme dans
Discours 22, 12 et 25, 8 ; les affirmations au sujet de Mani, ici comme
ailleurs (Discours 29, 11), sont à peine plus que des clichés ; Novat

car elles ne croient pas que l'auteur du monde soit autre que le Bien ; elles fuiront aussi *Bythos (Abîme)*, *Sigè (Silence)*[1] et les *Éons* fabuleux, dignes vraiment de l'abîme *(bythos)* et du silence *(sigè)* ; de Marcion, elles fuiront le dieu composé d'éléments et de nombres[2] ; de Montan, elles fuiront l'esprit pervers et féminin ; de Mani, elles fuiront la matière et les ténèbres ; de Novat, elles fuiront l'arrogance et la pureté en paroles[3] ; de Sabellius[4], elles fuiront l'analyse et la confusion, et, pour ainsi parler, l'absorption : Sabellius contracte les Trois en Un et il ne met pas l'Un dans Trois qui subsistent ; d'Arius et de ceux qui dépendent d'Arius, elles fuiront la diversité des natures[5] (entre le Père et le Fils), ainsi que le nouveau judaïsme qui limite la divinité au seul Inengendré[6] ; de Photin, elles fuiront le Christ d'ici-bas, qui ne commence d'exister qu'à partir de Marie[7]. Au contraire, nos fidèles adorent le Père, le Fils et le Saint-Esprit, une seule

---

est le nom donné à Novatien en Orient (cf. HARNACK, *Geschichte der altchrist. Literatur bis Eusebius*, I, 2, réimpr. Leipzig 1958², p. 655) ; son nom se rencontre encore chez Grégoire (*Discours* 22, 12 et 25, 8) dans des listes d'hérésies. Contre les partisans de Novatien il défend la validité de la pénitence et du pardon ecclésiastique (*Discours* 39, 18-20).

4. Avec le nom de Sabellius, Grégoire et, en général, tous les écrivains nicéens, comme Athanase, Hilaire et Basile, font allusion à Marcel d'Ancyre, dont la doctrine était rapprochée par eux de celle de Sabellius. L'opposition entre Sabellius (ou Marcel) et Arius est fréquente chez ces auteurs pour évoquer les deux hérésies contraires qui combattaient l'orthodoxie par des exagérations opposées.

5. Suit une série de termes techniques pour caractériser les hérésies les plus vives de ce temps.

6. L'inengendré, c'est le Père qui, selon les ariens, possède seul la divinité ; l'arianisme est, pour cette raison, appelé « second judaïsme », car les Juifs n'avaient pas connaissance des trois personnes divines.

7. Photin, évêque de Sirmium et partisan de Marcel d'Ancyre, fut condamné par le synode de Sirmium, en 351 ; il soutenait que le Christ existait seulement à partir de l'Incarnation : cf. entre autres M. SIMONETTI, *La crisi ariana nel IV secolo*, Roma 1975, p. 203-206.

Θεὸν τὸν Πατέρα, Θεὸν τὸν Υἱόν, Θεόν, εἰ μὴ τραχύνῃ
τὸ Πνεῦμα τὸ ἅγιον, μίαν φύσιν ἐν τρισὶν ἰδιότησι, νοεραῖς
τελείαις, καθ᾽ ἑαυτὰς ὑφεστώσαις, ἀριθμῷ διαιρεταῖς, κα
25 οὐ διαιρεταῖς θεότητι.

17. Τούτων παραχωρείτω μοι τῶν φωνῶν πᾶς ὁ ἀπειλῶ
σήμερον · τῶν δὲ ἄλλων μεταποιείσθωσαν οἱ βουλόμενοι
Οὐκ ἀνέχεται Πατὴρ Υἱὸν ζημιούμενος, οὐδὲ Υἱὸς τ
B Πνεῦμα τὸ ἅγιον · ζημιοῦται δέ, εἰ ποτὲ καὶ εἰ κτίσμα
5 Οὐ γὰρ Θεὸς τὸ κτιζόμενον. Οὐ φέρω ζημιούμενος οὐδ
ἐγὼ τὴν τελείωσιν. « Εἷς Κύριος, μία πίστις, ἓν βάπτισμα[a]. »
Εἰ τοῦτο ἀκυρωθείη μοι, παρὰ τίνος ἔξω τὸ δεύτερον ; Τ
φατε, οἱ καταβαπτίζοντες ἢ ἀναβαπτίζοντες ; Ἔστιν εἶνα
πνευματικὸν δίχα Πνεύματος ; Μετέχει δὲ Πνεύματος ὁ
10 μὴ τιμῶν τὸ Πνεῦμα ; Τιμᾷ δὲ ὁ εἰς κτίσμα καὶ ὁμόδουλο·
βαπτιζόμενος ; Οὐκ ἔστιν, οὐχ οὕτω, πολλὰ ἐρεῖς. Οἱ
ψεύσομαί σε, Πάτερ ἄναρχε · οὐ ψεύσομαί σε, μονογενὲ·
Λόγε · οὐ ψεύσομαί σε, τὸ Πνεῦμα τὸ ἅγιον. Οἶδα τ

16, 23 ἐν om. Z
17, 1 παραχώρει VWQZ ‖ 3 οὐκ ἀνέχεται : οὐ δέχεται A ‖ ὁ πατὴ
W ‖ ζημειούμενος S corr. S² (ut saepe) ‖ ὁ ὑὸς BW ‖ 4 εἰ² : ἢ ε·
emend. W ‖ κτίσματα B Maur. post κτίσμα add. καταβληθεὶ·
AD ‖ 6 εἷς κύριος μία πίστις om. Z ‖ 7 τοῦτο : τούτω AB ‖ ἀκυρωθεί·
ex ἀκυρωθῇ S² ‖ ἔξω om. VWZ ‖ 9 δίχα : ἄνευ Z ‖ τοῦ πνεύματο·
D ‖ δὲ om. C ‖ 10 ὁ εἰς ex εἰς corr. S² ‖ 12 μονογενῆ AWD ‖ 13 τί
τίνι BSD Maur. corr. B²

17. a. Éphés. 4, 5.

1. Dans cette formule est bien affirmé l'honneur (προσκυνοῦσι)
dû à l'Esprit-Saint, qui est Dieu, et la conviction est exprimée que les
Trois forment une seule divinité (θεότης). Il est question aussi des
« propriétés » (ἰδιότητες) qui sont καθ᾽ ἑαυτὰς ὑφεστῶσαι c'est-à-dire
qu'elles subsistent par elles-mêmes : ce sont des « hypostases »
(ὑποστάσεις), autrement dit des personnes. Donc, ἰδιότης en vient à
coïncider avec ὑπόστασις (cf. K. HOLL, Amphilochius von Ikonium
in seinem Verhältnis zu den grossen Kappadoziern, Leipzig 1904,
p. 171). La « propriété » est ce qui constitue la distinction de chaque
personne divine par rapport aux autres (cf. Discours 29, 12 ; 31, 9,

Divinité, Dieu le Père, Dieu le Fils et — ne t'en déplaise — Dieu l'Esprit-Saint, une seule nature en trois propriétés intelligentes, parfaites, subsistantes par elles-mêmes, distinctes par le nombre, mais non pas distinctes par la divinité[1].

17. Que tous ceux qui me menacent aujourd'hui me concèdent l'emploi de ces mots ! Les autres mots, que ceux qui le veulent les revendiquent pour eux ! Le Père ne supporte pas d'être privé du Fils, et le Fils ne supporte pas d'être privé de l'Esprit-Saint ; or, il y a privation s'ils ont commencé à un moment quelconque et s'ils sont des créatures, car ce qui est créé n'est pas Dieu. Je ne tolère pas, moi non plus, qu'on me prive de mon achèvement[2] : « Un seul Seigneur, une seule foi, un seul baptême[a]. » Si cela est sans valeur pour moi, de qui tiendrai-je ce qui le remplacera ? Que dites-vous, vous qui donnez un baptême funeste ou un second baptême[3] ? Peut-on être spirituel sans l'Esprit ? Et participe-t-il à l'Esprit, celui qui n'honore pas l'Esprit ? Et l'honore-t-il, celui qui est baptisé en une créature et en un compagnon de servitude ? Cela ne se peut pas ; il n'en est pas ainsi ; tu auras beau dire ! Je ne serai pas infidèle à toi, Père sans commencement ; je ne serai pas infidèle à toi, Verbe unique ; je ne serai pas infidèle

---

28, 29, 31). La dernière précision sur ce point sera le mot « relation » (σχέσις), que Grégoire emploie ailleurs (p. ex. *Discours* 29, 16 ; 31, 7, 9).

2. L'achèvement (τελείωσις) est donné par le Saint-Esprit, mais avec le concours de la Trinité tout entière (cf. *Discours* 31, 28 ; 34, 8 ; 37, 18 ; 40, 42-43 ; BASILE, *Sur le Saint-Esprit* 9, 23 ; 16, 38).

3. Καταβαπτίζω « submerger, noyer » est pris ici, par jeu de mots, au sens de « donner un baptême funeste » ; le baptême conféré par les hérétiques conduit à la perte de l'âme, parce qu'il fait adhérer à une doctrine erronée. Ce passage est le premier exemple cité par Lampe pour le sens que nous indiquons. Ἀναβαπτίζω, c'est « rebaptiser, baptiser une seconde fois ». P.G. Au dire d'ÉPIPHANE, l'arien Eunome rebaptisait ceux qui avaient reçu le baptême en dehors de sa secte, et il baptisait « au nom du Dieu incréé, du Fils créé et du Saint-Esprit créé par le Fils » (*Panarion, Haeresis* 76, 54, 32-33, éd. Holl, Leipzig 1933, III, p. 414).

ὡμολόγησα καὶ τίνι ἀπεταξάμην καὶ τίνι συνεταξάμην.
15 Οὐ δέχομαι τὰς πιστοῦ φωνὰς διδαχθῆναι καὶ μαθεῖν
ἄπιστος· ὁμολογῆσαι ἀλήθειαν καὶ γενέσθαι μετὰ τοῦ
C ψεύδους· ὡς τελειούμενος κατελθεῖν καὶ ἀνελθεῖν ἀτελέ-
στερος· ὡς ζησόμενος βαπτισθῆναι καὶ ἐννεκρωθῆναι τῷ
ὕδατι, καθάπερ τὰ ταῖς ὠδῖσιν ἐναποθανόντα κυήματα
20 καὶ σύνδρομον λαβόντα τῇ γενήσει τὸν θάνατον. Τί με
ποιεῖς μακάριον ἐν ταὐτῷ καὶ ἄθλιον, νεοφώτιστον καὶ
ἀφώτιστον, θεῖον καὶ ἄθεον, ἵνα ναυαγήσω[b] καὶ τὴν ἐλπίδα
τῆς ἀναπλάσεως ;
Βραχὺς ὁ λόγος· μνήσθητι τῆς ὁμολογίας. Εἰς τί
25 ἐβαπτίσθης ; εἰς Πατέρα ; Καλῶς· πλήν, Ἰουδαϊκὸν ἔτι.
Εἰς Υἱόν ; Καλῶς· οὐκέτι μὲν Ἰουδαϊκόν, οὔπω δὲ τέλειον.
Εἰς τὸ ἅγιον Πνεῦμα ; Ὑπέρευγε· τοῦτο τέλειον. Ἆρ'
οὖν ἁπλῶς εἰς ταῦτα, ἢ καί τι κοινὸν τούτων ὄνομα ; Ναὶ
κοινόν. Τί τοῦτο ; Δηλαδὴ τὸ τοῦ Θεοῦ. Εἰς τοῦτο τὸ κοινὸν
237 A ὄνομα πίστευε, καὶ κατευοδοῦ καὶ βασίλευε[c], καὶ μετέβης
31 ἐντεῦθεν εἰς τὴν ἐκεῖθεν μακαριότητα. Ἡ δέ ἐστιν, ὡς
ἐμοί γε δοκεῖ, ἡ τούτων αὐτῶν ἐκτυπωτέρα κατάληψις·
εἰς ἣν φθάσαιμεν καὶ ἡμεῖς, ἐν αὐτῷ Χριστῷ τῷ Κυρίῳ
ἡμῶν, ᾧ ἡ δόξα καὶ τὸ κράτος εἰς τοὺς αἰῶνας. Ἀμήν.

17, 14 -μην καὶ τίνι συνεταξά- om. S add. S² ‖ 15 πιστοῦ : ἀπίσ-
του W ‖ 16 ἀπίστους Maur. ‖ 18 νεκρωθῆναι Q ‖ 20 γεννήσει BSP
CD ‖ 25 ἰουδαικὸν ex emend. B ‖ 27-28 ἆρ' οὖν S ‖ 29 τί τοῦτο
om. Z ‖ τοῦτο τὸ ex τοῦ τὸ B ‖ 30 καὶ³ om. Q ‖ μετέβης : μεταβήσῃ
Maur. ‖ 31 εἰς : πρὸς Z ‖ 32 γε om. AVWQZ ‖ 33 χριστῷ : χριστῷ
ἰησοῦ VWD τῷ χριστῷ ἰησοῦ AZ ‖ κυρίῳ : θεῷ Maur. ‖ 34 καὶ
τὸ κράτος om. AVWQZ post καὶ τὸ κράτος add. σὺν τῷ ἀνάρχῳ
Πατρὶ καὶ ζωοποιῷ Πνεύματι νῦν καὶ ἀεὶ καὶ Maur. ‖ αἰῶνας τῶν
αἰώνων A
πρὸς ἀρειανοὺς καὶ εἰς αὐτὸν στῖχοι φν AW (στῖχοι φν om. W)
πρὸς ἀρειανοὺς C πρὸς ἀρειανούς στῖχοι ΥΜ PD nulla subscriptio
in BVQZ subscriptionem del. S² praeter στῖχοι ΥΜ

17. b. Cf. I Tim. 1, 19.   c. Ps 44, 5.

1. Le lien étroit entre foi et baptême est souligné aussi au
Discours 6, 22. Le baptême est insuffisant si l'Esprit-Saint n'est pas

à toi, l'Esprit-Saint ! Je sais qui j'ai confessé, à qui j'ai
renoncé, avec qui je me suis rangé[1]. Je n'accepte pas
d'avoir été instruit des paroles prononcées par un homme
fidèle et d'apprendre à être infidèle, d'avoir confessé la
vérité et de me trouver avec le mensonge, d'être descendu
(dans le baptistère) pour recevoir mon achèvement et d'en
remonter moins achevé, d'avoir été baptisé pour vivre et
d'être devenu un cadavre dans l'eau (baptismale), comme
les enfants qui meurent en venant au monde et qui trouvent
la mort au moment même de leur naissance. Pourquoi
veux-tu me rendre dans le même instant bienheureux
et malheureux, nouvellement illuminé et privé de l'illumination, divin et sans Dieu, pour que je fasse naufrage[b]
quant à l'espérance de la régénération ?

Résumons-nous : souviens-toi de la confession (de la foi)
que tu as faite. Au nom de qui as-tu été baptisé ? Au nom
du Père ? C'est bien, mais c'est encore du judaïsme. Au
nom du Fils ? Bien ; ce n'est plus du judaïsme, mais ce
n'est pas encore achevé. Au nom du Saint-Esprit ? Très
bien, voilà qui est achevé. Mais est-ce au nom de ces trois
simplement, ou bien y a-t-il un nom qui leur est commun ?
Oui, il y en a un. Quel est-il ? Évidemment, c'est le nom
de Dieu[2]. Crois en ce nom, et ensuite « avance glorieusement
et règne[c] », et tu es passé d'ici-bas à la béatitude de
l'au-delà. Celle-ci, me semble-t-il, consiste à saisir d'une
façon plus expressive ces mêmes réalités. Puissions-nous
y parvenir, nous aussi, dans le Christ lui-même, notre
Seigneur ! A lui la gloire et la puissance pour les siècles[3] !
Amen.

également présent, comme l'avait déjà enseigné BASILE (*Sur le
Saint-Esprit* 10, 26 ; 11, 28).

2. Remarquer le développement de l'homélie en forme de
« diatribe », à la manière des cyniques, qui est caractéristique du
style de Grégoire.

3. La formule trinitaire, si fréquente dans les conclusions des
homélies de Grégoire (voir les conclusions des *Discours* 8, 9, 37, 44)
est, ici, apocryphe (voir l'apparat critique).

241 A

1. Τοὺς ἀπ' Αἰγύπτου προσφθέγξομαι · δίκαιον γάρ, ἐπειδὴ
καὶ προθύμως συνεληλύθασι, τῷ ζήλῳ τὸν φθόνον νικήσαντες,
Αἰγύπτου ταύτης, ἣν πλουτίζει μὲν ποταμὸς ἐκ γῆς ὕων
καὶ πελαγίζων ὥρια — ἵνα καὶ αὐτὸς μικρόν τι μιμήσωμαι
5 τοὺς περὶ ταῦτα κομψούς —, πλουτίζει δὲ Χριστὸς ὁ ἐμός,
πρότερον μὲν εἰς Αἴγυπτον φυγαδευόμενος[a], νυνὶ δὲ ἀπ'
Αἰγύπτου χορηγούμενος · τότε μὲν ἐκ τῆς Ἡρώδου παιδο-
φονίας[b], νῦν δὲ ἐκ τῆς τῶν πατέρων φιλοτεκνίας · Χριστός,
ἡ καινὴ τροφὴ τῶν καλῶς πεινώντων, ἡ μείζων σιτοδοσία πά-
10 σης τῆς ἱστορουμένης τε καὶ πιστευομένης · ὁ ἄρτος ὁ ἐκ τοῦ
οὐρανοῦ καταβαίνων καὶ ζωὴν διδοὺς τῷ κόσμῳ[c], τὴν ἀνό-
λεθρόν τε καὶ ἀκατάλυτον, περὶ οὗ καὶ νῦν ἀκούειν δοκῶ

Titulus, πρὸς τὸν κατάπλουν εἰς τοὺς ἀπ' αἰγύπτου ἐπιδημήσαντας
A W Z εἰς τὸν κατάπλουν τῶν ἐξ αἰγύπτου ἐπισκόπων S (non nulla
delet S²) εἰς τὸν κατάπλουν τῶν ἐξ αἰγύπτου ἐπιδημησάντων CD
τοῦ αὐτοῦ εἰς τὸν κατάπλουν τῶν ἀπ' αἰγύπτου ἐπισκόπων. ἐρρήθη
ἐν κωνσταντινουπόλει P τοῦ αὐτοῦ πρὸς τὸν κατάπλουν εἰς τοὺς
ἀπ' αἰγύπτου ἐπιδημήσαντας VQ inscriptio euanida in B
1, 1 τοὺς ex τοῖς D² ‖ ἐξ αἰγύπτου PC ‖ 2 ἐν τῷ ζήλῳ SPC corr.
S² ‖ 4 ὅρια B ‖ τι om. PCD ante τι add. μικρὸν mg. S² ‖ 6 νῦν δὲ
D ‖ 7 χορηγούμενος ex χωρ- (ut uid.) S² χωρ- B ‖ 8 φιλοτεχνίας S ‖ 9
μείζω S ‖ σιτοδοσίας PC ‖ 10 τῆς ἱστορουμένης om. C τῆς ἱστορουμένης τε om. P add. P² ‖ 10-12 τῆς] — [ἀκατά]λυτον euanidus
B ‖ 12 δοκῶ ἀκούειν S corr. S²

---

1. a. Matth. 2, 13-15. b. Matth. 2, 16. c. Jn 6, 33.

---

1. Les sophistes, qui affectionnent l'hyperbole. Grégoire raille

DISCOURS 34

A propos de leur débarquement,
à ceux qui étaient arrivés d'Égypte

1. Je veux saluer ceux qui arrivent d'Égypte. Cela
est juste : ils se sont empressés de se joindre à nous, leur
zèle l'emportant sur la jalousie. Ils viennent de cette
Égypte qu'enrichit son fleuve, pluie sortie de la terre et
mer véritable en temps opportun — je dis cela pour
imiter quelque peu le langage de ceux qui sont habiles
en ces éloges[1] — ; mais c'est aussi mon Christ qui enrichit
l'Égypte, lui qui jadis y séjournait en fugitif[a] et qui
maintenant est nourri par l'Égypte[2], lui qui autrefois
séjournait là-bas à cause du meurtre des enfants par
Hérode[b], et qui à présent est nourri en vertu de l'amour
des pères pour les enfants[3] ; le Christ, nourriture nouvelle
de ceux qui ont une faim glorieuse, aliment le plus
largement donné entre tous ceux dont l'histoire et la foi
nous racontent la distribution[4], pain descendant du ciel
et donnant au monde une vie[c] qui n'est pas sujette à
l'anéantissement et à la dissolution ; il me semble encore

aimablement les procédés de la seconde sophistique, tout en les
employant lui-même pour complaire à ses auditeurs. P.G.

2. L'Égypte, en fournissant le blé à Constantinople, nourrit les
chrétiens qui ne font qu'un avec le Christ. P.G.

3. Allusion à la suprématie religieuse que les évêques d'Alexandrie
avaient toujours revendiquée. Ainsi Grégoire appellera Pierre
d'Alexandrie « l'arbitre des pasteurs » (Poème *Sur sa vie*, v. 858,
PG 37, 1088). P.G.

4. Allusion au don de la manne et à la multiplication des pains.
P.G.

B μοι λέγοντος τοῦ Πατρός · « Ἐξ Αἰγύπτου ἐκάλεσα τὸν Ὑίόν μου[d]. »

2. Ἀφ᾽ ὑμῶν γὰρ ἐξήχηται ὁ λόγος εἰς πάντας ἀνθρώπους, ὑγιῶς πιστευόμενός τε καὶ κηρυσσόμενος, καὶ ὑμεῖς ἄριστοι καρποδόται πάντων, μάλιστα τῶν νῦν ὀρθῶς πιστευόντων, ὅσα ἐμὲ γινώσκειν, τὸν τῆς τοιαύτης τροφῆς οὐκ ἐραστὴν 5 μόνον, ἀλλὰ καὶ χορηγόν, καὶ οὐκ ἔνδημον μόνον, ἀλλ᾽ ἤδη καὶ ὑπερόριον. Ὑμεῖς γὰρ τρέφετε μὲν σωματικῶς δήμους καὶ πόλεις, ἐφ᾽ ὅσον ἐξικνεῖται ὑμῶν τὸ φιλάνθρωπον · τρέφετε δὲ πνευματικῶς, οὐ τὸν δεῖνα δῆμον οὐδὲ τήνδε ἢ τήνδε τὴν πόλιν μικροῖς ὁρίοις περιγραφομένας, κἂν 10 φρονῶσιν ὑπέρλαμπρον, ἀλλὰ μικροῦ πᾶσαν τὴν οἰκουμένην.
C Καὶ θεραπεύετε οὐ λιμὸν ἄρτου οὐδὲ δίψαν ὕδατος, ἃ καὶ λιμώττειν οὐ μέγα καὶ μὴ λιμώττειν ῥάδιον · ἀλλὰ « λιμὸν 244 A τοῦ ἀκοῦσαι λόγον Κυρίου[a] », ὃν καὶ πάσχειν ἐλεεινότατον, καὶ θεραπεύειν νῦν ἐργωδέστατον · ἐπειδὴ « ἐπληθύνθη 15 ἡ ἀνομία[b] », καὶ ὀλίγους εὑρίσκω τοὺς γνησίους ταύτης θεραπευτάς.

3. Τοιοῦτος Ἰωσὴφ ὁ ὑμέτερος σιτομέτρης, ταὐτὸν δὲ εἰπεῖν καὶ ἡμέτερος, ὃς καὶ προβλέπειν ᾔδει λιμὸν ὑπὸ σοφίας ὑπερβαλλούσης καὶ θεραπεύειν λόγοις οἰκονομίας, ταῖς καλαῖς τῶν βοῶν καὶ πίοσι τὰς αἰσχρὰς καὶ ἀτρόφους ἰώμενος[a]. Καὶ

2, 1 ὁ λόγος ἐξήχηται PCD ‖ ἀνθρώπους mg. S² ‖ 5 ἀλλ᾽ ἤδη : ἀλλὰ δὴ V ‖ 6 τρέφεται A ‖ 7 ὅσον : ὅσους SPCD corr. S² ‖ 9 τὴν supra uersum S ‖ περιγραφομένην Maur. ‖ 13 λόγου Maur. ‖ 14 νῦν om. P
3, 1 ὁ ὑμέτερος ἰωσὴφ S cum signis transpos. ‖ σιτοδότης A mg. DW σιτομέτρης W mg. Dmg. ‖ 4 πίοσι ex πίωσι S² ‖ αἰσχρὰς ex αἰσχὰς P²

1. d. Os. 11, 1 ; Matth. 2, 15.
2. a. Amos 8, 11.   b. Matth. 24, 12.
3. a. Cf. Gen. 41, 1-4 ; 25-49 ; 53-57.

1. Allégorie de la nourriture venue d'Égypte, à laquelle s'oppose une nourriture spirituelle ; mais les deux sortes de nourriture se

maintenant entendre le Père dire : « D'Égypte j'ai appelé mon fils[d]. »

2. C'est en partant de chez vous, en effet, qu'elle a retenti chez tous les hommes, la parole, objet d'une saine foi et d'une saine prédication ; c'est vous qui êtes les meilleurs à en distribuer les fruits à tous, surtout à ceux qui maintenant ont une foi droite, autant que je le sache, moi qui suis non seulement amateur d'une telle nourriture, mais qui en suis aussi dispensateur, et cela non pas seulement dans mon pays, mais même désormais au-delà de mes frontières. C'est vous qui assurez la nourriture corporelle des peuples et des cités, dans la mesure où votre bienfaisance les atteint ; et vous assurez la nourriture spirituelle non pas de tel peuple ni de telle ou telle ville circonscrite dans d'étroites limites — même si ces gens ont les plus hautes prétentions —, mais vous nourrissez presque toute la terre. Et vous guérissez non pas la faim que l'on a du pain, ni la soif d'eau — éprouver cette faim n'est pas glorieux, et ne pas l'éprouver est facile —, mais vous guérissez « la faim d'entendre la parole du Seigneur[a] » ; or, souffrir de cette faim est ce qu'il y a de plus digne de pitié, et la guérir est ce qu'il y a de plus glorieux, car « l'iniquité a abondé[b] » et je ne trouve que peu d'authentiques guérisseurs de cette faim[1].

3. Tel fut Joseph, votre pourvoyeur en blé[2] — autant dire le nôtre. Il savait prévoir la famine, grâce à son extraordinaire sagesse, et y remédier par l'intelligence de son administration : par les vaches belles et grasses il donnait la santé aux vaches laides et maigres[a] [3]. Et

trouvent présentes dans les dons apportés par les marins d'Égypte, fidèles de Pierre d'Alexandrie et partisans de la foi de Nicée. P.G. — Cette allégorie sera utilisée pour le personnage de Basile dans le *Discours* 43, 72.

2. Allusion à l'histoire de Joseph, fils de Jacob, quand il fut devenu le premier ministre du Pharaon (*Gen.* 41, 53-57). P.G.

3. Rappelons que le Pharaon avait vu en songe sept vaches

5 Ἰωσὴφ ὁπότερον βούλει λαμβάνειν, εἴτε τὸν τῆς ἀθανασίας
καὶ ἐραστὴν καὶ δημιουργὸν καὶ ἐπώνυμον, εἴτε τὸν ἐκείνου
B καὶ θρόνῳ καὶ λόγῳ καὶ πολιᾷ διάδοχον, τὸν νέον Πέτρον
ἡμῖν, οὐχ ἧττον τὴν ἀρετὴν ἢ τὴν κλῆσιν · ὑφ' ὧν τὸ μέσον
ἐξεκόπη καὶ συνετρίβη, κἂν ἔτι σπαίρῃ μικρά τε καὶ ἀσθενῆ,
10 καθάπερ τὸ οὐραῖον διακοπέντος τοῦ ὄφεως · ὧν ὁ μὲν ἐν
γήρᾳ καλῷ καταλύσας τὸν βίον ἐπὶ πολλοῖς τοῖς ἀγωνίσμασι
καὶ ἀθλήμασιν ἄνωθεν ἐποπτεύει, εὖ οἶδα, νῦν τὰ ἡμέτερα
καὶ χεῖρα ὀρέγει τοῖς ὑπὲρ τοῦ καλοῦ κάμνουσι, καὶ τόσῳ
μᾶλλον ὅσῳ τῶν δεσμῶν ἐστιν ἐλεύθερος · ὁ δὲ ἐπὶ τὴν
15 αὐτὴν κατάλυσιν ἢ ἀνάλυσιν, ἐπὶ τοῖς αὐτοῖς ἄθλοις ἐπείγεται
καὶ πλησιάζει μὲν ἤδη τοῖς ἄνω, τοσοῦτον δὲ μετὰ τῆς
σαρκός ἐστιν ἔτι ὅσον βοηθῆσαι τῷ λόγῳ τὰ τελευταῖα, καὶ
τῆς ὁδοῦ γενέσθαι μετὰ δαψιλεστέρων τῶν ἐφοδίων.

C 4. Τούτων ὑμεῖς θρέμματα καὶ προβλήματα τῶν μεγάλων,
καὶ δογματιστῶν καὶ ἀγωνιστῶν τῆς ἀληθείας καὶ νικητῶν ·
οὓς οὐ καιρός, οὐ δυνάστης, οὐ λόγος, οὐ φθόνος, οὐ φόβος,

3, 6 καὶ[1] om. Maur. ‖ ἐπώνυμον S ‖ τῶν ἐκείνου B ‖ 7 θρόνῳ ex
θρόνον S² χρόνῳ PC ‖ 9 σπαίρῃ ex emend. S² σκαίρῃ ex emend. B²
σπαίρῃ ἡμῖν PC ‖ 10 ὁ supra uersum W ‖ 11 ἐπιπολοῖς S ‖ 11-12
ἀθλήμασι καὶ ἀγωνίσμασι PCD ‖ 12 εὖ οἶδα om. C ‖ 14 ἐπὶ : πρὸς
SPCD ‖ 17 ἔτι om. P

---

grasses qui sortaient du Nil et qui étaient ensuite dévorées par sept
vaches maigres. Joseph expliqua le songe : sept années d'abondance
seront suivies de sept années de famine. Devenu premier ministre, il
fit d'immenses provisions pendant les sept années d'abondance, et il
put ensuite ravitailler le peuple pendant la disette (*Genèse* 41, 1-4.
25-49. 53-37). P.G.

1. Il s'agit de saint Athanase, évêque d'Alexandrie ; jeu de mots
voilé entre ἀθανασίας ἐραστής et le nom d'Athanase (Ἀθανάσιος),
qui n'est pas prononcé, mais seulement suggéré.

2. Pierre, évêque d'Alexandrie et successeur d'Athanase. P.G.

3. Τὸ μέσον semble être Maxime. L'origine de cette signification
se trouve dans *Éphésiens* 2, 14 où on lit τὸ μεσότοιχον « le mur de
séparation ».

4. Athanase. P.G.

Joseph, ce sera encore celui que tu veux considérer : soit celui qui était épris de l'immortalité, qui en était l'artisan et qui en portait le nom[1] ; soit celui qui est son successeur par le trône, par la parole et par les cheveux blancs ; il est pour nous le nouveau Pierre, non moins par la vertu que par le nom[2]. Par ces deux hommes, ce qui nous faisait obstacle[3] a été coupé et brisé, même si cela palpite encore d'un mouvement léger et faible, comme la queue d'un serpent coupé en deux. L'un de ces hommes[4], après avoir achevé sa vie dans une belle vieillesse, après avoir mené une longue suite de combats et de luttes[5], contemple maintenant de là-haut, je le sais bien, ce que nous faisons et il nous tend la main, à nous qui peinons pour le bien, d'autant plus qu'il est délivré de ses liens[6]. L'autre[7] incline ou plutôt monte en hâte vers le même terme, après les mêmes luttes[8] ; déjà il approche de ceux qui sont là-haut, et, s'il est encore avec la chair, c'est seulement pour donner un dernier appui à la (vraie) doctrine et avoir des provisions plus abondantes pour prendre la route[9].

4. Vous êtes les enfants et les rejetons de ces grands hommes, de ces défenseurs de la vérité, de ces vainqueurs ; ni les circonstances[10], ni le prince, ni la parole, ni l'envie,

5. Allusion aux exils répétés d'Athanase.

6. Les liens du corps. Suivant une idée platonicienne, Grégoire considère le corps comme une prison ou une chaîne pour l'âme. P.G.

7. Pierre, l'évêque d'Alexandrie à ce moment. P.G.

8. Pierre, frère d'Athanase et nommé par lui comme son successeur, n'avait pas été reconnu par Valens ; à sa place fut installé par la violence l'arien Lucius. Pierre fut arrêté ; il s'échappa et se réfugia à Rome auprès du pape Damase. Il retrouva son siège d'Alexandrie peu avant la mort de Valens (378), lorsque l'empereur atténua la dureté de sa politique pro-arienne.

9. Ces « provisions de route » sont les mérites acquis par l'évêque. P.G.

10. Comme toujours, le grand mérite du chrétien est de ne pas adapter sa propre foi aux circonstances (καιρός, comme dans le *Discours* 33, 2).

οὐ κατήγορος, οὐ συκοφάντης, οὐ φανερῶς πολεμῶν, οὐ
5 λαθραίως ἐπιβουλεύων, οὐχ ἡμέτερος τῷ δοκεῖν, οὐκ ἀλλότριος, οὐ χρυσός, ὁ ἀφανὴς τύραννος ᾧ νῦν τὰ πολλὰ μεταρ-
ρίπτεται καὶ πεττεύεται, οὐ θεραπεῖαι, οὐκ ἀπειλαί, οὐκ
ἐξορίαι μακραί τε καὶ ἀριθμούμεναι — δημεύσει γὰρ οὐκ
ἐγένοντο μόνον ἀλωτοί, διὰ τὸν μέγαν πλοῦτον, τὴν ἀκτημο-
10 σύνην — οὐκ ἄλλο οὐδὲν τῶν ἀπόντων ἢ τῶν παρόντων ἢ τῶν
προσδοκωμένων ἐπῆρεν, οὐδὲ ἀνέπεισε χείρους γενέσθαι
καὶ προδοῦναί τι τῆς Τριάδος καὶ ζημιωθῆναι θεότητα.
D Τοὐναντίον μὲν οὖν ἐρρώσθησαν τοῖς κινδύνοις, καὶ φιλο-
τιμότεροι γεγόνασιν εἰς εὐσέβειαν. Τοιοῦτο γὰρ τὸ παθεῖν
15 ὑπὲρ Χριστοῦ τῷ φίλτρῳ προστίθησι, καὶ οἷον ἀρραβὼν
γίνεται τῶν ἑξῆς ἄθλων τοῖς μεγαλόφροσι. Τοιαῦτά σου,
245 A Αἴγυπτε, τὰ νῦν διηγήματά τε καὶ θαύματα.

5. Σὺ δέ μοι τοὺς τράγους ἐπῄνεις τοὺς Μενδησίους
καὶ τὸν Μεμφίτην Ἄπιν, μόσχον σιτευτόν τινα καὶ πολύ-
σαρκον, καὶ τὰς Ἴσιδος τελετὰς καὶ τοὺς Ὀσίριδος σπα-
ραγμοὺς καὶ τὸν σεμνόν σου Σάραπιν, ξύλον προσκυνούμενον

4, 4 συκαφάντης Z ‖ 5 λαθρέως BSD corr. S² ‖ τῷ : τὸ BSPCD
corr. P² ‖ 6 ᾧ : ὧν S ‖ 6-7 μεταρίπτεται AS μεταρρείπτεται D ‖ 7
πετεύεται S corr. S² ‖ 9 μέγα S ‖ 9-10 ἀκτημοσύνην : ἀκτησίαν
SPCD ‖ 10 ἀπόντων : πάντων SPC (ἀπόντων S²) ἁπάντων BQ ‖
13 οὖν supra uersum W ‖ 14-15 ὑπὲρ χριστοῦ παθεῖν S cum signis
transpos.
5, 1 μοι : μου C ‖ 2 ἄπιν ex ἄπην B ‖ τινα σιτευτὸν SPCD (σ. τ. S²)

---

1. Expression caractéristique de Grégoire, avec une allusion aux
imperfections de la conception théologique des ariens (cf. *Discours*
33, 17).
2. Mendès était une ville située sur le delta du Nil ; un bouc y
était vénéré, symbole de la fécondité : cf. HÉRODOTE II, 46 ;
PLUTARQUE, *Isis et Osiris* 73. Il en est question aussi dans le *Discours*
39, 5.
3. Apis, autre célèbre divinité égyptienne, identifiée avec le soleil
et vénérée à Memphis. Grégoire — comme, du reste, tous les écrivains
chrétiens — critique vertement les cultes de l'Égypte, qui étaient, au
contraire, particulièrement appréciés dans les milieux cultivés du
paganisme.

ni la crainte, ni l'accusateur, ni le sycophante, ni celui
qui tend des embûches en secret, ni celui qui est des nôtres
en apparence, ni celui qui nous est étranger, ni l'or — tyran
invisible qui, de nos jours, produit de multiples change-
ments, comme au jeu de dés —, ni les flatteries, ni les
menaces, ni les exils longs et répétés — puisque ces hommes
étaient les seuls sur qui la confiscation n'avait pas de
prise, vu que leur grande richesse était de ne rien pos-
séder —, ni rien d'autre parmi les choses absentes, présentes
ou attendues, rien ne leur monta à la tête ni ne les persuada
de déchoir, de trahir d'une façon quelconque la Trinité et
de subir la perte de la divinité[1]. Bien au contraire, les
dangers augmentèrent leurs forces et les rendirent plus
ardents pour la piété. Souffrir ainsi pour le Christ accroît
l'amour et devient pour les grands cœurs comme un
acompte des récompenses futures. Voilà, Égypte, ce que
l'on peut maintenant raconter et admirer de toi.

5. Mais toi, n'est-il pas vrai, tu louais les boucs de
Mendès[2], l'Apis de Memphis[3] — un veau quelconque
engraissé et corpulent —, les mystères d'Isis[4], les lacérations
d'Osiris[5] et ton vénérable Sérapis[6], bois adoré avec une

---

4. Les mystères d'Isis connurent une grande vogue à l'époque
impériale ; voir E. R. WITT, *Isis in the graeco-roman World,* London
1971.

5. Dans le mythe d'Isis (dont il est question, par exemple, dans
Plutarque), on racontait comment l'époux de la déesse, Osiris, avait
été mis en pièces par le cruel dieu Typhon et comment la déesse
s'était mise à parcourir la terre pour rechercher les lambeaux et les
rassembler amoureusement.

6. Selon les Grecs (PLUTARQUE, *Isis* 28, 362 B), Sérapis pourrait
être identifié avec Osiris et Osiris avec Dionysos. Le simulacre de bois
de Sérapis était adoré, observe Grégoire selon les formules polémiques
de l'apologétique chrétienne, comme s'il ne s'agissait pas d'un
vulgaire bois, mais d'un matériau céleste. Le temple élevé en l'honneur
de ce dieu à Alexandrie, le Sérapéion, fut célèbre. De toute façon,
Grégoire n'avait probablement pas une connaissance approfondie de la
religion égyptienne, mais en saisissait seulement les aspects extérieurs.

5 μετὰ μύθου καὶ χρόνου καὶ τῆς τῶν προσκυνούντων ἀνοίας,
ὡς ὕλην ἄγνωστόν τινα καὶ οὐράνιον, πλὴν ὕλην, κἂν
βοηθῆται τῷ ψεύδει· καὶ τὰ ἔτι τούτων αἰσχρότερα,
κνωδάλων τινῶν καὶ ἑρπετῶν πολυειδῆ πλάσματα, ὧν
πάντων ὑπερῆρε Χριστὸς καὶ οἱ Χριστοῦ κήρυκες, ἄλλοι τε
10 ἄλλως κατὰ τοὺς ἑαυτῶν ἕκαστοι χρόνους ἐκλάμψαντες
καὶ δὴ καὶ οἱ νῦν μνημονευθέντες Πατέρες· ἀφ' ὧν σὺ
γινώσκῃ μᾶλλον, ὦ θαυμασία, σήμερον, ἢ πάντων ὁμοῦ
B πάντες καὶ παλαιῶν καὶ νέων διηγημάτων.

6. Διὰ ταῦτά σε περιπτύσσομαι καὶ ἀσπάζομαι, λαῶν
ἄριστε καὶ φιλοχριστότατε καὶ θερμότατε τὴν εὐσέβειαν,
καὶ τῶν ἀγόντων ἄξιε — οὐ γὰρ ἔχω τι τούτου μεῖζον
εἰπεῖν οὐδὲ ᾧ μᾶλλον ἂν ὑμᾶς ξενίσαιμι —, καὶ δεξιοῦμαι,
5 ὀλίγα μὲν γλώσσῃ, τὰ πολλὰ δὲ διανοίας κινήμασι. Λαὸς
ἐμός· ἐμὸν γὰρ ὀνομάζω, τὸν ὁμόφρονα καὶ ὁμόδοξον, καὶ
παρὰ τῶν αὐτῶν Πατέρων καὶ τῆς αὐτῆς Τριάδος προσκυνη-
τήν. Λαὸς ἐμός· ἐμὸς γάρ, κἂν μὴ δοκῇ τοῖς βασκαίνουσι·
καί, ἵνα πληγῶσι μᾶλλον οἱ τοῦτο πάσχοντες, ἰδοὺ δίδωμι
10 δεξιὰς κοινωνίας ἐπὶ τοσούτων μαρτύρων, ὁρατῶν τε καὶ
ἀοράτων, καὶ ἀπωθοῦμαι παλαιὰν διαβολὴν νέᾳ χρηστότητι.
Λαὸς ἐμός· ἐμὸς γάρ, εἰ καὶ τὸν μέγιστον ὁ μικρότατος
C σφετερίζομαι. Τοιαύτη γὰρ ἡ τοῦ Πνεύματος χάρις·
ὁμοτίμους ποιεῖ τοὺς ὁμόφρονας. Λαὸς ἐμός· ἐμὸς γάρ,
15 εἰ καὶ πόρρωθεν, ὅτι θεϊκῶς συναπτόμεθα, καὶ τρόπον ἄλλον
ἢ ὃν αἱ παχύτητες. Τὰ μὲν γὰρ σώματα τόπῳ συνάπτεται,
ψυχαὶ δὲ Πνεύματι συναρμόζονται. Λαός, ὁ πρότερον μὲν

5, 7 ψεύδη S² ‖ 9 ἁπάντων S²
6, 1 καὶ διὰ ταῦτα PC ‖ 12 ἐμὸς γὰρ εἰ om. PC add. P² ‖ καὶ :
κἂν C ‖ καὶ εἰ τὸν D ‖ τὸν ex τὸ S² ‖ 13 σφετερίζωμαι C ‖ 15 καὶ εἰ
PCD ‖ 16 γὰρ om. Z ‖ 17 συναρμόζονται ex ἁρμόζονται S² ‖ λαὸς
ἐμὸς Maur.

---

1. Voir la dernière note du *Discours* 33, 15.
2. Allusion probable à l'épisode de Maxime, qui avait été soutenu
par Pierre d'Alexandrie (voir Introduction, p. 29, n. 1). Les malveillants avaient espéré que les rapports entre Grégoire et Pierre se
gâteraient.

légende, un temps (pour les fêtes) et la folie des adorateurs
qui le considéraient comme une matière inconnue et céleste,
mais cependant matière, même avec le concours du
mensonge ; et il y avait aussi les choses encore plus
honteuses que cela : les représentations de certains animaux
et de certains reptiles. De tous, le Christ a triomphé, ainsi
que les hérauts du Christ qui ont brillé les uns à une
époque, les autres à une autre, et surtout les Pères[1] qui
viennent d'être mentionnés ; c'est grâce à eux que tu es
connue aujourd'hui, admirable contrée, plus que tous les
peuples ne le sont par tous les récits à la fois, anciens
ou récents.

6. C'est pourquoi je te serre dans mes bras et je te salue,
ô le meilleur des peuples, peuple si rempli d'amour pour
le Christ, très ardent pour la piété, et digne de ceux qui
te conduisent ! Car je ne puis rien dire de plus fort, rien
qui marque mieux l'accueil que je vous fais. Je vous reçois
affectueusement, un peu avec le secours de ma langue,
et surtout avec les sentiments de mon cœur. Ô mon
peuple ! je t'appelle mien, car tu as la même pensée, la
même doctrine, venant des mêmes Pères, et tu adores
la même Trinité que moi. Ô mon peuple ! car tu es mon
peuple, n'en déplaise aux envieux ; et pour porter un
coup plus fort à ceux qui sont atteints de cette jalousie,
je te tends la main en signe de communion, devant tant
de témoins visibles et invisibles, et je repousse la vieille
calomnie par une nouvelle marque de bonté[2]. Ô mon
peuple ! car tu es mon peuple, même si moi, le plus petit,
je revendique le peuple le plus grand ; telle est, en effet,
la grâce de l'Esprit : elle assure même honneur à ceux qui
ont même pensée. Ô mon peuple ! car tu es mon peuple,
bien que tu sois loin : nous sommes réunis d'une façon
divine et qui n'est pas celle des objets matériels ; les corps
sont réunis par le lieu, les âmes sont accordées les unes avec
les autres par l'Esprit. Ô peuple ! Tu t'appliquais jusqu'ici

φιλοσοφῶν τὸ πάσχειν ὑπὲρ Χριστοῦ, νῦν δὲ τὸ μὴ ποιεῖν,
ἐὰν ἐμοὶ πείθησθε, ἀλλ' αὔταρκες κέρδος τίθεσθαι τὴν τοῦ
20 ποιεῖν ἐξουσίαν καὶ « ἡγεῖσθαι Χριστῷ λατρείαν εἰσφέρειν[a] », ὥσπερ τότε τὴν καρτερίαν, οὕτως ἐν τῷ παρόντι
τὴν ἐπιείκειαν. Λαός, ἐφ' ὃν παρατέτακται ὁ Κύριος τοῦ
εὖ ποιῆσαι[b], ὥσπερ τοῦ κακοποιῆσαι τοὺς ἐναντίους[c]. Λαός,
ὃν ἐξελέξατο ἑαυτῷ Κύριος[d] ἐκ πάντων ὧν προσεκαλέσατο.
25 Λαός, ὁ ἐπὶ τῶν χειρῶν Κυρίου ἐζωγραφημένος[e], ᾧ « σὺ
γὰρ εἶ θέλημα ἐμόν », λέγει Κύριος[f] · καὶ « αἱ πύλαι σου
D γλύμμα[g] » καὶ ὅσα τοῖς σῳζομένοις ὕστερον. Λαός, καὶ μή
με θαυμάσητε τῆς ἀπληστίας, εἰ πολλάκις ὑμᾶς ἀναστρέφω ·
248 A κατατρυφῶ γὰρ ὑμῶν τῇ συνεχείᾳ τῆς κλήσεως, ὥσπερ οἱ
30 θεαμάτων τινῶν ἢ ἀκουσμάτων ἀπλήστως ἐμφορούμενοι.

7. Ἀλλ', ὦ Θεοῦ λαὸς καὶ ἡμέτερος, καλὴ μὲν ὑμῶν
καὶ ἡ πρώην πανήγυρις, ἣν ἐπὶ τῆς θαλάσσης ἐστήσασθε,
καὶ εἴπερ ἄλλη τις ὀφθαλμῶν χάρις, ἡνίκα εἶδον δενδρου-
μένην τὴν θάλασσαν καὶ χειροποιήτῳ νέφει κεκαλυμμένην,
5 καὶ κάλλος νηῶν καὶ τάχος, ὥσπερ εἰς πομπὴν ἐσταλμένων,
καὶ πνεῦμα μέτριον κατὰ πρύμναν ἱστάμενον, ὥσπερ δορυ-
B φοροῦν ἐξεπίτηδες καὶ παραπέμπον τῇ πόλει πόλιν πελάγιον ·
καλλίων δὲ ἡ νῦν ὁρωμένη καὶ μεγαλοπρεπεστέρα. Οὐ γὰρ
τοῖς πολλοῖς φέροντες ὑμᾶς αὐτοὺς ἀνεμίξατε οὐδὲ πλήθει
10 τὴν εὐσέβειαν ἐμετρήσατε, οὐδὲ δῆμος γενέσθαι μᾶλλον

6, 19 τίθεσθαι Z Maur. : τίθησθε P² τίθεσθε cett. ‖ 20 ἡγεῖσθαι
Z Maur. : ἡγεῖσθε cett. ‖ 22 ὃ om. SPCD ‖ τοῦ ex τὸ S² ‖ 23 κακὸν ποιῆσαι B ‖ 24 ἑαυτῷ om. S (αὐτῷ mg.) ‖ ὁ κύριος CZ ‖ 28
εἰ καὶ PCD ‖ 29 καὶ τῇ συνεχείᾳ PCD
7, 2 ἐνεστήσασθε PCD ‖ 3 ἴδον ABPCD corr. B²P² ‖ 4 κεκαλυ-
μένην W ‖ 8 δὲ : δὲ καὶ S ‖ 9 ἑαυτοὺς ex αὐτοὺς W ‖ 10 μᾶλλον γενέσθαι
S cum signis transp.

6. a. Jn 16, 2.   b. Cf. Mal. 1, 4 *(LXX)*.   c. Cf. Zach. 8, 15
(LXX).   d. Cf. Ps. 32, 12.   e. Cf. Is. 49, 16.   f. Is. 62, 4.
g. Cf. Is. 54, 12 ; 60, 18 *(LXX)*.

1. Ces mots n'ont pu être prononcés qu'à partir du moment où la
victoire des nicéens pouvait sembler imminente.

à subir la persécution pour le Christ ; mais maintenant, si vous m'en croyez, vous vous appliquerez à ne pas l'exercer sur les autres et à regarder comme un avantage suffisant d'en avoir la possibilité, et « vous croirez rendre hommage au Christ[a] » dans le moment présent par la douceur, comme jadis par la fermeté[1]. Ô peuple ! Le Seigneur s'est équipé pour te faire du bien[b], comme pour faire du mal à tes adversaires[c]. Ô peuple ! le Seigneur t'a choisi pour lui-même[d] parmi tous ceux qu'il a choisis. Ô peuple inscrit sur les mains du Seigneur[e] ! Le Seigneur te dit : « Tu es ma volonté[f] », et : « Tes portes sont ciselures[g] », et tout ce qui est dit dans la suite[2] en faveur de ceux qui sont sauvés. Ô peuple ! Ne vous étonnez que je sois insatiable de revenir à toi tant de fois, car je trouve mes délices à redire sans cesse votre nom, comme ceux qui jouissent de quelque chose qu'ils voient ou qu'ils entendent sans pouvoir se rassasier.

7. Ô peuple de Dieu, qui es aussi le nôtre ! Il était beau, le cortège que vous formiez récemment sur la mer ; et s'il est quelque spectacle agréable aux yeux, c'est bien celui que j'ai vu : la mer semblable à une forêt et couverte d'un nuage fabriqué de main d'homme[3], la beauté et la rapidité des vaisseaux parés comme pour un défilé, et ce léger souffle de vent qui les prenait en poupe et, telle une garde d'honneur disposée intentionnellement, escortait jusqu'à la ville cette ville marine. Mais plus beau et plus magnifique est le cortège que je contemple maintenant : vous ne vous êtes pas empressés de vous mêler au grand nombre, vous n'avez pas mesuré la piété d'après la foule[4], vous n'avez pas consenti à être une multitude confuse

---

2. La suite du chapitre d'Isaïe. P.G.

3. Les vaisseaux s'avançant sur la mer évoquent l'image d'une forêt ; les voiles déployées font penser à un nuage. P.G.

4. Ils ne sont pas allés dans les sanctuaires occupés par les ariens. P.G.

ὀχλώδης ἠνέσχεσθε, ἢ λαὸς Θεοῦ λόγῳ κεκαθαρμένος· ἀλλ᾽,
ὅσον εἰκός, Καίσαρι τὰ τοῦ Καίσαρος εἰσενεγκόντες,
τῷ Θεῷ τὰ τοῦ Θεοῦ προσενείματε[a], τῷ μὲν τὸ
τέλος, τῷ δὲ τὸν φόβον[b], καὶ τὸν δῆμον τοῖς ὑμετέροις
15 θρέψαντες, ἥκετε καὶ αὐτοὶ παρ᾽ ἡμῶν τραφησόμενοι.
Σιτοδοτοῦμεν γὰρ καὶ ἡμεῖς, καὶ σιτοδοσίαν ἴσως τῆς
ὑμετέρας οὐ φαυλοτέραν. « Δεῦτε, φάγετε τὸν ἐμὸν ἄρτον,
καὶ πίετε οἶνον ὃν κεκέρακα ὑμῖν[c] »· καλῶ μετὰ τῆς
σοφίας ὑμᾶς εἰς τὴν ἐμὴν τράπεζαν. Ἐπαινῶ γὰρ τῆς
C 20 εὐγνωμοσύνης, καὶ προστρέχω τῇ προθυμίᾳ, ὅτι ὡς ἐπὶ
λιμένα ἴδιον ἡμᾶς κατηντήσατε, τῷ ὁμοίῳ προσδραμόντες,
καὶ τὸ συγγενὲς τῆς πίστεως ἐτιμήσατε καὶ τῶν ἀτόπων
ἐνομίσατε τοὺς μὲν ὑβριστὰς τῶν ἄνω συμφρονεῖν ἀλλήλοις
καὶ συναρμόζεσθαι καὶ τὸ καθ᾽ ἕκαστον σαθρὸν οἴεσθαι
25 διορθοῦσθαι τῷ κοινῷ τῆς συστάσεως, καθάπερ τῶν σχοινίων
τὰ τῇ πλοκῇ δυναμούμενα, αὐτοὶ δὲ μὴ συνιέναι μηδὲ
συνδεῖσθαι τοῖς ὁμογνώμοσιν, οἷς γε εἰκὸς μᾶλλον· αὐτοὶ
γὰρ συνάγομεν καὶ θεότητα. Καὶ ἵνα γε εἰδῆτε μὴ μάτην
προσδραμόντες ἡμῖν μηδὲ ὡς ξένοις καὶ ἀλλοτρίοις, ἀλλ᾽ ἐν
30 ὑμετέροις καταχθέντες καὶ καλῶς ὁδηγηθέντες ὑπὸ τοῦ
Πνεύματος, βραχέα περὶ Θεοῦ φιλοσοφήσομεν ὑμῖν. Καὶ
γνωρίσατε τὰ ὑμέτερα, ὥσπερ οἱ τοῖς ἐπισήμοις τῶν ὅπλων
τὸ οἰκεῖον διαγινώσκοντες.

7, 11 λόγῳ θεοῦ C θεοῦ λόγων Z ‖ 14 τὸ δὲ B ‖ ὑμετέροις ex
ἡμετέροις S² ‖ 15 τραφησόμενοι παρ᾽ ἡμῶν S cum signis transp. ‖
17 ὑμετέρας ex ἡμετέρας S² ‖ τῶν ἐμῶν ἄρτων ABWZ corr. A²B² ‖
20 τῆς προθυμίας Z ‖ 23 ἐνομίσατε ex ἐνομήσατε P² ‖ 24 οἴεσθε AV
SD ‖ 27 οἷς in ras. S² καὶ οἳ PC ‖ 28 συνάγαιμεν W συνάγομεν W² ‖
γε om. SPC ‖ 30 καταταχθέντες Z ‖ 31 φιλοσοφήσωμεν AB

7. a. Matth. 22, 21.   b. Rom. 13, 7.   c. Prov. 9, 5.

1. Ils ont remis leur cargaison de blé aux fonctionnaires impériaux.
P.G.

plutôt qu'un peuple purifié par la parole de Dieu ; après
avoir, comme de juste, rendu à César ce qui est à César[1],
vous avez apporté à Dieu ce qui est à Dieu[a], à César le
tribut, à Dieu la crainte[b] ; après avoir nourri la foule par
vos provisions, vous êtes venus pour être, à votre tour,
nourris par nous. Car nous distribuons du blé, nous aussi,
et notre distribution de blé n'est peut-être pas de moindre
valeur que la vôtre. « Venez, mangez mon pain et buvez
le vin que j'ai mélangé pour vous[c] » ; avec la Sagesse, je vous
invite à ma table[2]. Je loue vos bonnes dispositions et
j'accours au-devant de votre empressement, car vous
vous êtes présentés à nous comme en abordant à un port
qui est bien le vôtre, vous êtes accourus vers qui vous
ressemble et vous avez rendu hommage à notre parenté
avec vous dans la foi. Vous avez trouvé étrange que, d'un
côté, ceux qui insultent les réalités d'en haut s'entendent
entre eux, s'accordent et pensent que la faiblesse de chacun
d'eux trouve un appui dans la cohésion de l'ensemble
— comme les joncs tirent leur force de leur entrelace-
ment —, et que vous, d'un autre côté, vous ne veniez
pas vous réunir et vous associer avec ceux qui pensent
comme vous et avec qui il est plus naturel de s'entendre,
car nous-mêmes nous unissons aussi la divinité (au lieu
de la diviser). Il faut que vous sachiez que vous n'êtes
pas accourus vers nous en vain, que vous n'avez pas
abordé parmi nous comme parmi des gens du dehors et
des étrangers, mais parmi les vôtres, et que vous avez
fait bonne route sous la conduite de l'Esprit. Aussi
allons-nous brièvement parler de Dieu devant vous.
Reconnaissez ce qui est vôtre, comme on reconnaît les
soldats de son propre camp d'après les emblèmes marqués
sur les armes.

2. La citation qui précède est un appel de la Sagesse aux hommes.
L'expression : « le vin que j'ai mélangé » rappelle l'usage reçu en
Grèce et au Proche-Orient de mêler de l'eau au vin. P.G.

D   **8.** Δύο διαφορὰς ἐν τοῖς οὖσι γινώσκω τὰς ἀνωτάτω,
δεσποτείαν τε καὶ δουλείαν, οὐχ ἃς παρ' ἡμῖν ἢ τυραννὶς
ἔτεμεν ἢ πενία διέστησεν, ἀλλ' ἃς φύσις διώρισεν, εἴ τῳ
φίλον οὕτω καλεῖν. Τὸ γὰρ πρῶτον, καὶ ὑπὲρ τὴν φύσιν.
5   Τούτων δέ, ἡ μὲν ποιητική τέ ἐστι, καὶ ἀρχικὴ καὶ ἀκίνητος ·
ἡ δὲ πεποιημένη καὶ ὑπὸ χεῖρα καὶ μεταπίπτουσα. Καὶ ἔτι
249 A συντομώτερον εἰπεῖν, ἡ μὲν ὑπὲρ χρόνον, ἡ δὲ ὑπὸ χρόνον.
Καλεῖται δὲ ἡ μὲν Θεός, καὶ εἰ ἐν τρισὶ τοῖς μεγίστοις
ἵσταται, αἰτίῳ καὶ δημιουργῷ καὶ τελειοποιῷ · τῷ Πατρὶ
10 λέγω, καὶ τῷ Υἱῷ καὶ τῷ ἁγίῳ Πνεύματι. Ἃ μήτε οὕτως
ἀλλήλων ἀπήρτηται ὡς φύσει τέμνεσθαι, μήτε οὕτως
ἐστένωται ὡς εἰς ἓν πρόσωπον περιγράφεσθαι · τὸ μὲν γὰρ
τῆς Ἀρειανῆς μανίας, τὸ δὲ τῆς Σαβελλιανῆς ἀθεΐας ἐστίν ·
ἀλλ' ἔστι τῶν μὲν πάντῃ διαιρετῶν ἑνικωτέρα, τῶν δὲ
15 τελείως μοναδικῶν ἀφθονωτέρα. Ἡ δὲ μεθ' ἡμῶν τέ ἐστι
καὶ καλεῖται κτίσις, κἂν ἄλλα ἄλλων ὑπεραίρῃ κατὰ τὴν
ἀναλογίαν τῆς πρὸς Θεὸν ἐγγύτητος.

8, 1 τὰς ἀνωτάτω γιγνώσκω PCD ‖ διαγινώσκω S ‖ 2 ἡμῖν : ἡμῶν
SPC corr. S² ‖ 3 φύσις bis scribit S corr. S² ‖ διώρισεν ex -ωρησεν
B ‖ 4 τὴν om. SPCD add. S² D² mg. ‖ 6 ἔτι : εἴ τι PCD ‖ 8 καὶ εἰ
ἐν τρισὶ : καὶ ἐν τρισὶ SPC (add. εἰ S²) εἰ καὶ ἐν τρισὶ W ‖ 10 ante
μήτε οὕτως ἀλλήλων ἀπήρτηται addunt μήτε οὕτως ἀλλήλων διήρη-
ται (ἀπήρτηται S²) ὡς εἰς τρία ἔκφυλα καὶ ἀλλότρια τέμνεσθαι SPC
secl. S² ‖ 13 ἀρειανῆς ex ἀριανῆς corr. B² ex ἀρειανικῆς corr. (ut
vid.) P² ἀρειανικῆς γρ. mg. V ‖ σαβελλιανικῆς Maur. ‖ 15 τελείως :
παντελῶς SPC ‖ 16 κτῖσις D ‖ ὑπεραίρει BW corr. W² ‖ 17 ἀναλογίαν ex emend. B²

1. Opposition entre, d'une part, ce qui est « premier », « au-dessus
de la nature » (sans doute la nature humaine) et « sans changement »
(ἀκίνητος, terme de la théologie néo-platonicienne : cf. « Il platonismo
cristiano », p. 1356-1357) et, d'autre part, la nature créée, qui est
changeante.

2. Dieu est « au-dessus du temps » (cf. « Il platonismo cristiano »
p. 1380 s.). Ordinairement, dans un contexte de polémique arienne,
le terme se réfère au Fils, que les ariens considéraient comme créé
dans le temps (cf. la formule ἦν ποτε ὅτε οὐκ ἦν).

3. Αἴτιος est le Père (ἐξ οὗ) ; δημιουργός, le Fils (cf. 32, 6) ;
τελεοποιοῦν, l'Esprit (cf. 33, 17).

8. Je connais deux différences principales entre les êtres : la domination et la servitude ; je ne parle pas des divisions provoquées chez nous par la tyrannie ou des distances produites par la pauvreté, mais des distinctions établies par la nature, si l'on veut appeler ainsi les choses, car ce qui est premier est aussi au-dessus de la nature[1]. L'une de ces réalités est créatrice, directrice et immobile ; l'autre est créée, soumise et changeante ; et, pour parler plus brièvement, l'une est au-dessus du temps[2], l'autre est soumise au temps ; l'une a pour nom Dieu, même si elle consiste dans les Trois très grands : Celui qui est la Cause, Celui qui organise et Celui qui donne l'achèvement[3] — je veux dire le Père, le Fils et le Saint-Esprit. Ils ne sont pas détachés l'un de l'autre de façon qu'il y ait coupure entre eux du point de vue de la nature ; ils ne sont pas non plus serrés l'un contre l'autre de façon qu'ils soient circonscrits à une seule personne[4] : la première opinion est celle de la folie d'Arius[5], la seconde est celle de l'athéisme de Sabellius[6] ; au contraire, la réalité (divine) est plus une que ce qui est totalement divisible[7], et plus riche que ce qui est à l'état d'unité absolue[8]. L'autre réalité est de chez nous ; elle a pour nom « créature », encore que certaines créatures soient plus élevées que d'autres, à proportion de leur proximité avec Dieu.

4. Termes techniques employés dans un sens théologique précis. Le mot πρόσωπον est assez rare chez Grégoire ; Athanase et les Cappadociens l'évitent en général à cause de sa couleur sabellienne ; ils lui préfèrent ὑπόστασις.

5. Allusion à l'épithète ἀρειομανής « rendu fou par Arès », fréquemment appliquée aux ariens chez Grégoire : cf. *Discours* 20, 5-6 ; 21, 13 ; 25, 8 ; 43, 30.

6. Opposition habituelle entre Arius et Sabellius.

7. Il souligne la parfaite unité de la « monade » divine.

8. C'est-à-dire plus riche de vie que ce que pouvaient en penser les Sabelliens ; dans le *Discours* 23, 6 aussi les Sabelliens sont ceux qui inventent une nature divine « unique sans doute, mais réduite en quelque sorte et étriquée » μίαν μέν, μικροπρεπῆ δέ τινα καὶ στενήν (trad. Mossay, dans *SC* 270, p. 292-293).

B   9. Τούτων δὲ οὕτως ἐχόντων, ὅτῳ μὲν ἡ καρδία πρὸς
Κύριον, ἴτω μεθ᾿ ἡμῶν[a], καὶ προσκυνῶμεν τὴν μίαν ἐν τοῖς
τρισὶ θεότητα, μηδὲν ταπεινότητος ὄνομα τῇ ἀπροσίτῳ δόξῃ
προσάγοντες, ἀλλὰ « τὰς ὑψώσεις » τοῦ ἑνὸς « Θεοῦ » ἐν
5 τοῖς τρισὶ διὰ παντὸς « ἐν τῷ λάρυγγι » φέροντες[b]. Ἧς
γὰρ οὐδὲ μέγεθος φύσεως κυρίως ἔστιν εἰπεῖν διὰ τὸ ἄπειρον
καὶ ἀόριστον, πῶς ταύτῃ ταπεινότητα ἐπεισάξομεν ; Ὅστις
δὲ ἀλλοτρίως ἔχει Θεοῦ καὶ διὰ τοῦτο τέμνει τὴν μίαν καὶ
ὑπὲρ πάντα τὰ ὄντα οὐσίαν εἰς ἀνισότητα φύσεων, θαυμα-
10 στὸν εἰ μὴ τῇ ῥομφαίᾳ τμηθήσεται καὶ τὸ μέρος αὐτοῦ
μετὰ τῶν ἀπίστων τεθήσεται[c], πονηρὸν δρεπομένου πονηρᾶς
δόξης καρπὸν καὶ νῦν καὶ ὕστερον.

C   10. Περὶ μὲν γὰρ τοῦ Πατρὸς τί χρὴ καὶ λέγειν, οὗ
καὶ τὸ παρὰ πάντων συγκεχωρηκὸς φείδεται ταῖς φυσικαῖς
ἐννοίαις προκατειλημμένων καὶ ἡττημένων — εἰ καὶ τῆς
ἀτιμίας τὰ πρῶτα ἠνέγκατο, πρῶτος τμηθεὶς εἰς Ἀγαθὸν
5 καὶ Δημιουργὸν παρὰ τῆς ἀρχαίας καινοτομίας. Περὶ δὲ
τοῦ Υἱοῦ καὶ τοῦ ἁγίου Πνεύματος, σκοπεῖτε ὡς ἁπλῶς
καὶ συντόμως διαλεξόμεθα. Εἰ μέν τις ἔχοι τούτων τι λέγειν
τρεπτὸν ἢ ἀλλοιωτὸν ἢ χρόνῳ ἢ τόπῳ ἢ δυνάμει ἢ ἐνεργείᾳ

9, 1 δὲ om. PCD add. s.u.D² ‖ ὅτῳ ex οὕτω corr. mg. C² ‖ 2
προσκυνοῦμεν S Z ‖ 5 τρισὶ θεοῦ S ‖ 7 ἐπεισάξωμεν PCD corr. P²‖
9 φύσεως PC ‖ 11 τῶν ex τῶ S ‖ δρεπόμενον PC
10, 1 γὰρ supra uersum D ‖ καὶ om. PC ‖ 2 φείδεσθαι Maur. ‖
3 καὶ ἡττημένων om. ABVWQZ Maur. ‖ 4 πρῶτα : πάντα D ‖ εἰς
om. P ‖ 6 ἁγίου om. SPCD add. mg. S² ‖ 7 διαλεξώμεθα Maur. ‖
ἔχει BSPCD

9. a. Ex. 32, 26.   b. Ps. 149, 6.   c. Cf. Lc 12, 46.

1. Formule-type pour désigner la Trinité selon la doctrine de Nicée.
2. Termes de la « théologie négative » de Grégoire (cf. « Il platonismo cristiano », p. 1374 s.).
3. Sur la différence de nature que les ariens attribuaient au Fils et
à l'Esprit-Saint par rapport au Père, voir Discours 33, 1.
4. Formule stoïcienne courante à l'époque impériale (également
κοιναὶ ἔννοιαι chez Grégoire : Discours 29, 16), comme le montre

9. S'il en est ainsi, que celui dont le cœur est pour le
Seigneur vienne à nous[a] ! Et adorons l'unique divinité
dans les Trois[1] ; n'attribuons à la gloire inaccessible aucun
nom de bassesse, mais que « les hauteurs du Dieu », qui
est un dans les Trois, soient continuellement « dans notre
gorge[b] » ! Si, en effet, il n'est pas possible d'exprimer
en termes propres la grandeur de cette nature à cause de son
caractère infini et illimité[2], comment introduirons-nous
en elle de la bassesse ? Celui qui est étranger à Dieu et qui,
pour cette raison, divise en des natures inégales l'essence
unique et au-dessus de tous les êtres[3], il serait étonnant
qu'il ne soit pas divisé par l'épée et qu'il n'ait pas sa part
placée avec les infidèles[c], recueillant ainsi, pour maintenant
et pour plus tard, un fruit pernicieux d'une opinion
pernicieuse.

10. Au sujet du Père, que faut-il dire encore ? Tous
l'épargnent, d'un commun accord, prévenus d'avance et
vaincus par les idées qui découlent de la nature des choses[4].
Et cependant, il a subi les premières atteintes du déshonneur, ayant été le premier divisé en « Bon » et en « Organisateur du monde » par l'innovation la plus ancienne[5].
Au sujet du Fils et du Saint-Esprit, voyez comment
il faut que nous discutions d'une manière simple et brève.
Si quelqu'un pouvait dire une des choses que voici : que
(le Fils) est variable ou changeant[6], qu'il est mesuré par le

M. Spanneut, *Le stoïcisme des Pères de l'Église*, Paris 1971², p. 205-
206, 227-228. Elle implique que la notion (ici la notion de Dieu) est
innée dans la nature humaine en tant que telle.

5. Grégoire répète peut-être ici la même erreur que ci-dessus,
33, 16 : « diviser » le Père en Dieu bon et démiurge devrait faire
allusion aux marcionistes, mais le terme de « démiurge », bien qu'il
ne soit pas exclu par Marcion, est plus courant dans la gnose
valentinienne.

6. Τρεπτόν et ἀλλοιωτόν sont des termes qui se rapportent aux
créatures, et ils sont plus d'une fois condamnés par Athanase si on
les rapporte au Fils (*Contre les ariens* I, 51-52 ; II, 34).

μετρούμενον ἢ οὐ φυσικῶς ἀγαθὸν ἢ οὐκ αὐτοκίνητον
10 ἢ οὐκ αὐτεξούσιον ἢ λειτουργὸν ἢ ὑμνῳδὸν ἢ φοβούμενον ἢ
ἐλευθερούμενον ἢ οὐ συναριθμούμενον, δεικνύτω τοῦτο καὶ
D ἡμεῖς στέρξομεν, συνδούλων σεμνότητι δοξαζόμενοι, εἰ
252 A καὶ Θεὸν ζημιούμεθα. Εἰ δὲ πάντα ὅσα ἔχει ὁ Πατήρ, τοῦ
Υἱοῦ ἐστι[a], πλὴν τῆς ἀγεννησίας · πάντα δὲ ὅσα τοῦ Υἱοῦ,
15 καὶ τοῦ Πνεύματος, πλὴν τῆς υἱότητος καὶ τῶν ὅσα σωματικῶς περὶ αὐτοῦ λέγεται διὰ τὸν ἐμὸν ἄνθρωπον καὶ τὴν
ἐμὴν σωτηρίαν — ἵνα τὸ ἐμὸν λαβὼν τὸ ἑαυτοῦ χαρίσηται
διὰ τῆς καινῆς ἀνακράσεως — παύσασθε παραληροῦντες ὀψὲ
γοῦν, ὦ σοφισταὶ κενῶν ῥημάτων, αὐτοῦ πιπτόντων. «Καὶ
20 ἵνα τί ἀποθνήσκετε, οἶκος Ἰσραήλ ;», ἵν' ἐκ τῆς Γραφῆς ὑμᾶς
ὀδύρωμαι[b].

10, 9 ἢ οὐκ αὐτοκίνητον om. P ‖ 11 οὐ om. SD (add. in mg.
S²D²) ‖ τοῦτο in mg. S ‖ 12 στέρξομεν ex στέρξωμεν W² στέρξωμεν B ‖ 14 ἀγεννησίας : αἰτίαςA BVWZQR² ‖ 17 χαρίσηται
ex χαρήσηται B² ‖ 18 παραληροῦντες : παρακαλοῦντες C ‖ 19 κενῶν :
καινῶν ABV

---

10. a. Cf. Jn 16, 16.   b. Éz. 18, 31.

---

1. Ceci se rapporte à l'Esprit, compris par les ariens comme
l'ἐνέργεια du Père, et non essentiellement
2. Terme platonicien (p. ex. *Phèdre* 245 c). Cf. *Discours* 29, 2.
3. Il s'agit ici du Fils, considéré par les ariens comme inférieur au
Père, sous prétexte que « le Fils ne fait rien de lui-même, s'il ne voit
pas le Père le faire » (*Jn* 5, 19). Cette objection est réfutée dans le
Discours 30, 10-11 (*SC* 250, p. 242-248) ; cf. AMBROISE, *De fide* IV, 4,
38 s., HILAIRE DE POITIERS, *De Trinitate* VII, 17-21, IX, 43-50. —
Jean Chrysostome explique que le Fils n'est pas un simple « serviteur »
(λειτουργός), car il est assis à la droite du Père, tandis que le
leitourgos se tient debout ; le Fils a pu être ainsi appelé pendant sa
vie terrestre, mais le terme ne lui convient plus depuis l'Ascension
(*Hom. in Hebraeos* 13, 3, *PG* 63, 107). P.G.
4. Le Fils est épouvanté par la mort (cf. *Matth.* 26, 38), c'est ce
que, par polémique, soulignaient les ariens (cf. *Discours* 29, 18 :
énumération des faiblesses du Christ ; HILAIRE, *De Trinitate* X, 9-10).

temps ou le lieu ou quant à la puissance ou la force[1], ou
qu'il n'est pas bon par nature, ou qu'il ne se meut pas
par lui-même[2], ou qu'il n'est pas indépendant, ou qu'il est
serviteur[3] ou chanteur d'hymnes, ou qu'il craint[4], ou
qu'il a reçu la liberté, ou qu'il n'est pas compté (avec
le Père)[5] — que l'on nous démontre cela, et nous nous
tiendrons pour satisfaits, nous aurons notre titre de
noblesse à être ses compagnons de servitude[6], encore que
nous y perdions Dieu. Mais si tout ce que le Père a est
au Fils[a], sauf le fait d'être inengendré[7], et si tout ce qui
est au Fils est aussi à l'Esprit, sauf la filiation et tout
ce qui, au point de vue corporel, est dit du Fils à cause
de l'homme que je suis et à cause de mon salut — il a pris
ce qui est à moi pour me gratifier de ce qui est à lui grâce
à ce mélange[8] nouveau — cessez, bien que tardivement,
de déraisonner, inventeurs de paroles vides et aussitôt
caduques ! «Et pourquoi mourez-vous, maison d'Israël[b] ? »,
dirai-je avec l'Écriture en gémissant sur vous.

---

5. Le problème de la συναρίθμησις (c'est-à-dire le fait d'énumérer
Père, Fils, Esprit) avait été soulevé par les pneumatomaques qui
niaient une telle possibilité. BASILE (*Sur le Saint-Esprit*, 17-18), puis
Grégoire lui-même (*Discours* 31, 17 s.) démontrent que ce refus est
dénué de fondement.

6. L'Esprit serait « esclave comme nous », s'il était une créature,
car « toutes les créatures sont tes esclaves » (*Ps.* 118, 91 ; cf. aussi
Jn 15, 15) : argument typique de BASILE (*Sur le Saint-Esprit* 19, 50 ;
20, 51) et de Grégoire lui-même (cf. ci-dessus 33, 17) contre les
pneumatomaques. Cf. aussi AMBROISE, *De Spiritu Sancto* I, 1, 23.

7. Discussion de *Jn* 16, 15 dans *Discours* 30, 11 (*SC* 250, p. 246-
248). Le terme υἱότης (filiation) qui va être employé ci-dessous, vient
de Basile ; Grégoire ne l'utilise presque jamais, il préfère désigner la
propriété caractéristique du Fils par γέννησις et γέννημα.

8. 'Ανάκρασις est un terme de grand poids dans la christologie de
Grégoire ; il sert à désigner l'union hypostatique des deux natures
dans le Christ : cf. *Discours* 29, 19 ; 30, 3, 6, 8 ; 38, 13 ; remarquer en
30, 6 la formule ἵνα κἀγὼ μεταλάβω τῶν ἐκείνου διὰ τὴν σύγκρασιν.

11. Ὡς ἔγωγε αἰδοῦμαι μὲν τὰς τοῦ Λόγου προσηγορίας, τοσαύτας τε οὔσας καὶ οὕτως ὑψηλὰς καὶ μεγάλας, ἃς
B καὶ δαίμονες ἐνετράπησαν· αἰδοῦμαι δὲ τὴν ὁμοτιμίαν τοῦ Πνεύματος· φοβοῦμαι δὲ τὴν ὡρισμένην ἀπειλὴν τοῖς
5 εἰς αὐτὸ βλασφημοῦσι[a]. Βλασφημία δὲ οὐχ ἡ θεολογία, τὸ δὲ ἀλλοτριοῦν τῆς θεότητος. Καὶ τηρητέον ἐνταῦθα ὅτι τὸ μὲν βλασφημούμενον ὁ Κύριος ἦν· τὸ δὲ ἐκδικούμενον τὸ Πνεῦμα τὸ ἅγιον, δῆλον ὡς Κύριος. Οὐ φέρω ἀφώτιστος εἶναι μετὰ τὸ φώτισμα, παραχαράσσων τι τῶν τριῶν εἰς
10 ἃ βεβάπτισμαι, καὶ ὄντως ἐνταφῆναι τῷ ὕδατι, οὐκ εἰς ἀναγέννησιν ἀλλ᾽ εἰς νέκρωσιν τελειούμενος.

12. Τολμῶ τι φθέγξασθαι, ὦ Τριάς, καὶ συγγνώμη τῇ ἀπονοίᾳ· περὶ ψυχῆς γὰρ ὁ κίνδυνος. Εἰκών εἰμι καὶ αὐτὸς Θεοῦ, τῆς ἄνω δόξης, εἰ καὶ κάτω τέθειμαι. Οὐ πείθομαι
C τῷ ὁμοτίμῳ σῴζεσθαι. Εἰ μὴ Θεὸς τὸ Πνεῦμα τὸ ἅγιον,
5 θεωθήτω πρῶτον, καὶ οὕτω θεούτω με τὸν ὁμότιμον. Νῦν δὲ τίς ἡ ἀπάτη τῆς χάριτος, μᾶλλον δὲ τῶν διδόντων τὴν χάριν, ὡς εἰς Θεὸν πιστεῦσαι καὶ ἀνελθεῖν ἄθεον; ἄλλο καθομολογῆσαι καὶ ἄλλο διδάσκεσθαι; οἷαι τῶν λόγων αἱ κλοπαὶ καὶ ἀπάται, δι᾽ ἄλλης ἐρωτήσεως καὶ ὁμολογίας

11, 1 μὲν om. S add. in mg. S² ‖ 3-4 αἰδοῦμαι — πνεύματος om. Z ‖ 5 αὐτὸ ex αὐτὸν S² ‖ βλασφημοῦσι om. P add. mg. P² ‖ οὐχ ἡ : οὐχὶ SPC corr. S² ‖ 6 δὲ om. PCD ‖ 7 διεκδικούμενον Z ‖ 8 δῆλον ὡς ex emend. S² ‖ οὐ φέρω δὲ SPC corr. S² ‖ 10 ὄντως ex οὕτως S²

12, 2 γάρ εἰμι PC ‖ 4 ὁμοτίμῳ : ἀτίμῳ W ‖ 5 θεωθείτω S ‖ πρῶτον : πρότερον PCD ‖ με τὸν ex emend. S² ‖ 9 πλοκαὶ S

---

11. a. Cf. Matth. 12, 31.

---

1. Cf. pour une attitude semblable *Discours* 31, 29.
2. Sur l'égalité de l'honneur dû à l'Esprit, cf. ce qui a été noté plus haut en 32, 5 ; on relève aussi cette doctrine aux chap. 12 et 15.
3. Le terme ἀλλοτριοῦν est également technique ; cf. l'introduction, p. 37.
4. La doctrine trinitaire est revendiquée dans son intégrité par le symbole baptismal ; cf. le chap. 12 qui nie toute possibilité de

11. Quant à moi, je respecte les titres du Verbe, si nombreux, si élevés, si grands, et par lesquels les démons ont été confondus[1]. Je respecte aussi l'égale dignité de l'Esprit[2], et je redoute la menace fixée à l'égard de ceux qui blasphèment contre lui[a] ; or, c'est un blasphème, et non pas la théologie, de le considérer comme étranger à la divinité[3]. Et il faut remarquer dans ce texte que celui contre qui était proféré le blasphème, c'était le Seigneur, et que celui dont l'honneur était vengé, c'était l'Esprit-Saint, évidemment parce qu'il est Seigneur. Je n'accepte pas d'être privé de la lumière après l'Illumination, en marquant d'une fausse empreinte l'un des Trois au nom desquels j'ai été baptisé[4] ; je n'accepte pas d'être réellement enseveli dans l'eau, si je reçois l'initiation non pour être régénéré, mais pour mourir[5] !

12. Je vais dire une parole téméraire, ô Trinité ! Pardon pour ma folie ! Car c'est l'âme qui est en jeu. Je suis, moi aussi, l'image de Dieu et de la gloire d'en haut, bien que je sois placé ici-bas ; je ne puis croire que je sois sauvé par mon égal[6] ; si l'Esprit-Saint n'est pas Dieu[7], qu'il devienne Dieu d'abord, et qu'ensuite il me divinise, moi, son égal ! Quelle est maintenant cette falsification de la grâce, ou plutôt de ceux qui donnent la grâce : croire en Dieu et repartir sans Dieu, confesser une chose et être instruit d'une autre? Comme c'est voler et falsifier les mots ! Par une interrogation et une confession qui disent une chose,

désaccord entre le symbole et la théologie de Nicée, et aussi *Discours* 6, 22 ; 33, 17. Pour l'« initiation », cf. 33, 17, note 2.

5. Ἐνταφῆναι τῷ ὕδατι : cf. 33, 17 (ἐννεκρωθῆναι τῷ ὕδατι).

6. Ὁμότιμος a ici la même signification que σύνδουλος au chap. 10, à la différence de ce qu'on lit plus loin, et contrairement au fait que ce terme est généralement appliqué à l'Esprit-Saint.

7. Tout le paragraphe insiste sur ce principe : il est nécessaire que l'Esprit soit Dieu pour qu'il puisse sanctifier ; cf. *Discours* 31, 28 ; 33, 17.

10 εἰς ἄλλο φέρουσαι ; Οἴμοι τῆς λαμπρότητος, εἰ μετὰ τὸ
λουτρὸν μεμελάνωμαι, εἰ λαμπροτέρους ὁρῶ τοὺς οὔπω
κεκαθαρμένους, εἰ τῇ τοῦ βαπτιστοῦ κακοδοξίᾳ κυβεύομαι,
εἰ ζητῶ Πνεῦμα κρεῖττον, καὶ οὐχ εὑρίσκω. Δός μοι λουτρὸν
δεύτερον, καὶ περὶ τοῦ πρώτου κακῶς ἐννόησον. Τί μοι
15 φθονεῖς τῆς τελείας ἀναγεννήσεως ; τί με ποιεῖς, « ναὸν »
ὄντα « τοῦ Πνεύματος[a] » ὡς « Θεοῦ[b] », κατοικητήριον κτίσμα-
D τος ; τί τὸ μὲν τιμᾷς τῶν ἐμῶν, τὸ δὲ ἀτιμάζεις κακῶς
θεότητι διαιτῶν, ἵν᾽ ἐμοὶ τέμῃς τὸ χάρισμα, μᾶλλον δέ,
αὐτὸν ἐμὲ τῷ χαρίσματι ; Ἢ τὸ πᾶν τίμησον, ὦ κενὲ θεολόγε,
253 A ἢ τὸ πᾶν ἀτίμασον, ἵνα, κἂν ἀσεβῇς, ἀλλὰ σεαυτῷ γε ἀκό-
21 λουθος ᾖς, μὴ κρίνων ἀνίσως φύσιν ὁμότιμον.

13. Κεφάλαιον δὲ τοῦ λόγου · μετὰ τῶν χερουβὶμ δόξασον,
συναγόντων τὰς τρεῖς ἁγιότητας εἰς μίαν κυριότητα[a] καὶ
τοσοῦτον παραδεικνύντων τῆς πρώτης οὐσίας ὅσον ὑπαν-
οίγουσι τοῖς φιλοπόνοις αἱ πτέρυγες. Μετὰ Δαβὶδ φωτίσθητι,
5 πρὸς τὸ φῶς λέγοντος · « Ἐν τῷ φωτί σου ὀψόμεθα φῶς[b] »,
οἷον ὥσπερ ἐν τῷ Πνεύματι τὸν Υἱόν · οὗ τί ἂν γένοιτο

12, 10 οἴμμοι Α² (in ras.) PBW corr. B²P² ‖ τὸ : τὸν Maur. ‖ 11-
12 εἰ — κεκαθαρμένους post εἰ τῇ — κυβεύομαι habent PCD ‖
16-17 κτίσματος om. S add. mg. S² ‖ 18 θεότητα VD ‖ 19 καινὲ
DZ Maur. (corr. D²)
13, 3 τὸ τῆς πρώτης PCD

12. a. Cf. I Cor. 6, 19.   b. Cf. I Cor. 3, 16.17.
13. a. Cf. Is. 6, 2-3.   b. Ps. 35, 10.

1. Le terme κρείττων était déjà appliqué à la divinité par PLATON
(*Sophiste* 216 b). P.G.
2. Pour ἀναγέννησις, voir *Discours* 31, 28 (*SC* 250, p. 332, l. 13-15).
3. Le Père, le Fils et le Saint-Esprit habitent l'âme du baptisé ;
refuser la divinité à l'Esprit-Saint, alors qu'on l'accorde aux deux
autres, c'est rendre hommage à une partie des hôtes divins de l'âme
et refuser d'honorer le troisième de ces hôtes. P.G.
4. Dans *Isaïe* 6, 2-3, des séraphins — que Grégoire appelle ici des
chérubins — s'écrient : « Saint, saint, saint est le Seigneur » ; d'où

on nous mène à une autre. Malheur à moi pour la lumière
que j'ai reçue, si après le bain (dans les fonts baptismaux)
je suis devenu noir, si je vois ceux qui ne sont pas encore
purifiés plus brillants de lumière que moi, si je suis joué
comme aux dés par la mauvaise doctrine de celui qui me
baptise, si je cherche un Esprit qui soit au-dessus de moi[1]
et ne le trouve pas ! Donne-moi un second bain et, au
sujet du premier, pense du mal ! Pourquoi me refuses-tu
la régénération parfaite[2] ? Pourquoi, alors que je suis
le « temple de l'Esprit[a] », comme celui de « Dieu[b] », fais-tu
de moi la demeure d'une créature ? Pourquoi rends-tu
honneur à une partie de ce qui est à moi, et refuses-tu
d'honorer l'autre partie[3] ? Pourquoi exerces-tu un mauvais
arbitrage à propos de la divinité, pour couper la grâce à
mon égard, ou plutôt me couper à l'égard de la grâce ?
Rends honneur au Tout, ô vain théologien, ou refuse
l'honneur au Tout, afin d'être au moins logique avec toi-
même en dépit de ton impiété, et de ne pas juger avec
inégalité la Nature qui mérite le même honneur.

13. Et l'essentiel de mon discours, le voici. Avec les
Chérubins rends gloire — eux qui réunissent les trois
Saintetés en une seule Seigneurie[a] [4] et qui dévoilent de
l'Essence première[5] tout ce qu'en s'entr'ouvrant leurs ailes
laissent voir aux esprits attentifs. Avec David sois illuminé
— lui qui dit à la Lumière : « Dans ta Lumière nous
verrons la Lumière[b] » ; c'est comme s'il disait : « Dans
l'Esprit-saint nous verrons le Fils[6] » ; que pourrait-il y avoir

---

l'expression de notre texte : « trois Saintetés et une seule Seigneurie ».
Grégoire voit dans ce passage un argument trinitaire comme JEAN
CHRYSOSTOME (*PG* 56, 71, 1, l. 31 s.) et CYRILLE D'ALEXANDRIE
(*PG* 70, 173, 176 A). P.G.

5. La définition de Dieu comme πρώτη οὐσία est de dérivation
aristotélico-platonicienne, cf. « Il platonismo cristiano », p. 1385.

6. Sur l'interprétation de *Ps.* 35, 10, cf. « Luce e purificazione »,
p. 545. Ce verset du *Psaume* 35 avait déjà été utilisé par Basile dans
un contexte analogue (*Sur le Saint-Esprit* 18, 47 ; 26, 64).

τηλαυγέστερον ; Μετὰ Ἰωάννου βρόντησον, τοῦ υἱοῦ τῆς βροντῆςᶜ, μηδὲν περὶ Θεοῦ ταπεινὸν ἠχῶν μηδ' ἀπὸ γῆς, ἀλλ' ὑψηλὸν καὶ μετέωρον · τὸν ἐν ἀρχῇ τε ὄντα καὶ πρὸς

B 10 τὸν Θεὸν ὄντα καὶ Θεὸν Λόγονᵈ, Θεὸν γινώσκων, καὶ Θεὸν ἀληθινὸν ἐξ ἀληθινοῦ Πατρός, ἀλλ' οὐ σύνδουλον ἀγαθόν, υἱοῦ προσηγορίᾳ μόνῃ τετιμημένον · καὶ « τὸν ἄλλον Παράκλητονᵉ », δηλαδὴ ἄλλον τοῦ λέγοντος · « Θεοῦ δὲ ὁ Λόγοςᶠ » · καὶ ὅταν μὲν « Ἐγὼ καὶ ὁ Πατὴρ ἕν ἐσμενᵍ »

15 ἀναγινώσκῃς, τὸ συναφὲς τῆς οὐσίας ἐνοπτριζόμενος · ὅταν δὲ « Πρὸς αὐτὸν ἐλευσόμεθα, καὶ μονὴν παρ' αὐτῷ ποιησόμεθαʰ », τὸ διῃρημένον τῶν ὑποστάσεων λογιζό-μενος · ὅταν δὲ τὸ Πατρὸς καὶ Υἱοῦ καὶ ἁγίου Πνεύματος ὄνομα¹, τὰς τρεῖς ἰδιότητας.

14. Μετὰ Λουκᾶ ἐμπνεύσθητι, ταῖς Πράξεσι τῶν ἀπο-στόλων προσομιλῶν. Τί μετὰ Ἀνανίου τάττῃ καὶ Σαπφεί-

C ραςᵃ, τῶν καινῶν νοσφιστῶν — εἴ γε καινὸν ὄντως ἡ τῶν ἰδίων κλοπή —, καὶ ταῦτα νοσφιζόμενος, οὐκ ἀργύριον οὐδ'

13, 7 τηλαυγεστέστερον S ‖ 8 ταπεινῶν S corr. S² ‖ 9 τε om. D ‖ 10 Θεὸν³ om. S add. S² (ut uid.) ‖ 15 ἀναγινώσκῃς ex ἀναγινώσκεις S² ἀναγινώσκεις B Z ‖ ἐσοπτριζόμενος A B² SC mg. D (ἐνο- S² εἰσ- B) ‖ 16 τὸ πρὸς αὐτὸν SPCD corr. S² ‖ ἐλευσώμεθα ACPDZ corr. P² ‖ μονὴν ex emend. S² ‖ 17 ποιήσωμεν PCD ποιησώμεθα ASZ corr. P²Z² ‖ 18 τοῦ πατρὸς D

14, 1 πνεύσθητι ABW ‖ 2-3 σαπφείρης PC ‖ 3 κενῶν AWD ‖ σοφιστῶν Z ‖ κενὸν AWPCD (καινὸν P²) ‖ ἡ om. PC

---

13. c. Mc 3, 17.   d. Jn 1, 1.   e. Jn 14, 16.   f. Apoc. 19,
13.   g. Jn 10, 30.   h. Jn 14, 23.   i. Matth. 28, 19.
14. a. Cf. Act. 5, 1.11.

---

1. Pour σύνδουλος, cf. les remarques faites plus haut, chap. 12.

2. Parce que, chez les ariens, il n'y avait pas de conception théologique adéquate correspondant au titre de Fils ; cf. *Discours* 29, 13-14.

3. C'est en effet Jésus-Christ, le « Verbe de Dieu » qui annonce « l'autre Paraclet » (*Jn* 14, 16) ; il s'agit donc de quelqu'un qui est distinct de lui. P.G.

de plus resplendissant ? Avec Jean, le fils du tonnerre[c],
tonne, sans faire entendre au sujet de Dieu rien qui soit
bas ou qui vienne de la terre, mais un langage élevé et
sublime : reconnais comme Dieu le Verbe qui était au
commencement et qui était auprès de Dieu et qui était
Dieu[d], et vrai Dieu venant du vrai Père, et non un bon
compagnon de servitude[1] honoré du nom de Fils comme
d'un titre seulement[2] ; reconnais aussi comme Dieu « l'autre
Paraclet[e] » — évidemment autre que celui qui prononce
ces mots ; or, celui-là c'était « le Verbe de Dieu[f] [3] ». Lorsque
tu lis : « Moi et le Père, nous sommes un[g] », représente-toi
la connexion de l'essence[4]. Lorsque tu lis : « Nous viendrons
à lui et nous ferons chez lui notre demeure[h] », songe à
la distinction des hypostases[5] ; et lorsque tu lis les noms
de Père, de Fils et de Saint-Esprit[i], songe aux trois
propriétés[6].

14. Avec Luc sois inspiré en étudiant les *Actes des
Apôtres*. Pourquoi te mets-tu au rang d'Ananie et de
Saphire[a], ces fraudeurs d'un nouveau genre — c'est
vraiment chose nouvelle de voler ses propres biens[7] — ; et
de plus tu détournes frauduleusement non pas de l'argent

---

4. Dans cette expression, τὸ συναφὲς τῆς οὐσίας a une valeur
positive, à la différence de συνάπτειν qui est employé par référence
au sabellianisme dans le *Discours* 37, 22.

5. Le mot ὑπόστασις ne signifie rien d'autre que « personne » ;
toutefois, nous le traduisons par « hypostase », parce que c'est un
autre mot, πρόσωπον, qui répond directement au latin *persona* et au
français « personne ». Grégoire emploie plus fréquemment ὑπόστασις,
bien que πρόσωπον se rencontre aussi chez lui (cf. les remarques faites
plus haut, au chap. 8). P.G.

6. Ἰδιότης, « propriété », ce qui constitue chaque personne de la
Trinité (cf. ci-dessus *Discours* 33, 16 et la note). P.G.

7. Allusion à l'histoire d'Ananie et Saphire (*Actes* 5, 1-41). Ces
chrétiens de la communauté de Jérusalem vendirent leur champ et
apportèrent aux Apôtres une somme qu'ils disaient être le prix de
cette vente ; mais ils en avaient gardé une partie. Pierre leur reprocha
d'avoir menti « non à des hommes, mais à Dieu » (*Act.* 5, 4). P.G.

5 ἄλλο τι τῶν εὐτελῶν καὶ μικρῶν, οἷον « γλῶσσαν χρυσῆν
ἢ ψιλὴν ἢ δίδραχμον », ὥς ποτε στρατιώτης ἄπληστος[b],
ἀλλ᾽ αὐτὴν κλέπτων θεότητα καὶ ψευδόμενος « οὐκ ἄνθρωπον
ἀλλὰ Θεόν[c] », ὅπερ ἤκουσας ; Τί ; Μηδὲ τὴν ἐξουσίαν αἰδῇ
τοῦ Πνεύματος, ἐφ᾽ οὓς θέλει καὶ ἡνίκα καὶ ὅσον πνέοντος[d] ;
10 Ἐπιδημεῖ τοῖς περὶ Κορνήλιον πρὸ τοῦ βαπτίσματος[e],
ἄλλοις μετὰ τὸ βάπτισμα διὰ τῶν ἀποστόλων[f]. Ὥστε
ἀμφοτέρωθεν, ἔκ τε ὧν ἐπιφοιτᾷ δεσποτικῶς, ἀλλ᾽ οὐ
δουλικῶς, καὶ ἐξ ὧν ἐπιζητεῖται πρὸς τὴν τελείωσιν, τὴν
θεότητα μαρτυρεῖσθαι τοῦ Πνεύματος.

15. Μετὰ Παύλου θεολόγησον, τοῦ πρὸς τρίτον οὐρανὸν
ἀναχθέντος[a], ποτὲ μὲν συναριθμοῦντος τὰς τρεῖς ὑποστά-
D σεις, καὶ τοῦτο ἐνηλλαγμένως, οὐ τετηρημένως ταῖς τάξεσι,
προαριθμοῦντος, ἐναριθμοῦντος, ὑπαριθμοῦντος τὸ αὐτό.
256 A Ἵνα τί ; <Ἵνα> δηλώσῃ τὴν ἰσοτιμίαν τῆς φύσεως. Ποτὲ
6 δὲ τῶν τριῶν μεμνημένου, ποτὲ δὲ τινῶν ἢ τινός, ὡς ἑπομένου
πάντως τοῦ λείποντος · καὶ ποτὲ μὲν τὴν ἐνέργειαν τοῦ Θεοῦ

14, 6 ψελίην S (ψιλὴν S² mg.) ψέλιον PC ψέλην W ψέλλιον P² ‖
δίδραγμον Z ‖ ἄπληστος στρατιώτης S cum signis transp. ‖ 8 αἰδῇ
ex emend. S² ‖ 9 θέλει ex θέλη S² ἐθέλει PCD ‖ 10 τοῦ om. S ‖ 12
προεπιφοιτᾷ SZ corr. S²
15, 2 ἀναχθέντος : ἀνελθόντος PCD ‖ 3 ἐνηλαγμένως BW corr.
B² ‖ 5 τί om. PC ‖ <ἵνα>δηλώσῃ Combefis ‖ 6 τῶν τριῶν : περὶ ἢ
τινων mg. P² ‖ τινων ἢ τινός : τῶν ἢ τινός ABVWQZD τῶν εἴ τινος
PC τῶν δύο mg. S²

---

14. b. Jos. 7, 21.   c. Act. 5, 4.   d. Cf. Jn 3, 8.   e. Cf.
Act. 10, 44.   f. Cf. Act. 19, 2-6.
15. a. II Cor. 12, 2.

---

1. Dans *Josué* 7, 21, l'Israélite Achan déroba les objets en question
dans le butin destiné à l'anathème, c'est-à-dire à la destruction. La
Septante écrit ψιλὴν ποικίλην « un vêtement bigarré » ; le mot ψιλή
est interprété par les Pères grecs comme désignant un vêtement
(sous-entendu στολή). Le *Thesaurus* et Liddell-Scott traduisent par
« tapis », sur la foi de glossaires anciens. Cependant le texte hébreu
se traduit ici par « manteau », ce qui confirme l'interprétation des
Pères grecs. P.G.

ou quelque autre objet banal et de peu d'importance,
par exemple « un lingot d'or ou un vêtement ou une pièce
de deux drachmes », comme fit jadis un soldat cupide[b] [1],
mais c'est la divinité elle-même que tu voles, et tu mens
« non pas à un homme, mais à Dieu[c] », comme tu l'as
entendu. Quoi ? Ne respectes-tu pas la puissance de
l'Esprit qui souffle sur ceux qu'il veut, quand il veut et
autant qu'il veut[d] ? Il vient sur (le centurion) Corneille
et sur ses compagnons avant le baptême[e] ; il vient sur
d'autres après le baptême par l'intermédiaire des Apôtres[f].
Ainsi, des deux côtés à la fois : qu'il s'agisse de ceux en
qui l'Esprit habite comme un maître et non comme un
esclave, ou qu'il s'agisse de ceux qui le recherchent pour
être des chrétiens parfaits, la divinité de l'Esprit est
attestée.

15. Avec Paul, discours sur Dieu — Paul qui fut élevé
jusqu'au troisième ciel[a]. Tantôt il énumère ensemble les
trois hypostases, et cela en inversant l'ordre, sans leur
garder attentivement leur rang, faisant figurer le même
dans l'énumération en tête, au milieu ou à la fin[2] ;
pourquoi ? pour montrer leur égale dignité de nature.
Tantôt il fait mention des trois, tantôt de deux, tantôt
d'un, parce que, pense-t-il, ce qu'il laisse de côté suit
nécessairement (ce qu'il nomme). Tantôt il attribue à

---

2. Cela revient à dire que même l'Apôtre, en énumérant les trois
personnes, ne fait pas une classification selon la dignité et l'honneur
— classification qui n'existe pas. Dans ce passage, Grégoire suit de
près l'enseignement de BASILE (cf. *Sur le Saint-Esprit* 5, 7 s.).
L'insistance de Grégoire sur cette célèbre formule de S. Paul s'explique
par le fait que c'était elle qui avait rendu les ariens plus radicaux,
comme Aèce et les pneumatomaques eux-mêmes, pour soutenir que
les trois personnes étaient ἀνόμοια (cf. BASILE, *op. cit.*, 2, 4). Au Père,
dit Basile, Aèce assignait le rôle prééminent (τὸ ἐξ οὗ), au Fils, celui
d'instrument (τὸ δι' οὗ), à l'Esprit, celui du temps et du lieu (τὸ ἐν ᾧ).
Voir les observations de B. Pruche dans l'édition de ce traité de
Basile (*SC* 17 *bis*).

τῷ Πνεύματι διδόντος[b], ὡς οὐδὲν διαφέροντος, ποτὲ δὲ
ἀντὶ τοῦ Πνεύματος τὸν Χριστὸν ἐπιφέροντος[c]. Καὶ ὅτε
10 μὲν διαιρεῖ τὰς ὑποστάσεις, « εἷς Θεός, λέγοντος, ἐξ οὗ
τὰ πάντα καὶ ἡμεῖς εἰς αὐτόν, καὶ εἷς Κύριος Ἰησοῦς Χριστός,
δι' οὗ τὰ πάντα καὶ ἡμεῖς δι' αὐτοῦ[d] », ὅτε δὲ συνάγει τὴν
μίαν θεότητα · « ὅτι ἐξ αὐτοῦ, καὶ δι' αὐτοῦ, καὶ εἰς αὐτὸν
τὰ πάντα[e] », δηλαδὴ διὰ τοῦ ἁγίου Πνεύματος, ὡς πολλαχοῦ
15 δείκνυται τῆς Γραφῆς.
« Αὐτῷ ἡ δόξα εἰς τοὺς αἰῶνας. Ἀμήν[f]. »

15, 9-10 ὅταν ... διαιρῇ C ὅτε ... διαιρῇ PD corr. P² ‖ 10
λέγοντες B ‖ 11 χριστός om. PC ‖ 12 συνάγῃ PCD corr. P² ‖ 14
πολλαχῶς CD ‖ 16 αἰῶνας τῶν αἰώνων Maur.

εἰς τὸν κατάπλουν τῶν αἰγυπτίων ἐπισκόπων στίχοι S͞Θ͞PCD εἰς τὸν
κατάπλουν τῶν **** S πρὸς τὸν κατάπλουν A nulla subscriptio
in BVQWZ

l'Esprit l'opération de Dieu[b], parce qu'à son avis l'Esprit ne diffère nullement de Dieu ; tantôt, au lieu de l'Esprit, c'est le Christ qu'il met en avant[c] ; et lorsqu'il distingue les hypostases, il dit : « Un seul Dieu de qui (viennent) toutes choses, et nous (sommes) pour lui ; et un seul Seigneur, Jésus-Christ de qui (viennent) toutes choses, et nous (sommes) par lui[d] ; et lorsqu'il réunit[1] la divinité une, (il dit) : « Car de lui et par lui et pour lui (sont) toutes choses[e] », c'est-à-dire évidemment par le Saint-Esprit, comme cela est démontré par plusieurs passages de l'Écriture.

« A lui la gloire dans les siècles. Amen[f]. »

15. b. Cf. 1 Cor. 12, 6.11.   c. Cf. Rom. 8, 9-11.   d. I Cor. 8, 6.   e. Rom. 11, 36.   f. *Ibid.*

1. L'emploi de συνάγει sera repris dans *Discours* 39, 12.

257 A

1. Τί τοσοῦτόν ἔστιν εἰπεῖν ὅσον τοῖς ὀφθαλμοῖς πάρεστι
βλέπειν ; Τίς δὲ λόγος τῶν φαινομένων ἀγαθῶν ἰσοστάσιος ;
Ἰδοὺ πρόκειται τοῖς ὀφθαλμοῖς ἡμῶν τὸ ἀπιστούμενον
θέαμα, ὃ ἰδεῖν μὲν πολλάκις ηὐξάμεθα, κρεῖττον δὲ ἦν ἢ
5 κατ᾽ εὐχὴν τὸ ποθούμενον. Πάλιν ἐνταῦθα μαρτύρων τιμαί,
πολὺν ἤδη τὸν πρὸ τούτου χρόνον ἀμεληθεῖσαι · πάλιν
ἱερέων Θεοῦ συνδρομαί · πάλιν χοροστασίαι καὶ πανηγύρεις
πνευματικαί. Ὁ σύλλογος πολυάνθρωπος ἑορτάζειν, οὐχ
ὁπλομαχεῖν προθυμούμενος. Ὦ τοῦ θαύματος · ἔρριπται
10 τῶν χειρῶν τὰ ὅπλα, λέλυται ἡ παράταξις, ἀμελεῖται ὁ
πόλεμος. Οὐκέτι αἱ φωναὶ τῶν ἀλαλαζόντων ἀκούονται ·
B ἀντὶ δὲ τούτων ἑορταὶ καὶ εὐφροσύναι καὶ εἰρηνικαὶ θυμηδίαι
τὴν πόλιν πᾶσαν περιχορεύουσι, τὴν πάλαι μὲν οὖσαν τῶν
μαρτύρων μητέρα, πολὺν δὲ τὸν ἐν τῷ μέσῳ χρόνον ἄμοιρον
15 γενομένην τῆς ἐπὶ τοῖς τέκνοις τιμῆς. Ἀλλὰ νῦν « ἀπέχει
πάντα καὶ περισσεύει », καθώς φησιν ὁ Ἀπόστολος[a]. Εὖγε,
ὦ μάρτυρες · ὑμέτερος καὶ οὗτος ὁ ἆθλος, ὑμεῖς νενικήκατε
τὸν πολὺν πόλεμον, εὖ οἶδα. Μόνα καὶ ταῦτα τῶν ὑμετέρων

Titulus, εἰς τοὺς μάρτυρας καὶ κατὰ ἀρειανῶν Pa εἰς μάρτυρας
καὶ κατὰ ἀρειανῶν Cab τοῦ αὐτοῦ εἰς μάρτυρας καὶ κατὰ ἀρειανῶν Z
1, 2 δὲ λόγος Montacutius : διάλογος codd. ‖ 4 ὃ καὶ ἰδεῖν Maur.

1. a. Phil. 4, 18.

1. « Il est supérieur à nos vœux » : le texte grec a l'imparfait ;
mais ce temps est employé ici avec la nuance de l'imparfait « de

DISCOURS 35

Sur les martyrs et contre les ariens

1. Que pouvons-nous dire qui égale ce qu'il est donné
à nos yeux de voir ? Quelle parole est à la hauteur des
biens qui se montrent à nous ? Voici devant nos yeux
ce spectacle incroyable que nous avons souvent souhaité
de voir ; et il est supérieur à nos vœux[1], ce spectacle
que nous désirions. De nouveau on rend ici aux martyrs
des honneurs qu'on avait négligé de leur rendre depuis
longtemps déjà ; de nouveau accourent les prêtres de
Dieu ; de nouveau se forment des chœurs et des réunions
spirituelles ; le peuple rassemblé en foule s'empresse à
célébrer la fête et non à faire des passes d'armes. Ô
merveille ! les mains ont laissé tomber les armes, la ligne
de bataille est rompue ; on ne songe plus au combat ;
on n'entend plus la voix de ceux qui poussent le cri de
guerre ; mais, à la place de cela, les fêtes, les réjouissances,
les allégresses pacifiques mettent toute la ville en liesse[2].
Cette ville était autrefois la mère des martyrs ; dans
la suite, elle fut longtemps privée de l'honneur que lui
valaient ses enfants ; mais à l'heure actuelle « elle a de tout
et elle est dans l'abondance », comme dit l'Apôtre[a].
Gloire à vous, martyrs ! Ce combat est aussi le vôtre ;
vous êtes les vainqueurs de cette longue guerre, je le sais

découverte », qui se traduit en français par le présent ; le sens littéral
est : « il était supérieur — je m'en aperçois ». P.G.

2. Littéralement : « enveloppent toute la ville de chœurs de
danse ». P.G.

ἱδρώτων τὰ κατορθώματα. Ὑμεῖς ἠγείρατε τῇ εἰρήνῃ τὸ
20 τρόπαιον, ὑμεῖς τοὺς ἱερέας τοῦ Θεοῦ ἐφ᾽ ἑαυτοὺς ἐφειλκύσα-
σθε, ὑμεῖς τοὺς χορευτὰς τοῦ ἁγίου Πνεύματος τῷ συλλόγῳ
τούτῳ προεστήσασθε. Ὦ πόσην πεπόνθασι τὴν ζημίαν οἷς
ὁ χρόνος τῆς ζωῆς μέχρι τοῦ νῦν οὐ διήρκεσε θεάματος, ἵνα
τῶν σκυθρωπῶν εἰς κόρον ἐλθόντες, τῶν ἀγαθῶν τῆς εἰρήνης
25 ἀπολαύσειεν.

C   2. Οἴχεται μὲν καὶ ἠφάνισται ἡ τῆς αἱρέσεως ἀπάτη,
οἷόν τις ὁμίχλη, ὑπὸ τοῦ ἁγίου Πνεύματος σκεδασθεῖσα,
καθαρὰ δὲ διέλαμψεν ἡ τῆς εἰρήνης αἰθρία καὶ διαφαίνονται
κατ᾽ αὐτὴν οἱ τοῦ ἄστεως ἐν λαμπρῷ τῆς ἀληθείας φωτὶ
5 μαρμαρύσσοντες ἀστέρες, οὐχὶ νυκτὶ ἀποκεκληρωμένοι καὶ
σκότῳ, ἀλλ᾽ ἡμεροφανεῖς οἱ πάντες, τῷ ἀληθινῷ φωτὶ τῆς
δικαιοσύνης ἀναλάμψαντες. Καὶ ἐπειδή, καθά φησιν ὁ
Ἀπόστολος, « ἡ νὺξ προέκοψε[a] », μᾶλλον δέ, τὸ παράπαν
ἠφάνισται, τῷ δὲ φωτὶ τῆς ἡμέρας ἅπαν καταφαιδρύνεται,
10 φεύγει μὲν τὰ νυκτίνομα τῶν θηρίων καὶ συνελαύνονται
πρὸς τοὺς δρυμοὺς καὶ τὰς σπήλυγγας, φεύγουσι δὲ νυκτε-
ρίδες αἱρετικαὶ τρύζουσαι καὶ πρὸς τὸ τῆς ἀληθείας φῶς
D   ἀμβλυώττουσαι καὶ εἰς τὰς τρώγλας τῶν πετρῶν κατα-
260 A δύνονται, ἐπὶ κεφαλὴν ἀλλήλων ἐχόμεναι. Πέπαυται διὰ
15 τῆς ἡμέρας ταύτης τὰ τῶν κωμαστῶν καὶ τῶν μεθυόντων
συντάγματα. Λωποδύται καὶ τοιχωρύχοι καὶ κλέπται, καὶ
εἴ τι ἄλλο τῆς νυκτὸς ἔργον ἐστί, τοῦ φωτὸς τῆς εἰρήνης
ἐπανατείλαντος, κέκρυπται. Ἕως δὲ ἦν ἡ νὺξ ἐκείνη τῷ τῆς
ἀπάτης γνόφῳ τὰ πάντα κατασκοτίζουσα, οἷα ἦν τὰ πρατ-
20 τόμενα ; Λήθης ἄξια καὶ βαθείας σιγῆς, ὡς ἂν μὴ μνήμῃ

1, 19 τὸ om. b ‖ 20-21 ἐφελκύσασθε b ‖ 25 ἀπήλαυσαν codd.
corr. Maur.
2, 1 ἠφάνισται Z ‖ 6 ἡμεροφαεῖς b ἡμεροφασεῖς Ca ‖ 9 ἅπαν :
παντὶ Z κατὰ πάντα b ‖ φαιδρύνεται b ‖ 10 νυκτονόμα Maur. ‖ 11 δὲ :
καὶ b ‖ 12 αἱρετικαί τε Zb ‖ 13 ἀμβλυώπτουσαι Maur. ‖ 16 τυχωρύχοι
Cab ‖ 18 ἡ νὺξ ἦν ἐκείνη Ca ‖ 20 βαθείας : θείας b

2. a. Rom. 13, 12.

bien. Ces succès sont dus à vos seules sueurs[1]. C'est vous
qui avez érigé ce trophée en l'honneur de la paix. Ces
prêtres de Dieu, c'est vous qui les avez attirés ; ces
serviteurs du Saint-Esprit, c'est vous qui les avez mis à la
tête de cette assemblée. Oh ! qu'ils ont été frustrés, ceux
dont la vie ne fut pas assez longue pour leur permettre
de voir maintenant ce spectacle et, après avoir été
rassasiés de tristesses, de jouir des avantages de la paix !

2. Elle s'en est allée, elle a disparu, l'imposture de
l'hérésie, telle une nuée que le Saint-Esprit a dispersée.
Le ciel serein de la paix a brillé dans toute sa pureté
et l'on y voit resplendir les astres de cette ville, étincelants
dans la lumière éclatante de la vérité ; ils ne sont plus
voués à la nuit et aux ténèbres, mais tous ils brillent en
plein jour, rallumés par la véritable lumière de la justice.
Et puisque « la nuit est avancée », comme dit l'Apôtre[a],
ou plutôt puisqu'elle est totalement dissipée et que tout
devient clair par la lumière du jour, on voit fuir les bêtes
qui cherchent leur pâture durant la nuit, et elles se retirent
dans les bois et les cavernes ; on voit fuir aussi les chauves-
souris qui font entendre le cri aigu de l'hérésie[2], et, ne
pouvant soutenir la lumière de la vérité, elles s'enfoncent
dans les trous des rochers en se serrant la tête les unes
contre les autres. Grâce à ce jour ont cessé les attroupe-
ments de banqueteurs et de buveurs ; les détrousseurs,
les perceurs de murs, les voleurs et tous ceux dont l'activité
a besoin de la nuit se sont cachés en voyant se lever la
lumière de la paix. Tant que durait cette nuit qui obscur-
cissait toutes choses par les ténèbres de l'erreur, quelles
actions faisait-on ? Des actions qui méritent l'oubli et

---

1. C'est-à-dire : vos efforts. La métaphore n'a rien de vulgaire en
grec. P.G.
2. Basile (*PG* 30, 277 A-B) et Jean Chrysostome (*PG* 56, 39,
l. 27 s.) établissent un parallèle entre le comportement des chauves-
souris et les agissements des démons ennemis de la « lumière ». P.G.

τῶν ἀηδεστέρων ἡ παροῦσα χάρις καταμολύνοιτο. Πῶς γὰρ
ἄν τις εἴποι τὰ κατ' αὐτῆς κακά ; πῶς δὲ ἄν τις καὶ
σιωπήσειε ; τί πάθος ἐκ τραγῳδίας τοιοῦτον ; τίς μῦθος
συμφορὰς ἀναπλάσσων ; τίς ποιητὴς δραμάτων τοιοῦτον
25 ἐπὶ σκηνῆς πάθος ἐβόησεν ; Ὑπὲρ λόγον ἡ συμφορά· ὑπὲρ
τὴν δύναμιν τῶν διηγουμένων τὰ πάθη.

B   3. Ὁρμητήριον ἦν τοῦ διαβόλου ὁ χορός. Ἐνταῦθα τὸ
στρατόπεδον ἑαυτῷ κατεστήσατο καὶ τοὺς ἰδίους ὑπασπιστὰς
ἐν αὐτῷ καθιδρύσατο. Ἐνταῦθα ὁ στρατὸς τοῦ ψεύδους,
οἱ τῆς ἀπάτης πρόμαχοι, ἡ τῶν δαιμόνων ἐκστρατεία, αἱ
5 λεγεῶνες τῶν ἀκαθάρτων πνευμάτων· εἰ δὲ χρὴ καὶ τῶν
ἔξωθεν ὀνομάτων εἰπεῖν, ἐντεῦθεν ὁ πονηρὸς τῶν [δαιμόνων]
ἐρινύων στρατὸς κατὰ τῆς Ἐκκλησίας ἐκώμασεν. Οὕτω
γὰρ ὀνομάζειν τὰς γυναῖκας προάγομαι, αἱ ὑπὲρ τὴν φύσιν
εἰς τὸ κακὸν ἠνδρίζοντο. Μία ἦν ἐν ταῖς ἡμέραις Ἡλίου
10 ἡ Ἰεζάβελ, κατὰ τῶν προφητῶν τοῦ Κυρίου φονῶσα[a],
καὶ στηλιτεύει αὐτὴν ἡ θεόπνευστος ἱστορία, ὡς ἄν, οἶμαι,
τῇ μνήμῃ τοῦ ἀκολάστου γυναίου πᾶς ὁ μετὰ ταῦτα βιοὺς
παιδεύοιτο. Τοσαῦται τοίνυν κατὰ τὴν Ἰεζάβελ ἐκείνην,
C   ὥσπερ τι κώνειον, ἐκ τῆς χώρας ἀθρόως ἐβλάστησαν,
15 νικῶσαι τὴν μνημονευθεῖσαν τῇ τῆς πικρίας ὑπερβολῇ.
Εἰ δὲ ἀπιστεῖς τῷ λόγῳ, τὴν ἱστορίαν ἐπίσκεψαι. Ἐκείνη τὴν
ἄμπελον τοῦ Ναβουθαὶ[b] [οὗ] τῷ ἐκλύτῳ Ἀχαὰβ[c] ἐχαρίζετο,

3, 4 ἐκστρατεία Maur. : ἐκστρατιὰ Ca Zb ἐκστρατειά Pa ‖ 4-5 αἱ
λεγεῶνες Pab : οἱ λεγεῶνες Ca αἱ λεγεῶναι Z ‖ 6 δαιμόνων seclusi-
mus ‖ 12 βίος Pa Maur. ‖ 14 χώνιον Cab κόνειον Z ‖ 17 τοῦ om. Pa ‖
οὗ (vel οὐ) secl. edd.

3. a. Cf. III Rois 20, 1.   b. Cf. III Rois 21, 15-16.   c. Cf.
III Rois 21, 1-4.

1. Κατά et le génitif, au sens de : « au fond de », « à l'intérieur de ».
P.G.
2. Terme habituel pour désigner le paganisme. P.G.
3. Déesses de la vengeance, chargées de répandre le sang des
coupables (cf. le début de la pièce d'ESCHYLE, les Euménides). P.G.

un épais silence, afin que le souvenir de ces tristes choses
ne vienne pas souiller la joie présente. Comment, en effet,
pourrait-on dire les maux survenus dans la profondeur
de cette nuit[1]? Mais comment pourrait-on les passer sous
silence? Quelle émotion égale peut être produite par
une tragédie? Quelle fable peut imaginer ces malheurs?
Quel dramaturge a fait crier sur la scène une telle douleur?
Le malheur dépasse la parole ; les souffrances dépassent les
possibilités de ceux qui veulent les décrire.

3. Cette troupe d'hérétiques était la citadelle du diable.
C'est là qu'il avait établi son camp ; c'est en ce lieu qu'il
avait posté ses propres satellites. C'est là qu'étaient
le camp du mensonge, les champions de la tromperie, la
base d'opérations des démons, les légions d'esprits impurs ;
et s'il faut emprunter des noms au dehors[2], c'est de là
que la horde perverse des Érinyes[3] s'élança en dé-
lire[4] contre l'Église. Nous sommes poussés à désigner
ainsi les femmes qui déployaient pour le mal une
force d'hommes, supérieure à celle de leur sexe. Aux
jours d'Élie, il y avait une seule Jézabel, qui ne respi-
rait que meurtre à l'égard des prophètes du Seigneur[a],
et l'histoire inspirée par Dieu marque cette femme d'une
flétrissure, afin, je crois, que le souvenir de cette misérable
femme sans retenue instruise tout homme vivant dans
la suite. Mais que de femmes semblables à cette Jézabel
vit-on soudain sortir de terre, se multipliant comme de
la ciguë et dépassant par l'excès de l'aigreur celle que
je viens de rappeler ! Et si tu ne crois pas à ma parole,
considère l'histoire. Cette Jézabel donna la vigne de Naboth
à Achab[b] qui se lamentait[c] [5], pour qu'il fît de cette vigne

4. Le verbe κωμάζω se dit d'abord de la célébration des fêtes de
Dionysos par un cortège agité ; puis ce verbe s'applique à l'irruption
violente d'une troupe. P.G.
5. Naboth ayant refusé de céder au roi Achab la vigne qu'il tenait
de ses ancêtres, Achab en éprouva un violent dépit (III *Rois* 21, 1-4).
P.G.

ἵνα ποιήσῃ κῆπον τὴν ἄμπελονᵈ, τρυφῆς ἐγκαλλώπισμα,
γυναικείαν χλιδήν · αὗται τὴν ζῶσαν τοῦ Θεοῦ ἄμπελονᵉ,
20 τὴν Ἐκκλησίαν λέγω, εἰς παντελῆ ἀφανισμὸν μετενεγκεῖν
ἐβιάσαντο, αὗται δι᾽ ἑαυτῶν τὸ κακὸν ἐνεργοῦσαι. Ποῖον
εὕρω τοῦ λόγου παράδειγμα ; τίνα τῆς κακίας ταύτης
ἐπινοήσω εἰκόνα ; Εἶδον ἐπὶ κονιάματος τοίχου τοιαύτην
γραφήν — καί μου βαστάξατε τὴν καρδίαν τῇ τῶν κακῶν
25 μνήμῃ περιοιδαίνουσαν, μᾶλλον δέ, τῷ πόνῳ καὶ ὑμεῖς
συναλγήσατε · ἡμέτερα γὰρ καὶ οὐκ ἀλλότρια διηγούμεθα
D πάθη — τίς τοίνυν ἡ γραφή, ἣν προσεικάζω τοῖς πράγμασι ;
χορεία τις ἦν γυναικῶν ἀσχημονοῦσα, ἄλλης κατ᾽ ἄλλο τι
σχῆμα ὀρχηστικὸν ἑαυτὴν διαστρεβλούσης · μαινάδας οἱ
30 μῦθοι τὰς τοιαύτας γυναῖκας καλοῦσιν. Κόμαι ταῖς αὔραις
ἀνασοβούμεναι, βλέμμα μανίας πάροδον, πυρσοὶ διὰ χειρῶν
φερόμενοι, καὶ φλόγες ἐκ τούτων τῇ περιστροφῇ τῶν σωμάτων ἐνελισσόμεναι, αὖρα ἐν κόλποις τὴν εὐσχημοσύνην
261 A τῶν πέπλων λυμαινομένη, πόδες ἀκροβατοῦντες καὶ ὑφαλ-
λόμενοι, αἰδὼς εὐσχήμων οὐδενὸς τῶν γινομένων ἐφα-
36 πτομένη.

4. Διὰ μέσου δὲ τῆς τοιαύτης χορείας ἀνδρὸς εἴδωλον
τοιοῦτον · μιξόθηλύς τις καὶ τὴν φύσιν ἀμφίβολος καὶ
θηλυδρίας τὸ εἶδος, ἐν μεθορίῳ τῆς φύσεως κείμενος,
λελυμένος τῷ σχήματι, οἷόν τινι κώματι καὶ μέθῃ παρά-
5 φορος. Οὗτος ἐπί τινος ἀπήνης ἐξυπτιάζων, διὰ τοῦ χοροῦ
τῶν Μαινάδων ὑπὸ θηρῶν ἐκομίζετο. Πολὺς δὲ περὶ αὐτὸν

3, 19 γυναικεία χλιδῆ Ca γυναικίαν χλίδην Zb ‖ τοῦ om. Pa ‖ 24
βαστάσατε Maur. ‖ 29 ὀρχιστικὸν Ca Z ‖ 32 φερόμεναι Pa ‖ 33 ἐνει-
λισσόμεναι Pa Maur. ‖ τῇ εὐσχημοσύνη Pa Zb ‖ 34 λοιμαινομένη Z
4, 2 μιξόθηλυ Ca Z Maur. μιξόθηλυν b ‖ 6 μενάδων Z

3. d. Cf. III Rois 21, 2.   e. Cf. Is. 5, 7 ; Jér. 2, 21.

1. Le nom de Ménades ou de Bacchantes est donné à des femmes
célébrant par des danses violentes le culte de Dionysos. P.G.

un jardin[d], orgueil de son luxe, délices pour sa femme ;
les autres femmes dont je parle ont tenté de provoquer
l'anéantissement de la vigne vivante de Dieu[e], je veux
dire de l'Église, et cela en perpétrant le méfait par leurs
propres mains. Où trouver un exemple de ce que je raconte ?
Quelle représentation imaginer de ce méfait ? J'ai vu
peint sur un mur blanchi le tableau que voici — supportez
que j'aie le cœur ulcéré au souvenir de ces maux, ou
plutôt soyez affligés avec moi de ma peine, car ce sont nos
malheurs que nous racontons, et non ceux d'autrui — ; quel
est donc le tableau où je trouve l'image de ces événements ?
C'était une assemblée effrontée de femmes qui dansaient
en se disloquant à qui mieux mieux ; les fables donnent
à ces femmes le nom de Ménades[1] ; leurs cheveux volaient
au vent, elles passaient en jetant des regards furieux, elles
maniaient des torches, et les flammes qui en jaillissaient
tournoyaient avec les contorsions de leurs corps ; le vent
soufflant dans les plis de leurs vêtements en compromettait
la modestie ; leurs pieds faisaient des pointes et sautillaient ;
rien de ce qui se passait ne portait l'empreinte de la
pudeur et de la modestie.

4. Au milieu d'un tel chœur de danse, on voyait comme
un simulacre d'homme[2], une sorte d'être à moitié féminin,
de sexe équivoque, de visage efféminé, situé aux confins
de la nature, dans une attitude dissolue, comme égaré
sous l'effet de la torpeur et de l'ivresse. Il était étendu
sur un char tiré par des bêtes[3] à travers le chœur des
Ménades. Autour de lui coulait d'un cratère[4] le vin pur

2. Ce personnage, dont le nom n'est pas indiqué, est Dionysos, le
dieu du vin ; le contexte dans lequel il apparaît ici ne laisse aucun
doute sur son identité. P.G.

3. C'étaient généralement des lions. P.G.

4. Le cratère est un grand vase où l'on met le vin en le sortant des
amphores ; avant de servir le vin, on le mélange avec une certaine
quantité d'eau. Ici, on n'a pas pris cette précaution. P.G.

ἐκ κρατῆρος ὁ ἄκρατος, καί τινες λάλοι, τὴν φύσιν ἀλλόκοτοι,
περὶ τὸ εἴδωλον ἦσαν, τὰ πρόσωπα λάσιοι, ἐπὶ σκελῶν
τραγείων περισκιρτῶντες τὸ εἴδωλον.

10 Τοιαῦτα τῆς νυκτὸς ἐκείνης τὰ διηγήματα. Γυναῖκες
ἐπ᾽ ἀτιμίᾳ γνωρισθεῖσαι τοῦ γένους, κοινῇ κατηγορίᾳ τῆς
B φύσεως τὴν νενομισμένην ἐν γυναιξὶν εὐκοσμίαν ἐξορχησά-
μεναι, πομπὴν ἦγον διὰ μέσου τῆς πόλεως, θεατρίζουσαι
δι᾽ ἑαυτῶν ἀσχημονοῦσαν τὴν φύσιν, λίθοις τὰς χεῖρας ἀντὶ
15 θυρεῶν ὁπλίσασαι, φόνιον βλέπουσαι, ἀναιδεῖ τῇ τῶν
ὀμμάτων βολῇ, ἐντὸς τῶν θείων περιβόλων γενόμεναι ἐπὶ
τῆς ἱερᾶς καθέδρας ἀνέθηκαν ἑαυτῶν τὸν Κορύβαντα. Εἶτα
μέθη καὶ ἄκρατος καὶ οἱ ἐκ τῶν ἀσκητηρίων Πᾶνες καὶ
νὺξ καὶ διαγωγὴ συμμιγὴς καὶ πάντα ὅσα κωλύει ὁ Ἀπό-
20 στολος λέγειν, εἰπὼν ὅτι « Τὰ κρυφῇ ὑπ᾽ αὐτῶν γενόμενα
αἰσχρόν ἐστι καὶ λέγειν[a]. » Τίς γὰρ ἂν μετὰ ἀκριβείας
διεξέλθοι τῷ λόγῳ τὸ πῦρ, τοὺς λίθους, τὰς σφαγάς, τὰ
τραύματα ; Ὅπως ἐκ βάθρων ἀνατρέψαι τοὺς τῶν ἱερῶν
οἴκων θεραπευτὰς ἐφιλονείκησαν ; Ὡς διὰ μέσης τῆς πόλεως
C 25 ζηλωτήν τινα τῆς ἀληθείας ῥοπάλοις διεχειρίσαντο, οὗ τὸν
ἀληθῆ φόνον ὁ ὑπονοηθεὶς φόνος ἐκώλυσεν ;
Ἀλλὰ γὰρ οὐκ οἶδα πῶς τῆς πρεπούσης ἡδονῆς ἀπερρύη
ὁ λόγος, ἐμφιλοχωρήσας τοῖς γηΐνοις διηγήμασιν. Οὐκοῦν

4, 7 καὶ τὴν φύσιν Ca ut uid. ‖ 9 περισκιρτόντες Z ‖ 13 μέσου :
μέσης Maur. ‖ 15 φόνον Ca Z φονοκλέπτουσαι b ‖ ἀναιδῆ Ca Zb ‖
17 ἑαυτῶν : γρ. ἑαυτὸν b mg. ‖ 20 γινόμενα codd. corr. edd. ‖ 22
ἐξέλθοι Z ‖ σφαγὰς Ca ‖ 24 post τῆς πόλεως deest Pa ‖ 25 ῥωπάλ-
οις b ‖ διεχειρήσαντο Ca ‖ οὗ : καὶ Maur. ‖ 27 ὅπως Zb

---

4. a. Éphés. 5, 12.

---

1. Les Satyres, êtres mi-hommes, mi-bêtes, avec des pieds de
bouc, sont les compagnons habituels de Dionysos ; on les représente
comme des bavards (cf. le drame satyrique d'Euripide, le *Cyclope*)
P.G.

2. Une nuit où l'église fut envahie par les hérétiques. Sur l'événe

en abondance. Autour du simulacre d'homme, il y avait
des êtres bavards[1], monstrueux, au visage velu ; et ils
sautaient avec leurs jambes de bouc autour de ce simulacre.

Ce sont des descriptions du même genre que l'on peut
faire à propos de cette nuit-là[2]. Des femmes qui s'étaient
fait connaître pour le déshonneur de leur sexe et que la
nature condamne unanimement, ayant banni par leurs
danses la réserve habituelle chez les femmes, faisaient un
cortège au milieu de la ville ; donnant en spectacle le
déshonneur qu'elles infligeaient elles-mêmes à la nature,
elles avaient armé leurs mains de pierres en guise de
boucliers ; jetant des regards sanguinaires en roulant
effrontément les yeux, elles arrivèrent à l'intérieur de
l'enceinte divine et installèrent leur Corybante[3] sur le
siège sacré. Ensuite ce furent l'ivresse, le vin pur, les
Pans[4] sortis des lieux ascétiques, la nuit, la promiscuité
prolongée, et tout ce que l'Apôtre interdit de décrire en
disant : « Ce qui a été fait par eux en cachette, il est honteux
même d'en parler[a]. » Qui, en effet, pourrait détailler avec
précision dans son discours le feu, les pierres, les meurtres,
les blessures ? Qui pourrait détailler comment ils se sont
efforcés à qui mieux mieux d'anéantir de fond en comble
ceux qui célèbrent le culte dans les saintes demeures,
comment au milieu de la ville ils ont roué de coups de
bâton un zélé défenseur de la vérité, qui n'évita la mort
que parce qu'on le crut mort ?

Mais, au fait, je ne sais comment mon discours s'est
écarté de l'agréable évocation qui convenait[5], pour s'attar-

ment qui a peut-être inspiré cette description, voir ci-dessus *Discours*
33, 3, p. 161, note 4. P.G.

3. Prêtre de Cybèle. Il s'agit vraisemblablement du chef de cette
cohue, peut-être un évêque arien. P.G.

4. Pan est un dieu rustique, le dieu des troupeaux ; il est souvent
associé aux Satyres. P.G.

5. Allusion à la situation décrite au chap. 1. P.G.

ἐπανιτέον ὅθεν ἐξέβημεν, ὥστε γλυκεῖ καὶ ποτίμῳ τῷ λόγῳ
30 τὴν ἁλμυρὰν ἐκείνην ἀκοὴν ἀποκλύσασθαι. « Ἐν γὰρ ἡμέρᾳ,
φησίν, εὐφροσύνης ἀμνηστία κακῶν[b] » · πάλιν τοίνυν ἐπὶ τὸν
αὐτὸν ἐπανέρχομαι λόγον, ὅτι ἡ νὺξ ἐκείνη καὶ ὁ γνόφος
ἠφάνισται, αἱ δὲ τῆς εἰρήνης ἀκτῖνες διὰ καθαρᾶς τῆς
αἰθρίας τῷ τῆς ἀληθείας φωτὶ περιλάμπουσιν. Διὰ τοῦτο
35 ἐκβέβληται μὲν τῶν θείων περιβόλων πᾶν ὅ τι δυσῶδες καὶ
βέβηλον · ἀντεισῆκται δὲ πάσης εὐφροσύνης τῶν εὐσε-
βούντων οἱ οἶκοι, καὶ λείπει πρὸς εὐφροσύνην οὐδέν · οἱ
D δαιτυμόνες, οἱ ἑστιάτορες, ἡ τοῖς ἀγαθοῖς ἐδωδίμοις πλήθουσα
τράπεζα.

4, 29 τῷ om. b ‖ 30 ἀκοὴν om. Ca ‖ 32 ἐπανερχόμεθα b ‖ ὅτι : εἴ
τι Z ‖ 36 ἀντισῆκται b

4. b. Sir. 11, 27.

der à ces récits terrestres. Il nous faut donc revenir au
point d'où nous sommes partis, pour que l'âcre salure
de ce que vous avez entendu soit éliminée par des propos
d'un goût suave et délicieux[1]. « En effet, au jour de la joie,
dit-il, c'est l'oubli des maux[b]. » Je reviens dès lors au
même sujet, pour dire que cette nuit et cette obscurité
se sont évanouies et, dans un ciel serein, la paix rayonne,
environnée de la lumière de la vérité. Voilà pourquoi l'on a
chassé hors des enclos divins tout ce qui est nauséabond[2]
et profane ; on a mis à la place la joie totale dans les
demeures des gens pieux, et rien ne manque pour la joie :
ceux qui offrent le banquet, les convives, la table pleine
d'excellents mets.

1. Citation presque littérale de PLATON, *Phaedr.* 243 d.
2. L'hérésie est représentée ici par la mauvaise odeur, en antithèse avec ce que S. Paul appelle « la bonne odeur du Christ »
(*II Cor.* 2, 15). P.G.

Εἰς ἑαυτὸν καὶ πρὸς τοὺς λέγοντας ἐπιθυμεῖν αὐτὸν τῆς καθέδρας Κωνσταντινουπόλεως

1. Ἐγὼ θαυμάζω τί ποτέ ἐστιν ὃ πρὸς τοὺς ἐμοὺς πεπόνθατε λόγους, καὶ πόθεν τοσοῦτον ἥττησθε τῆς ἡμετέρας φωνῆς, τῆς ὑπερορίου καὶ μικρᾶς ἴσως καὶ οὐδὲν ἐχούσης ἐράσμιον, ὥστε ταὐτόν μοι δοκεῖτε πρὸς ἡμᾶς πεπονθέναι 5 ὃ πρὸς τὴν μαγνῆτιν λίθον τὰ σιδήρια. Ἐμοῦ τε γὰρ κρέμασθε καὶ ἀλλήλων, εἰς τοῦ ἑνὸς ἐχόμενοι καὶ Θεοῦ πάντες, « ἐξ οὗ τὰ πάντα καὶ εἰς ὃν τὰ πάντα[a] ». Ὦ τῆς θαυμασίας ἀλύσεως, ἣν πλήκει τὸ Πνεῦμα τὸ ἅγιον δεσμοῖς ἀλύτοις συνηρτημένην. Τὸ δὲ αἴτιον, οὔτε τι οἶδα ἐγὼ τῶν ἄλλων 10 σοφώτερον, ὅσα ἐμαυτῷ συνεπίσταμαι · εἰ μή τις τοῦτο B αὐτὸ ἐμὴν σοφίαν ὑπολαμβάνει, τὸ εἰδέναι ὅτι μὴ σοφὸς εἴην μηδὲ τῆς ἀληθινῆς καὶ πρώτης σοφίας ἐγγύς, ὃ πολλῷ δέουσι περὶ ἑαυτῶν ὑπολαμβάνειν οἱ νῦν σοφοί · ἐπειδὴ ῥᾷστον ἑαυτὸν ἀπατᾶν καὶ οἴεσθαι εἶναί τι οὐδὲν ὄντα[b],

Titulus, τοῦ αὐτοῦ (τοῦ αὐτοῦ om. V) εἰς ἑαυτὸν καὶ πρὸς τοὺς λέγοντας ἐπιθυμεῖν αὐτὸν (αὐτὸν ἐπιθυμεῖν QVZ) τῆς καθέδρας κωνσταντινουπόλεως PCQZ (τὴν καθέδραν A) πρὸς τοὺς λέγοντας ἐπιθυμεῖν αὐτὸν τῆς καθέδρας κωνσταντινουπόλεως D ἐρρήθη ἐν κωνσταντινουπόλει add. PD πρὸς τοὺς λέγοντας ἐπιθυμεῖν ***** S inscriptio mutila in B

1, 2 λόγους πεπόνθατε A ‖ 4 δοκεῖτε ex δοκεῖται S² δοκεῖ τὸ D ‖ 5 μαγνήτην S μάγνητα VQZ μαγνῖτα D mg. μαγνῖτιν PCD ‖ σίδηρα D ‖ γὰρ om. BVZS² ‖ τε γὰρ om. Q ‖ 6 εἷς τε τοῦ ἑνὸς A ‖ 7 prius τὰ πάντα om. SPCDZ ‖ καὶ εἰς ὃν τὰ πάντα om. VQ ‖ 9 συνηρτημένης APCD mg. (-μένην P²) συνηρτησμένης S ‖ 11 τὴν ἐμὴν V ‖ post σοφίαν iterant τοῦτο ASPC del. A²S²P² ‖ 12 πολλῷ : πολλοὶ ASPCD (-λῷ S²P²) ‖ 14 οὐδὲν : μηδὲν P

1. a. I Cor. 8, 6.   b. Cf. Gal. 6, 3.

DISCOURS 36

Sur lui-même et à ceux qui disaient
qu'il désirait le siège de Constantinople

1. Je m'étonne de l'impression que vous font mes discours, et je suis surpris de voir que vous êtes subjugués par notre voix, voix étrangère et faible peut-être, et qui n'a rien d'aimable[1] ; c'est à tel point que vous semblez être en face de nous comme le fer en face de l'aimant. Vous êtes en effet suspendus à mes lèvres, unis les uns aux autres en un seul ensemble, et tous unis à Dieu « de qui tout (vient) et à qui tout (va)[a] ». Ô l'admirable chaîne formée par l'Esprit-Saint et fixée par des liens indissolubles ! La cause de cette influence ? Je sais que je ne suis nullement plus sage que les autres, pour autant que je me connaisse moi-même, à moins que l'on considère que ma sagesse consiste précisément dans le fait de savoir que je ne suis pas un sage[2] et que je suis loin de la véritable et première sagesse[3] ; c'est ce que les sages de maintenant sont loin de penser d'eux-mêmes, car il est très facile de se faire illusion et de croire que l'on est quelque chose, alors que l'on n'est rien[b] quand on est enflé par la vaine

---

1. Noter le ton de modestie avec lequel Grégoire insiste sur son caractère d'étranger et sur sa faiblesse, comme dans le *Discours* 32, 1. Mais ici — comme dans 33, 1 et 11 —, l'allusion à sa condition particulière est fortement chargée d'ironie.
2. L'orateur songe à Socrate, qui méritait d'être dit le plus savant parce qu'il avait conscience de ne rien savoir (PLATON, *Apologie de Socrate* 23 b). P.G.
3. Cf. *Discours* 34, 13 (πρώτη οὐσία).

15 ὑπὸ τῆς κενῆς δόξης φυσώμενον. Οὔτε πρῶτος ὑμῖν τὸν τῆς
ὀρθοδοξίας λόγον ἐκήρυξα, οὗ μάλιστα περιέχεσθε, ἴχνεσι
δὲ ἀλλοτρίοις ἐπηκολούθησα, καὶ τούτοις ὑμετέροις — εἰρήσεται γὰρ τἀληθές —, εἴπερ ὑμεῖς ᾿Αλεξάνδρου μαθηταὶ τοῦ
πάνυ, τοῦ μεγάλου τῆς Τριάδος ἀγωνιστοῦ τε καὶ κήρυκος,
20 καὶ λόγῳ καὶ ἔργῳ τὴν ἀσέβειαν ἐξορίσαντος. Μέμνησθε
γὰρ τῆς ᾿Αποστολικῆς ἐκείνης εὐχῆς, ἢ τὸν ἀρχηγὸν τῆς
ἀσεβείας κατέλυσεν ἐν τόποις ἀξίοις τῶν τῆς γλώσσης
C ἀμαρευμάτων, ἵν’ ὕβρις ὕβριν ἀμύνηται, καὶ στηλιτευθῇ
θανάτῳ δικαίῳ θάνατος ψυχῶν ἄδικος.

2. Οὐ ξένην οὖν ὑμῖν πηγὴν ἐρρήξαμεν, ὥσπερ ἦν
Μωϋσῆς ἀνέδειξεν ἐν ἀνύδρῳ τοῖς ἀπ’ Αἰγύπτου διωκομένοις[a], κεκρυμμένην δὲ καὶ συγκεχωσμένην ἀνεστομώσαμεν,
κατὰ τοὺς παῖδας ᾿Ισαὰκ τοῦ μεγάλου[b], μὴ ὀρύσσοντας
5 φρέατα μόνον ζῶντος ὕδατος[c], ἀλλὰ καὶ φρασσόμενα ὑπὸ
τῶν Φυλιστιαίων ἀνακαθαίροντας[d]. ᾿Αλλ’ οὐδὲ τῶν κομψῶν

1, 17 τούτοις : τοῦτο τοῖς ASPCD (τούτοις S²P²) ‖ ὑμετέροις ex
ἡμετέροις S² ‖ 17-18 εἰρήσεται ex εἴρηται S² ‖ 20 καὶ ἔργῳ bis scribit A ‖ καὶ ἔργῳ καὶ λόγῳ Z ‖ 21 ἢ : ἢ ἐξ ἧς S² ‖ 22 γλώττης SPC ‖
23 ἀμαρευμάτων ex ἀμαρεύματος P² ‖ στελιτευθῇ ex στελητευθῇ P²
2, 1 πηγὴν ὑμῖν BV Maur. πηγὴν tantum Z ‖ 2 μωσῆς VQ ‖ ἐν
ἐρήμῳ καὶ ἀνύδρῳ A ‖ 4 κατὰ τοὺς ex emend. S² ‖ ὀρύσσοντος SPCD
corr. S² P² ‖ 5 μόνον φρέατα BPCD S² ‖ ὕδατος ζῶντος B ‖ 6 φυλιστιαίων ex φυλισταίων P² ‖ ἀνακαθαίροντος C

---

2. a. Cf. Ex. 17, 6.   b. Cf. Gen. 26, 18.   c. Cf. Gen. 26, 19.
d. Cf. Gen. 26, 15.18.

---

1. Formule chère à Démosthène. P.G.
2. Alexandre avait été le dernier évêque nicéen de Constantinople,
de 313 à 336, année de sa mort.
3. Allusion à la mort d'Arius (dont il est aussi question dans les
Discours 21, 13 et 25, 8). Malgré sa condamnation à Nicée (325), Arius
fut si bien défendu par ses amis que l'empereur Constantin finit par
ordonner qu'on le reçût solennellement dans l'église principale de
Constantinople. Alexandre, l'évêque de cette ville, se mit en prière
pour demander à Dieu de ne pas permettre ce scandale. Pendant ce

gloire. Je ne suis pas non plus le premier à vous avoir
prêché la doctrine orthodoxe à laquelle vous êtes si
fermement attachés ; mais j'ai suivi les traces d'un autre
et, de plus, de quelqu'un de chez vous — car la vérité
sera dite[1] — : vous êtes les disciples de l'illustre Alexandre[2],
le grand défenseur et le grand prédicateur de la Trinité,
celui qui chassa l'impiété par sa parole et son action. Vous
vous souvenez de cette prière apostolique qui fit périr
le chef de l'impiété dans des lieux dignes de ce que
charriait sa langue[3]. Ainsi l'outrage vengea l'outrage, et la
mort injuste des âmes reçut sa flétrissure par une mort
juste[4].

2. Ainsi donc, nous n'avons pas fait jaillir pour vous
une nouvelle source, comme celle que Moïse montra dans
le désert à ceux qui fuyaient l'Égypte[a], mais nous avons
rouvert une source cachée et bouchée, comme les serviteurs
du grand Isaac[b], et cela non seulement en creusant un
puits d'eau vive[c], mais encore en nettoyant les puits que
les Philistins avaient remplis de terre[d] [5]. Je ne suis pas

temps, Arius, qui se rendait à l'église, dut s'arrêter dans des latrines,
où il mourut (336). Les circonstances de cette mort sont racontées
par Athanase dans la *Lettre aux évêques d'Égypte et de Libye*, § 19
(*P G* 25, 581 B) et dans la *Lettre à Sérapion sur la mort d'Arius* (*P G* 25,
688 B-C). Dans ce dernier document, Athanase dit qu'il n'était pas
alors à Constantinople, mais qu'il connaît les faits par le prêtre
Macaire (§ 2), qui était auprès d'Alexandre quand celui-ci priait
Dieu en disant : « Supprime Arius, pour éviter que, s'il entre dans
l'église, l'hérésie semble aussi y entrer avec lui, et que désormais
l'impiété soit regardée comme piété » (§ 3). Ce que dit Grégoire
concorde bien avec le récit d'Athanase. Cf. A. Leroy-Molinghen,
« La mort d'Arius » dans *Byzantion* 38 (1968), p. 105-111. P.G.
   4. L'outrage que constitue cette mort vengea l'outrage fait à la
Trinité par l'hérésie d'Arius. Cette hérésie fut une cause de mort
pour beaucoup d'âmes ; la mort de l'hérésiarque en fut le châtiment.
P.G.
   5. L'application est facile à faire : les ariens, comme les Philistins
qui avaient obstrué les puits, ont bouché ou caché les sources d'eau
vive de la vraie doctrine. P.G.

268 A τις ἐγὼ καὶ ἡδέων, καὶ οἷος κολακείᾳ κλέπτειν τὴν εὔνοιαν,
οἵους ὁρῶ πολλοὺς τῶν νῦν ἱερατεύειν ὑπισχνουμένων, οἳ
τὴν ἁπλῆν καὶ ἄτεχνον ἡμῶν εὐσέβειαν, ἔντεχνον πεποιήκασι,
10 καὶ πολιτικῆς τι καινὸν εἶδος ἀπὸ τῆς ἀγορᾶς εἰς τὰ ἅγια
μετενηνεγμένης καὶ ἀπὸ τῶν θεάτρων ἐπὶ τὴν τοῖς πολλοῖς
ἀθέατον μυσταγωγίαν · ὡς εἶναι δύο σκηνάς, εἰ δεῖ τολμή-
σαντα τοῦτο εἰπεῖν, τοσοῦτον ἀλλήλων διαφερούσας ὅσον
τὴν μὲν πᾶσιν ἀνεῖσθαι, τὴν δὲ τισί · καὶ τὴν μὲν γελᾶσθαι,
15 τὴν δὲ τιμᾶσθαι · καὶ τὴν μὲν θεατρικήν, τὴν δὲ πνευματικὴν
ὀνομάζεσθαι. «Ὑμεῖς μάρτυρες καὶ ὁ Θεός», φησὶν ὁ
θεῖος Ἀπόστολος[e], ὡς οὐ ταύτης ἡμεῖς τῆς μερίδος, ἀλλ᾽
οἷοι σκαιότητος ἂν μᾶλλον καὶ ἀγροικίας ἢ θωπείας καὶ
ἀνελευθερίας ἔγκλημα δέξασθαι, οἵ γε καὶ πρὸς τοὺς λίαν
B 20 ἀντεχομένους ἡμῶν ἔστιν ὅτε καὶ ὅπου φαινόμεθα τραχυ-
νόμενοι, ἄν τι μὴ κατὰ λόγον ἡμῖν ποιεῖν νομίζωνται. Καὶ
τοῦτο ἔδειξεν ἡ πρώην γενομένη περὶ ἡμᾶς καινοτομία,
ἡνίκα ζήλῳ καὶ θυμῷ ζέσαντες ὑμεῖς ὁ λαὸς βοῶντάς τε
καὶ ὀδυρομένους ἐπὶ τὸν θρόνον τοῦτον ἐθήκατε, τὸν οὐκ
25 οἶδ᾽ εἴτε τυραννικὸν χρὴ λέγειν εἴτε ἀρχιερατικόν · ἐθήκατε

2, 7 καὶ ἡδέων ἐγὼ VQZ ‖ κλέπειν S ‖ 8 ὑπεισχνουμένων ex
ὑπι- B² ὑπισχουμένων P ‖ 10 κενὸν PD ‖ εἶδος om. S add. in
calce S² ‖ 11 τοῖς : τῆς Z ‖ 14 πᾶσαν Z ‖ δὲ τισί ex emend. S² ‖ 18
μᾶλλον : θᾶττον ABVQZS²P² mg. D mg. ‖ θωπείας ex θωπίας P² ‖
19 ἐγκλήματα D ‖ 20 ἔστιν ὅπου καὶ ὅτε A ‖ 21 νομίζονται D ‖ 22
ἔδειξεν ἡμῖν Z ‖ κενοτομία PS² corr. P² ‖ 23 ἡμεῖς D ‖ 24 τεθείκατε,
γρ. ἐθήκατε Z

---

2. e. I Thess. 2, 10.

---

1. Comme on l'a remarqué plus haut (32, 25), avec le terme de
« technique », Grégoire se réfère habituellement aux syllogismes et à
la dialectique de l'arien Eunome (que nous connaissons par des
fragments de son *Apologie*). La simplicité de la doctrine chrétienne,
cependant, est accessible à tous, et non seulement aux savants ; c'est
ce que Grégoire avait déjà soutenu ci-dessus (32, 22-23).

non plus un bel esprit ni un charmeur ni un homme qui
veut capter la bienveillance par des flatteries. Tels sont,
au contraire, beaucoup de ceux qui s'engagent à remplir
les fonctions sacrées : ils ont fait pénétrer l'art (de la
sophistique) dans notre piété simple et sans artifice[1], ils
ont créé un nouveau genre de politique transporté de l'agora
dans le sanctuaire et du théâtre jusqu'à l'initiation
chrétienne — initiation qui n'est pas faite pour être
contemplée par le vulgaire[2]. Ainsi, s'il faut avoir l'audace
de parler de la sorte, il y a deux scènes qui ont entre elles
les seules différences que voici : l'une est ouverte à tous,
l'autre à quelques-uns ; l'une provoque le rire, l'autre
est en honneur ; l'une se nomme scène de théâtre, l'autre
scène spirituelle. « Vous êtes témoins, et Dieu aussi »
— suivant l'expression du divin Apôtre[e] — que nous
ne sommes pas de ce dernier parti, car nous serions
susceptibles de recevoir le reproche de gaucherie et de
rusticité[3], bien plutôt que celui d'adulation et de servilité,
nous qui parfois et en tel ou tel lieu nous montrons durs
à l'égard de ceux qui sont trop attachés à nous, s'ils nous
paraissent agir d'une manière qui n'est pas conforme à
la raison. C'est ce que l'on a vu à propos de cette innovation
dont nous avons été l'objet l'autre jour, lorsque vous,
le peuple, bouillants de zèle et d'ardeur, vous nous avez
placé, malgré nos cris et nos objurgations, sur ce siège ;
je ne sais s'il faut l'appeler tyrannique[4] ou épiscopal,
toujours est-il que vous nous y avez placé, et votre désir

---

2. On peut lire dans le *Discours* 27, 2, une description de cette
funeste habitude d'aborder les discussions théologiques avec des
attitudes théâtrales.

3. Ci-dessus, en 33, 8-9, et un peu plus loin, au chap. 3, Grégoire
trace aussi de lui-même un portrait peu flatteur.

4. On retrouve ailleurs le thème de la « tyrannie » subie par Grégoire
depuis son ordination sacerdotale : ci-dessus, 33, 14 et dans divers
autres discours : 2, 6 ; 3, 1 ; 10, 2 ; 12, 4.

δ' οὖν, διὰ τὸν πόθον παρανομήσαντες. Ἔνθα τοσοῦτόν τισι τῶν θερμοτέρων ἐδυσχεράναμεν ὥστε ἀπεπήδησαν ἡμῶν, τὸ φίλτρον εἰς ἔχθραν στρέψαντες. Οὐ γὰρ ἐξ ὧν χαριούμεθα σκοποῦμεν μᾶλλον ἢ ἐξ ὧν ὠφελήσομεν.

3. Τίς οὖν ἡ αἰτία τοῦ τοσούτου περὶ ἡμᾶς πόθου καὶ τοὺς λόγους τοὺς ἡμετέρους, αὐτοὶ βούλεσθε δηλῶσαί τε

C ταύτην καὶ παραστῆσαι καὶ τὸ ὑμέτερον πάθος αὐτοὶ γνωρίσαι, ἢ δι' ἡμῶν τοῦτο δημοσιεῦσαι, ὥσπερ καὶ τῶν ἄλλων

5 ἡμῖν χρῆσθε προθύμως ἐξηγηταῖς; Ἡμέτερον εὖ οἶδ' ὅτι ποιεῖσθε τὸν λόγον, ὅσον ἐκ τῆς ἡσυχίας <τεκμαίρομαι>. Οὐκοῦν ἀκούσατε καὶ σκοπεῖτε εἰ μὴ φαῦλος ἐγὼ τῶν τοιούτων εἰκαστής. Ἐμοὶ δοκεῖτε μάλιστα μέν, ὡς αὐτοὶ καλέσαντες ἡμᾶς, οἰκείᾳ βοηθεῖν κρίσει, καὶ διὰ τοῦτο

10 περιέπειν τὸ ὑμέτερον θήραμα. Φύσις δὲ αὕτη πρὸς τὸ οἰκεῖον ἅπαν εὐμενῶς ἔχειν, εἴτε κτῆμα εἴτε γέννημα εἴτε λόγον, καὶ δι' εὐνοίας ἑκουσίου χειροῦσθαι τοῖς ἑαυτῶν προβλήμασιν. Δεύτερον δέ, οὐδὲν οὕτως αἰδεῖσθαι ὡς τὸ μήτε ἰταμὸν ἡμῶν μήτε βίαιον μήτε θεατρικόν τε καὶ πανηγυ-

15 ρικόν, ἀλλ' ὑποχωρητικόν τε καὶ μέτριον καὶ οἷον ἄκοινον ἐν

D τῷ κοινῷ καὶ μονότροπον καί, συντομώτερον εἰπεῖν ἔτι, φιλόσοφον · οὐδὲ αὐτὸ τεχνικῶς καὶ πολιτικῶς ἡμῖν ἀνευρημένον, ἀλλ' ἁπλῶς καὶ πνευματικῶς τετιμημένον. Οὐ γὰρ

2, 27 ἐδυσχεράναμεν ex ἐδυσχέραμεν S² ‖ 28 τρέψαντες AZCD Maur. ‖ 29 ὠφελήσομεν SPCD corr. S²P²

3, 2 τε om. BVQZ ‖ 3 ἡμέτερον ACD ‖ 4 ὥσπερ : ὡς BVQZS² ‖ 5 χρῆσθαι D χρήσασθαι A ‖ εὖ om. BVQZ Maur. ‖ 6 ποιεῖσθαι A ‖ τεκμαίρομαι add. Maur. ‖ 7 εἰ om. BVQZ ‖ 9 καλέσαντας C ‖ 11 εἴτε γέννημα om. P add. P³ ‖ 13 αἰδεῖσθε BVQZP ‖ 14 μήτε ἰταμὸν SPCD : μὴ ἰταμὸν BVQZS² μηδὲ ἰταμὸν A ‖ ἡμῶν om. Z ‖ μηδὲ A ‖ 16 ἔτι : τι VQZ ‖ 17 τεχνικῶς ἡμῖν καὶ πνευματικῶς Z ‖ 18 ἁπλῶς : ἁπλοικῶς ASPCD ‖ πνευματικῶς : πολιτικῶς Z

1. La loi qui ne permettait pas l'élection de Grégoire comme évêque de Constantinople, parce qu'il était déjà titulaire de Sasimes.
2. La colère de ses partisans serait due au refus de Grégoire d'occuper officiellement le siège de Constantinople.

vous a fait commettre une illégalité[1]. Alors nous nous
sommes si fort indigné contre certains des plus ardents
qu'ils se sont éloignés de nous, tournant leur amour
en haine[2]. En effet, nous visons moins à plaire qu'à être
utile.

3. Quelle est donc la cause de ce si grand désir que
vous avez de nous et de nos discours ? Voulez-vous montrer
cette cause, la mettre en vue vous-mêmes et faire connaître
vous-mêmes vos sentiments, ou bien les déclarer par
notre intermédiaire, de même que vous recourez avec
empressement à nous pour expliquer les autres choses ?
Vous vous en remettez à notre discours, je le sais bien,
dans la mesure où votre silence me le fait supposer.
Écoutez donc et examinez pour voir si je ne suis pas un
mauvais interprète en cette matière. D'abord, puisque
vous nous avez vous-mêmes appelé[3], vous me semblez
surtout défendre votre propre jugement, et pour cette
raison vous entourez de soins celui qui est votre proie. C'est
chose naturelle que l'on ait des sentiments de bienveillance
envers tout ce qui nous appartient — que ce soit un
bien foncier, un enfant ou un discours —, et que cette
bienveillance spontanée fasse préférer ses propres rejetons.
En second lieu, rien ne vous inspire autant le respect que de
voir que nous ne sommes pas effronté, ni violent, ni homme
des théâtres et des festivités, mais ami de la retraite,
modéré et, pour ainsi dire, loin de la foule dans la foule,
solitaire dans le monde, et — pour le dire encore plus
brièvement — philosophe[4] ; cependant, tout cela n'est
pas pour nous le résultat d'un artifice ou d'un calcul
de politique, cela est pratiqué avec simplicité et selon
l'Esprit ; nous ne nous cachons pas pour que l'on nous

---

3. Grégoire insiste aussi dans le *Discours* 33, 13 sur les raisons
désintéressées de cette demande.

4. Ici, φιλόσοφος résume en substance toutes les vertus chrétiennes.

ἵνα ζητηθῶμεν ἀποκρυπτόμεθα οὐδ' ἵνα πλείονος ἄξιοι
20 δόξωμεν τιμῆς, ὥσπερ οἱ τὰς ὥρας μικρὸν προφαίνοντες
269 A εἶθ' ὑποστέλλοντες, <ἀλλ'> ἵνα τὸ φεύγειν τὰς προεδρίας
καὶ μὴ μεταποιεῖσθαι τῶν τοιούτων τιμῶν τῷ ἡσυχίῳ
δείξωμεν. Τρίτον, ὁρῶντες ἡμᾶς οἷα πάσχομεν ὑπό τε τῶν
ἔξωθεν πολεμούντων καὶ τῶν ἔνδοθεν ἐπιβουλευόντων ·
25 ἐπειδή, κατὰ τὸν Δανιήλ · « ἐξῆλθεν ἀνομία ἐκ πρεσβυτέρων
ἐκ Βαβυλῶνος, οἳ ἐδόκουν κρίνειν τὸν Ἰσραήλ[a] » · σχετλιά-
ζειν μὲν καὶ δυσχεραίνειν, καὶ οὐκ ἔχειν ὅπως ἐπαμύνητε
τυραννουμένῳ, μόνον δὲ ἀντὶ πάντων εἰσφέρειν τὸν ἔλεον.
Ὁ οὖν οἶκτος τῇ αἰδοῖ συγκραθεὶς φίλτρον ἐγένετο. Καὶ
30 τοῦτο τῆς περὶ ἐμὲ τιμῆς τὸ μυστήριον.

B   4. Ἐπεὶ δὲ οἱ λόγοι τὸ πολεμούμενον καὶ ἡ περιττὴ
καὶ ἐπίφθονος αὕτη γλῶττα, ἣν ἐν τοῖς ἔξωθεν παιδευθεῖσαν
λόγοις, τοῖς θείοις ἐξευγενίσαμεν, καὶ τὴν πικρὰν καὶ ἄποτον
Μερρὰν τῷ τῆς ζωῆς ξύλῳ κατεγλυκάναμεν[a], πεπόνθατέ

3, 19 ζητιθῶμεν S ‖ εἶναι ἄξιοι PCD ‖ 20 τιμῆς om. VQ ‖ προσ-
φαίνοντες A ὑποφαίνοντες V ‖ 21 εἶτα BSPCD εἴτε A corr. S² ‖ ἀλλ'
add. Maur. ‖ προεδρείας SZ προεδρίας καὶ προνομίας A ‖ 23 δείξωμεν : δόξωμεν ASPCD (δείξ- P²) ‖ 25 καὶ κατὰ A ‖ 25-26 ἐκ βαβυλῶνος om. P³ VQ Z ἐκ πρεσβυτέρων tantum P³ in rasura ἐκ del. S² ‖
27 ἐπαμύνηται ASPCDQ (-νητε S²P²) ἐπαμύνειται Z ‖ 28 εἰσφέρειν
ex εἰσφέρει P²
4, 2 ἐπίφθονος : ἄφθονος V ‖ αὕτη om. SV add. S² ‖ 3 ἐξηυγε-
νίσσμεν A ἐξηυγενήσαμεν SPC (-ίσαμεν P²) ἐξευγενήσαμεν S² ‖ 4
μεράν SC P²

3. a. Dan. 13, 5.
4. a. Ex. 15, 23-25. Cf. Gen. 2, 9.

1. Dans la retraite de Séleucie d'Isaurie, de 374 à 379.
2. Peu de temps après, Grégoire dira (Discours 42, 20) : κέκμηκα
τὴν ἐπιείκειαν ἐγκαλούμενος · κέκμηκα καὶ λόγῳ καὶ φθόνῳ μαχόμενος,
καὶ πολεμίοις καὶ ἡμετέροις. Sur la dureté de ces luttes, cf. BERNARDI,
p. 195 s.
3. Au dire de ses ennemis, évidemment. P.G.
4. C'est la position de Grégoire en face de la culture païenne : les
logoi constituent sans doute une forme d'éducation qui possède sa
valeur ; ils ont cependant besoin d'être ennoblis par le logos chrétien.

cherche[1] ou que l'on nous croie digne d'un plus grand
honneur — comme ceux qui font voir brièvement de
belles formes, puis les dissimulent — ; au contraire, nous
voulons montrer par notre vie tranquille que nous fuyons
les premières places et que nous ne voulons pas avoir
part à de tels honneurs. Troisièmement, vous voyez ce
que nous souffrons à cause de ceux qui nous font la guerre
de l'extérieur et à cause de ceux qui nous tendent des
pièges de l'intérieur[2], car, suivant le mot de Daniel,
« l'iniquité est venue des vieillards de Babylone qui étaient
censés juger Israël[a] ». Vous nous voyez gémissant et
affligé, et vous n'avez pas le moyen de nous secourir
dans la violence que nous subissons ; alors vous nous
apportez, à la place de tout, une seule chose : votre pitié.
Ainsi la compassion mêlée de respect est devenue de
l'amour. Telle est la cause mystérieuse de l'honneur que
vous me faites.

4. On nous fait la guerre à cause de nos discours et
à cause de cette langue vaine et envieuse[3] qui a été formée
par les discours du dehors, mais que nous avons ennoblie
par les discours divins[4] — cette Mara âcre et imbuvable,
que nous avons adoucie par le bois de la vie[a] [5] — ; aussi

Les deux cultures, la païenne et la chrétienne, sont également
distinctes dans le *Discours* 11, 1 ; pareille distinction et l'accord entre
les deux cultures ont été inspirés à Grégoire par le *Discours aux
jeunes gens* de Basile, dont les idées seront reprises dans le *Discours* 43
(Oraison funèbre de Basile), chap. 11, 21, 23.

5. A l'une des premières étapes des Hébreux dans le désert,
Moïse adoucit l'amertume des eaux de Mara en y plongeant un bois
que Dieu lui indique. Ce bois n'est pas autrement précisé par le livre
de l'*Exode*. Grégoire parle du « bois de la vie » par réminiscence de
Genèse 2, 9. Mais, de plus, le « bois de la vie » fait certainement
allusion à la croix ; les Pères ont vu dans le « bois de la vie » signalé
par la *Genèse* une préfiguration de la croix. Cf. H. Rahner, *Mythes
grecs et mystères chrétiens*, trad. française, Paris 1954, p. 80-81. Voir
aussi le texte de Théodoret cité plus haut (*Discours* 33, 9, note).
P.G.

5 τι πάθος ἱκανῶς ἐλευθέριον · τοῦτο στέργετε, δι' ὃ πολε-
μούμεθα. Τί γὰρ οὐ τὴν κωφὴν ἠσπασάμεθα παίδευσιν ;
τί δὲ οὐ τὴν ξηράν τε καὶ κάτω βαίνουσαν ; τί δὲ ταύτῃ
χαίροντας τοὺς πολλοὺς ὁρῶντες, ἐφιλοσοφοῦμεν ξένα καὶ
ἔκφυλα καὶ πρὸς τὰς ἀντιθέτους γλώσσας ἱστάμεθα ; δέον
10 θρασύτητι φεύγειν τοὺς λογισμοὺς καὶ πίστιν ὀνομάζειν
τὴν ἀλογίαν, ἣν ἠγάπησα ἂν καὶ αὐτός, εὖ ἴστε, ἁλιεὺς ὤν
— ἐπειδὴ τοῦτο πρόχειρον τοῖς πολλοῖς εἰς ἀπολογίαν τῆς
ἀμαθίας —, εἰ λόγον εἶχον τῶν σημείων τὴν δύναμιν. Ὡς
C ἀπόλοιτο ἐξ ἀνθρώπων ὁ φθόνος, ἡ δαπάνη τῶν ἐχόντων,
15 ὁ τῶν πασχόντων ἰός, τὸ μόνον τῶν παθῶν ἀδικώτατόν τε
ἅμα καὶ δικαιότατον · τὸ μὲν ὅτι πᾶσι διοχλεῖ τοῖς καλοῖς,
τὸ δὲ ὅτι τήκει τοὺς ἔχοντας. Οὐ γὰρ τοῖς πρώτως ἐπαινέ-
σασιν ἡμᾶς καταράσομαι — οὐ γὰρ ᾔδεισαν τῶν ἐπαίνων
τὸ τέλος —, ὡς τάχα ἄν τι καὶ λοιδορίας προσέθηκαν, ἵνα
20 τὸν φθόνον ἐπίσχωσιν.

5. Οὗτος καὶ τὸν Ἑωσφόρον ἐσκότισε, καταπεσόντα
δι' ἔπαρσιν — οὐ γὰρ ἤνεγκε, θεῖος ὤν, μὴ καὶ θεὸς νομι-

4, 5 ἐλεύθερον AP corr. P² ‖ 7 τε om. D ‖ 8 χαίροντες PC
corr. P² χαίροντα Q ‖ φιλοσοφοῦμεν A ‖ 11 ἦν om. SPCD add. mg.
S² ‖ καὶ om. Q ‖ 13 λόγων Z ‖ 14 πόλοιτο Z ‖ 15 πάσχοντα P ‖
τε om. Z add. supra uersum D² ‖ 16 ἅμα : ὁμοῦ A ‖ τοῖς om. P
Maximus add. P² ‖ 17 τίκει A ἀδικεῖ Maximus ‖ πρώτοις AQD ‖
18 ᾔδησαν ABS
5, 1 τὸν ex τὸ D²

4, 13-17 ὡς ἀπόλοιτο — τοὺς ἔχοντας Maximus Confessor, Loci
Communes P G 91, 960 B

1. L'interprétation de ce passage est donnée par Bernardi
(p. 195-196) : on reprochera à Grégoire la prédication même, non
parce que le style ne serait pas assez élevé ou parce que le contenu
serait la doctrine de Nicée, mais parce que la théologie en constitue
le fondement.
2. Allusion à l'humble condition sociale des apôtres, qui a toujours
été l'emblème de l'attitude anti-intellectualiste à laquelle ont recouru,
contradictoirement, surtout les écrivains chrétiens qui ont le plus

avez-vous éprouvé un sentiment tout à fait généreux : vous aimez ce qui attire sur nous cette guerre. Pourquoi ne nous sommes-nous pas attaché à l'érudition muette, à cette érudition sèche et qui ne s'élève pas plus haut que terre ? Pourquoi, voyant que la plupart des gens l'apprécient, tenions-nous des discussions étrangères et extraordinaires, et résistions-nous aux langues adverses[1] ? Aurais-je dû avoir l'audace de fuir les raisonnements et d'appeler foi le mutisme, dont je me serais contenté, quant à moi, en ma qualité de pêcheur[2], vous le savez bien — car c'est là pour beaucoup une excuse facile de leur ignorance — ; mais cela, c'était à condition d'avoir, en guise de paroles, la puissance de faire des miracles. Ah ! que disparaisse du milieu des hommes l'envie, cette destructrice de ceux qui en sont atteints, ce poison de ceux qui l'éprouvent, cette passion qui, seule, est la plus injuste à la fois et la plus juste : la plus injuste, parce qu'elle jette le trouble dans ce qui est bien, la plus juste, parce qu'elle consume ceux qui l'ont en eux ! Je ne veux pas maudire ceux qui, de prime abord, nous ont loué, car ils ne savaient pas à quoi aboutiraient les louanges ; sinon, ils y auraient ajouté quelque blâme, pour retenir l'envie.

5. L'envie[3] a enténébré le Porte-lumière[4] : il est tombé à cause de son élévation pour n'avoir pas supporté, étant

---

senti la fascination des Lettres païennes. Grégoire a exprimé cela dans sa célèbre sentence du *Discours* 23, 12 : ἁλιευτικῶς, ἀλλ᾽ οὐκ ἀριστοτελικῶς.

3. Ici commence une longue énumération des effets de l'envie. On peut mettre ce développement en parallèle avec celui de CLÉMENT DE ROME, *Épître aux Corinthiens*, fin du § 3 et §§ 4, 5, 6 (*SC* 167). Cependant tous les exemples ne concordent pas. D'ailleurs, Clément emploie le mot ζῆλος et, seulement à la fin, φθόνος. On sait que le thème de la malfaisance du φθόνος est fréquent chez les Grecs (p. ex. EURIPIDE, *Phéniciennes*, v. 528-554). P.G.

4. *Luci-fer* en latin. P.G.

σθῆναι[a] — καὶ τὸν Ἀδὰμ ἐξέβαλε τοῦ παραδείσου[b], δι᾽ ἡδονῆς κλέψας καὶ γυναικός[c]. Ἐπείσθη γὰρ ὡς θεὸς εἶναι

D 5 βασκαίνεται, τοῦ τῆς γνώσεως ξύλου τέως εἰργόμενος[d]. Οὗτος καὶ τὸν Κάϊν ἀδελφοκτόνον πεποίηκεν, οὐκ ἐνεγκόντα

272 A θυσίαν ὁσιωτέραν[e]. Οὗτος καὶ ὕδατι κόσμον ἐκάλυψεν ἀκοσμοῦντα[f], καὶ Σοδομίτας πυρὶ κατέκλυσεν[g]. Οὗτος καὶ Δαθὰν καὶ Ἀβειρὼν κατέχωσε κατὰ Μωϋσέως μανέντας[h]

10 καὶ Μαριὰμ ἐλέπρωσε κατὰ τοῦ ἀδελφοῦ μόνον γογγύσασαν[i]. Οὗτος καὶ προφητῶν αἵμασι τὴν γῆν ἐμίανε[j] καὶ Σολομῶντα γυναιξὶ κατέσεισε τὸν σοφώτατον[k]. Οὗτος καὶ Ἰούδαν προδότην ἀνέδειξεν, ἀργυρίῳ μικρῷ κλαπέντα, τὸν ἀγχόνης ἄξιον[l]· καὶ Ἡρώδην παιδοκτόνον[m], καὶ Χριστοκτόνον

15 Πιλᾶτον ἐδημιούργησεν[n]. Οὗτος καὶ τὸν Ἰσραὴλ ἐλίκμησε καὶ διέσπειρεν[o], ἐξ ἧς οὔπω καὶ νῦν ἀνανεύουσιν ἁμαρτίας. Οὗτος καὶ τὸν ἀποστάτην ἡμῖν ἐπανέστησε τύραννον, οὗ καὶ νῦν ἔτι παραλυποῦσιν οἱ ἄνθρακες, εἰ καὶ τὴν φλόγα διαπεφεύγαμεν. Οὗτος καὶ τὸ καλὸν σῶμα τῆς Ἐκκλησίας

B 20 κατέτεμεν, εἰς διαφόρους καὶ ἀντιπάλους σπουδὰς μερίσας. Οὗτος καὶ ἡμῖν τὸν Ἱεροβοὰμ[p] ἐπανέστησε, τὸν δοῦλον τῆς ἁμαρτίας, καὶ τῇ γλώσσῃ δεσμὸν ἐπιτίθησιν· οὐ γὰρ φέρει τὴν Τριάδα λαμπρυνομένην καὶ ὅλῃ θεότητι λάμπουσαν

5, 5 βασκήναντι ASPCD corr. S² P² ‖ 6 πεποίηκεν : ἐποίησεν QVZ ‖ 8 σοδομίτας ex σοδομήτας P² ‖ κατέκλυσεν : κατέκαυσεν ASPD corr. P²D² ‖ 9 μωσέως SVQZP ‖ 10 μαρίαν SPCD ‖ 14 παιδοκτόνον : παιδοφόνον BV S² Maur. ‖ 15 τὸν ex τὸ S² ‖ 21 ἡμῖν om. P add. P² ‖ τὸν om. SPCD add. S² ‖ 22 τῆς γλώσσης D ‖ περιτίθησιν P corr. P² ‖ 23 ὅλῃ ex ὅλην B²

5. a. Cf. Is. 14, 12.15.   b. Cf. Gen. 3, 23-24.   c. Cf. Gen. 3, 4.6.   d. Cf. Gen. 3, 4-5.   e. Cf. Gen. 4, 3-8.   f. Cf. Gen. 6, 5.19-20 ; 7, 17-23.   g. Cf. Gen. 19, 24-25.   h. Cf. Nombr. 16, 12-14.31-32.   i. Cf. Nombr. 12, 1.10.   j. Cf. II Chron. 24, 20-22 ; Matth. 23, 35.   k. Cf. III Rois 11, 1-8.   l. Cf. Matth. 26, 14-16 ; 27, 5.   m. Cf. Matth. 2, 16.   n. Cf. Matth. 26, 16 ; 27, 24.   o. Cf. Amos 9, 9.   p. Cf. III Rois 12, 20.

1. Cf. Poèmes II, 1, 60, v. 11 : ὡς ἡδονῇ με πρῶτον ἔκλεψας πικρᾷ

divin, de n'être pas considéré comme Dieu[a] ; l'envie a
chassé Adam du Paradis[b], trompé qu'il avait été par
le plaisir[1] et par la femme[c] : il se laissa en effet persuader
qu'on lui refusait d'être Dieu en l'écartant jusqu'à ce
moment de l'arbre de la connaissance[d] ; l'envie fit de
Caïn le meurtrier de son frère : il ne supporta pas que
le sacrifice de ce dernier fût plus saint que le sien[e] ; l'envie
fit que le monde qui se conduisait d'une manière immonde[2]
fut recouvert par l'eau[f] et que les habitants de Sodome
périrent par le feu[g] ; l'envie enfouit sous terre Dathan et
Abiron qui avaient eu la folie de se dresser contre Moïse[h]
et rendit lépreuse Marie qui avait murmuré contre son
frère[i] ; l'envie a souillé la terre par le sang des prophètes[j]
et a ébranlé le très sage Salomon par l'intermédiaire des
femmes[k] ; l'envie a révélé en Judas un traître qui mérita
la corde après avoir été séduit par un peu d'argent[l] ;
l'envie a fait d'Hérode le meurtrier des enfants[m] et de
Pilate le meurtrier du Christ[n] ; l'envie secoua Israël au
van et le dispersa[o], et les Israëlites n'ont pas encore mis
fin à cette faute ; l'envie nous a suscité le tyran apostat,
dont les charbons nous tourmentent encore maintenant,
bien que nous ayons échappé à sa flamme[3] ; l'envie a
déchiré le beau corps de l'Église et l'a divisé en clans
différents et rivaux ; l'envie nous a suscité Jéroboam[p],
l'esclave du péché, et met une entrave à notre langue[4],
car l'envie ne supporte pas que la Trinité resplendisse,

(*PG* 37, 1404), et II, 1, 88, v. 168-169 : ὧν μ' ἐστέρησεν ἐχθρὸς | δι'
ἡδονῆς συλήσας (*PG* 37, 1442).

2. On essaie de rendre ainsi le jeu de mots entre κόσμον et
ἀκοσμοῦντα. P.G.

3. Julien l'Apostat, dont il existait encore, à ce qu'il semble, des
admirateurs ardents et influents (il suffit de penser à Libanios). De
toute façon, Bernardi a raison de considérer comme hors de propos
une allusion de ce genre.

4. Jéroboam désignerait un évêque arien, Démophile ou Eudoxe,
selon les Mauristes.

καὶ τιμίους ποιοῦσαν ἡμῖν τοὺς γνησίους ἑαυτῆς κήρυκας.
25 Ἄρα φλυαρεῖν ὑμῖν δοκοῦμεν, οὕτως εἰκάζοντες ; ἢ καὶ
λίαν ὀρθῶς τοῦ πόθου τὰς αἰτίας ὁ γραφεὺς λόγος ἀνεζωγρά-
φησεν ; Περὶ μὲν δὴ τούτων οὕτω γινώσκω.

C **6.** Ἐπεὶ δὲ καὶ ταῖς ὕβρεσιν ὁρῶ τινας δυσχεραίνοντας,
καὶ συμφορὰν ἑαυτῶν ποιουμένους τὴν ἀτιμίαν τὴν ἡμετέραν,
φέρε, καὶ περὶ ταύτης βραχέα φιλοσοφήσωμεν. Ἐγὼ γάρ,
εἰ μὲν ἀνθρώπινόν τι καὶ μικρὸν ἐννοῶν ἢ τῆς καθέδρας
5 ταύτης μεταποιούμενος, τὴν ἀρχὴν ἐπέστην ὑμῖν, μετὰ τῆς
πολιᾶς ταύτης καὶ τῶν ἐρρικνωμένων τούτων καὶ νόσῳ καὶ
χρόνῳ μελῶν, ἢ νῦν ταύτας φέρω τὰς ἀτιμίας, αἰσχυνοίμην
μὲν ἂν τὸν οὐρανὸν καὶ τὴν γῆν, ἃ καὶ τοῖς παλαιοῖς ἔθος
μαρτύρεσθαι[a], αἰσχυνοίμην δ' ἂν τὴν καθέδραν ταύτην καὶ
10 τὸ ἱερὸν τοῦτο συνέδριον καὶ τὸν ἅγιον τοῦτον καὶ νεοπαγῆ
λαόν, ἐφ' ὃν τοσαύτη τῶν πονηρῶν δυνάμεων ἡ παράταξις,
ἵνα πρὶν συστῆναι λυθῇ καὶ πρὶν γεννηθῆναι νεκρωθῇ, κατὰ
Χριστὸν ἤδη μορφούμενος · αἰσχυνοίμην δ' ἂν τοὺς ἐμοὺς
D καμάτους καὶ πόνους καὶ τὸ ἔσθημα τοῦτο τὸ τρύχινον καὶ
15 τὴν ἐρημίαν καὶ τὴν ἀναχώρησιν, ᾗ συνεζήσαμεν, καὶ τὸν
ἄσκευον βίον καὶ τὴν εὐτελῆ τράπεζαν, μικρὸν τῶν πτηνῶν
ἀποδέουσαν. Ἀληθευέτωσαν δὲ καί τινες περὶ ἡμῶν, ὅτι

5, 24 ὑμῖν V Maur. ὑμᾶς BP (ἡμῖν D²) ‖ 25 ὑμῖν om. Z ‖
δοκῶμεν Z
6, 3 φέρε δὴ A ‖ βραχεῖα A ‖ ἐγὼ ex ἐὼ V² ‖ 5 ἢ τὴν ἀρχὴν BDQ
VZS² ‖ ἐπέστην ex emend. S² ‖ 6 ἐρικνωμένων BVQ ἠρικνωμένων
Z ‖ 6-7 καὶ χρόνῳ καὶ νόσῳ VQZ Maur. ‖ 7-9 αἰσχυναίμην ...
αἰσχυναίμην ASPCD (-οίμην ... -οίμην S²) ‖ 8 αὐτὸν τὸν οὐρανὸν
D ‖ 9 δ' om. S add. S² ‖ 12 ἢ συστῆναι A ‖ διαλυθῇ D ‖ ἢ γεννηθῆναι
A ‖ νεκρωθῆναι SC om. P corr. S² add. mg. P³ ‖ 13 αἰσχυναίμην
SP (-οίμην S²) ‖ 14 τρύχινον ex τρύχιον S² ‖ 16 post βίον add. περὶ
ἐγκρατείας P (del. P²) CD mg. (non tamen pro textu) ‖ εὐτελῆ ex
εὐτελεῖ S² ‖ μικρὸν ex μικρῷ S²P² μικρῷ C

6. a. Cf. Deut. 32, 1.

1. Vocabulaire de la lumière appliqué à la Trinité, comme dans le
Discours 32, 15.

qu'elle brille de l'éclat[1] de la divinité tout entière et qu'elle
rende précieux pour nous ses prédicateurs authentiques.
Avez-vous l'impression que nous disons des bagatelles en
faisant ces suppositions, ou bien notre discours n'a-t-il
pas, comme une peinture, représenté très exactement
les causes de votre attachement pour nous ? Telle est
mon opinion sur ce point.

6. Mais comme je vois certains s'indigner des outrages
que nous recevons et considérer notre infamie[2] comme une
calamité pour eux-mêmes, allons, raisonnons brièvement
à ce sujet ! Si c'est avec des pensées humaines et mesquines
ou en voulant m'approprier ce siège épiscopal[3] qu'au
début je me suis placé à votre tête avec mes cheveux
blancs et mes membres ridés par la maladie et le temps, ou
que maintenant je supporte ces infamies, je rougirais
devant le ciel et la terre, que les anciens avaient coutume de
prendre à témoins[a] ; je rougirais devant ce siège épiscopal,
devant cette assemblée sacrée, devant ce peuple saint
nouvellement constitué et contre lequel s'organise si
fortement la puissance des méchants pour le disperser
avant qu'il soit rassemblé, pour lui donner la mort avant
qu'il soit né, alors qu'il se forme déjà sur le modèle du
Christ ; je rougirais de mes fatigues et de mes peines, de
ce vêtement usé, de ce désert et de cette retraite où nous
avons vécu[4], de cette vie simple et de cette table frugale,
qui diffère peu de celle des oiseaux ; sinon, admettons
qu'ils disent vrai[5], certains qui prétendent que nous avons

2. A quelle ἀτιμία est-il fait allusion ? Probablement à l'humble
condition de Grégoire qui, appelé de façon improvisée au siège de
Constantinople, a excité les plus vives jalousies (cf. BERNARDI,
p. 197).

3. Allusion au siège de Constantinople et au refus de celui de
Sasimes.

4. La solitude dans le Pont et à Séleucie.

5. Ironique ; Grégoire veut dire : si j'avais les sentiments mesquins
qu'on me prête, j'admettrais que l'on dit vrai en me critiquant. P.G.

273 A γυναικὸς ἀλλοτρίας ἐπεθυμήσαμεν, οἱ μηδὲ ἰδίαν ἔχειν
θελήσαντες. Ἐχέτωσαν δὲ ἡμῶν καὶ Γαβαωνῖται[b] πλέον,
20 οὓς οὐδὲ εἰς ξυλοφόρους καὶ ὑδροφόρους οἶδ᾽ ὅτι τὸ Πνεῦμα
τὸ ἅγιον παραδέχεται, μέχρις ἂν προσίωσι τοῖς ἱεροῖς μετὰ
τοιούτων τοῦ βίου καὶ τοῦ λόγου στιγμάτων. Εἰ δὲ τῷ λόγῳ
συνηγορήσοντες ἥκομεν, καὶ τῇ χήρᾳ καὶ ἀνάνδρῳ τέως
Ἐκκλησίᾳ τὰ δυνατὰ συνεισοίσοντες, οἷόν τινες ἐπίτροποι
25 καὶ κηδεμόνες ἄλλῳ νυμφαγωγήσοντες, ὃς ἐὰν ἄξιος τοῦ
κάλλους φανῇ, καὶ πλείονα τὰ ἐξ ἀρετῆς ἕδνα προσενέγκῃ
τῇ βασιλίδι, πότερον ἐπαινετοὶ τῆς προθυμίας ἢ ψεκτοὶ τῆς
ὑπονοίας; ὅτι τοῖς ἀλλοτρίοις κρινόμεθα πάθεσιν. Ὡς δὴ
σύ γε, ὦ βέλτιστε, καὶ εἰ νηῒ χειμαζομένῃ χεῖρα ὠρέγομεν
30 ἢ πολιορκουμένῃ πόλει ἢ ὑπὸ πυρὸς οἰκίᾳ δαπανωμένῃ,
B ἢ σκάφεσι βοηθοῦντες ἢ φάλαγξιν ἢ σβεστηρίοις ὀργάνοις,
πάντως ἂν ἢ καταποντιστὰς ἡμᾶς ὠνόμασας, ἢ τῆς πόλεως
ἢ τῆς οἰκίας ἐραστάς, ἀλλ᾽ οὐ προστάτας καὶ κηδεμόνας.

7. Ἀλλ᾽ οὐχ οὕτω, φησί, τοῖς πολλοῖς δοκεῖς. Τί δέ μοι
διαφέρει, ᾧ τοῦ εἶναι πλείων ὁ λόγος, μᾶλλον δὲ πᾶς; Τοῦτο
γὰρ ἢ κατέκρινεν ἢ ἐδικαίωσεν ἢ ἄθλιον πεποίηκεν ἢ μακά-

6, 18 ἐπεθυμήσαμεν ex ἐπι- S² ‖ 20 ξυλοκόπους VQZS²P² Maur. ‖
καὶ ὑδροφόρους om. SPC add. S² ἢ ὑδροφόρους add. P³ ‖ 21 μετὰ
τῶν SP ‖ 22 στηγμάτων SP corr. S² ‖ 23 τῇ ἀνάνδρῳ Maur. ‖ 24
κατὰ δυνατὰ S corr. S² κατὰ δύναμιν PC ‖ 25 ἄλλῳ νυμφαγωγήσοντες om. S add. S² ‖ 28 ὡς : χριστὸς Q ‖ δὴ : δὲ QD ‖ 29 ὠρέξαμεν
AB ὀρέγομεν D² Maur. ὀρέγωμεν D ‖ 31 φάλαγξιν ex φάλαγξι corr.
P² ex σφάλαγξιν A² ‖ 32 καταποντιτὰς V ‖ ὠνόμασας ἡμᾶς A ‖ 33
ἐραστὰς S ἐμπρηστὰς S²
7, 1 δοκεῖς τοῖς πολλοῖς ABVQ δοκεῖ τοῖς πολλοῖς Z ‖ 2 πλείω P
(-ων P²) πλεῖον Z

6. b. Cf. Jos. 9, 1-27.

1. A la suite de S. Paul qui représente l'Église comme l'épouse du
Christ, les Pères voient volontiers dans chaque Église locale l'épouse
de l'évêque. Grégoire, ordonné jadis évêque de Sasimes, n'y a pas
exercé ses fonctions : il n'a donc pas voulu garder « sa propre épouse » ;
maintenant qu'il s'occupe provisoirement de l'Église de Constan-

convoité l'épouse d'un autre, nous qui n'avons même
pas voulu garder la nôtre[1], et que les Gabaonites[b] aient
une situation meilleure que nous, eux dont je sais que
l'Esprit-Saint ne veut pas, même pour porter le bois et
porter l'eau, tant qu'ils s'approcheront des choses saintes
avec de telles souillures dans leur vie et leur parole[2] ! Si,
au contraire, nous sommes venus pour défendre la vraie
doctrine, pour aider, selon nos possibilités, une Église
veuve jusqu'ici et privée de son époux[3], comme des tuteurs
et des protecteurs, pour la conduire vers un autre époux
qui se révélera digne de sa beauté et qui apportera en dot à
cette reine des vertus plus nombreuses, méritons-nous
d'être loués pour notre empressement, ou blâmés d'après
des soupçons — car on nous juge d'après des sentiments
qui ne sont pas les nôtres ? Allons, excellent homme, c'est
comme si nous tendions une main secourable à un navire
pris dans la tempête, ou à une ville assiégée, ou à une
maison dévorée par le feu, en arrivant à l'aide avec des
canots, ou des corps de troupe, ou des instruments pour
éteindre l'incendie, et qu'alors tu nous traites, ni plus
ni moins, de pirates, ou d'hommes qui convoitent la ville ou
la maison, au lieu de voir en nous des défenseurs et des
protecteurs !

7. Mais, dit-il[4], ce n'est pas ainsi que tu parais à la
plupart des gens. — Et que m'importe, à moi qui tiens
compte surtout de ce qui est, ou plutôt qui en tiens compte
uniquement ? Car c'est cela qui condamne ou qui justifie,

tinople, il est accusé de convoiter « une épouse étrangère ». P.G.

2. Les Gabaonites, ayant trompé Josué, furent condamnés à
couper le bois et à porter l'eau pour l'assemblée des Israélites et
l'autel du Seigneur (*Josué* 9, 1-27). Allusion aux pneumatomaques :
ils refusent l'Esprit-Saint, l'Esprit-Saint ne les veut pas, même pour
couper le bois et porter l'eau. P.G.

3. L'Église de Constantinople n'avait pas d'évêque nicéen depuis
quarante ans. P.G.

4. L'orateur feint de donner la parole à un contradicteur. P.G.

ριον. Τὸ δὲ δοκεῖν οὐδὲν πρὸς ἡμᾶς, ὥσπερ οὐδὲ ὄναρ
5 ἀλλότριον. Οὐχ οὕτω, φησί, δοκεῖς τοῖς πολλοῖς, ἄνθρωπε.

C ʽΗ γῆ δὲ δοκεῖ τοῖς ἰλιγγιῶσιν ἑστάναι ; τοῖς δὲ μεθύουσι
νήφειν οἱ νήφοντες, ἀλλ᾽ οὐκ ἐπὶ κεφαλὴν βαδίζειν ἢ περιτρέ-
πεσθαι ; Τὸ μέλι δὲ οὐ πικρόν, ἔστιν ὅτε καὶ οἷς, νομίζεται,
νοσοῦσί τε καὶ κακῶς διακειμένοις ; Ἀλλ᾽ οὐ παρὰ τοῦτο
10 τὰ πράγματα οὕτως ἔχει ὡς δοκεῖ τοῖς πάσχουσιν. Δεῖξον
οὖν ὑγιαίνοντας τοὺς οὕτως ὑπειληφότας, καὶ τότε ἡμῖν
παραίνεσον μετατίθεσθαι · ἢ καταγίνωσκε, μὴ πειθομένων
ἀλλ᾽ ἐπὶ τῆς αὐτῆς ἱσταμένων κρίσεως. Οὐχ οὕτω δοκῶ
τοῖς πολλοῖς ; Θεῷ δὲ οὕτω · καὶ οὐ δοκῶ, πεφανέρωμαι
15 δὲ τῷ εἰδότι τὰ πάντα πρὶν γενέσεως αὐτῶν[a], τῷ πλάττοντι
κατὰ μόνας τὰς καρδίας ἡμῶν[b], τῷ συνιέντι εἰς πάντα τὰ
ἔργα ἡμῶν, τὰ κινήματα καὶ τὰ διανοήματα, μεθ᾽ ὧν τὰ
D πραττόμενα, ὃν λανθάνει τῶν ὄντων οὐδὲν οὐδὲ λαθεῖν
δύναται, ὃς ἑτέρως ὁρᾷ τὰ ἡμέτερα ἢ ὡς ὁρῶσιν ἄνθρωποι.
20 « Ἄνθρωπος μὲν γὰρ εἰς πρόσωπον, Θεὸς δὲ εἰς καρδίαν[c] ».
276 A Ἤκουσας τῆς Γραφῆς λεγούσης, καὶ πίστευε. Οὗ φροντιστέον
μᾶλλον ἢ πάντων ὁμοῦ τῶν ἄλλων, τοῖς γε νοῦν ἔχουσιν.
Ἤ δύο μὲν ἀνθρώποις περὶ τοῦ αὐτοῦ πράγματος συμβούλοις
χρώμενος, συνετωτέρῳ τε καὶ ἀμαθεστέρῳ, οὐκ ἂν εὖ φρονεῖν
25 ἔδοξας εἰ τὸν συνετώτερον παρείς, τῷ ἀμαθεστέρῳ κατηκο-
λούθησας ; Οὐδὲ γὰρ ὁ ʽΡοβοὰμ ἐπῃνέθη ὅτι τὴν βουλὴν
τῶν πρεσβυτέρων ἀτιμάσας, τὴν τῶν νεωτέρων ἔστησε[d].
Θεοῦ δὲ καὶ ἀνθρώπων ἐξεταζομένων, προτιμήσεις τὰ τῶν
ἀνθρώπων ; Οὐ σύ γε, ἂν ἐμοὶ πείθῃ, καὶ φρονεῖς ἄμεινον.

7, 12 παραίνεσον : παραίνει AB ‖ μεταγίνωσκε V ‖ 12-13 πειθομένων ... ἱσταμένων ex -μένω ... -μένω D² ‖ 14 δὲ οὕτω δοκῶ
(omisit καὶ οὐ δοκῶ) A ‖ 15 τὰ AS Maur. : om. cett. del. S² ‖ πλάσ-
σοντι BVQ πλάσαντι Z ‖ 17 μεθ᾽ ὃν Z ‖ 18 ὃν : ᾧ D ‖ οὐδὲν τῶν ὄντων
Z ‖ 20 μὲν om. S add. S² ‖ ὁ δὲ θεὸς εἰς καρδίαν B Maur. ‖ 21 καὶ
ἤκουσας B ἤκουσα Q ‖ 23 εἰ δύο S (ut uid.) CD corr. S² ‖ πράγματως
P ‖ 24 εὖ om. V ‖ 29 φρονεῖς : φρονῇς VQP² Maur.

7. a. Dan. 13, 42.   b. Cf. Ps. 32, 15.   c. I Sam. 16, 7.
d. Cf. III Rois 12, 8 s.

qui rend malheureux ou heureux ; ce qui paraît n'est rien
pour nous, pas plus qu'un rêve fait par autrui. — Mais,
dit-il, ce n'est pas ainsi, ô homme, que tu parais à la
plupart des gens. — Eh bien, la terre paraît-elle stable à
ceux qui ont le vertige[1] ? Et à ceux qui sont ivres, les gens
sobres paraissent-ils être sobres, et non pas marcher sur
la tête ou tituber ? Et le miel n'est-il pas trouvé amer
quelquefois et par certains qui sont malades et fâcheuse-
ment disposés ? Mais la réalité n'est pas, pour autant, ce
qu'elle paraît à ceux qui sont souffrants. Montre donc
que ceux qui pensent ainsi à notre sujet ont un jugement
sain, et alors exhorte-nous à changer, ou bien condamne-
nous si nous n'obéissons pas et si nous restons du même
avis. Ce n'est pas ainsi que je parais à la plupart des
gens ? Mais c'est ainsi que je parais à Dieu ; et je ne lui
parais pas, mais je suis à découvert pour celui qui connaît
toutes les choses avant qu'elles n'existent[a], qui a façonné
nos cœurs un par un[b], qui comprend tous nos actes, les
mouvements et les pensées accompagnant ce que nous
faisons, lui à qui rien de ce qui est n'échappe et ne peut
échapper, lui qui voit ce qui nous concerne d'une autre
façon que ne le voient les hommes. « Car l'homme regarde
vers le visage, mais Dieu vers le cœur[c] » ; tu as entendu
cette parole de l'Écriture, ajoutes-y foi. De cela, on doit
faire plus de cas que de tout le reste ensemble, du moins
si l'on est sensé. Ou encore, si tu prenais comme conseillers
au sujet de la même affaire deux hommes, l'un très avisé et
l'autre très ignorant, croirais-tu bien penser en laissant
de côté l'opinion du plus avisé pour te ranger à celle du
plus ignorant ? Car Roboam non plus ne mérita pas des
éloges pour avoir dédaigné le conseil des vieillards et
fait prévaloir celui des jeunes gens[d]. Si tu interroges
Dieu et des hommes, donneras-tu la préférence aux avis
des hommes ? Non, certes, si tu m'en crois ; et tu penses
de la meilleure façon.

1. Expression populaire, peut-être proverbiale; cf. *Discours* 22, 6.

B **8.** Ἀλλ' αἰσχυνόμεθά σου, φησί, ταῖς ὕβρεσιν. Ἐγὼ δὲ
ὑμῖν, ὅτι αἰσχύνεσθε. Εἰ μὲν γὰρ ὀρθῶς ταῦτα πάσχομεν,
αἰσχυντέον ἡμῖν μᾶλλον ἢ ὑμῖν ἐφ' ἡμῖν, οὐχ ὅτι ἀτιμαζό-
μεθα μᾶλλον ἢ ὅτι ἐσμὲν ἀτιμίας ἄξιοι · εἰ δὲ ἀδίκως, τῶν
5 ὑβριζόντων τὸ ἔγκλημα καὶ ὑπὲρ ἐκείνων μᾶλλον ἢ ὑπὲρ
ἡμῶν ἀγανακτητέον · ἐκεῖνοι γὰρ οἱ κακῶς πάσχοντες.
Εἰ δέ με ὄντα κακόν, ἄριστον ὑπελάμβανες, τί με ποιεῖν
ἐχρῆν ; Εἶναι μᾶλλον κακὸν ἵνα πλέον ἀρέσκω σοί ; Οὐκ
ἂν τοῦτο ἐμαυτῷ συνεβούλευσα. Οὕτως οὐδὲ εἰ κατορθοῦντά
10 με πταίειν ὑπολαμβάνεις, τοῦ κατορθοῦν διὰ σὲ μεταθήσομαι.
Ζῶ γὰρ οὐ σοὶ μᾶλλον ἢ ἐμαυτῷ · καὶ σύμβουλον ἔχω περὶ
πάντων τὸν λόγον καὶ τὰ τοῦ Θεοῦ δικαιώματα, ὑφ' ὧν
ἁλίσκομαι μὲν πολλάκις, οὐδενὸς κατηγοροῦντος · ἀφίεμαι
C δέ, πολλῶν κατακρινόντων. Καὶ τοῦτο μόνον οὐκ ἔστι
15 διαφυγεῖν, τὸ ἔνδον καὶ ἐν ἡμῖν αὐτοῖς δικαστήριον, πρὸς
ὃ βλέποντας μόνον τὴν εὐθεῖαν ὁδὸν ἰτέον. Τὸ δοκεῖν δέ,
ἂν μὲν ὑπάρχῃ, δεξόμεθα, ἵν' εἴπω τι καὶ ἀνθρώπινον[a] ·
ἂν δὲ ἀντιπίπτῃ, χαίρειν ἐάσομεν, καὶ οὐδὲν τοῦ εἶναι διὰ
τὸ δοκεῖν ἀφαιρήσομεν.

D **9.** Καὶ γὰρ οὕτως ἔχει · ὁ μέν τινος ἕνεκεν τὸ καλὸν
ἐπιτηδεύων οὐ βέβαιος εἰς ἀρετήν. Ὁμοῦ τε γὰρ παρῆλθεν
ἐκεῖνο, καὶ τοῦ καλοῦ στήσεται · ὥσπερ ὁ κέρδους ἕνεκεν
πλέων, τοῦ πλεῖν, ἂν μὴ παρῇ τὸ κερδαίνειν. Ὁ δὲ αὐτὸ

8, 1 ταῖς ὕβρεσίν φησι B ‖ 2 αἰσχύνεσθαι B ‖ 3 μᾶλλον ἡμῖν A ‖
οὐδ' ὅτι SCD corr. S² ‖ 6 ἀγανακτητέον ex ἀγανακτέον Q² ‖ 7 εἰ
δέ ex emend. S²P² εἰ δ' εἴ με C Maximus ‖ 8 μᾶλλον ex μᾶλλο S² ‖ 9
οὕτως δὲ εἰ Z εἰ tantum Maximus ‖ 10 ὑπελάμβανες B ‖ τοῦ ex τὸ P²
τὸ Maximus ‖ 11 σοὶ ex σὸ S² ‖ οὐ ζῶ γὰρ σοὶ Maximus ‖ 12 ὧν ex
ὦ S² ‖ 16 βλέποντες Z ‖ ἰστέον C ‖ 17 μ' ὑπάρχη V ‖ ὑπάρχη BVQ
ZS²P² : ὑπάρξη APCD S erasum ‖ δεξώμεθα BP ‖ 18 ἐάσωμεν BSD
9, 4 αὐτὸ τὸ καλὸν D

---

8. a. Rom. 6, 19.

8, 7-11 εἰ δέ με ὄντα — ἢ ἐμαυτῷ Maximus Confessor, *Loci
Communes,* PG 91, 788 D

8. Mais, dit-il, nous avons honte des insultes que tu reçois. — Eh bien, moi, j'ai honte de vous parce que vous avez honte ! En effet, si nous subissons cela à juste titre, nous devons avoir honte de nous, plutôt que vous à cause de nous ; nous devons avoir honte moins parce qu'on nous marque d'infamie que parce que nous méritons cette infamie. Au contraire, si l'on nous traite ainsi injustement, il faut en faire grief à ceux qui nous insultent et s'indigner à cause d'eux plutôt qu'à cause de nous, car ce sont eux qui se trouvent en fâcheux état[1]. Et si tu me croyais excellent, alors que je serais mauvais, que me faudrait-il faire ? être plus mauvais pour te plaire davantage ? Je ne me serais pas donné ce conseil ! De même, si tu crois que je cloche, alors que je marche droit, je ne vais pas cesser de marcher droit à cause de toi ! Car je vis moins pour toi que pour moi-même, et j'ai, pour me conseiller sur toutes choses, ma raison et les jugements de Dieu par lesquels je suis convaincu souvent de culpabilité alors que nul ne m'accuse, et, inversement, je suis acquitté alors que beaucoup me condamnent. Et le seul tribunal auquel il n'est pas possible d'échapper, c'est celui qui est à l'intérieur de nous et en nous-mêmes ; c'est vers lui seul qu'il faut regarder pour suivre la voie droite. Quant à ce qui paraît, si cela est réel, nous l'accepterons, pour que je tienne aussi « un langage humain[a] » ; mais si cela tombe à l'encontre, nous le laisserons de côté, et nous n'enlèverons rien de ce qui est à cause de ce qui paraît.

9. Voici en effet ce qu'il en est : celui qui pratique le bien en vue d'un intérêt quelconque n'est pas affermi dans la vertu, car dès que l'intérêt aura disparu, il mettra fin au bien ; de même, celui qui navigue en vue d'un profit cessera de naviguer si le profit n'est pas là. Au contraire,

---

1. Sentence de type socratique ; cf. PLATON, *Gorgias* 469 b-c.

5 δι᾽ ἑαυτὸ τιμῶν τε καὶ περιέπων, ἐπειδὴ τοῦ ἑστῶτος ἐρᾷ,
ἑστῶσαν ἔχει καὶ τὴν περὶ αὐτὸ προθυμίαν, ὥστε θεῖόν
τι πάσχων καὶ τὸ τοῦ Θεοῦ δύνασθαι λέγειν · « Ἐγὼ δὲ ὁ
αὐτός εἰμι καὶ οὐκ ἠλλοίωμαι[a]. » Οὔκουν μεταποιηθήσεται
οὐδὲ μετατεθήσεται οὐδὲ συμμεταπεσεῖται τοῖς καιροῖς
10 καὶ τοῖς πράγμασιν, ἄλλοτε ἄλλος γινόμενος καὶ πολλὰς
μεταλαμβάνων χρόας, ὥσπερ τὰς τῶν πετρῶν οἱ πολύποδες,
277 A   αἷς ἂν ὁμιλήσωσι · μενεῖ δὲ ὁ αὐτὸς ἀεί, πάγιος ἐν οὐ
πεπηγόσι καὶ ἐν στρεφομένοις ἄστροφος · πέτρα τις, οἶμαι,
πρὸς ἐμβολὰς ἀνέμων τε καὶ κυμάτων οὐ [τε] τινασσομένη,
15 καὶ δαπανῶσα περὶ ἑαυτὴν τὰ προσπίπτοντα. Ταῦτα μὲν
εἰς τοσοῦτον · οὐδὲ γάρ μοι σχολὴ ταῖς γλώσσαις μάχεσθαι,
καὶ ταῦτα ἴσως πλείω τοῦ δέοντος.

10. Ἤδη δέ μοι πρὸς ὑμᾶς ὁ λόγος, τὸ ἐμὸν ποίμνιον.
« Ὑμεῖς γένεσθέ μοι, φησὶν ὁ Παῦλος, δόξα καὶ χαρὰ καὶ
καυχήσεως στέφανος[a] » · ὑμεῖς ἀπολογία τοῖς ἐμὲ ἀνακρί-
B   νουσιν, ἵν᾽, ὥσπερ τοῖς τεκτονικῆς ἢ γραφικῆς ἀπαιτουμένοις
5 λόγον ἐξαρκεῖ δεῖξαι τὸ τεκτονηθὲν ἢ γραφὲν ἀπηλλάχθαι
πραγμάτων — ἔργον γὰρ λόγου, φησίν, ἰσχυρότερον —, οὕτως
καὶ αὐτὸς ὑμᾶς ἐπιδείξας, ὑπερέχω τὰς λοιδορίας. Ὑπερέξω
δὲ πῶς ; Πρῶτον μέν, ἐὰν τὴν εἰς Πατέρα καὶ Υἱὸν καὶ

9, 6 αὐτοῦ A ǁ τι θεῖον B ǁ 7 δύναται A ǁ δὲ om. B ǁ 8 οὔκουν : οὐ A ǁ 9 -τεθήσεται οὐδὲ συμ- mg. add. S² ǁ συμπεσεῖται
B ǁ 11 χροὰς A χροιὰς SPC ǁ 12 μένει ABQZCD μενεῖ P ǁ ἀεί om.
SZ add. S² ǁ 14 οὐ correxi : οὔτε codd. edd. ǁ 17 ταύταις ὡς B ǁ
πλέον A
10, 4 τοῖς om. VQS² ǁ τεκτονικοῖς ἢ γραφικῆς B τεκτονικοῖς ἢ
γραφικοῖς Maur. ǁ 6 φασιν D ǁ 7 ὑπερέχω S : ὑπερέξω PC ὑπέρσχω
DVQZS² ὑπερσχῶ ABP² mg.

---

10. a. I Thess. 2, 19-20.

---

1. Autre phrase de type socratico-cynique.
2. Sur la signification de καιρός, cf. Discours 33, 2.
3. C'est, en substance, la définition du vrai chrétien, du « philo-

celui qui estime le bien pour lui-même et s'y attache,
puisqu'il est épris de ce qui est stable, il lui voue également
un empressement stable[1] ; étant ainsi dans une disposition
en quelque sorte divine, il peut dire la parole de Dieu :
« Moi, je suis le même, et je ne change pas[a]. » C'est pourquoi
il ne se refera pas, il ne se transformera pas, il ne subira
pas de déchéance avec les circonstances[2] et les choses, en
devenant tantôt ceci, tantôt cela, prenant successivement
des couleurs diverses, comme les polypes prennent la
couleur des rochers sur lesquels ils se trouvent ; mais il
restera le même toujours, fixe au milieu de ce qui n'est pas
fixe et, au milieu de ce qui tourne, ne tournant pas[3] ; il
sera, je crois, comme un rocher en face des assauts des
vents et des vagues : il n'est pas ébranlé et il épuise ce
qui le heurte de toute part. Mais en voilà assez sur ce
point ; je n'ai pas le loisir de combattre contre les langues,
et je l'ai peut-être fait plus qu'il ne faut.

10. Maintenant c'est à vous, mon troupeau, que va
ce discours. « Vous, dit Paul, soyez pour moi gloire, joie
et couronne de fierté[a] » ; soyez ma défense auprès de
ceux qui instruisent mon procès. Quand on demande
à des charpentiers ou à des peintres de rendre leurs
comptes, il leur suffit de montrer leur ouvrage de charpente
ou de peinture pour être préservés de tout ennui[4], car
faire, suivant l'expression, vaut mieux que dire ; de même,
moi, en vous montrant, je triomphe des propos malveillants. Et j'en triompherai comment ? D'abord si vous

sophe » selon la doctrine chrétienne. Dans le discours à la louange de
Maxime, en qui Grégoire avait cru voir se réaliser son idéal de chrétien
qui méprise le luxe et les adversités avec la dureté sans crainte du
philosophe cynique, on lit que le vrai chrétien est ἐν πάθεσιν ἀπαθής
(*Discours* 26, 13).

4. L'orateur songe ici à des artisans chargés par une cité d'exécuter
un travail ; à l'expiration du délai, ils doivent rendre leurs comptes.
P.G.

ἅγιον Πνεῦμα ὁμολογίαν ἀκλινῆ[b] καὶ βεβαίαν φυλάττητε,
10 μηδὲν προστιθέντες μηδὲ ἀφαιροῦντες μηδὲ σμικρύνοντες
τῆς μιᾶς Θεότητος — τὸ γὰρ ἐλαττωθὲν τοῦ παντός ἐστιν
ἐλάττωσις — · τοὺς δὲ ἄλλο τι φρονοῦντας ἢ λέγοντας,
ἢ φύσεων μέτροις τὸ ἓν διαλύοντας ἢ διατειχίζοντας, ὡς
λύμην τῆς Ἐκκλησίας καὶ τῆς ἀληθείας ἰὸν ἀποπέμποισθε,
15 μὴ μισοῦντες, ἀλλ' ἐλεοῦντες τοῦ πτώματος. Δεύτερον δέ,
εἰ τὴν πολιτείαν ἀκόλουθον τῷ ὀρθῷ λόγῳ παρέχοιτε, ἵν'
C ἦτε περίδεξιοι τὴν ἀρετήν, ἀλλὰ μὴ τῷ ἑτέρῳ λείποντες.

11. Οἱ βασιλεῖς, αἰδεῖσθε τὴν ἁλουργίδα · νομοθετήσει
γὰρ καὶ νομοθέταις ὁ λόγος. Γινώσκετε ὅσον τὸ πιστευθὲν
ὑμῖν καὶ τί τὸ μέγα περὶ ὑμᾶς μυστήριον. Κόσμος ὅλος
ὑπὸ χεῖρα τὴν ὑμετέραν, διαδήματι μικρῷ καὶ βραχεῖ ῥακίῳ
5 κρατούμενος. Τὰ μὲν ἄνω, μόνου Θεοῦ · τὰ κάτω δὲ καὶ
ὑμῶν. Θεοὶ γένεσθε τοῖς ὑφ' ὑμᾶς, ἵν' εἴπω τι καὶ τολμηρότε-
ρον. « Καρδία βασιλέως ἐν χειρὶ Θεοῦ[a] », καὶ εἴρηται καὶ
πιστεύεται. Ἐνταῦθα ἔστω τὸ κράτος ὑμῖν, ἀλλὰ μὴ τῷ
χρυσῷ καὶ ταῖς φάλαγξιν.

10, 9 φυλάττοιτε SPC φυλάττετε A ‖ 10 μηδὲ ἀφαιροῦντες : ἢ ἀφαιροῦντες P² ἢ ὑφαιροῦντες APCD ‖ μηδὲ ἀ. S in ras. (ut uid.) ‖ 14
ἀποπέμποισθαι S ἀποπέμπεσθε AD corr. mg. D² ‖ 16 πολιτείαν A
11, 1 αἰδεῖσθαι S ‖ νομοθητέσει ex -σειη (ut uid.) P ‖ 2 καὶ supra
versum P ‖ ὅσον bis scripsit P corr. P² om. Ioh. τί Maximus ‖
3 μέγα om. Maximus ‖ ἡμᾶς S ‖ 4 ῥακκίῳ A ‖ 5 μόνου : μόνον Ioh. ‖
τὰ δὲ κάτω Maximus Ioh. ‖ 6 γένεσθε : γίνεσθε SPCD (corr. S²P²)
Max. Ioh. ‖ 8 πεπίστευται Max. Ioh. ‖ ὑμῖν : ὑμῶν Max. Ioh. ‖ μὴ
ἐν τῷ Max.

10. b. Hébr. 10, 23.
11. a. Prov. 21, 1.

11, 1-9 οἱ βασιλεῖς — ταῖς φάλαγξι MAXIMUS CONFESSOR, *Loci
Communes*, *P G* 91, 777 AB
11, 1-12 οἱ βασιλεῖς — οὐκ ἀθανάτων IOHANNES DAMASCENUS, *Sacr.
Parall.*, *P G* 95, 1289 CD

gardez une confession[1] solide[b] et ferme dans le Père, le Fils
et le Saint-Esprit, sans rien ajouter, ni enlever, ni
rapetisser[2] de l'unique divinité — car, si l'un est diminué,
c'est une diminution du tout[3] — ; quant à ceux qui pensent
ou qui disent quelque chose d'autre, ou qui dissolvent
l'Un ou le divisent par cloisonnements[4] en différents degrés
de nature[5], renvoyez-les comme une peste pour l'Église
ou un poison pour la vérité, sans les haïr, mais en déplorant
leur chute. En second lieu, je triompherai si vous présentez
une conduite qui suive fidèlement la droite doctrine[6],
afin d'exceller dans la vertu sur tous les points, sans être
déficients sur un seul.

11. Empereurs, respectez votre pourpre — car notre
parole tracera des lois même aux législateurs. Connaissez
quelle haute mission vous a été confiée et quel est le grand
mystère qui vous concerne : le monde entier est dans
votre main ; un diadème insignifiant et un peu d'étoffe
le maîtrisent. Les choses d'en haut sont à Dieu seul ;
celles d'en bas sont aussi à vous. Soyez des dieux pour
vos sujets, pour user d'une expression un peu hardie.
« Le cœur des rois est dans la main de Dieu[a] », comme
il est dit dans l'Écriture et comme nous le croyons. Que
votre puissance soit là, et non dans l'or ni dans les armées.

---

1. « Confession » au sens technique : proclamation que le croyant
fait de sa foi (cf. *Hébr.* 4, 14). Dans cette péroraison revient une
brève profession de foi trinitaire, accompagnée cependant d'une
attitude bienveillante à l'égard des dissidents. P.G.

2. « Rapetisser » la Trinité, c'est nier la nature divine du Fils et
de l'Esprit.

3. Cf. *Discours* 31, 4 et 12.

4. Διαλύειν et διατειχίζειν ne rentrent pas dans la terminologie
technique avec laquelle Grégoire condamne les hérésies opposées des
ariens et des sabelliens ; ces verbes signifient seulement la destruction
de la nature divine.

5. Sur le fait de « mesurer » la nature divine, cf. *Discours* 33, 1.

6. Sur la conception de l'ὀρθὸς λόγος cf. *Discours* 32, 2, note.

10 Οἱ περὶ τὰ βασίλεια καὶ τοὺς θρόνους, μὴ σφόδρα ταῖς
D ἐξουσίαις ἐπαίρεσθε μηδὲ ἀθάνατα διανοεῖσθε περὶ τῶν οὐκ
ἀθανάτων. Πιστοὶ μένετε τοῖς βασιλεῦσι, Θεῷ δὲ πρότερον,
δι' ὃν καὶ τούτοις οἷς ἐπιστεύθητε καὶ οἷς παραδέδοσθε.
Οἱ τὸ γένος κομπάζοντες, τὸν τρόπον ἐξευγενίσατε, ἢ
15 φθέγξομαί τι τῶν ἀηδῶν μέν, εὐγενῶν δέ. Τότε γὰρ ἀληθῶς
εὐγενέστατον ἦν ἄν τι τὸ ὑμέτερον, εἰ μὴ καὶ δέλτοι τοὺς
δυσγενεῖς ὑμῖν ἐνέγραφον.

280 A **12.** Οἱ σοφοὶ καὶ φιλόσοφοι καὶ σεμνοὶ τὴν ὑπήνην καὶ
τὸ τριβώνιον, οἱ σοφισταὶ καὶ γραμματισταὶ καὶ τῶν δημοσίων
θηρευταὶ κρότων, οὐκ οἶδα πῶς ἂν σοφοὶ κληθείητε, τὸν
πρῶτον λόγον οὐκ ἔχοντες.

5 Οἱ περὶ τὸν πλοῦτον, ἀκούσατε τοῦ λέγοντος · « Πλοῦτος
ἐὰν ῥέῃ, μὴ προστίθεσθε καρδίᾳ[a] » · ἴστε θαρροῦντες
ἀβεβαίῳ πράγματι. Ἀποφόρτισαί τι τῆς νηός, ἵνα πλέῃς
κουφότερος. Ἐχθροῦ τι τυχὸν ὑφαιρήσεις, εἰς ὃν τὰ σὰ
περιστήσεται.

10 Οἱ περὶ τὴν τρυφήν, ὑφέλετέ τι τῆς σαρκός, δότε τῷ
πνεύματι. Ἐγγὺς ὁ πένης · τῇ νόσῳ βοήθησον · εἰς τοῦτον

11, 10 περὶ ex περὶ τὰς (ut uid.) S² ‖ 12 τοῖς om. SPCD add.
mg. S² ‖ 13 παραδέδοσθαι V ‖ 14 ἐξευγενίσατε ex ἐξευγενήσατε S²
-ήσατε Z ‖ 15 τι om. SPC add. S²P² ‖ ἀληθὲς BQDS² (ut uid.) τὸ
γὰρ ἀληθὲς A ‖ 17 ἔγραφον BVQZS²
12, 2 καὶ σοφισταὶ A ‖ 6 προστίθεσθαι S ‖ 7 ἀποφόρτισον A ‖
10-14 [οἱ περὶ] — [β]αρύνων uacuum in B ‖ 10 σαρκός : γαστρός
VQZS² Maur. ‖ καὶ δότε Ioh.

12. a. Ps. 61, 11.

12, 10-16 οἱ περὶ τὴν τρυφὴν — πλούσιον Ioh. Damasc., Sacr.
Parall., PG 95, 1337 C

1. C'est le *topos* cynique περὶ εὐγενείας déjà vu *supra* 33, 12.
2. Ces philosophes sont dépeints avec des traits de philosophes
cyniques, comme on l'a déjà vu plus haut (chap. 9). Ils sont opposés

Vous qui êtes du palais et qui entourez le trône, ne soyez pas exaltés outre mesure par votre pouvoir et ne formez pas des projets d'immortalité pour les choses qui ne sont pas immortelles. Restez fidèles aux empereurs, mais d'abord à Dieu, et à cause de lui à ceux qui vous ont fait confiance et à qui vous vous êtes attachés.

Vous qui êtes fiers de votre naissance, ennoblissez vos mœurs, ou bien je vous dirai une parole qui ne sera pas agréable, certes, mais qui sera noble : votre ordre serait vraiment le plus noble si vos tablettes ne portaient pas des noms sans noblesse[1].

12. Vous, les sages et les philosophes, qui êtes vénérables à cause de votre barbe et de votre manteau court[2], vous, les sophistes et les grammatistes, qui êtes à l'affût des applaudissements du public, je ne sais comment vous pourriez être appelés sages, si vous n'avez pas la première science[3].

Vous qui êtes portés vers la richesse, écoutez celui qui dit : « Si la richesse afflue vers vous, n'y attachez pas votre cœur[a] » ; sachez que vous fondez votre assurance sur une chose sans solidité. Décharge un peu ton navire, et tu seras plus léger pour naviguer ; tu enlèveras peut-être quelque chose à un ennemi, aux mains duquel vont passer tes biens[4].

Vous qui êtes portés vers le luxe de la table, soustrayez quelque chose à votre ventre[5], donnez-le à l'esprit. Le pauvre est tout près ; viens au secours de sa maladie,

---

aux maîtres de rhétorique, tels un Thémistios ou un Libanios, qui aspiraient au titre de « philosophes » parce que leur enseignement possédait une banale patine de philosophie.

3. Ce πρῶτος λόγος est analogue à l'ὀρθὸς λόγος du chap. 10, *logos* dont Grégoire est le héraut.

4. Autre thème cynique ; cf. l'ouvrage déjà cité d'Asmus, *Gregorios von Nazianz und sein Verhältnis zum Kynismus*, p. 316.

5. Sur l'εὐτέλεια cynique et la condamnation du luxe (τρυφή), cf. aussi *Discours* 43, 61 et Asmus, *op. cit.*, p. 319.

ἀπέρευξαί τι τῶν περιττῶν. Τί καὶ σὺ κάμνεις ἀπεπτῶν
καὶ οὗτος πεινῶν ; καὶ σὺ κραιπαλῶν καὶ οὗτος ὑδεριῶν ;
καὶ σὺ κόρῳ κόρον βαρύνων καὶ οὗτος περιτρεπόμενος
B 15 νόσῳ ; Μὴ παρίδης τὸν σὸν Λάζαρον ἐνταῦθα, μή σε ποιήσῃ
τὸν ἐκεῖθεν πλούσιον[b].

Ὑμεῖς ἡ μεγάλη πόλις, οἱ πρῶτοι μετὰ τὴν πρώτην
εὐθέως, ἢ μηδὲ τούτου παραχωροῦντες, φάνητέ μοι πρῶτοι,
μὴ τὴν κακίαν, ἀλλὰ τὴν ἀρετήν · μὴ τὴν ἔκλυσιν, ἀλλὰ τὴν
20 εὐνομίαν. Ὡς ἔστιν αἰσχρὸν τῶν μὲν πόλεων κρατεῖν, τῶν
δὲ ἡδονῶν ἡττᾶσθαι · ἢ τὰ μὲν ἄλλα σωφρονεῖν, περὶ δὲ
τοὺς ἱππικοὺς καὶ τὰ θέατρα καὶ τὰ στάδια καὶ τὰ κυνηγέσια
τοσοῦτον μεμηνέναι ὥστε ταῦτα ποιεῖσθαι βίον, καὶ πόλιν
εἶναι παιζόντων τὴν πρώτην ἐν πόλεσιν, ἣν καὶ ταῖς ἄλλαις
25 τύπον εἶναι καλοῦ παντὸς πρεπωδέστερον. Ἂν ταῦτα διατυποῖτε, Θεοῦ πόλις εἴητε, ἐπὶ τῶν χειρῶν τοῦ Κυρίου
ζωγραφηθείητε[c], καὶ παραστήσεσθε σὺν ἡμῖν τῷ μεγάλῳ
C πολιστῇ λαμπροὶ λαμπρῶς ὕστερον. Τοῦτο ὑμᾶς εὐαγγε-
λίζομαι ἐν αὐτῷ Χριστῷ τῷ Κυρίῳ ἡμῶν · ᾧ ἡ δόξα, τιμή,
30 κράτος εἰς τοὺς αἰῶνας. Ἀμήν.

12, 14 κόρον κόρῳ VZCD (B uacuum) ‖ 15 νόσῳ supra uersum
add. D² ‖ 17 οἱ πρῶτοι : ἡ πρώτη SPC (οἱ πρ. P²) ‖ 18 τούτου :
τοῦτο BVZ ‖ 21 δὲ² om. C ‖ 24 ἄλλαις ex emend. P² ‖ 25 ἂν ταῦτα
διατυποῖτε ASPCD : ἂν ταῦτα διαπτύοιτε uel διαπτύητε P² ταῦτα διαπτύοντες Z ταῦτα διαπτύοιτε BVQ Maur. ‖ τοῦ om. BVPCD ‖ 27
παραστήσασθε (ex -σαισθε ut uid.) Q παραστήσαισθε V Maur. ‖
28 ὑμῖν P ‖ 29 δόξα καὶ τὸ κράτος P ‖ 30 αἰῶνας τῶν αἰώνων PCD

εἰς ἑαυτὸν καὶ πρὸς τοὺς λέγοντας ἐπιθυμεῖν αὐτὸν τῆς καθέδρας
κωνσατινουπόλεως A πρὸς τοὺς λέγοντας ἐπιθυμεῖν αὐτὸν τῆς καθέδρας
κωνσταντινουπόλεως PC (add. στίχοι ΤΛΓ P) εἰς ἑαυτὸν ᾱ D nulla
subscriptio in BVQZ deleuit S

12. b. Cf. Lc 16, 20 s.   c. Cf. Is. 49, 16.

1. Autre thème rhétorico-cynique ; cf. Dziech, op. cit., p. 117.
2. L'allusion est directe ; elle concerne Constantinople qui,

vomis vers lui quelque chose de ce que tu as en trop.
Pourquoi souffres-tu d'avoir des indigestions, et lui, d'avoir
faim? d'être ivre, toi, et lui, hydropique? de lester ta
satiété avec une nouvelle satiété, et lui, de chanceler sous
l'effet de la maladie[1]? Ne dédaigne pas ici-bas ton Lazare,
pour qu'il ne fasse pas de toi dans l'au-delà le riche que
tu sais[b].

Vous, les citoyens de la grande ville, vous qui êtes les
premiers immédiatement après ceux de la première ou qui
ne lui accordez même pas cette primauté[2], que je vous voie
les premiers non par le vice, mais par la vertu, non par la
dissolution des mœurs, mais par la bonne observation des
lois ! Quelle honte de l'emporter sur les autres villes et de se
laisser vaincre par les plaisirs ! ou d'être modéré sur les
autres sujets, mais d'avoir la folie des courses de chevaux,
des théâtres, des stades, des chasses à courre, au point d'en
faire sa vie et d'être parmi les villes la première ville des
amateurs de jeux, alors qu'il serait plus convenable d'être
précisément pour les autres villes un exemple de tout bien[3]!
Si vous donnez cet exemple, puissiez-vous être la ville
de Dieu et être peints sur les mains du Seigneur[c4] et,
plus tard, splendides, vous vous présenterez splendidement
avec nous au grand Fondateur des villes! Telle est la
bonne nouvelle que je vous annonce dans le Christ Jésus
lui-même, Notre-Seigneur, à qui sont la gloire, l'honneur,
la puissance pour les siècles ! Amen.

capitale de l'Empire depuis environ soixante ans, devait devenir
encore plus célèbre que Rome. Grégoire flatte la vanité de ses
auditeurs ; cf. BERNARDI, p. 198.
3. Description intéressante des mœurs de Constantinople, qui
deviendront célèbres par la suite dans l'ère byzantine ; cf. déjà plus
haut, 33, 6-7 et ASMUS, *op. cit.*, p. 318, ainsi que DZIECH, *op. cit.*,
p. 133 s.
4. L'origine de l'image de Constantinople peinte sur les mains du
Seigneur est à chercher dans *Isaïe* 49, 16, où Dieu dit qu'il a gravé son
peuple sur les paumes de ses mains. P.G. — L'image est bien décrite
par BERNARDI (p. 198), qui y voit un modèle de peinture byzantine.

Εἰς τὸ ῥητὸν τοῦ Εὐαγγελίου · «Ὅτε ἐτέλεσεν ὁ Ἰησοῦς
τοὺς λόγους τούτους »

1. Ὁ τοὺς ἁλιεῖς προελόμενος Ἰησοῦς καὶ αὐτὸς σαγηνεύει
καὶ τόπους ἐκ τόπων ἀμείβει. Τίνος ἕνεκεν ; Οὐ μόνον ἵνα
κερδάνῃ πλείονας τῶν φιλοθέων τῇ ἐπιφοιτήσει, ἀλλ᾽,
ἔμοιγε δοκεῖ, ἵνα καὶ τόπους ἁγιάσῃ πλείονας. Γίνεται τοῖς
284 A 5 Ἰουδαίοις ὡς Ἰουδαῖος ἵνα Ἰουδαίους κερδάνῃ, τοῖς ὑπὸ
νόμον ὡς ὑπὸ νόμον ἵνα τοὺς ὑπὸ νόμον ἐξαγοράσῃ, τοῖς
ἀσθενέσιν ὡς ἀσθενὴς ἵνα τοὺς ἀσθενεῖς σώσῃ. Γίνεται πάντα
πᾶσιν, ἵνα τοὺς πάντας κερδάνῃ[a]. Τί δὲ λέγω « τοῖς πᾶσι
πάντα », ὃ μηδὲ Παῦλος περὶ ἑαυτοῦ ἠνέσχετο εἰπεῖν ; πλέον
10 γὰρ τούτου εὑρίσκω τὸν Σωτῆρα πάσχοντα. Οὐ γὰρ Ἰουδαῖος
γίνεται μόνον οὐδ᾽ ὅσα τῶν ἀτόπων καὶ μοχθηρῶν ὀνομάτων
εἰς ἑαυτὸν ἀναδέχεται[b], ἀλλὰ καὶ ὁ τούτων πάντων ἀτοπώτε-

Titulus, τοῦ αὐτοῦ εἰς τὸ ῥητὸν τοῦ εὐαγγελίου τὸ λεγόμενον ὅτι
ἐτέλεσεν ὁ ἰησοῦς τοὺς λόγους τούτους, μετῆρεν ἀπὸ τῆς γαλιλαίας
καὶ ἦλθεν εἰς τὰ ὅρια τῆς ἰουδαίας πέραν τοῦ ἰορδάνου · καὶ ἠκολού-
θησον αὐτῷ ὄχλοι πολλοί : VD (τοῦ αὐτοῦ et καὶ ἠκολούθησαν κτλ
om. D), τοῦ αὐτοῦ εἰς τὸ ῥητὸν τοῦ εὐαγγελίου P, εἰς τὸ ῥητὸν τοῦ
εὐαγγελίου SCDQZ (del. S²), εἰς τὸ ῥητὸν τοῦ εὐαγγελίου εἰς τὸ
ὅτε ἐτέλεσεν ὁ ἰησοῦς τοὺς λόγους τούτους A inscriptio euanida in B

1, 1 σαγηνεύει ex σαγηνέει S² ‖ 3 κερδάνῃ ex κερδαίνῃ A² ‖ τῆς
ἐπιφοιτήσεως BQZP² διὰ τῆς ἐπιφοιτήσεως Maur. ‖ 4 ἐμοὶ VQZ ‖
ἵνα om. B (ut uid.) VQZ ‖ καὶ supra uersum D ‖ 6 νόμον[1] : νόμων B ‖ 7 ἀσθενοῦσιν Z ‖ ἀσθενεῖς ex ἀσθενῆς S² ἀσθενῆς B ‖ 8-9 τοῖς
πᾶσι τὰ πάντα Z πᾶσι ex πάσῃ S²B² ‖ ὃ μηδὲ : ὅπερ καὶ ASCD ‖
9-10 πλέον γὰρ τούτου εὑρίσκω : τοῦτο εὑρίσκω VQZ πλέον γὰρ del.
P² ‖ τούτου : τοῦτο ADP ‖ 10 οὐ γὰρ ex οὐδὲ γὰρ D ‖ 12 ἁπάντων Z

DISCOURS 37

Sur la parole de l'Évangile :
« Lorsque Jésus eut achevé ces discours[a] »

1. Jésus, qui a d'abord choisi les pêcheurs, jette lui-même la seine et passe d'un lieu à d'autres lieux. Dans quel but ? Non seulement pour gagner un plus grand nombre d'hommes à l'amour de Dieu en les fréquentant, mais aussi, du moins à mon avis, pour sanctifier un plus grand nombre de lieux. Pour les Juifs il devient comme un Juif, afin de gagner les Juifs ; pour ceux qui sont sujets de la Loi, il devient comme un sujet de la Loi, afin de racheter ceux qui sont sujets de la Loi ; pour les faibles, il devient comme un faible, afin de sauver les faibles ; il devient tout à tous, afin de les gagner tous[a] [1]. Pourquoi dis-je : « tout à tous », ce que Paul même n'a pas supporté de dire à son propre sujet ? Car je trouve que le Sauveur a subi plus que cela. En effet, non seulement il devient Juif, non seulement il prend sur lui les noms les plus absurdes et les plus injurieux[b] [2], mais encore, ce qui est plus absurde que tous ces noms, il devient le péché

Titre. a. Matth. 19, 1-12.
1. a. I Cor. 9, 20-22. b. Cf. Jn 8, 48 ; 10, 20 ; Mc 3, 21.

---

1. On remarquera dans cette citation de *I Cor.* 9, 22 la leçon πάντας qui n'est pas celle qui est admise ordinairement dans les éditions critiques du *Nouveau Testament*. P.G.

2. Par exemple, il est traité de Samaritain (*Jn* 8, 48), de démoniaque (*Jn* 10, 20), de fou (*Jn* 10, 20 ; *Mc* 3, 21). P.G.

ρον, καὶ αὐτοαμαρτία[c] καὶ αὐτοκατάρα[d] · οὐκ ἔστι μέν,
ἀκούει δέ. Πῶς γὰρ ἁμαρτία ὁ καὶ ἡμᾶς τῆς ἁμαρτίας
15 ἐλευθερῶν[e] ; πῶς δὲ κατάρα ὁ ἐξαγοράζων ἡμᾶς ἐκ τῆς
κατάρας τοῦ νόμου[f] ; Ἀλλ' ἵνα καὶ μέχρι τούτων τὸ ταπεινὸν
ἐπιδείξηται, τυπῶν ἡμᾶς εἰς ταπείνωσιν τὴν ὕψους πρό-
B ξενον[g]. Ὅπερ οὖν εἶπον, ἁλιεὺς γίνεται, πᾶσι συγκαταβαίνει, σαγηνεύει πάντας, ἵν' ἐκ βάθους τὸν ἰχθὺν ἀνενέγκῃ,
20 τὸν νηχόμενον ἐν τοῖς ἀστάτοις καὶ ἁλμυροῖς τοῦ βίου
κύμασιν ἄνθρωπον.

2. Διὰ τοῦτο καὶ νῦν, « ὅτε ἐτέλεσε τοὺς λόγους τούτους,
μετῆρεν ἀπὸ τῆς Γαλιλαίας, καὶ ἦλθεν εἰς τὰ ὅρια τῆς
Ἰουδαίας πέραν τοῦ Ἰορδάνου[a] ». Τῇ Γαλιλαίᾳ ἐπιδημεῖ
καλῶς, ἵνα ὁ λαὸς ὁ καθήμενος ἐν σκότει ἴδῃ φῶς μέγα
5 τῆς ἐπιγνώσεως[b]. Εἰς τὴν Ἰουδαίαν μεθίσταται, ἵνα πείσῃ
C τοῦ γράμματος ἐξαναστάντας ἀκολουθῆσαι τῷ πνεύματι.
Νῦν μὲν ἐπ' ὄρους διδάσκει[c], νῦν δὲ ἐν πεδίοις διαλέγεται[d],
νῦν δὲ εἰς πλοῖον μεταβαίνει[e], νῦν δὲ ἐπιτιμᾷ ζάλαις[f]. Τάχα
καὶ ὕπνον δέχεται[g] ἵνα καὶ ὕπνον εὐλογήσῃ, τάχα καὶ
10 κοπιᾷ[h] ἵνα καὶ τὸν κόπον ἁγιάσῃ, τάχα καὶ δακρύει[i] ἵνα
τὸ δάκρυον ἐπαινετὸν ἀπεργάσηται. Μεταβαίνει τόπον
ἐκ τόπου ὁ μηδενὶ τόπῳ χωρούμενος, ὁ ἄχρονος, ὁ ἀσώματος,

1, 13 αὐτὸ ἁμαρτία ... αὐτὸ κατάρα A ‖ 14 τῆς ἁμαρτίας ἡμᾶς
SPC corr. S²P² ‖ 15 ἐκ om. B ‖ 19 σαγινεύει ASD corr. S² ‖ πάντας :
πάντα στέγει BVQZP² Maur. ‖ 20 νηχόμενον ex νηχούμενον P²
2, 2 μετῆρεν : μετῆλθεν B ‖ 3 τῇ om. ABVQZ ‖ ἐπειδημεῖ P ‖
4 εἴδη AP ‖ 5 τῆς ἐπιγνώσεως om. BVQZP² Maur. ‖ 7-8 νῦν δὲ ...
νῦν ... νῦν A νῦν ... νῦν ... νῦν S ‖ 10 ἵνα καὶ τὸν κόπον : ἵνα τὸν
κόπον ASD ἵνα τὸν κόσμον C ‖ 10-11 ἵνα καὶ τὸ δάκρυον Q ‖ 12
τόπων P

---

1. c. II Cor. 5, 21.   d. Gal. 3, 13.   e. Cf. Rom. 6, 18.22.
f. Gal. 3, 13.   g. Cf. Lc 14, 11 ; 18, 14.
2. a. Matth. 19, 1.   b. Is. 9, 1 *(LXX)* ; Matth. 4, 15-16.
c. Cf. Matth. 5, 1.   d. Cf. Lc 6, 17.   e. Cf. Mc 4, 36.   f. Cf.
Mc 4, 39.   g. Cf. Matth. 8, 24 ; Mc 4, 38 ; Lc 8, 23.   h. Cf.
Jn 4, 6.   i. Cf. Jn 11, 35.

même^c et la malédiction même^{d 1} ; il ne l'est pas, certes,
mais il en reçoit le nom. Comment, en effet, serait-il
péché, lui qui nous délivre du péché^e, et comment serait-il
malédiction, lui qui nous rachète de la malédiction de
la Loi^f ? Mais s'il va jusque-là, c'est pour faire voir ce qu'est
l'humilité et nous marquer au chiffre de cette humilité
qui nous obtient l'élévation^g. Comme je l'ai dit, il devient
pêcheur, il descend au niveau de tous, il jette la seine
sur tous, pour retirer du fond le poisson, celui qui nage
parmi les flots agités et saumâtres de la vie : l'homme.

2. Voilà pourquoi maintenant, « après qu'il eut achevé
ces discours, il quitta la Galilée et vint sur les confins
de la Judée au-delà du Jourdain^a », Il séjourne en Galilée
d'une manière bienfaisante, afin que le peuple assis dans les
ténèbres voie une grande lumière^b, celle de la connaissance ;
il se rend en Judée pour persuader les gens de s'élever
au-dessus de la lettre et de suivre l'esprit[2]. Tantôt il
enseigne sur une montagne^c, tantôt il converse dans
les plaines^d, tantôt il passe dans une barque^e, tantôt il
réprimande des tempêtes^f. Il accepte le sommeil^g, sans
doute pour sanctifier le sommeil ; il éprouve la fatigue^h,
sans doute pour sanctifier la fatigue ; il pleureⁱ, sans doute
pour rendre louables les pleurs. Il passe d'un lieu dans
un autre, lui qui n'est contenu par aucun lieu[3], lui qui

---

1. Noter la formation des composés, de type platonicien et
origénien ; autres composés analogues dans *Discours* 40, 29
(αὐτοκάθαρσις) ; 41, 9.
2. Par opposition à la Galilée, qui est dans les ténèbres, la Judée
possède la lumière, mais à condition que les Juifs ne s'arrêtent pas à
la lettre, qui leur voile le vrai sens de l'Écriture (cf. *II Cor.* 3, 6.
15-16). P.G.
3. Le Christ, en tant que Dieu, n'est compris dans aucun lieu ; de
même l'Esprit (cf. *Discours* 31, 29 : « il contient, il n'est pas contenu »).

ὁ ἀπερίληπτος. Ὁ αὐτὸς καὶ ἦν καὶ γίνεται · καὶ ὑπὲρ
χρόνον ἦν καὶ ὑπὸ χρόνον ἔρχεται · καὶ ἀόρατος ἦν καὶ
15 ὁρᾶται. « Ἐν ἀρχῇ ἦν καὶ πρὸς Θεὸν ἦν καὶ Θεὸς ἦνʲ. »
Τρίτον τὸ « ἦν », τῷ ἀριθμῷ βεβαιούμενον. Ὃ ἦν ἐκένωσεᵏ
καὶ ὃ μὴ ἦν προσέλαβεν · οὐ δύο γενόμενος, ἀλλ' ἓν ἐκ τῶν
285 A δύο γενέσθαι ἀνασχόμενος. Θεὸς γὰρ ἀμφότερα, τό τε
προσλαβὸν καὶ τὸ προσληφθέν · δύο φύσεις εἰς ἓν συνδρα-
20 μοῦσαι, οὐχ υἱοὶ δύο · μὴ καταψευδέσθω ἡ σύγκρασις.
Οὗτος ὁ τηλικοῦτος, ὁ τοσοῦτος · ἀλλὰ τί πέπονθα ; Πάλιν
ἐμπέπτωκα εἰς ἀνθρώπινα ῥήματα. Πῶς γὰρ τὸ ἁπλοῦν
τοσοῦτον ; πῶς δὲ τὸ ἄποσον τηλικοῦτον ; Ἀλλὰ δότε συγγνώμην τῷ λόγῳ · ὀργάνῳ βραχεῖ περὶ τῶν μεγίστων
25 φθέγγομαι. Καὶ τοῦτο οἴσει ὁ πολύς, ὁ μακρόθυμος, ἡ
ἀνείδεος φύσις καὶ ἀσώματος, τοὺς ὡς περὶ σώματος λόγους
καὶ τῆς ἀληθείας ἀσθενεστέρους. Εἰ γὰρ σάρκα ἐδέξατο,
καὶ τὸν τοιοῦτον φερέτω λόγον.

2, 13 ὃ² om. C ‖ 14-15 καὶ ὁρᾶται — Θεὸς ἦν om. Z ‖ 15 καὶ ἐν ἀρχῇ
S ἀρχῇ tantum A ‖ τὸν Θεὸν BQ Maur. ‖ 16 βεβαιούμενος SPC
corr. S²P² ‖ 18-22 Θεὸς γὰρ — ἁπλοῦν deperditum in A ‖ 19-
20 δραμοῦσαι Z ‖ 21 τοσοῦτος ... τηλικοῦτος SCD ‖ 26 ἀνείδεος :
ἀΐδιος P corr. mg. P² ‖ τοὺς ὡς περὶ σώματος om. S add. S² ‖ 26-27 καὶ
τῆς ἀληθείας λόγους BP Maur. corr. P² ‖ λόγους om. VQZ ‖ 28
φέρεται BVQZP Maur.

2. j. Jn 1, 1.   k. Cf. Phil. 2, 7.

1. Le Christ est en dehors du temps et au-dessus du temps. La
pointe polémique anti-arienne est évidente (cf. Discours 20, 7-8 ;
25, 15 ; 38, 2 ; 39, 12). Un célèbre leit-motiv des ariens était justement : « il fut un temps où il (le Christ) n'était pas ».
2. Ἀπερίληπτος, terme de tradition platonicienne (cf. « Il platonismo cristiano », p. 1376).
3. Notation importante pour la christologie de Grégoire. Il refuse
d'admettre que le Christ soit devenu deux avec l'Incarnation ; cf.
Lettre 101, 20 (SC 208, p. 44) : ἄλλο μὲν καὶ ἄλλο τὰ ἐξ ὧν ὁ
Σωτήρ, οὐκ ἄλλος δὲ καὶ ἄλλος.
4. Dieu assume la chair de l'homme pour la rendre divine ; cf.
pour l'usage technique de προσλαμβάνειν et de ses dérivés (assumere

est en dehors du temps[1], lui qui n'a pas de corps, lui qui n'est pas circonscrit par des limites[2]. A la fois il était et il devient ; il était au-dessus du temps, et il vient sous le temps ; il était invisible, et on le voit. « Au commencement il était, et il était auprès de Dieu, et il était Dieu[j] » — le troisième « il était » étant confirmé par la répétition. Ce qu'il était, il l'a anéanti[k], et ce qu'il n'était pas, il l'a assumé ; il n'est pas devenu deux, mais il a supporté d'être un à partir des deux[3], car ce qui a assumé et ce qui a été assumé sont Dieu l'un et l'autre[4] ; il y a deux natures qui concourent en un seul, et non pas deux fils[5] : que le mélange ne soit pas calomnié[6] ! Celui qui est si considérable, si grand — mais que m'arrive-t-il? Voilà que je suis retombé sur des mots humains ! Comment ce qui est simple[7] est-il « si grand »? Comment ce qui est hors de la quantité est-il « si considérable »? Ayez de l'indulgence pour mon langage ! C'est avec un tout petit instrument[8] que je parle de ce qu'il y a de plus grand ! Et il tolérera cela, lui, l'immense, le longanime, lui, la nature sans forme et sans corps[9], il tolérera ces paroles qui s'expriment comme à propos d'un corps et qui sont trop faibles pour la vérité. Car, s'il a accepté une chair, qu'il supporte aussi, en ce qui le concerne, un tel langage !

dans la théologie latine) : *Lettre* 101, 25-26, 32-33, 52 ; *Discours* 2, 23 ; 38, 13 ; 39, 13 ; 40, 45.

5. Cf. *Lettre* 101, 19 (*SC* 208, p. 44) : φύσεις μὲν γὰρ δύο Θεὸς καὶ ἄνθρωπος, ἐπεὶ καὶ ψυχὴ καὶ σῶμα · υἱοὶ δὲ οὐ δύο, οὐδὲ Θεοί.

6. Σύγκρασις est aussi un terme technique désignant l'union hypostatique des deux natures du Christ ; cf. *Discours* 2, 23 (*SC* 247, p. 120 : ἡ καινὴ μίξις, Θεὸς καὶ ἄνθρωπος, ἓν ἐξ ἀμφοῖν καὶ δι' ἑνὸς ἀμφότερα. Διὰ τοῦτο Θεὸς σαρκὶ διὰ μέσης ψυχῆς ἀνεκράθη) et 34, 10 ; *Lettre* 101, 21 (*SC* 208, p. 44-45).

7. Le Christ est ἁπλοῦς (*simplex* dans la théologie latine) en tant que Dieu. Cf. « Il platonismo cristiano », p. 1384.

8. L'image de « l'instrument » (l'esprit humain qui ne suffit pas pour comprendre Dieu) revient dans le *Discours* 28, 21.

9. Autres termes de théologie négative ; cf. « Il platonismo cristiano », p. 1375-1377.

B **3.** « Καὶ ἠκολούθησαν αὐτῷ ὄχλοι πολλοὶ καὶ ἐθεράπευσεν αὐτοὺς ἐκεῖ[a] », ἔνθα πλείων ἡ ἐρημία. Εἰ ἐπὶ τῆς ἰδίας ἔμεινε περιωπῆς[b], εἰ μὴ συγκατέβη τῇ ἀσθενείᾳ, εἰ ὅπερ ἦν ἔμεινεν, ἀπρόσιτον ἑαυτὸν φυλάττων καὶ ἀπερίληπτον, ὀλίγοι ἂν

5 ἠκολούθησαν τυχόν · οὐκ οἶδα δὲ εἰ καὶ ὀλίγοι, τάχα μόνος Μωϋσῆς, καὶ οὗτος τοσοῦτον ὥστε μόλις ἰδεῖν Θεοῦ τὰ ὀπίσθια[c]. Τὴν μὲν γὰρ νεφέλην διέσχεν[d], ἔξω τοῦ σωματικοῦ βάρους γενόμενος ἢ συσταλεὶς ἀπὸ τῶν αἰσθήσεων · Θεοῦ δὲ λεπτότητα ἢ ἀσωματότητα ἢ οὐκ οἶδ' ὅπως ἄν τις ὀνο-

10 μάσειε, πῶς ἂν ἐθεάσατο σῶμά τε ὢν καὶ αἰσθητοῖς ὀφθαλμοῖς προσβαλών ; Ἀλλ' ἐπειδὴ κενοῦται δι' ἡμᾶς, ἐπειδὴ κατέρχεται — κένωσιν δὲ λέγω τὴν τῆς δόξης οἷον

C ὕφεσιν καὶ ἐλάττωσιν —, διὰ τοῦτο χωρητὸς γίνεται.

4. Δότε δέ μοι συγγνώμην μεταξὺ καὶ πάθος τι ἀνθρώπινον πάλιν πάσχοντι. Θυμοῦ πληροῦμαι καὶ λύπης ἐπὶ τῷ ἐμῷ Χριστῷ, συμπάσχοιτε δὲ καὶ ὑμεῖς, ὅταν ἴδω διὰ τοῦτο ἀτιμαζόμενόν μου τὸν Χριστόν, δι' ὃ μάλιστα τιμᾶσθαι

3, 1 πολλοί : πολλοί φησι SCDP (φησι om. S²) ‖ ἐθεράπευεν VQZ ‖ 2 πλεῖον AS ‖ 3 τῇ mg. D ‖ εἰ ὅπερ del. S ‖ 4 ἀπρόσιτον ex ἀπρόσητον S² ‖ φυλάσσων ACD ‖ 6 μωσῆς AD ‖ ὥστε μόλις : μάλιστα ὥστε P corr. P² mg. ‖ 7 διέσχεν : ἔσχεν P ‖ 8 γενόμενος ex emend. D ‖ 9 οἶδ' ὅπως : οἶδα πῶς AVZDP ‖ 9-10 ὀνομάσωμεν P ‖ 10 ἐθεάσατο ex ἐθεάσαντο P² ‖ 11 προσβάλλων VQZP² Maur. ‖ 13 τε καὶ BVQZP Maur.

4, 1 δέ om. SDZ ‖ 2 πάλιν om. SCD ‖ πληρουμένῳ A ‖ 3 δὲ om. VZ ‖ εἴδω AQ

---

3. a. Matth. 19, 2.   b. Cf. Is. 21, 8 ; Ps. 13, 2 ; 52, 3.   c. Cf. Ex. 33, 23.   d. Cf. Ex. 20, 21.

---

1. Περιωπή désigne un lieu d'observation. Allusion à Isaïe 21, 8 où il est question de la « guette du Seigneur » (σκοπιὰν Κυρίου, Grégoire emploie seulement un mot plus recherché) ; même idée dans certains Psaumes : « du ciel (Dieu) regarde les fils des hommes » (Ps. 13, 2 ; 52, 3). P.G.

2. C'est-à-dire le Logos non incarné : peu l'auraient suivi, car peu auraient pu comprendre une divinité abstraite et inaccessible.

3. « Et des foules nombreuses le suivirent, et il les guérit là[a] » où la solitude était plus vaste. S'il était resté dans sa propre guette[b] [1], s'il n'était pas descendu au niveau de notre faiblesse, s'il était resté ce qu'il était en se gardant inapprochable et insaisissable, un petit nombre d'hommes sans doute l'auraient suivi[2]. Et je ne sais si même il y en aurait eu un petit nombre ; peut-être le seul Moïse, et ce dernier seulement jusqu'à voir tout juste Dieu par derrière[c] [3]. Car Moïse pénétra dans la nuée[d] [4] après avoir été dégagé de la pesanteur du corps ou bien après s'être recueilli[5] en s'écartant des sens : la subtilité[6] de Dieu, ou son absence de corps, ou je ne sais quel terme on peut employer, comment aurait-il contemplé cela en étant corps et en cherchant à l'atteindre par le sens de la vue ? Mais comme le Christ s'anéantit à cause de nous, comme il descend — j'appelle « anéantissement » cette sorte de relâchement et d'amoindrissement de sa gloire —, par cela même il devient saisissable[7].

4. Accordez-moi aussi, entre temps, votre indulgence, car j'éprouve de nouveau une émotion humaine. Je suis rempli de colère et de chagrin au sujet de mon Christ — et puissiez-vous éprouver, vous aussi, cette émotion ! — lorsque je vois mon Christ méprisé à cause de ce qui devait

---

3. Cette symbolique, qui a son origine dans *Exode* 33, 23, se retrouve dans *Discours* 28, 3.

4. Sur la signification allégorique de la nuée de Moïse, cf. *Discours* 32, 16.

5. Pour s'élever à la connaissance de Dieu, il faut se recueillir, se contracter, pour ainsi dire (συστέλλειν) ; cf. « Il platonismo cristiano », p. 1358.

6. Ce terme (λεπτότης), comme équivalent de la ἁπλότης divine, est peu fréquent. Lampe indique seulement MACAIRE L'ÉGYPTIEN, *Homélie* 16, 5 (*P G* 34, 617 A).

7. Alors que Dieu est, par sa nature, ἀχώρητος ; cf. *Discours* 39, 13 ; *Lettre* 101, 50.

5 δίκαιος ἦν. Διὰ τοῦτο γὰρ ἄτιμος, εἰπέ μοι, ὅτι διὰ σὲ
ταπεινός ; Διὰ τοῦτο κτίσμα, ὅτι τοῦ κτίσματος κήδεται ;
Διὰ τοῦτο ὑπὸ χρόνον, ὅτι τοὺς ὑπὸ χρόνον ἐπισκέπτεται ;
Πλὴν πάντα φέρει, πάντα δέχεται. Καὶ τί θαυμαστόν ·
ʽΡαπίσματα ἤνεγκενᵃ, ἐμπτυσμάτων ἠνέσχετοᵇ, χολῆς ἐγεύ-
10 σατοᶜ διὰ τὴν ἐμὴν γεῦσινᵈ. Φέρει καὶ νῦν λιθαζόμενοςᵉ, οὐ
μόνον ὑπὸ τῶν ἐπηρεαζόντων, ἀλλὰ καὶ ὑφ' ἡμῶν αὐτῶν
τῶν εὐσεβεῖν δοκούντων. Τὸ γὰρ περὶ ἀσωμάτου διαλεγό-
D μενον σωματικοῖς κεχρῆσθαι ὀνόμασι, τυχὸν ἐπηρεαζόντων
ἐστὶ καὶ λιθαζόντων · ἀλλὰ συγγνώμη, πάλιν λέγω, τῇ
15 ἀσθενείᾳ. Λιθάζομεν γὰρ οὐχ ἑκόντες, ἀλλὰ τὸ φθέγγεσθαι
ἄλλως οὐκ ἔχοντες, ᾧ δὲ ἔχομεν χρώμενοι. Λόγος ἀκούειςᶠ
288 A καὶ ὑπὲρ λόγον εἶ · ὑπὲρ φῶς εἶ καὶ φῶς ὀνομάζηᵍ · πῦρ
ἀκούειςʰ, οὐκ αἰσθητὸς ὤν, ἀλλ' ὅτι τὴν κούφην καὶ μοχθηρὰν
ἀνακαθαίρεις ὕλην · μάχαιραⁱ, ὅτι τέμνεις τὸ χεῖρον ἀπὸ
20 τοῦ κρείττονος · πτύονʲ, ὅτι ἀνακαθαίρεις τὴν ἅλω καὶ

4, 5 δίκαιον CD ‖ 8 θαυμαστὸν εἰ A ‖ 9 ῥάπισμα AV ZP² ‖ 11
ἀλλὰ om. D add. D² ‖ 14 ἐστὶ καὶ : τυχὸν BVQZP² ἔστι καὶ λιθαζόντων om. S add. S² τυχὸν λιθαζόντων mg. Z ‖ 16 ᾧ : ὡς P corr.
P² ‖ 17 ὀνομάζει P ‖ 18 κωφὴν D ‖ 19 τέμνῃς S ‖ 20 ἅλωνα P corr.
P²

---

4. a. Cf. Mc 14, 65.   b. Cf. Matth. 26, 67.   c. Cf. Jn 19, 29;
d. Cf. Gen. 3, 12.   e. Cf. Jn 10, 31.   f. Jn 1, 1.   g. Jn 1, 9 .
8, 12 ; 12, 46.   h. Deut. 4, 24 ; 9, 3 ; Hébr. 12, 29.   i. Cf. Éphés.
6, 17 ; Hébr. 4, 12.   j. Cf. Matth. 3, 12 ; Lc 3, 17.

---

1. Allusion aux ariens qui niaient la divinité du Christ (cf. le
terme κτίσμα un peu après) en abusant des textes scripturaires
relatifs à l'humanité du Christ (cf. aussi *Discours* 29, 19).

2. Cf. *supra*, chap. 2.

3. Allusion à la faute d'Adam. Grégoire parle aussi du « goût
amer » (du fruit défendu) : *Discours* 8, 14 ; 33, 14 ; 38, 4 ; 39, 13.

4. C'est-à-dire : au-dessus de la parole humaine ; nous gardons le
même mot, comme fait le grec *(Logos-logos)*. Devant des textes
comme celui-là, le traducteur français ressent cruellement son
indigence, car *logos* signifie : parole, intelligence, définition, et d'autres
choses encore. On aura intérêt à se reporter au *Discours* 30, 20
(SC 250, p. 266-268) où Grégoire explique le choix du mot *Logos* pour

justement lui valoir les plus grands honneurs[1]. S'il est
méprisé, c'est bien, dis-moi, parce qu'il s'est abaissé à
cause de toi ? S'il est créature, c'est bien parce qu'il a le
souci de sa créature ? S'il est sous le temps[2], c'est bien parce
qu'il vient visiter ceux qui sont sous le temps ? Cependant
il supporte tout, il accepte tout. Et qu'y a-t-il d'étonnant ?
Il a supporté les soufflets[a] ; il a enduré les crachats[b] ; il a
goûté au fiel[c], parce que j'ai goûté (au fruit défendu)[d] [3] ;
il supporte d'être lapidé[e] encore maintenant non seulement
par ceux qui l'outragent, mais encore par nous-mêmes qui
paraissons être pieux ; car se servir de noms du domaine
corporel en discutant sur celui qui est incorporel, c'est
peut-être le fait de ceux qui l'outragent et le lapident.
Cependant, je le redis, soyez indulgents pour notre
faiblesse ; car nous le lapidons non pas volontairement,
mais parce que nous ne pouvons pas nous exprimer
autrement et parce que nous utilisons ce que nous avons.
Tu es appelé Verbe[f], et tu es au-dessus du verbe[4] ; tu es
au-dessus de la lumière, et tu es nommé lumière[g] ; tu es
appelé feu[h], non pas parce que tu tombes sous les sens,
mais parce que tu purifies la matière légère et vicieuse ;
glaive[i] [5], parce que tu sépares le mal du bien ; van[j] [6],
parce que tu nettoies ton aire en rejetant tout ce qui est

---

désigner le Fils : il est par rapport au Père comme la parole *(logos)*
par rapport à l'esprit dont elle exprime la pensée ; il est celui qui fait
connaître le Père, comme la définition *(logos)* fait connaître l'objet
défini ; mais ici, dans notre *Discours* 37, Grégoire se contente de
souligner discrètement que le mot *Logos,* pour désigner la seconde
personne de la Trinité, est imparfait : la raison de cela — raison qu'il
n'indique pas ici —, c'est que le Verbe, la Parole éternelle dans
laquelle le Père s'exprime, est une Personne, tandis que le verbe
humain n'est qu'un son, un signe, non une personne. P.G.

5. Dans l'*Apocalypse* (1, 16), le Christ est représenté comme ayant
un glaive dans la bouche. P.G.

6. Grégoire interprète comme désignant le Christ lui-même les
termes « van » et « hache » que Jean-Baptiste employait comme
symboles de l'action du Messie. P.G.

ὅσον κοῦφον καὶ ἀνεμιαῖον ἀποπεμπόμενος, ὅσον πλῆρες
ἐπὶ τὰς ἀποθήκας τὰς ἄνω ἐναποτίθεσαι · ἀξίνη[k], ὅτι τὴν
ἄκαρπον ἐκκόπτεις συκῆν[l] ἐπὶ πολὺ μακροθυμήσας καὶ
ὅτι τὰς ῥίζας ἐκτέμνεις τῆς πονηρίας[m] · θύρα[n], διὰ τὴν
25 εἰσαγωγήν · ὁδός[o], ὅτι εὐθυποροῦμεν · πρόβατον[p], ὅτι
θῦμα · ἀρχιερεύς[q], ὅτι προσφέρεις τὸ σῶμα[r] · Υἱός[s], ὅτι
Πατρός. Πάλιν κινῶ τὰς γλώσσας · πάλιν κατὰ Χριστοῦ
τινες μαίνονται, μᾶλλον δὲ κατ᾽ ἐμοῦ, ὃς ἠξιώθην τοῦ
Λόγου γενέσθαι κῆρυξ. Ὡς Ἰωάννης γίνομαι · « φωνὴ
B 30 βοῶντος ἐν τῇ ἐρήμῳ[t] », ἐρήμῳ ποτὲ καὶ ἀνύδρῳ, νῦν δὲ
καὶ λίαν οἰκουμένῃ.

5. Πλήν, ὅπερ ἔλεγον, ἵνα πρὸς τὸν ἐμὸν ἀναδράμω
λόγον, διὰ τοῦτο ἠκολούθουν μὲν αὐτῷ ὄχλοι πολλοί, ὅτι
ταῖς ἀσθενείαις συγκαταβαίνει ταῖς ἡμετέραις · εἶτα τί ;
« Προσῆλθον αὐτῷ, φησίν, οἱ Φαρισαῖοι πειράζοντες αὐτὸν
5 καὶ λέγοντες · εἰ ἔξεστιν ἀνθρώπῳ κατὰ πᾶσαν αἰτίαν
ἀπολῦσαι τὴν γυναῖκα αὐτοῦ[a]. » Πάλιν Φαρισαῖοι πειράζουσι · πάλιν οἱ τὸν νόμον ἀναγινώσκοντες τὸν νόμον οὐ
γινώσκουσι · πάλιν οἱ ἐξηγηταὶ τοῦ νόμου τυγχάνοντες,
ἄλλων διδασκάλων δέονται. Οὐκ ἤρκεσαν Σαδδουκαῖοι
10 πειράζοντες περὶ ἀναστάσεως[b] καὶ νομικοὶ πυνθανόμενοι
περὶ τελειότητος[c] καὶ Ἡρωδιανοὶ περὶ κήνσου[d] καὶ περὶ

4, 21 καὶ : τε καὶ BVQZ Maur. ‖ πλῆρες : βαρὺ BVQZP² βαρὺ
καὶ πλῆρες Maur. ‖ 22 τὰς² om. P τὰς ἄνω om. BVZ ‖ ἐναποτίθεσαι
ex -τίθεσθαι S² ἐναποτιθέμενος Q ‖ 23 καὶ om. BVQZP² Maur. ‖ 26
προσφέρεις ex -φέρει P² προσφέρῃ A ‖ 28-29 γενέσθαι τοῦ λόγου
PC τοῦ λόγου BVZP²
5, 2 μὲν om. VZ Maur. del. P²Q² ‖ 3 τί om. SCD τί καὶ P² Maur. ‖
5 εἰ om. C ‖ 6-7 πάλιν φαρισαῖοι πειράζουσι mg. D ‖ 7 τὸν² om.
SCD ‖ 7-8 οὐ γινώσκουσι : ἀγινώσκουσι S ‖ 8 οἱ om. BVZ ‖ 9 οὐκ
ἤρκεσαν Σαδδουκαῖοι om. BVZ ‖ 10 καὶ οἱ πειράζοντες περὶ BVZ

4. k. Matth. 3, 10 ; Lc 3, 9.   l. Cf. Lc 13, 6-9.   m. Cf.
Matth. 3, 10 ; Lc 3, 9.   n. Jn 10, 7.9.   o. Jn 14, 6.   p. Is. 53,
7 ; Act. 8, 32.   q. Hébr. 4, 14 ; 8, 1 ; 9, 11.   r. Cf. Hébr. 10, 5-7.
s. Matth. 3, 17 ; 17, 5 ; Mc 1, 11 ; 9, 7 ; Lc 3, 22 ; 9, 35.   t. Matth.
3, 3.

léger et emporté par le vent, et tout ce qui est plein, tu le
mets en réserve dans les greniers d'en-haut ; hache[k],
parce qu'après avoir longtemps patienté, tu coupes le
figuier stérile[l], et parce que tu arraches les racines de la
perversité[m] ; porte[n], parce que tu introduis[1] ; voie[o], parce
que nous marchons (par toi) dans le droit chemin ; brebis[p],
parce que tu es victime ; grand-prêtre[q], parce que tu offres
ton corps[r] ; Fils[s], parce que tu es du Père. De nouveau, je
mets en mouvement les langues ; de nouveau, certains
entrent en fureur contre le Christ, ou plutôt contre moi,
parce que j'ai été digne de devenir le héraut du Verbe.
Comme Jean, je deviens « voix de celui qui crie dans le
désert[t] », désert jadis et lieu sans eau, mais maintenant
tout à fait habité[2].

5. Au reste, comme je le disais — pour reprendre
le fil de mon discours —, des foules nombreuses le suivaient
parce qu'il descend au niveau de nos faiblesses. Qu'arrive-
t-il ensuite ? « Et des Pharisiens, dit-il, s'approchèrent de
lui, en le tentant et en lui disant : Est-ce qu'il est permis
à un homme de répudier sa femme pour quelque motif
que ce soit[a] ? » De nouveau les Pharisiens le tentent ; de
nouveau, ceux qui lisent la Loi ne connaissent pas la Loi ;
de nouveau, ceux qui se trouvent d'être les interprètes
de la Loi ont besoin que d'autres les instruisent. Il n'a
pas suffi des Sadducéens pour le tenter au sujet de la
résurrection[b], des Docteurs de la Loi pour s'informer au
sujet de la perfection[c], des Hérodiens pour le questionner
au sujet du tribut[d], et d'autres, au sujet de sa propre

---

5. a. Matth. 19, 3.   b. Cf. Matth. 22, 23-28.   c. Cf. Matth.
22, 35-36 ; Mc 12, 28 ; Lc 10, 25.   d. Matth. 22, 16-17 ; Mc 12, 14 ;
Lc 20, 22.

---

1. « Nul ne vient au Père, sinon par moi » (*Jn* 14, 6). P.G.
2. L'allusion était facile à saisir pour les auditeurs : les nicéens
étaient peu nombreux avant l'arrivée de Grégoire à Constantinople,
mais maintenant ils forment une communauté importante. P.G.

ἐξουσίας ἕτεροι[e]. Ἀλλὰ καὶ περὶ γάμου τι πάλιν ἐρωτῶσι
C τὸν ἀπείραστον, τὸν κτίστην τῆς συζυγίας, τὸν ἐκ τῆς πρώτης
αἰτίας τὸ πᾶν τῶν ἀνθρώπων γένος τοῦτο συστησάμενον.
15 Ὁ δὲ ἀποκριθεὶς εἶπεν αὐτοῖς · « Οὐκ ἀνέγνωτε ὅτι ὁ
ποιήσας, ἄρρεν καὶ θῆλυ ἐποίησεν αὐτούς[f] ; » Οἶδε τινὰς
μὲν τῶν ἐρωτήσεων διαλύειν, τινὰς δὲ ἐπιστομίζειν. Ὅτε
ἐρωτᾶται « Ἐν ποίᾳ ἐξουσίᾳ ταῦτα ποιεῖς[g] ; » διὰ τὸ ἄγαν
ἀπαίδευτον τῶν ἐρωτησάντων καὶ αὐτὸς ἀντερωτᾷ · « Τὸ
20 βάπτισμα Ἰωάννου ἐξ οὐρανοῦ ἦν ἢ ἐξ ἀνθρώπων[h] ; » καὶ
ἀμφοτέρωθεν συμποδίζει τοὺς ἐρωτῶντας. Ὥστε δυνάμεθα
καὶ ἡμεῖς μιμούμενοι Χριστὸν ἔστιν ὅτε τοὺς περιέργως
289 A ἡμῖν διαλεγομένους ἐπιστομίζειν καὶ ἀτοπωτέροις ἀντερωτή-
μασι λύειν τὴν ἀτοπίαν τῶν ἐρωτήσεων. Ἐσμὲν γὰρ καὶ
25 ἡμεῖς σοφοὶ τὰ μάταια ἔστιν ὅτε, ἵνα τὰ τῆς ἀφροσύνης
καυχήσωμαι[i]. Ὅτε δὲ ἐρώτησιν ὁρᾷ λογισμοῦ δεομένην,
τότε οὐκ ἀπαξιοῖ τοὺς ἐρωτῶντας συνετῶν ἀποκρίσεων.

6. Τὸ ἐρώτημα, ὃ ἠρώτησας, τοῦτο σωφροσύνην τιμᾶν
μοι δοκεῖ καὶ ἀπόκρισιν ἀπαιτεῖν φιλάνθρωπον · σωφροσύνην,
περὶ ἣν ὁρῶ τοὺς πολλοὺς κακῶς διακειμένους, καὶ τὸν
νόμον αὐτὸν ἄνισον καὶ ἀνώμαλον. Τί δήποτε γὰρ τὸ μὲν θῆλυ
5 ἐκόλασαν, τὸ δὲ ἄρρεν ἐπέτρεψαν, καὶ γυνὴ μέν, κακῶς
βουλευσαμένη περὶ κοίτης ἀνδρός, μοιχᾶται καὶ πικρὰ
B ἐντεῦθεν τῶν νόμων τὰ ἐπιτίμια · ἀνὴρ δέ, καταπορνεύων

5, 12 τις BVZ Maur. ‖ τι πάλιν om. S add. mg. S² ‖ πάλιν om. B ‖
ἐρωτῶσι : ἐρωτᾷ BVZ Maur. ‖ 13 τὸν² om. BVQZ ‖ τῆς : γῆς
SCD ‖ πρώτης : πρῶτον SCD ‖ 14 αἰτίας om. SCD ‖ πᾶν τῶν :
πάντων SC ‖ τουτὶ ACD ‖ 16 post ὁ ποιήσας add. ἐξ ἀρχῆς BVQPZ
Maur. ‖ ἄρσεν ASCD ‖ 20 βάπτισμα τὸ BVZ Maur. ‖ 22 καὶ ἡμεῖς
δυνάμεθα P ‖ ἔστιν om. BVPZ ‖ ὅτε μὲν τοὺς BVPZ ‖ 22-25 τοὺς
— ἵνα om. S add. in calce S² ‖ 23 διαλεγομένους ἡμῖν AS² ‖ 23-
24 ἀντεπερωτήμασι CD ἀντεπερωτήσεσι BS² ἐρωτήμασι VZ ‖ 26
καυχήσομαι Q
6, 1 ὃ ἠρώτησας ABSCD : ὁ ἐρωτήσας VQZP Maur. ‖ μοι om. S ‖
2 ἀπαιτεῖ SPCD ‖ 4 αὐτὸν : αὐτῶν SVZ Maur. ‖ 5 ἐκόλασεν
BVQZP ‖ ἐπέτριψαν CD ἐπέτρεψεν BVQZP ‖ 6 κοίτην BPD Maur.
corr. P² ‖ 7 ἐντεῦθεν : ἐνταῦθα ASD ‖ τῶν νόμων τὰ ASPCD : τὰ τῶν
νόμων BVQZ Maur. ‖ ἐπιτίμια ex ἐπιτήμια S²

puissance[e]. Ils lui posent de nouveau une question, cette
fois au sujet du mariage, lui sur qui la tentation n'a pas de
prise, lui qui a créé l'état conjugal, lui qui a constitué
tout le genre humain à partir de la première cause. « Et
lui en réponse, leur dit : N'avez-vous pas lu que le créateur
les créa mâle et femelle[f] ? » Le Christ sait aussi bien
résoudre certaines questions que fermer la bouche à
certaines autres[1]. Lorsqu'on lui demande : « Par quelle
puissance fais-tu cela[g] ? », à cause de l'excessive stupidité
de ceux qui l'ont interrogé, il leur demande à son tour :
« Le baptême de Jean était-il du ciel, ou des hommes[h] ? »,
et, des deux côtés, il embarrasse ceux qui l'interrogent.
C'est pourquoi, imitant le Christ, nous pouvons parfois
fermer la bouche à ceux qui discutent d'une façon oiseuse,
et mettre fin à l'ineptie de leurs questions en leur posant
en retour des questions plus ineptes. Nous sommes, en
effet, parfois habiles, nous aussi, dans les choses vaines
— pour me vanter de ce qui est de la folie[i]. Mais lorsque
le Christ voit qu'une question demande que l'on raisonne,
il ne juge pas les questionneurs indignes de réponses
avisées.

6. La question (dit-il) me paraît concerner l'honneur
qu'il faut rendre à la chasteté et réclame une réponse
empreinte d'humanité, — la chasteté au sujet de laquelle je
vois que la plupart des hommes ont des idées erronées,
et que leur loi est injuste et inégale. Pourquoi donc ont-ils
châtié la femme et laissé l'homme impuni ? L'épouse
qui a déshonoré le lit de son mari est adultère, et la
conséquence en est pour elle les dures sanctions des lois ;

---

5. e. Cf. Matth. 21, 23 ; Mc 11, 28 ; Lc 20, 2 ; Jn 2, 18.   f.
Matth. 19, 4.   g. Matth. 21, 23 ; Mc 11, 28 ; Lc 20, 2.   h. Lc
20, 4. Cf. Matth. 21, 25.   i. Cf. II Cor. 11, 16.

---

1. Ἐπιστομίζειν « fermer la bouche à quelqu'un » a normalement
pour complément un nom de personne ; ici, par métonymie, le
complément est transféré de la personne à la chose. P.G.

γυναικός, ἀνεύθυνος ; Οὐ δέχομαι ταύτην τὴν νομοθεσίαν, οὐκ ἐπαινῶ τὴν συνήθειαν. Ἄνδρες ἦσαν οἱ νομοθετοῦντες, 10 διὰ τοῦτο κατὰ γυναικῶν ἡ νομοθεσία, ἐπεὶ καὶ τοῖς πατράσιν ὑπ' ἐξουσίαν δεδώκασι τὰ τέκνα, τὸ δὲ ἀσθενέστερον ἀθεράπευτον εἴασαν.

Θεὸς δὲ οὐχ οὕτως, ἀλλά · « Τίμα τὸν πατέρα σου καὶ τὴν μητέρα σου[a] », ἥτις ἐστὶν ἐντολὴ πρώτη ἐν ἐπαγγελίαις 15 κειμένη, « ἵνα εὖ σοι γένηται[b] ». Καί · « Ὁ κακολογῶν πατέρα ἢ μητέρα θανάτῳ τελευτάτω[c]. » Ὁμοίως καὶ τὸ ἀγαθὸν ἐπήνεσε καὶ τὸ κακὸν ἐκόλασεν. Καί · « Εὐλογία πατρὸς στηρίζει οἴκους τέκνων · κατάρα δὲ μητρὸς ἐκριζοῖ θεμέλια[d] ». Ὁρᾶτε τὸ ἴσον τῆς νομοθεσίας. Εἷς ποιητὴς 20 ἀνδρὸς καὶ γυναικός[e], εἷς χοῦς ἀμφότεροις[f], εἰκὼν μία[g], C νόμος εἷς, θάνατος εἷς[h], ἀνάστασις μία[i]. Ὁμοίως ἐξ ἀνδρὸς καὶ γυναικὸς γεγόναμεν · ἓν χρέος παρὰ τῶν τέκνων τοῖς γεννήσασιν ὀφείλεται.

7. Πῶς οὖν σὺ σωφροσύνην μὲν ἀπαιτεῖς, οὐκ ἀντεισφέρεις δέ ; πῶς ὃ μὴ δίδως αἰτεῖς ; πῶς ὁμότιμον σῶμα ὤν, ἀνίσως νομοθετεῖς ; Εἰ δὲ τὰ χείρω σκοπεῖς, ἥμαρτεν ἡ γυνή, τοῦτο καὶ ὁ Ἀδάμ · ἀμφοτέρους ὁ ὄφις ἠπάτησεν[a]. 5 Οὐ τὸ μὲν ἀσθενέστερον εὑρέθη, τὸ δὲ ἰσχυρότερον. Ἀλλὰ τὰ βελτίω λογίζῃ ἀμφοτέρους σῴζει Χριστὸς τοῖς πάθεσιν. Ὑπὲρ ἀνδρὸς σὰρξ ἐγένετο ; τοῦτο καὶ ὑπὲρ γυναικός. Ὑπὲρ ἀνδρὸς ἀπέθανε ; καὶ ἡ γυνὴ τῷ θανάτῳ σῴζεται.

6, 9 νομοθετοῦντες ex emend. S² ex νομοθετήσαντες P² ‖ 10 καὶ διὰ S corr S² ‖ 11 ἀσθενέστερον : ἀσθενὲς SCD ‖ 14 μητέρα tantum omisso σου SPC ‖ ἐντολὴ πρώτη ἐν ἐπαγγελίαις κειμένη : ἐντολὴ πρώτη ἵνα εὖ σοι γένηται ἐν ἐπαγγελίαις κειμένη BVQPZ Maur. ‖ 17 ἐπήνεσε : ἐτίμησε BVQZP Maur. ‖ 20 ἀμφότεροι BVQZ Maur. ἀμφότερα P ‖ 21 θάνατος εἷς om. SQ add. S² Q² ‖ 22 γεγόναμεν πάντες P ‖ 23 γεννήσασιν : γεννησαμένοις SCDQ γονεῦσιν B Maur. γινομένοις VZP

7, 1 σωφροσύνην : σωφρονεῖν Z ‖ 2-3 πῶς ὁμοτ. — νομοθετεῖς mg. Q ‖ 5 ηὑρέθη A om. Z ‖ 6 λογίζει P ‖ ὁ χριστὸς P ‖ 7 γὰρ σὰρξ P ‖ 8 καὶ γυνὴ S ἡ add. supra uersum P

6. a. Ex. 20, 12.   b. Éphés. 6, 2.   c. Ex. 21, 17.   d. Sir.

au contraire, l'homme qui est infidèle à sa femme n'encourt aucune peine. Je n'accepte pas cette législation ; je n'approuve pas cette coutume. Ce sont des hommes qui ont légiféré de la sorte ; voilà pourquoi cette législation est dirigée contre la femme ; ils ont placé aussi les enfants sous l'autorité des pères, et ils ont négligé les intérêts du sexe faible.

Dieu n'agit pas ainsi ; mais il dit : « Honore ton père et ta mère[a] » — tel est le premier commandement, assorti de promesses — « pour qu'il t'advienne du bien[b] » ; ensuite : « Celui qui maudit son père ou sa mère, qu'il meure de mort[c] ! » Il a, à la fois, loué le bien et châtié le mal. Et encore : « La bénédiction d'un père affermit les maisons des enfants ; mais la malédiction d'une mère déracine les fondations[d]. » Remarquez l'égalité de la législation : un unique créateur de l'homme et de la femme[e] ; une unique poussière qu'ils sont tous les deux[f] ; une image unique[g], une loi unique, une mort unique[h], une résurrection unique[i]. Nous sommes nés à la fois de l'homme et de la femme ; unique est la dette des enfants à l'égard de ceux qui les ont engendrés.

7. Comment réclames-tu donc, toi, la chasteté, sans l'apporter ? Comment demandes-tu ce que tu ne donnes pas ? Comment, étant un corps de même dignité, légifères-tu d'une manière inégale ? Si tu regardes le mauvais côté des choses, la femme a péché, mais Adam aussi : le serpent les a trompés tous les deux[a] ; un parti ne s'est pas trouvé plus faible, ni l'autre plus fort. Songes-tu au bon côté des choses ? Le Christ les sauve tous les deux par ses souffrances. Le Christ s'est fait chair pour le salut de l'homme ? De même aussi pour le salut de la femme. Il est mort pour l'homme ? La femme aussi est sauvée par sa

---

3, 11 (hébreu : 3, 9).   e. Gen. 1, 27.   f. Gen. 3, 19.   g. Gen. 1, 26.27.   h. Gen. 3, 19.   i. I Cor. 15, 21-23.
    7. a. Cf. Gen. 3, 6.12-13.

D Ἐκ σπέρματος Δαβὶδ ὀνομάζεται[b] · τιμᾶσθαι ἴσως οἴει
10 τὸν ἄνδρα ; ἀλλὰ καὶ ἐκ Παρθένου γεννᾶται[c] · τοῦτο καὶ ὑπὲρ
γυναικῶν.

292 A « Ἔσονται μὲν οὖν οἱ δύο, φησίν, εἰς σάρκα μίαν[d] » ·
καὶ ἡ μία σὰρξ ἐχέτω τὸ ὁμότιμον. Παῦλος δὲ καὶ τῷ ὑπο-
δείγματι τὴν σωφροσύνην νομοθετεῖ. Πῶς καὶ τίνα τρόπον ;
15 « Τὸ μυστήριον τοῦτο μέγα ἐστίν · ἐγὼ δὲ λέγω εἰς Χριστὸν
καὶ εἰς τὴν Ἐκκλησίαν[e]. » Καλὸν τῇ γυναικὶ Χριστὸν
αἰδεῖσθαι διὰ τοῦ ἀνδρός, καλὸν καὶ τῷ ἀνδρὶ τὴν Ἐκκλησίαν
μὴ ἀτιμάζειν διὰ τῆς γυναικός. « Ἡ γυνή, φησίν, ἵνα
φοβῆται τὸν ἄνδρα[f] » · καὶ Χριστὸν γάρ. Ἀλλὰ καὶ ὁ ἀνὴρ
20 ἵνα περιέπῃ τὴν γυναῖκα · καὶ γὰρ ὁ Χριστὸς τὴν Ἐκκλησίαν[g].
Μᾶλλον δ' ἔτι καὶ προσφιλοπονήσωμεν τῷ ῥητῷ.

B 8. « Ἄμελγε γάλα, καὶ ἔσται βούτυρον[a] » · ἐξέταζε,
καὶ τυχὸν ἂν εὕροις τι ἐν αὐτῷ τροφιμώτερον. Δοκεῖ μοι
γὰρ αἰτιᾶσθαι τὴν διγαμίαν ἐνταῦθα ὁ λόγος. Εἰ μὲν γὰρ
δύο Χριστοί, δύο καὶ ἄνδρες, δύο καὶ γυναῖκες · εἰ δὲ εἷς
5 Χριστός, μία κεφαλὴ τῆς Ἐκκλησίας καὶ μία σάρξ · ἡ
δευτέρα δὲ ἀποπτυέσθω. Τὸ δεύτερον δὲ ἂν κωλύσῃ, τοῦ
τρίτου τίς λόγος ; Τὸ πρῶτον νόμος, τὸ δεύτερον συγχώρησις,
τὸ τρίτον παρανομία. Ὁ δὲ ὑπὲρ τοῦτο, χοιρώδης βίος οὐδὲ
πολλὰ ἔχων τῆς κακίας τὰ παραδείγματα.
10 Ὁ μὲν νόμος κατὰ πᾶσαν αἰτίαν τὸ ἀποστάσιον δίδωσι[b] ·

7, 10 γεννᾶται om. VZ ‖ 12 φησὶν οἱ δύο S ‖ 13 ἡ : εἰ AD ‖ 14
τρόπον ex τὸν τρόπον Q ‖ 16 καὶ τὴν ἐκκλησίαν VZ ‖ 19 φοβῆται ex
emend. S ‖ χρηστὸν P ‖ 20 περιέπει P ‖ ὁ om. BVZ ‖ δ' ἔτι Maur. :
δέ τι codd.
8, 2 τυχὸν P ‖ ἐν αὐτῷ : ἐμαυτῷ P ‖ τροφημότερον AP ‖ 3 γὰρ¹
om. BVZP ‖ αἰτιᾶσθαι : παραιτεῖσθαι BVZP Maur. ‖ ἐνταῦθα mg.
S ‖ 4 καὶ δύο γυναῖκες SPCD ‖ 4-5 χριστὸς εἷς A ‖ 6 τὸ om. S ‖ κωλύσῃ ex κωλύη P ‖ 7 τὸ² om. S add. S² ‖ 8 τὸ τρίτον ex τρίτον S² ‖
ὁ : τὸ B ‖ βίος : οἷος V Maur. βίος οἷος B ‖ 9 τὰ om. P ‖ 10 ἀποστάσιον : ἀστασίαστον Z ‖ δίδοσι P

7. b. Cf. Rom. 1, 3.   c. Matth. 1, 23.   d. Gen. 2, 24.   e.
Éphés. 5, 32.   f. Éphés. 5, 33.   g. Éphés. 5, 28-30.

mort. Il reçoit son nom d'après sa descendance de David[b] [1] :
tu crois peut-être que c'est un honneur pour l'homme ?
Mais il est engendré d'une vierge[c], et cela est en faveur
des femmes.

« Ils seront donc, dit-il, deux en une chair unique[d] » :
que l'unique chair ait donc le même honneur ! Et Paul
prescrit la chasteté par cet exemple[2]. Comment et de
quelle façon ? « Ce mystère est grand ; je veux dire par
rapport au Christ et à l'Église[e] ». Il est beau pour la
femme de respecter le Christ à travers son mari ; il est
beau pour le mari de ne pas mépriser l'Église à travers sa
femme. « Que la femme, dit-il, ait la crainte de son mari[f] »,
et, de fait, (l'Église) l'a du Christ ; mais aussi que le mari
entoure de soins sa femme ; et, de fait, le Christ entoure
de soins l'Église[g].

Étudions cette parole avec plus d'attention encore.

8. « Trais le lait, et ce sera du beurre[a] » ; examine, et
peut-être trouveras-tu là quelque nourriture plus sub-
stantielle. Il me semble que ce qui est dit dans ce passage
désapprouve les secondes noces. S'il y a deux Christs,
il y a aussi deux maris et deux femmes ; mais s'il n'y a
qu'un seul Christ, une seule tête de l'Église et une seule
chair, que les secondes noces soient rejetées ! Et si le Christ
empêche les secondes noces, que dire des troisièmes ? Les
premières noces sont la loi, les secondes sont l'indulgence,
les troisièmes sont une iniquité ; quant à ce qui dépasse
ce nombre, c'est une vie de pourceau, et il n'y a pas
beaucoup d'exemples de cette malice.

La Loi accorde le billet de répudiation[b] pour n'importe

8. a. Prov. 30, 33.   b. Cf. Deut. 24, 1.

---

1. Jésus a été appelé « fils de David ». P.G.
2. S. Paul cite en effet ce texte de la *Genèse* en parlant du mariage
(*Éphés.* 5, 32). P.G.

Χριστὸς δὲ οὐ κατὰ πᾶσαν αἰτίαν, ἀλλὰ συγχωρεῖ μὲν μόνον χωρίζεσθαι τῆς πόρνης[c], τὰ δὲ ἄλλα πάντα φιλοσοφεῖν κελεύει. Καὶ τὴν πόρνην, ὅτι νοθεύει τὸ γένος · τὰ δ' ἄλλα πάντα

C καρτερῶμεν καὶ φιλοσοφῶμεν, μᾶλλον δὲ καρτερεῖτε καὶ
15 φιλοσοφεῖτε, ὅσοι τὸν τοῦ γάμου ζυγὸν ἐδέξασθε. Ἐὰν ἐπιγραφὰς ἴδῃς ἢ ὑπογραφάς, ἀποκόσμησον · ἂν γλῶσσαν προπετῆ, σωφρόνισον · ἂν γέλωτα πορνικόν, κατηφῆ ποίησον · ἐὰν δαπάνην ἢ ποτὸν ἄμετρον, σύστειλον · ἐὰν προόδους ἀκαίρους, πέδησον · ἐὰν ὀφθαλμὸν μετέωρον, κόλασον.
20 Μὴ τέμῃς δὲ προπετῶς, μὴ χωρίσῃς. Ἄδηλον τί κινδυνεύσει, τὸ τέμνον, ἢ τὸ τεμνόμενον. « Ἡ πηγή, φησί, τοῦ ὕδατος ἔστω σοι ἰδία, καὶ μηδεὶς ἀλλότριος μετασχέτω σοι[d] », καί · « Πῶλος σῶν χαρίτων καὶ ἔλαφος σῆς φιλίας ὁμιλείτω σοι[e] ». Καὶ σὺ τοίνυν μὴ γίνου ποταμὸς ἀλλότριος μηδὲ
25 ἄλλαις ἀρέσκειν σπούδαζε μᾶλλον ἢ τῇ σῇ γυναικί. Εἰ δὲ ἀλλαχοῦ φέρῃ, πῶς οὐχὶ τῷ σῷ μέλει νομοθετεῖς τὴν

D ἀσέλγειαν ; Οὕτω μὲν ὁ Σωτήρ.

293 A 9. Τί δὲ οἱ Φαρισαῖοι ; Τραχὺς τούτοις ὁ λόγος[a] φαίνεται. Καὶ γὰρ καὶ ἄλλα τῶν καλῶς ἐχόντων ἀπαρέσκει καὶ τοῖς

8, 11-12 χωρίζεσθαι μόνον P cum signis transp. ‖ 12 τὰ ἄλλα δὲ πάντα SC ‖ 13 πάντα A Maur. : om. cett. codd. ‖ 15 ἐδέξασθαι P ‖ ἐὰν δ' C ‖ 16 ἐπιγραφὰς Maur. : ἀπογραφὰς codd. ‖ εἴδης AP ‖ ἂν : κἂν ABPZ Maur. καὶ V ‖ γλῶσσα B ‖ 17 σωφρόνησον APD ‖ 18 ἀμέτρητον VP² ‖ ἐὰν δὲ προόδους V ‖ 20 μὴ² : μηδὲ SPC ‖ κινδυνεύει BVQZP² ‖ 21 τὸ¹ : ἢ τὸ SP (ἢ del. P²) CD ‖ 24 καὶ om. BVZ Maur. ‖ 25 σπούδαζαι Z ‖ εἰ δὲ : μηδὲ Z ‖ 26 φέρει P φέρου Z ‖ πῶς οὐχὶ τῷ σῷ μέλει : καὶ τῷ σῷ μέλει BVQZP Maur. (μέλει mg. P) ‖ νομοθέτει Z
9, 1 τούτοις : αὐτοῖς SCD ‖ καταφαίνεται SCDQ ‖ 2 ἄλλα καλῶς ἐχόντων S corr. S²‖ καὶ³ om. SCD

8. c. Matth. 19, 9.   d. Prov. 5, 17.   e. Prov. 5, 19.
9. a. Jn 6, 60.

1. Le mot πόρνη signifie d'abord « prostituée » ; mais il désigne aussi — et c'est le sens dans ce passage — une femme qui se conduit

quelle cause ; mais le Christ ne l'admet pas pour n'importe quelle cause ; il autorise seulement à se séparer de la femme qui se conduit mal[c] [1], mais pour tous les autres cas il ordonne d'être philosophe[2]. La femme qui se conduit mal, (chassons-la) parce qu'elle abâtardit la race ; mais sur tous les autres points soyons patients et philosophes ; ou plutôt, soyez patients et philosophes, vous qui avez accepté le joug du mariage. Si tu vois que ta femme met du fard sur ses joues ou sous ses yeux, supprime-le-lui ; que sa langue est trop agile, réfrène-la ; qu'elle rit comme une prostituée, inspire-lui la gravité ; qu'elle dépense ou qu'elle boit de façon démesurée, modère-la ; qu'elle sort de chez elle inconsidérément, retiens-la ; qu'elle a l'œil arrogant, fais-lui corriger son regard ; mais ne romps pas sur un coup de tête, ne te sépare pas : on ne sait jamais si le danger sera pour qui provoque la rupture ou pour qui la subit. « Que ta fontaine, dit-il, te soit réservée, et que nul autre n'y ait part avec toi[d] », et : « Que le poulain qui a tes faveurs et le cerf qui a ton amitié vivent avec toi[e]. » Ainsi, ne deviens pas un fleuve à la disposition de tous, et ne t'empresse pas de plaire à d'autres femmes qu'à la tienne. Si tu te laisses emporter ailleurs, ne donnes-tu pas à ta moitié le libertinage pour loi ? Telle fut la réponse du Sauveur.

9. Et les Pharisiens ? Cette parole leur semble dure[a]. De fait, même d'autres choses honnêtes déplaisent aux

---

mal, sans exercer le métier de prostituée. Grégoire ne cite pas ici le texte des versets 4-9, comme il l'a fait pour les versets précédents. Rappelons seulement le verset 9, particulièrement important pour saisir l'argumentation : « Et je vous dis : celui qui renvoie sa femme, sauf pour inconduite (πορνεία), et en épouse une autre, commet un adultère. » C'est évidemment le terme πορνεία qui a fait choisir par Grégoire le mot πόρνη. P.G.

2. C'est-à-dire : patient. La phrase suivante va, du reste, associer le mot « philosophe » au mot « patient ». P.G.

τότε Φαρισαίοις καὶ τοῖς νῦν Φαρισαίοις. Φαρισαῖον γὰρ
οὐ τὸ γένος μόνον, ἀλλὰ καὶ ὁ τρόπος ἐργάζεται. Οὕτω καὶ
5 Ἀσσύριον οἶδα καὶ Αἰγύπτιον, τὸν τῇ προαιρέσει μετὰ τούτων
ταττόμενον. Τί οὖν οἱ Φαρισαῖοι ; « Εἰ οὕτω, φασίν, ἐστὶν
ἡ αἰτία μετὰ τῆς γυναικός, οὐ συμφέρει γαμῆσαι[b]. » Νῦν τοῦτο
καταμανθάνεις, ὦ Φαρισαῖε, τὸ « οὐ συμφέρει γαμῆσαι » ;
πρότερον δὲ οὐκ ἠπίστασο, ἡνίκα τὰς χηρείας ἑώρας καὶ
10 τὰς ὀρφανίας καὶ τοὺς ἀώρους θανάτους καὶ τὰ διάδοχα τῶν
κρότων πένθη καὶ τοὺς ἐπὶ τοῖς θαλάμοις τάφους καὶ τὰς
ἀτεκνίας καὶ τὰς κακοτεκνίας καὶ τοὺς ἀτελεῖς τόκους καὶ
ἀμήτορας καὶ πᾶσαν τὴν περὶ ταῦτα κωμῳδίαν ἢ τραγῳδίαν ;
B Ἀμφότερα γὰρ εἰπεῖν οἰκειότατον. Συμφέρει γαμῆσαι ;
15 κἀγὼ δέχομαι · « Τίμιος γὰρ ὁ γάμος καὶ ἡ κοίτη
ἀμίαντος[c] » · συμφέρει δὲ τοῖς μετρίοις, οὐ τοῖς ἀπλήστοις
καὶ πλέον ἢ δεῖ τὴν σάρκα τιμᾶν βουλομένοις. Ὅταν τοῦτο
μόνον ὁ γάμος ᾖ, γάμος καὶ συζυγία καὶ παίδων διαδοχῆς
ἐπιθυμία, καλὸς ὁ γάμος · πλείονας γὰρ εἰσάγει τοὺς εὐαρε-
20 στοῦντας Θεῷ. Ὅταν δὲ ὕλην ἐξάπτῃ καὶ ταῖς ἀκάνθαις
περιβάλλῃ, καὶ οἷον κακίας ὁδὸς εὑρίσκηται, τότε κἀγὼ
φθέγγομαι · « Οὐ συμφέρει γαμῆσαι[d]. »

9, 3 καὶ τοῖς νῦν φαρισαίοις om. P καὶ τοῖς add. mg. P² nihil-
que aliud legi potest φαρισαίοις om. A ‖ 6 φασιν Maur. : φησιν
codd. ‖ 7 ἡ om. BVQZ ‖ τοῦ ἀνθρώπου post αἰτία add. S² ‖ νῦν :
νῦν δὲ BVP Maur. ‖ 8 τὸ : ὅτι P ‖ 9 χηρίας P ‖ ἑώρας om. A ‖
10 ὀρφανείας BV ‖ τὰ : ἃ S² ‖ διάδοχα : διὰ δέγχα (?) D² ‖ 11 τοὺς
ex τοῖς P² ‖ ἐπὶ τοὺς θαλάμους B ἐπὶ τοῖς mg. Q ‖ 14 οἰκειό-
τερον SPC ‖ 15 τίμιον QP² ‖ γὰρ om. S ‖ 17 πλεῖον SCD ‖ 18 ἢ
uel ἢ codd. : ἢ ἢ Maur. ‖ 19 καλὸν SCD ‖ 21 περιβάλη A ‖ κακίας
om. C

9. b. Matth. 19, 10.   c. Hébr. 13, 4.   d. Matth. 19, 10.

1. Les Assyriens sont cités aussi comme exemple de méchanceté
dans les Discours 16, 7 et 25, 12. Même opinion sur les Égyptiens, qui
représentent le péché, dans Discours 1, 3 ; 40, 40 ; 45, 19. Une telle

Pharisiens d'alors et aux Pharisiens de maintenant ; car ce
qui fait le Pharisien, ce n'est pas seulement la race, mais ce
sont les mœurs. C'est ainsi que je compte comme Assyrien
ou comme Égyptien quiconque, par ses principes de vie, se
range à leurs côtés[1]. Que répliquent donc les Pharisiens ?
« Si telle est la condition de l'homme par rapport à sa
femme, il n'est pas expédient de se marier[b]. »Comprends-tu
maintenant, Pharisien, ces mots : « Il n'est pas expédient
de se marier »? Ne le savais-tu pas auparavant, quand
tu voyais la situation des veuves et des orphelins, les morts
prématurées, les deuils succédant aux applaudissements,
les funérailles suivant de près l'hyménée, les cas de stérilité
ou de progéniture malheureuse, les accouchements avant
terme et qui coûtent la vie aux mères, bref toutes les
comédies ou tragédies que cela implique ? Les deux mots,
en effet, conviennent parfaitement ici[2]. Est-il expédient de
se marier ? Oui, je suis de cet avis, « car honorables sont
le mariage et le lit conjugal exempt de souillure[c] » ; il est
expédient de se marier pour ceux qui sont tempérants, non
pour ceux qui sont insatiables et qui veulent avoir pour
la chair plus d'égards qu'il ne faut. Lorsque le mariage
est seulement ceci : mariage, union conjugale, désir d'avoir
une postérité, le mariage est bon ; mais lorsqu'il met le feu
à la masse de la chair, l'enserre dans des épines et se révèle
comme le chemin du vice, alors, moi aussi, je prononce :
« Il n'est pas expédient de se marier[d]. »

---

symbolique a été ébauchée par Irénée, *Contre les hérésies* IV, 20, 12
(p. 224 Harvey ; *SC* 100, p. 672).

2. Série de *topoi* sur les déboires de la vie matrimoniale. Peu
d'années avant, Grégoire de Nysse les avait fait ressortir dans son
Traité de la virginité (*SC* 119), qui est de 371 : le veuvage (3, 7-8 ;
14, 3), la mort des enfants (3, 8), la mort précoce (14, 3), la succession :
θάλαμος-τάφος (3, 5, p. 286, l. 15-16 dans l'édition des *SC* où,
d'ailleurs, l'éditeur, M. Aubineau, renvoie explicitement à notre
passage dans la note 2 de cette p. 286).

10. Καλὸν ὁ γάμος · ἀλλ' οὐκ ἔχω λέγειν ὅτι καὶ ὑψηλό-
τερον παρθενίας. Οὐδὲ γὰρ ἂν ἦν τι μέγα ἡ παρθενία, μὴ
C καλοῦ καλλίων τυγχάνουσα. Μὴ χαλεπαίνετε, ὅσαι ὑπὸ
ζυγόν · « Πειθαρχεῖν δεῖ Θεῷ μᾶλλον ἢ ἀνθρώποις[a]. »
5 Πλὴν ἀλλήλαις συνδεσμεῖσθε, καὶ παρθένοι καὶ γυναῖκες,
καὶ ἕν ἐστε ἐν Κυρίῳ καὶ ἀλλήλων καλλώπισμα. Οὐκ ἂν
ἦν ἄγαμος, εἰ μὴ γάμος. Πόθεν γὰρ εἰς τοῦτον παρῆλθε τὸν
βίον παρθένος ; Οὐκ ἂν ἦν γάμος σεμνός, εἰ μὴ παρθένον
καρποφορῶν καὶ Θεῷ καὶ τῷ βίῳ. Τίμησον σὺ τὴν μητέρα
10 τὴν σήν, ἐξ ἧς γέγονας. Τίμησον καὶ σὺ τὴν ἐκ μητρὸς καὶ
μητέρα. Μήτηρ μὲν οὐκ ἔστι, Χριστοῦ δὲ νύμφη ἐστί. Τὸ
μὲν φαινόμενον κάλλος οὐ κρύπτεται, τὸ δὲ ἀφανὲς Θεῷ
βλέπεται. « Πᾶσα ἡ δόξα τῆς θυγατρὸς τοῦ Βασιλέως
ἔσωθεν, ἐν κροσσωτοῖς χρυσοῖς περιβεβλημένη, πεποι-
D 15 κιλμένη[b] », εἴτ' οὖν πράξεσιν εἴτε καὶ θεωρήμασιν. Καὶ ἡ
296 A ὑπὸ ζυγὸν ἔστω τι Χριστοῦ, καὶ ἡ παρθένος ὅλη Χριστοῦ.
Ἡ μὲν μὴ παντελῶς ἐνδεσμείσθω τῷ κόσμῳ, ἡ δὲ μηδ' ὅλως
γινέσθω τοῦ κόσμου. Ὅ γάρ ἐστι τῇ ὑπὸ ζυγὸν τὸ μέρος,
τοῦτο παντελὲς τῇ παρθένῳ. Ἀγγέλων ἐπανήρεσαι πολι-
20 τείαν ; μετὰ τῶν ἀζύγων ἐτάχθης ; μὴ καταπέσῃς εἰς σάρκα,
μὴ κατενεχθῇς εἰς ὕλην, μὴ τῇ ὕλῃ γαμηθῇς, κἂν ἄλλως
ἄγαμος μένῃς. Ὀφθαλμὸς πορνεύων οὐ φυλάσσει τὴν
παρθενίαν, γλῶττα πορνεύουσα τῷ πονηρῷ μείγνυται. Πόδες

10, 2 ἂν om. S mg. D ‖ 3 κάλλιον ASP corr. P² ‖ καὶ μὴ Q ‖ μὴ
δὴ VP² Maur. μὴ δὲ Z μή τε P ‖ 5 ἀλλήλοις SCD ‖ συνδεσμεῖσθαι
P ‖ 6 ἀλλήλων : ἐν ἐξ ἀλλήλων SCD ‖ 7 ἦν : ἦ A ‖ εἰ μὴ ἦν γάμος
P ‖ 7-8 τὸν βίον παρῆλθεν SPCD corr. D² ‖ 8 εἰ om. ASCD ‖ 9 καρποφορῶν ex -φορὸν S² ‖ θεῷ : τῷ θεῷ AP Maur. τῷ θεῷ καὶ τῷ βίῳ
habet post γέγονας (10) P corr. P² ‖ σὺ : καὶ σὺ BVQZP Maur. ‖
10 καὶ om. S add. S² ‖ 10 ἐκ μητρὸς μητέρα P ‖ 11-12 τὸ μὲν —
κρύπτεται om. Z ‖ 12 κάλλος σου A ‖ θρύπτεται SPCD (κρυπτ-
P²) ‖ τῷ θεῷ B ‖ 14 κροσωτοῖς P ‖ 15 καὶ¹ supra uersum add. P²
om. Z ‖ 16 τι καὶ χριστοῦ S corr. S² ‖ τι om. Z ‖ 17 μὴ ὅλως SCD ‖
18 γενέσθω SP corr. P² ‖ 19 παντελὲς ex παντελῶς D² ‖ ἐπανήρεσαι :
ἤρεσαι BVZP ‖ 20 πολιτείαν ὦ παρθένε P ‖ ἐτάγης A ‖ καταπέσῃς :
κατενεχθῇς BVZP² Maur. μὴ καταπέσῃς om. P add. P² ‖ 21 κατενεχθῇς : μετενεχθῇς D ‖ 22 μείνῃς C ‖ 23 γλῶσσα PC ‖ μίγνυται SPCD

10. Le mariage est une belle chose ; mais je ne puis dire qu'il est supérieur à la virginité. Cette dernière, en effet, ne serait pas une grande chose, si elle n'était pas plus belle que ce qui est effectivement beau. Ne vous offusquez pas, vous qui êtes soumises au joug du mariage : « Il vaut mieux obéir à Dieu plutôt qu'aux hommes[a]. » Cependant, soyez unies les unes aux autres, vierges et femmes mariées, ne soyez qu'un dans le Seigneur et servez-vous d'ornement les unes aux autres. Il n'y aurait pas de célibat, s'il n'y avait pas de mariage : en effet, d'où la vierge est-elle venue en cette vie ? Le mariage ne serait pas vénérable, s'il n'avait comme fruit la vierge pour l'offrir à Dieu et à la vie. Honore, toi aussi, ta mère, de qui tu es née ; honore, toi aussi, celle qui a une mère et qui est mère. La vierge n'est pas mère, mais elle est l'épouse du Christ. La beauté qui paraît au dehors n'est pas cachée ; mais celle qui échappe aux regards est vue par Dieu. « Toute la gloire de la fille du roi vient de l'intérieur ; elle est vêtue d'une robe à franges d'or semée de diverses couleurs[b] », qu'il s'agisse soit de ses actions, soit de sa contemplation. Que celle qui est sous le joug du mariage soit en partie au Christ, et que la vierge soit entièrement au Christ ; que la première ne soit pas totalement liée au monde, mais que la seconde ne soit absolument pas du monde ; car ce qui pour la femme sous le joug n'est qu'une partie, cela est tout pour la vierge. Tu as choisi la vie des anges ? Tu t'es rangée parmi ceux qui ne se marient pas ? Ne tombe pas jusqu'à la chair, ne te ravale pas jusqu'à la matière, de peur que tu ne te maries avec la matière, tout en étant par ailleurs hors du mariage. Un œil de prostituée ne protège pas la virginité ; une langue de prostituée a commerce avec le Malin ; des

---

10. a. Act. 5, 29.   b. Ps. 44, 14.

10, 22-28 ὀφθαλμὸς πορνεύων — τὰ μισούμενα Maximus Confessor, *Loci Communes, PG* 91, 737 B

ἄτακτα βαίνοντες ἐγκαλοῦνται νόσον ἢ κίνδυνον τῷ νῷ.
25 Παρθενευέτω καὶ ἡ διάνοια · μὴ ῥεμβέσθω καὶ πλανάσθω,
μὴ τύπους ἐν αὐτῇ φερέτω πονηρῶν πραγμάτων — καὶ ὁ
τύπος μέρος πορνείας ἐστί —, μὴ εἰδωλοποιείτω τῇ ψυχῇ τὰ
μισούμενα.

B   **11.** Ὁ δὲ εἶπεν αὐτοῖς · « Οὐ πάντες χωροῦσι τὸν λόγον,
ἀλλ' οἷς δέδοται[a] ». Ὁρᾶτε τοῦ πράγματος τὸ ὑψηλόν ;
Μικροῦ καὶ ἀχώρητον εὑρίσκεται. Πῶς γὰρ οὐ κρεῖττον
σαρκός, τὸ ἐκ σαρκὸς γενόμενον μὴ γεννᾶν εἰς σάρκα ; Πῶς
5 γὰρ οὐκ ἀγγελικὸν τὸ σαρκὶ συνδεδεμένην μὴ κατὰ σάρκα
ζῆν, ἀλλ' εἶναι τῆς φύσεως ὑψηλοτέραν ; Ἡ σὰρξ τῷ κόσμῳ
προσέδησεν, ἀλλ' ὁ λογισμὸς πρὸς Θεὸν ἀνήγαγεν · ἡ σὰρξ
ἐβάρησεν, ἀλλ' ὁ λογισμὸς ἐπτέρωσεν · ἡ σὰρξ ἔδησεν, ἀλλ' ὁ
πόθος ἔλυσεν. Ὅλη τέτασο πρὸς Θεόν, ὦ παρθένε, τῇ ψυχῇ
10 — τοῦτο γὰρ αὐτὸ καὶ ἀνδράσι νομοθετῶ καὶ γυναιξί —,
καὶ οὐ μή τί σοι φανῇ τῶν ἄλλων καλόν, ὅσα τοῖς πολλοῖς ·
οὐ γένος, οὐ πλοῦτος, οὐ θρόνος, οὐ δυναστεία, οὐ τὸ ἐν
εὐχροίᾳ καὶ συνθέσει μελῶν φανταζόμενον κάλλος, χρόνου
C καὶ νόσου παίγνιον. Εἰ ὅλην ἐκένωσας πρὸς Θεὸν τοῦ φίλτρου
15 τὴν δύναμιν, εἰ μὴ δύο σοι εἴη τὰ ποθούμενα, καὶ τὸ ῥέον
καὶ τὸ μένον καὶ τὸ ὁρώμενον καὶ τὸ ἀόρατον, ἆρα τοσοῦτον

10, 24 ἐκκαλοῦνται AD Maximus ‖ κίνδυνον τῷ νῷ : κινοῦνται
νόσῳ BVQZ κ. ν. τῷ νῦν P τῷ νῦν del. P² κίνδυνον tantum Maur. ‖ 25
καὶ² : μὴ BVQ ZP² Maur. ‖ 26 πονηρῶν : πορνικῶν B
11, 1 ὁ δὲ ἰησοῦς P ‖ λόγον τοῦτον AS² ‖ 3 κρείττω ABPD κρείττων
P² ‖ 4 γεννώμενον S γενόμενον ex emend. Q ‖ εἰς om. V ‖ 5 γὰρ om.
SCD ‖ 8 ἀλλ'¹ om. BVZP ‖ ὁ δὲ P ‖ 10 αὐτὸς A ‖ 11 καὶ μὴ SC ‖
καλῶν BQZSC corr. S²C² ‖ 12 οὐ¹ : οὔτε P ‖ 13 εὐχροίᾳ ex χροίᾳ S²
χροιᾶ C ‖ 15 δύο εἴη σοι SCD δύο σοῦ εἴη B ‖ 16 καὶ τὸ μένον
καὶ τὸ ὁρώμενον om. Migne

---

11. a. Matth. 19, 11.

---

1. L'image de l'aile de l'âme est très fréquente dans la littérature
chrétienne antique. Elle dérive, comme on le sait, de PLATON

pieds dont la démarche est désordonnée accusent une
maladie ou un risque pour l'esprit. Que la pensée aussi soit
vierge ; qu'elle ne tourbillonne pas, qu'elle ne vagabonde
pas, qu'elle ne porte pas en elle des images de choses
mauvaises, car l'image est une partie de la débauche ; que
les choses haïssables ne prennent pas forme dans l'âme.

11. Et le Christ leur dit : « Tous ne comprennent pas
ce langage, mais seulement ceux auxquels cela a été
donné[a]. » Voyez-vous combien ce dont il s'agit est élevé ?
Cela se trouve presque impossible à comprendre. N'est-ce
pas une chose supérieure à la chair, que ce qui est né de
la chair n'engendre pas dans la chair ? N'est-ce pas une
chose angélique, que ce qui est lié à la chair ne vive pas
selon la chair, mais s'élève au-dessus de sa nature ? La
chair lie au monde, mais la raison fait monter vers Dieu ;
la chair alourdit, mais la raison donne des ailes[1] ; la chair
crée des liens, mais le désir les délie. De toute ton âme sois
tendue vers Dieu, ô vierge ! — je donne cette directive
aux hommes comme aux femmes — ; que rien d'autre
ne te paraisse beau dans ce que le vulgaire trouve beau : ni
la naissance, ni la richesse, ni le trône, ni la puissance, ni
cette beauté qui se manifeste par l'agrément des couleurs
et l'heureuse proportion des membres, et dont le temps
et la maladie se jouent. Si tu as épuisé tout entier, du
côté de Dieu, le charme puissant de l'amour, si tes désirs
n'ont pas deux objets : ce qui s'écoule et ce qui demeure,
ce qui se voit et ce qui est invisible[2], alors tu as été si

(*Phèdre* 246 d s.) et a été amplement illustrée par P. Courcelle
dans *Connais-toi toi-même*, Paris 1975, p. 562-623. Pour Grégoire,
cf. aussi *Discours* 2, 7. Remarquer, tout de suite après, l'expression
ὁ πόθος ἔλυσεν, où πόθος signifie le désir de retourner à la patrie
céleste ; cf. plus loin, chap. 12, et *Discours* 39, 8 ; 41, 5, etc.

2. L'opposition entre réalité terrestre et réalité céleste est
exprimée en termes platoniciens : « ce qui s'écoule » et « ce qui est
invisible » ; cf. « Il platonismo cristiano », p. 1356.

ἐτρώθης τῷ ἐκλεκτῷ βέλει[b], καὶ τοῦ νυμφίου τὸ κάλλος κατέμαθες, ὥστε καὶ δύνασθαι λέγειν ἐκ τοῦ νυμφικοῦ δράματός τε καὶ ᾄσματος ὅτι « γλυκασμὸς εἶ καὶ ὅλος
20 ἐπιθυμία[c] ».

12. Ὁρᾶτε τὰ ἐμπεριλαμβανόμενα τοῖς μολιβδίνοις ὀχετοῖς ῥεύματα, ὅτι τῷ λίαν στενοχωρεῖσθαι καὶ πρὸς ἓν φέρεσθαι
297 A τοσοῦτον ἐκβαίνει πολλάκις τὴν ὕδατος φύσιν ὥστε καὶ πρὸς τὸ ἄνω χωρεῖν ἀεὶ τὸ κατόπιν ὠθούμενον. Οὕτως ἐὰν
5 σφίγξῃς τὸν πόθον καὶ ὅλη Θεῷ συναφθῇς, ἄνω χωρίσῃς, οὐ μὴ κάτω πέσῃς, οὐ μὴ διαχυθῇς, ὅλη Χριστοῦ μενεῖς, μέχρις ἂν καὶ Χριστὸν ἴδῃς τὸν σὸν νυμφίον. Ἀπρόσιτον σεαυτὴν φύλαττε καὶ λόγῳ καὶ ἔργῳ καὶ βίῳ καὶ διανοήματι καὶ κινήματι. Πανταχόθεν ὁ Πονηρὸς περιεργάζεταί σε,
10 πάντα κατασκοπεῖ, ποῦ βάλῃ, ποῦ τρώσῃ · μή τι παραγυμνούμενον εὕρῃ καὶ πρὸς πληγὴν ἕτοιμον. Ὅσῳ καθαρωτέραν ὁρᾷ, τοσούτῳ μᾶλλον σπιλῶσαι φιλονεικεῖ · καὶ γὰρ ἐσθῆτος λαμπρᾶς οἱ σπίλοι περιφανέστεροι. Μὴ ὀφθαλμὸς ὀφθαλμὸν ἑλκέτω, μὴ γέλως γέλωτα, μὴ συνήθεια νύκτα,
15 μὴ νὺξ ἀπώλειαν. Τὸ γὰρ κατὰ μέρος ὑφελκόμενον καὶ κλεπτόμενον ἀνεπαίσθητον μὲν τὴν πρὸς τὸ παρὸν ἔχει
B βλάβην, εἰς τὸ κεφάλαιον δὲ τῆς κακίας ἀπαντᾷ.

13. « Οὐ πάντες, φησί, χωροῦσι τὸν λόγον τοῦτον, ἀλλ᾽ οἷς δέδοται[a] ». Τὸ « δέδοται » ὅταν ἀκούσῃς, μηδὲν αἱρετικὸν πάθῃς, μὴ τὰς φύσεις εἰσαγάγῃς, μὴ τοὺς χοϊκοὺς

11, 19 ὅλον BZ
12, 1 μολιβδείνοις S μολιβδέοις C μολίβοις A ‖ 2 τῷ : τὸ ZP² τὸν P ‖ 3 ἐκβαίνει ex ἐκβάνει B καὶ ἐκβαίνει P corr. P² ‖ ὕδατος : τοῦ ὕδατος P ‖ τὴν ὕδατος πολλάκις VQZ Maur. ‖ φύσιν : φησιν A ‖ 4 τὸ¹ : τὰ SP corr. P² ‖ τὸ κατόπην S τῷ κατόπιν BVZPD τῶν κατόπιν A ‖ ὠθούμενα ACD ‖ οὕτως καὶ σὺ P ‖ 5 χωρήσῃς P ‖ 6 πέσεις A ‖ διαχυθεῖς A ‖ μένεις ABQP (μενεῖς P²C mg.) μὲν ἧς C ‖ 7 εἴδης A ‖ 8 σαυτὴν A ἑαυτὴν BVPZ Maur. ‖ 10 βάλει AZSD ‖ τρώσει BVZS ‖ μή τι ex μήτη B μήτε Z ‖ 11 καθαρώτερον CD ‖ 12 τοσοῦτον A τοσοῦτο S ‖ 16 ἀναιπαίσθητον A
13, 2 τὸ δὲ δέδοται DQ ‖ 3 τὰς κατὰ δόξης μανιχαϊκῆς φύσεις D κατὰ δόξης μανιχαϊκῆς (uel -ην -ὴν) habent ut glossema S² mg. PV mg.

profondément blessée par la flèche de choix[b], et tu as si bien
compris la beauté de l'époux que tu peux emprunter les
paroles du drame et du chant nuptial, en disant : « Tu es
douceur et tout entier désir[c]. »

12. Voyez les eaux courantes enfermées dans des tuyaux
de plomb : subissant une forte pression et dirigées vers un
seul point, souvent elles dérogent si bien à la nature de
l'eau qu'elles jaillissent en l'air sous l'effet de la poussée
constante qu'elles subissent. De même, si tu resserres ton
désir, si tu es tout entière unie à Dieu[1], si tu t'élèves vers le
haut, tu ne retomberas pas en bas, tu ne te dissiperas pas,
tu resteras tout entière au Christ, jusqu'à ce que tu voies
le Christ, ton époux. Garde-toi inaccessible par ta parole,
ton action, ta vie, ta pensée et ton mouvement. De tous
côtés le Malin travaille autour de toi, il observe tout pour
voir où frapper, où blesser, au cas où il trouvera quelque
point découvert et exposé aux coups ; plus il te voit pure,
plus il s'acharne à te salir, car sur un habit splendide les
taches sont plus apparentes. Que l'œil n'attire pas l'œil, que
le rire n'attire pas le rire, que la familiarité n'attire pas
la nuit, que la nuit n'attire pas la perdition. Quand on se
laisse peu à peu attirer et dépouiller, on ne s'aperçoit pas
immédiatement du dommage, mais on va vers le comble
du vice.

13. « Tous, dit-il ne comprennent pas ce langage, mais
seulement ceux auxquels cela a été donné[a]. » Lorsque
tu entends le mot « a été donné », garde-toi de tout
sentiment hérétique, n'introduis pas des natures diffé-

---

11. b. Cf. Is. 49, 2 *(LXX).*   c. Cant. 5, 16.
13. a. Matth. 19, 11.

---

1. L'expression, très concrète (Θεῷ συναφθῆς), exprime l'aspect
mystique de la sensibilité de Grégoire.

καὶ πνευματικοὺς καὶ τοὺς μέσους. Εἰσὶ γάρ τινες οὕτω
5 διακείμενοι κακῶς ὥστε οἴεσθαι τοὺς μὲν πάντη ἀπολλυμένης
εἶναι φύσεως, τοὺς δὲ σῳζομένης, τοὺς δὲ οὕτως ἔχειν ὅπως
ἂν ἡ προαίρεσις ἄγῃ πρὸς τὸ χεῖρον ἢ βέλτιον. Ἐπιτηδειότητα μὲν γὰρ ἄλλον ἄλλου μᾶλλον ἢ ἔλαττον ἔχειν, κἀγὼ
C δέχομαι, οὐκ ἀρκεῖν δὲ τὴν ἐπιτηδειότητα πρὸς τελείωσιν·
10 λογισμὸν δὲ εἶναι τὸν ταύτην ἐκκαλούμενον, ἵνα ἡ φύσις
εἰς ἔργον προέλθῃ, καθάπερ λίθος πυρίτης σιδήρῳ κρουσθείς,
καὶ οὕτω πῦρ γένηται. Ὅταν ἀκούσῃς· « Οἷς δέδοται »,
πρόσθες· δέδοται μὲν τοῖς βουλομένοις καὶ τοῖς οὕτω νεύουσι.
Καὶ γὰρ ὅταν ἀκούσῃς· « οὐ τοῦ θέλοντος οὐδὲ τοῦ τρέχοντος,
15 ἀλλὰ τοῦ ἐλεοῦντος Θεοῦ[b] », συμβουλεύω σοι ταὐτὸν ὑπολαβεῖν. Ἐπειδὴ γὰρ εἰσί τινες οἱ τοσοῦτον μέγα φρονοῦντες
τοῖς κατορθώμασιν ὥστε τὸ πᾶν ἑαυτοῖς διδόναι καὶ μηδὲν

13, 4 τοὺς πνευματικοὺς SCDP Maur. ‖ τοὺς om. P ‖ οὕτω τινες
BVQZ Maur. ‖ 5 πάντως AD ‖ ἀπολελυμένης A ‖ 7 ἄγει P ἀγάγη
A ‖ 8 μὲν ex emend. S ‖ 9 post ἀρκεῖν δὲ add. μᾶλλον BVQZP μόνην
add. Maur. ‖ 10 ἐκκαλούμενον ex ἐγκαλούμενον S² εἰσκαλούμενον
AD ‖ 11 προέλθοι P ‖ καθάπερ γὰρ ABQZS²D² ‖ 12 οὕτω : αὐτὸς
ACDQ (οὕτω D² mg.) αὐτὸ S ‖ πῦρ mg. D² Maur. : σίδηρος codd. ‖
γίνεται BSCD corr. D² mg. γένηται σίδηρος P ‖ 13 βουλομένοις :
καλουμένοις Maur. ‖ 16 μέγα φρονοῦντες ABSC : μεγαλοφρονοῦντες
VQZDP² μεγάλα φρονοῦντες P ‖ 17 ἐπὶ τοῖς κατορθώμασι B
Maur. ‖ καὶ τὸ πᾶν Z

---

13. b. Rom. 9, 16.

---

1. Grégoire, par ces mots, repousse l'anthropologie du gnostique
Valentin, qui divisait le genre humain en trois catégories. A la
première appartenaient les « spirituels »; ils devaient leur origine
au fait que le fruit de l'enfantement de leur mère Achamoth, à la
vue des anges qui se trouvaient auprès du Sauveur, fut ignoré du
démiurge, dans lequel il fut déposé à son insu, afin que, semé par
l'intermédiaire du démiurge lui-même dans l'âme par proviendrait
de lui et dans ce corps matériel, porté et nourri par l'âme et le corps,
il devienne prêt à accueillir le Logos parfait. Le démiurge est le père
et le créateur des hommes de la seconde catégorie, les « psychiques »;
la substance psychique dont ils sont faits et dont est fait le démiurge,

rentes : les terrestres, les spirituelles et les intermédiaires[1] ;
car il y a des gens qui sont dans de si fâcheuses idées
qu'ils s'imaginent que les uns sont d'une nature qui va
totalement à la perte, que d'autres sont d'une nature
qui va au salut, et que d'autres suivent leur choix
pour le mal ou le bien. Que les uns aient des dispositions
meilleures que les autres, ou moins bonnes, je l'admets, moi
aussi ; mais j'admets que les dispositions ne suffisent pas
pour arriver à la perfection. C'est la raison qui excite
ces dispositions pour que la nature passe à l'action, comme
on obtient le feu quand le fer frappe le silex. Lorsque tu
entends : « ceux auxquels cela a été donné », ajoute : cela
a été donné à ceux qui veulent et qui penchent de ce côté.
En effet, lorsque tu entends : « Ce n'est pas le fait de celui
qui veut ni de celui qui court, mais de Dieu qui a pitié[b] », je
te conseille de penser de même. Comme il y a certains
hommes si fiers de leurs résultats[2] qu'ils attribuent tout

dérive de la « conversion » d'Achamoth au Sauveur. Ces hommes, que
les Valentiniens identifiaient avec les catholiques, se réservant à
eux-mêmes la prérogative d'être des « pneumatiques » (spirituels),
peuvent être sauvés ou damnés, suivant la façon dont ils se comportent
avec leur libre arbitre. Pour eux, une bonne conduite de vie est
nécessaire pour obtenir le salut, qui est réservé par nature aux
« spirituels », aux élus. Les hommes de la troisième catégorie, les
« matériels », sont, en revanche, exclus du salut. La matière naît des
passions d'Achamoth, qui furent séparées d'Achamoth même grâce à
l'intervention du Sauveur. En face de cette anthropologie, Grégoire
accepte seulement l'existence d'une plus ou moins grande disposition
(ἐπιτηδειότης) au bien, avec la restriction, cependant, qu'une telle
prédisposition n'est pas suffisante à l'accomplissement de la vie
parfaite (τελείωσις) : la raison aussi est nécessaire (cf. le chap. 20).
Lorsque quelqu'un a la prédisposition (que Dieu, du reste, donne à
tous) et la volonté raisonnable, alors c'est à celui-là que se réfère
l'expression : « ceux auxquels cela a été donné ».

2. Série de termes du vocabulaire stoïcien (cf. ce qui a été dit
plus haut en 32, 5) : κατόρθωμα signifie l'action droite ; προαιρεῖσθαι
désigne le choix du libre arbitre (τὸ ἐφ' ἡμῖν), cf. chap. 16 et 20 ;
ἡγεμὼν νοῦς (ou ἡγεμονικόν : chap. 14) indique l'esprit humain
(expression courante : cf. *Discours* 6, 5 ; 38, 7 ; 40, 37 ; 41, 11).

τῷ ποιήσαντι καὶ σοφίσαντι καὶ χορηγῷ τῶν καλῶν, διδάσκει
τούτους ὁ λόγος ὅτι καὶ τὸ βούλεσθαι καλῶς δεῖται τῆς παρὰ
20 Θεοῦᶜ βοηθείας · μᾶλλον δέ, αὐτὸ τὸ προαιρεῖσθαι τὰ δέοντα
θεῖόν τι καὶ ἐκ Θεοῦ δῶρον φιλανθρωπίας · δεῖ γὰρ καὶ τὸ
D ἐφ' ἡμῖν εἶναι, καὶ τὸ ἐκ Θεοῦ σῴζεσθαι. Διὰ τοῦτό φησιν .
300 A « Οὐ τοῦ θέλοντος » · τοῦτ' ἔστιν, οὐ μόνον τοῦ θέλοντος,
« οὐδὲ τοῦ τρέχοντος » μόνον, ἀλλὰ καὶ « τοῦ ἐλεοῦντος Θεοῦ ».
25 Εἶτα, ἐπειδὴ καὶ τὸ βούλεσθαι παρὰ Θεοῦ, τὸ πᾶν εἰκότως
ἀνέθηκε τῷ Θεῷ. Ὅσον ἂν δράμῃς, ὅσον ἂν ἀγωνίσῃ,
χρήζεις τοῦ διδόντος τὸν στέφανον. « Ἐὰν μὴ Κύριος
οἰκοδομήσῃ οἶκον, εἰς μάτην ἐκοπίασαν οἱ οἰκοδομοῦντες
αὐτόν. Ἐὰν μὴ Κύριος φυλάξῃ πόλιν, εἰς μάτην ἠγρύπνησαν
30 οἱ φυλάσσοντες αὐτήνᵈ ». « Οἶδα, φησίν, ὅτι οὐ τοῖς κούφοις
ὁ δρόμος, οὐδὲ τοῖς δυνατοῖς ὁ πόλεμος, οὐδὲ τῶν μαχομένων
ἡ νίκηᵉ », οὐδὲ τῶν εὐπλοούντων οἱ λιμένες · ἀλλὰ Θεοῦ
καὶ νίκην ἀπεργάσασθαι καὶ εἰς λιμένας ἀποσῶσαι τὸ
σκάφος.

14. Καὶ τοῦτο ἀλλαχοῦ λεγόμενον καὶ νοούμενον, καὶ
B ἴσως ἀναγκαῖον προσθεῖναι καὶ τὸ ἐπελθὸν τοῖς εἰρημένοις,
ἵνα τὸν ἐμὸν πλοῦτον καὶ ὑμῖν χαρίσωμαι. Ἥτησεν ἡ
μήτηρ τῶν υἱῶν Ζεβεδαίου φιλότεκνόν τι πάθος παθοῦσαᵃ
5 καὶ τὸ μέτρον ἀγνοοῦσα τῶν αἰτουμένων — πλὴν συγγνωστὴ
δι' ὑπερβολὴν φίλτρου καὶ ὀφειλομένην εὔνοιαν τέκνοις.
Οὐδὲν γὰρ μητρὸς εὐσπλαγχνότερον · καὶ τοῦτο λέγω, ἵνα

13, 18 σοφήσαντι SDP σοφίσταντι V ‖ 20 τοῦ θεοῦ SP corr.
S² ‖ καὶ αὐτὸ B ‖ δέοντα ex μέλλοντα P² ‖ 21 καὶ τὸ ex τὸ corr.
P² ‖ 22 τὸ del. P² ‖ 23-24 οὐ μόνον — τρέχοντος om. CD τοῦτ' —
θέλοντος om. P add. P² οὐ μόνον τοῦ θέλοντος om. S μόνον add.
S² ‖ 23 οὐ μόνον δὲ A ‖ 24 μόνον om. A ‖ καὶ om. S add. S² ‖ 26
ἀνεθήκαμεν A ‖ δράμῃς ex δραμήσῃ S² ‖ ὅσον ἂν ἀγωνί- om. S add.
S² ‖ 27 χρήζεις codd. : χρήζῃς Maur. ‖ 28 οἶκον οἰκοδομήσῃ D ‖
29 ἠγρύπνησεν SCDQ (-σαν S²) ‖ 30 ὁ φυλάσσων SCDQ (οἱ-σοντες
S²) ‖ οὐ τοῖς ex αὐτοῖς S² ‖ κούφοις ex κοῦφοι S² ‖ 31 οὐδὲ² : οὔτε
B ‖ 32 οὐδὲ : οὔτε BVQZ Maur. ‖ εὐπλούντων B Maur. (corr.
B²) ‖ ἀλλὰ καὶ θεοῦ VQZP²
14, 1 οἶδα καὶ νοούμενον P ‖ 2 προσθῆναι SP corr. S² ‖ 3 πλοῦτον

à eux-mêmes et rien à leur créateur, à l'auteur de leur
sagesse et au dispensateur des biens, cette parole leur
apprend que même la bonne volonté a besoin du secours de
Dieu[c] ; ou plutôt, le choix lui-même de l'accomplissement
du devoir est une chose divine et un don de la bonté de
Dieu : il faut, en effet, qu'il y ait d'une part ce qui dépend
de nous, et que d'autre part nous soyons sauvés par Dieu.
Voilà pourquoi l'Apôtre dit : « Ce n'est pas le fait de celui
qui veut », c'est-à-dire c'est le fait non seulement de celui
qui veut et non seulement « de celui qui court », mais encore
« de Dieu qui a pitié ». Dès lors, puisque même la volonté
vient de Dieu, l'Apôtre a légitimement attribué le tout
à Dieu. Quelle que soit ta course, quel que soit ton combat,
tu as besoin de celui qui donne la couronne. « Si le Seigneur
ne bâtit une maison, en vain ont peiné ceux qui la bâtis-
sent ; si le Seigneur ne garde une ville, en vain ont veillé
ceux qui la gardent[d]. » « Je sais, dit-il, que la course
n'appartient pas aux agiles, ni la guerre aux puissants[e] »,
ni la victoire à ceux qui combattent, ni les ports à ceux
qui font une heureuse navigation, mais c'est à Dieu de
produire la victoire et de conduire le vaisseau intact
jusqu'aux ports.

14. Peut-être est-il nécessaire d'ajouter à ce qui a été dit
un autre passage et une autre pensée, qui me viennent à
l'esprit ; ainsi je vous ferai part de ma richesse. La mère
des fils de Zébédée, poussée par son amour maternel,
présente une requête[a], sans mesurer l'importance de sa
demande ; elle était néanmoins excusable à cause de
l'excès de son amour et à cause de l'affection que l'on doit
à ses enfants. Car rien n'est plus tendre qu'une mère ;

---

ex πλοῦτο B ‖ 4 παθοῦσα πάθος A πάθος om. BVZ del. Q Maur. ‖
5 συγγνωστὴ ex emend. S²P² σύγγνοστος C συγγνωστὸς P ‖ 7 τούτω A

---

13. c. *Ibid.*, et cf. Phil. 2, 13.   d. Ps. 136, 1.   e. Eccl. 9, 11.
14. a. Cf. Matth. 20, 20.

τιμᾶσθαι διδάξω καὶ νομοθετήσω μητέρας. Ἥιτησεν οὖν
τὸν Ἰησοῦν ἡ μήτηρ ἐκείνων, ἕνα ἐκ δεξιῶν καθίσαι καὶ ἕνα ἐξ
10 ἀριστερῶν[b]. Ἀλλὰ τί ὁ Σωτήρ ; Ἐρωτᾷ πρῶτον εἰ τὸ
ποτήριον δύνανται πιεῖν ὃ αὐτὸς πίνειν ἤμελλεν[c]. Ὡς δὲ
καὶ τοῦτο ὡμολογήθη καὶ ὁ Σωτὴρ ἐδέξατο[d] — ᾔδει γὰρ
κἀκείνους τῷ αὐτῷ τελειουμένους[e], μᾶλλον δέ, τελειωθήσε-
σθαι μέλλοντας —, τί φησι ; « Τὸ μὲν ποτήριον πίονται,
C 15 τὸ δὲ καθίσαι ἐκ δεξιῶν καὶ ἐξ ἀριστερῶν, οὐκ ἔστιν
ἐμόν, φησί, τοῦτο δοῦναι, ἀλλ' οἷς δέδοται[f]. » Οὐδὲν
οὖν ὁ ἡγεμὼν νοῦς ; οὐδὲν ὁ πόνος ; οὐδὲν ὁ λόγος ; οὐδὲν ἡ
φιλοσοφία ; οὐδὲν τὸ νηστεῦσαι, τὸ ἀγρυπνῆσαι, τὸ χαμευνῆσαι ; τὸ πηγὰς στάξαι δακρύων ; Τούτων οὐδέν, ἀλλὰ κατά
20 τινα ἀποκλήρωσιν καὶ Ἱερεμίας ἁγιάζεται[g] καὶ ἄλλοι ἐκ
μήτρας ἀλλοτριοῦνται[h] ;

15. Φοβοῦμαι μὴ καὶ ἄτοπός τις εἰσέλθῃ λογισμός,
ὡς τῆς ψυχῆς ἀλλαχοῦ που πολιτευσαμένης, εἶτα τῷ σώματι
τούτῳ ἐνδεθείσης, καὶ ἐκ τῆς ἐκεῖσε πολιτείας τῶν μὲν
λαβόντων τὴν προφητείαν, τῶν δὲ κατακρινομένων, ὅσοι
5 κακῶς βεβιώκασιν. Ἀλλ' ἐπειδὴ τοῦτο ὑπολαβεῖν λίαν
ἄτοπον καὶ οὐκ ἐκκλησιαστικὸν — ἄλλοι μὲν γὰρ περὶ
D τῶν δογμάτων παιζέτωσαν, ἡμῖν δὲ τὰ τοιαῦτα παίζειν
οὐκ ἀσφαλές —, κἀκεῖ τῷ « καὶ οἷς δέδοται[a] » πρόσθες τὸ

14, 8 διδάξω καὶ om. BVZP Maur. ‖ τὰς μητέρας Maur. ‖ 9 ἐκείνων : ἐκείνη SCDP ‖ καθίσαι ex καθῆσαι S² ‖ 10 τί οὖν P οὖν del. P² ‖ τὸ
πρῶτον BVQZP ‖ 11 δύνανται ex δύναται Q ‖ ἔμελλεν SCD ‖ 12 ὁμολο-
γήθη P ‖ 13 αὐτῷ om. S add. S² ‖ 15 καθίσαι ex καθῆσαι S² ‖ δεξιῶν
μου Maur. ‖ ἐξ om. ACD corr. D² ‖ 18 τὸ νηστεῦσαι τὸ ἀγρυπνῆσαι
τὸ χαμευνῆσαι : τὸ νηστεῦσαι οὐδὲν τὸ χαμευνῆσαι, τὸ ἀγρυπνῆσαι
VQZ Maur., τὸ νηστεῦσαι τὸ ἀγρυπνῆσαι tantum C ‖ 19 στάξαι
ex στενάξαι P²

15, 2 που om. BVQZP Maur. ‖ 3 τούτῳ ex τούτων A² ‖ ἐκεῖσε :
ἐκείθεν B Maur. ‖ 5 λίαν om. S add. S² ‖ 7 τοιούτων δογμάτων BP
Maur. del. P² ‖ 8 τῷ : τὸ ACDVZP ‖ πρόσθες om. S add. S²

14. b. Cf. Matth. 20, 21.   c. Cf. Matth. 20, 22.   d. Matth.

et je le dis pour enseigner à honorer les mères et pour en
faire une loi. La mère de ces deux Apôtres demande donc
à Jésus de les faire siéger l'un à sa droite, l'autre à sa
gauche[b]. Mais que répond le Sauveur? Il demande d'abord
s'ils sont capables de boire la coupe que lui-même devait
boire[c]. Lorsqu'ils eurent répondu affirmativement et que
le Sauveur eut accepté[d] — car il savait qu'eux aussi étaient
conduits à la perfection par le même moyen que lui[e], ou
plutôt devaient y être conduits —, que dit-il? « La coupe, ils
la boiront, mais faire siéger à droite et à gauche, ce n'est
pas à moi de donner cela, mais c'est pour ceux auxquels cela
a été donné[f]. » N'est-ce donc rien que l'esprit qui gouverne?
Rien, le travail? Rien, la raison? Rien, la philosophie[1]?
Rien, de jeûner, de veiller, de coucher sur la dure, de
répandre des torrents de larmes? Rien de cela ne compte-
t-il, mais est-ce d'après un sort fatal que Jérémie est
sanctifié[g] et que d'autres sont rejetés dès le sein maternel[h]?

15. Je crains qu'une pensée absurde ne se glisse dans
les esprits : l'âme aurait vécu ailleurs, puis se serait unie à un
corps[2] ; et, d'après leur vie là-bas, les uns recevraient le don
de prophétie[3] et les autres seraient condamnés, ceux qui
auraient mal vécu. Mais s'imaginer cela est tout à fait
absurde et étranger à l'Église ; que d'autres plaisantent sur
ces croyances ; nous, nous trouvons que la plaisanterie
sur de tels sujets n'est pas un terrain sûr. Ici, aux mots :
« ceux auxquels cela a été donné[a] », ajoute : et qui en sont

20, 23.   e. Cf. Hébr. 1, 10 ; 5, 8-10.   f. Matth. 20, 23.   g.
Cf. Jér. 1, 5.   h. Cf. Rom. 9, 11-13.
15. a. Matth. 19, 11.

---

1. Au sens de : recherche de la perfection. P.G.
2. Ici Grégoire est en polémique avec son maître Origène, dont il
rejette la doctrine de la préexistence des âmes raisonnables (νόες),
cf. « Influenze di Origene », p. 51-54.
3. Comme Jérémie, dont il vient d'être question. P.G.

« τοῖς οὖσιν ἀξίοις », οἳ τὸ εἶναι τοιοῦτοι οὐ μόνον παρὰ
301 A τοῦ Πατρὸς εἰλήφασιν, ἀλλὰ καὶ ἑαυτοῖς δεδώκασιν.

16. « Εἰσὶ γὰρ εὐνοῦχοι οἵτινες ἐκ κοιλίας μητρὸς
εὐνουχίσθησαν[a] », καὶ τὰ ἑξῆς. Σφόδρα ἐβουλόμην ἀνδρικόν
τι περὶ τῶν εὐνούχων ἔχειν εἰπεῖν. Μὴ μέγα τι φρονεῖτε οἱ
ἐκ φύσεως εὐνοῦχοι. Τὸ γὰρ τῆς σωφροσύνης ἴσως ἀκούσιον.
5 Οὐ γὰρ ἦλθεν εἰς βάσανον, οὐδὲ τὸ σωφρονεῖν ἐδοκιμάσθη
διὰ τῆς πείρας. Τὸ μὲν γὰρ ἐκ φύσεως ἀγαθόν, ἀδόκιμον ·
τὸ δ᾽ ἐκ προαιρέσεως, ἐπαινετόν. Τίς πυρὶ χάρις τοῦ καίειν ;
τὸ γὰρ καίειν ἐκ φύσεως ἔχει. Τίς ὕδατι χάρις τοῦ κάτω
φέρεσθαι ; τοῦτο γὰρ ἔχει παρὰ τοῦ δημιουργήσαντος. Τίς
10 χιόνι τῆς ψυχρότητος χάρις ; ἢ τῷ ἡλίῳ τοῦ φαίνειν ; Φαίνει
B γὰρ κἂν μὴ βούληται. Χαρίζου μοι τὸ βούλεσθαι τὰ βελτίονα.
Χαρίζῃ δέ, ἐὰν σάρξ γενόμενος πνευματικὸς γένῃ, ἐὰν τῇ
μολυβίδι τῆς σαρκὸς ἑλκόμενος πτερωθῇς ὑπὸ τοῦ λόγου,
ἐὰν οὐράνιος εὑρεθῇς ταπεινὸς γεγονώς, ἐὰν σαρκὶ συνδεθεὶς
15 ὑπὲρ σάρκα φανῇς.

17. Ἐπειδὴ οὖν τὸ σωφρονεῖν οὐκ ἐπαινετόν, ἄλλο τι
αἰτῶ τοὺς εὐνούχους. Μὴ πορνεύσητε περὶ θεότητα. Χριστῷ
συζευχθέντες, Χριστὸν μὴ ἀτιμάσητε. Ὑπὸ τοῦ Πνεύματος
τελειούμενοι, μὴ ὁμότιμον ἑαυτοῖς τὸ Πνεῦμα ποιήσητε.

15, 10 ἑαυτοὺς ἐδεδώκασιν B
16, 2 ἠβουλόμην P ‖ 3 τι² om. Maur. ‖ 6 γὰρ om. P add. P² ‖
7 ἐπαινετέον γρ. mg. C ‖ τοῦ ex τὸ S² ‖ 8 τὸ γὰρ καίειν om. Z ‖
χάρις om. BVZP Maur. ‖ τοῦ : τὸ SC τῷ AD ‖ 9 καὶ παρὰ D ‖ 10
τοῦ : τὸ SC τῷ D om. Q ‖ 11 βούληται ex -εται P ‖ 12 ἐὰν² : εἰ μὴ ‖
13 μολυβίδι scripsimus : μολιβίδι ABVQ ZS (ex emend.) CDP² μολίβδη
P μολίβδι Maur. ‖ πτερωθεὶς AP ‖ 14 συνδεθῇς BD ‖ 15 φανείς ABP
17, 1 σωφρονεῖν : σωματικὰ φρονεῖν BVQZP Maur. ‖ 2 χριστῷ A ‖
3 τοῦ AQ Maur. : om. cett. ‖ 4 τῷ πνεῦμα Z ‖ ποιήσητε ex emend. S

16. a. Matth. 19, 12.

1. Πνευματικός n'est pas employé fréquemment par Grégoire,
semble-t-il ; d'ordinaire, ce terme sert à qualifier plutôt une action
de l'Esprit-Saint qu'une qualité humaine (elle serait purement due à
l'action de l'Esprit).

dignes ; non seulement ils ont reçu du Père d'être tels,
mais ils se le sont donné à eux-mêmes.

16. « Il y a, en effet, des eunuques qui le sont dès le sein
de leur mère » et la suite[a]. Au sujet des eunuques, je
voudrais bien pouvoir dire quelque chose de viril. Ne vous
enorgueillissez pas, vous qui êtes eunuques par nature.
Votre chasteté est peut-être involontaire ; elle n'a pas été
éprouvée ; elle n'a pas reçu la confirmation de l'expérience.
Ce qui est bon par nature ne mérite pas des compliments ;
c'est ce qui est bon par libre choix qui est louable. Quelle
estime a-t-on pour le feu parce qu'il brûle ? C'est la nature
qui lui donne de brûler. Quelle estime a-t-on pour l'eau
parce qu'elle descend ? C'est le créateur qui lui donne
cette propriété. Quelle estime a-t-on pour la neige parce
qu'elle est froide, ou pour le soleil parce qu'il brille ? Il
brille sans le vouloir. Mérite mon estime en voulant le bien.
Tu mérites mon estime si, étant chair, tu deviens spirituel[1] ;
si, entraîné par la chair comme par du plomb, tu t'envoles
dans les hauteurs[2] grâce à la raison ; si l'on trouve un être
céleste en toi qui es né si bas ; si, lié à la chair, tu te montres
au-dessus de la chair.

17. Puisque la chasteté (dont il a été question[3]) n'est pas
louable, c'est autre chose que je demande aux eunuques :
ne vous prostituez pas en ce qui concerne la divinité[4].
Vous avez été unis au Christ ; ne déshonorez pas le Christ.
Vous recevez de l'Esprit la perfection[5] ; ne faites pas

2. Retour de l'image platonicienne déjà rencontrée au chap. 11.
3. La chasteté subie par nécessité, et non acceptée par l'eunuque.
Voir le début du chap. précédent. P.G.
4. Suivant une image habituelle dans la Bible, l'adoration des
faux dieux est représentée comme une prostitution (p. ex. *I Chr.* 5, 25).
Ici, l'image est reprise pour désigner l'hérésie. P.G.
5. La perfection humaine (τελείωσις) est exclusivement l'œuvre de
l'Esprit, comme l'a toujours enseigné la tradition chrétienne ; pour
Grégoire, voir encore ci-dessus 33, 17.

5 « Εἰ ἔτι ἀνθρώποις ἤρεσκον, ὁ Παῦλός φησι[a], Χριστοῦ
δοῦλος οὐκ ἂν ἤμην[a]. » Εἰ κτίσματι ἐλάτρευον, οὐκ ἂν
C Χριστιανὸς ὠνομαζόμην. Διὰ τί γὰρ ὁ Χριστιανὸς τίμιον ;
Οὐχ ὅτι Θεὸς ὁ Χριστός ; Εἰ μὴ τοῦτον ὡς ἄνθρωπον ἀγαπῶ,
φιλίᾳ πρὸς αὐτὸν συγκεκραμένος. Καίτοι καὶ Πέτρον τιμῶ,
10 ἀλλ' οὐκ ἀκούω Πετριανός · καὶ Παῦλον, Παυλιανὸς δὲ
οὐκ ἤκουσα. Οὐ δέχομαι ἐξ ἀνθρώπων ὀνομάζεσθαι, παρὰ
Θεοῦ γεγονώς[b]. Οὕτως εἰ μέν, ὅτι Θεὸν ὑπείληφας, διὰ
τοῦτο καλῇ Χριστιανός, καὶ καλοῖο καὶ μένοις ἐν τῷ ὀνόματι
καὶ τῷ πράγματι. Εἰ δέ, ὅτι στέργεις Χριστόν, διὰ τοῦτο
15 ἐξ αὐτοῦ καλῇ, οὐδὲν πλέον νέμεις σαυτῷ τῶν ἄλλων κλήσεων,
αἳ ἀπό τινος ἐπιτηδεύματος ἢ πράγματος τίθενται.

D 18. Ὁρᾶτε τοὺς περὶ τὰς ἱπποδρομίας ἐσπουδακότας
τούτους, οἳ ἀπὸ τῶν χρωμάτων ὀνομάζονται καὶ τῶν
304 A μερίδων, αἷς συνεστήκασιν. Ὑμεῖς δὲ ἴστε τὰ ὀνόματα,
κἂν ἐγὼ μὴ λέγω. Εἰ οὕτως ἀκούεις Χριστιανός, μικρὰ
5 λίαν ἡ προσηγορία, κἂν ἐπ' αὐτῇ καλλωπίζῃ · εἰ δέ, ὅτι καὶ
Θεὸν ὑπείληφας, δεῖξον τοῖς ἔργοις ὡς ὑπείληφας. Εἰ κτίσμα
ὁ Θεός, ἔτι καὶ νῦν λατρεύεις τῇ κτίσει παρὰ τὸν κτίστην[a].
Εἰ κτίσμα τὸ Πνεῦμα τὸ ἅγιον, μάτην ἐβαπτίσθης, καὶ τοῖς

17, 6 ἤμιν B ‖ εἰ κτίσμα V ‖ 7 ὀνομαζόμην P ‖ διὰ : εἰς
BVZP Maur. ‖ 8 εἰ δὲ μὴ P ‖ ἄνθρωπον ἀγαπῶ : ἄνθρωπος
πάθω BVPZ Maur. ‖ 9 συγκεκερασμένος ASCD ‖ 11 ἐξ : παρὰ
BVZP ‖ 11-12 παρὰ θεοῦ ex θεοῦ corr. P² ‖ 12 οὕτως om. Q ἢ
οὕτως P² ‖ 13 μένεις S ‖ 14 καὶ : ἢ ABVZ Maur. ‖ στέργῃς P ‖
15 πλεῖον S πλεῖων C ‖ σαυτῷ : αὐτῷ BVP Maur.
18, 2 τούτους ex τοῦτο P² ‖ 3 αἷς ex αἱ P² ‖ 5 προσηγορείᾳ A ‖ καὶ
om. BZ ‖ 7 θεὸς : χριστὸς P υἱὸς Maur. ‖ 8 ταῖς C

---

17. a. Gal. 1, 10.   b. Cf. Jn 1, 13.
18. a. Cf. Rom. 1, 25.

---

1. Défense de la divinité de l'Esprit contre les pneumatomaques
et les ariens qui le considéraient comme une créature.
2. Τούτους : allusion à ceux qui sont présents, et dont la plupart

de l'Esprit votre égal[1]. «Si je cherchais encore à plaire aux hommes, dit Paul, je ne serais pas le serviteur du Christ[a]». Si j'adorais une créature, je ne serais pas appelé chrétien. Pourquoi le nom de chrétien est-il vénérable ? N'est-ce pas parce que le Christ est Dieu ? On dira peut-être que je l'aime comme un homme, vu l'amitié que j'ai contractée avec le Christ ? Pourtant j'honore Pierre et je ne m'entends pas appeler «Pétrien», j'honore Paul et je ne me suis jamais entendu appeler « Paulien ». Je n'accepte pas que mon nom tire son origine des hommes, moi qui suis né de Dieu[b]. De cette façon, si tu es appelé chrétien parce que tu crois que le Christ est Dieu, puisses-tu être appelé ainsi et rester fidèle au nom, et à la réalité ! Si, au contraire, c'est parce que tu aimes le Christ que tu tires de lui ton nom, tu ne t'attribues rien de plus qu'aux autres noms, qui sont imposés à cause de quelque caractéristique habituelle ou de quelque circonstance.

18. Voyez ces hommes[2] qui sont passionnés pour les courses de chevaux : ils tirent leurs noms des couleurs qu'ils portent ou des partis qu'ils soutiennent ; vous connaissez les noms, même si je ne vous les dis pas. Si c'est de la même manière que tu as le nom de chrétien, cette appellation a bien peu d'importance, même si tu en es fier ; mais si c'est parce que tu crois que le Christ est Dieu, montre par tes actes que tu le crois. Si Dieu est une créature[3], tu adores la créature — encore maintenant[4] —, au lieu du créateur[a]. Si l'Esprit-Saint est une créature, c'est en vain que tu as été baptisé, et que tu es sain pour deux parties seulement — ou plutôt pas même pour ces deux parties, mais à cause

---

devaient être (comme nous le savons des citoyens de Constantinople en général) des passionnés des courses de chevaux.

3. C'est aussi au Fils, qui est Dieu, que se rapporte la doctrine erronée qui voit en lui une créature.

4. Maintenant que l'Évangile a été prêché, il est anormal qu'on adore une créature, comme au temps du paganisme. P.G.

μὲν δύο μέρεσιν ὑγιαίνεις, μᾶλλον δὲ οὐδὲ ἐκείνοις · τῷ δὲ
10 ἑνὶ παντελῶς κινδυνεύεις. Ὑπόθου μαργαρίτην ἕνα εἶναι
τὴν Τριάδα, πανταχόθεν ὅμοιον καὶ ἴσον στίλβοντα. Ὅ τι
ἂν πάθῃ τοῦ μαργαρίτου, ἡ πᾶσα τοῦ λίθου χάρις ἠφάνισται.
Οὕτως ὅταν ἀτιμάζῃς Υἱὸν ἵνα τιμήσῃς Πατέρα, οὐ δέχεταί
σου τὴν τιμήν. Ἐπ' ἀτιμίᾳ τοῦ Υἱοῦ ὁ Πατὴρ οὐ δοξάζεται.
15 Εἰ σοφὸς υἱὸς εὐφραίνει πατέρα[b], πόσῳ μᾶλλον ἡ τοῦ Υἱοῦ
B τιμὴ τιμὴ τοῦ Πατρὸς γίνηται ; Εἰ δὲ καὶ τοῦτο δέξῃ,
τὸ « Τέκνον, μὴ δοξάζου ἐπ' ἀτιμίᾳ πατρός[c] », οὕτως
οὐδὲ Πατὴρ ἐπ' ἀτιμίᾳ τοῦ Υἱοῦ δοξάζεται. Εἰ δ' ἀτιμάζεις
τὸ Πνεῦμα τὸ ἅγιον, οὐ δέχεταί σου τὴν τιμὴν ὁ Υἱός. Εἰ
20 γὰρ καὶ μὴ ὡς Υἱὸς ἐκ τοῦ Πατρός, ἀλλ' οὖν ἐκ τοῦ αὐτοῦ
Πατρός. Ἢ τὸ πᾶν τίμησον ἢ τὸ ὅλον ἀτίμασον, ἵνα ἀκό-
λουθος σεαυτῷ τυγχάνῃς. Οὐ δέχομαί σου τὸ ἐξ ἡμισείας
εὐσεβές. Ὅλον εὐσεβῆ μένειν σε βούλομαι. Ἀλλ' εἰ κακῶς
βούλομαι ; Σύγγνωθι τῷ πάθει. Ἀλγῶ καὶ ὑπὲρ τῶν
25 μισούντων. Μέλος ἦς ἐμόν, καὶ εἰ νῦν ἀποτέμνῃ, μέλος
καὶ γενήσῃ τυχόν · διὰ τοῦτο καὶ φιλάνθρωπα φθέγγομαι.
Ταῦτα διὰ τοὺς εὐνούχους, ἵνα περὶ θεότητα σωφρονῶσιν.

18, 9 δύο : δυσὶ VC SP²corr. S² ‖ μερίσιν C ‖ δ' οὐκ PC ‖ ἐκείναις C ‖
11 στίλβοντα ex στήλβοντα S² ‖ 12 ἄν τι πάθῃ VZP² ‖ 14 τοῦ om.
ASCD ‖ ὁ om. A ‖ 15 εἰ om. ASC ‖ 16 τιμῇ² : μὴ VZQ² ‖ γίνεται
ASCDP corr. P² ‖ δέξῃ : δέξαι ACD δείξαι S δέξηται (om. τὸ) b ‖ 17 καὶ
μὴ δοξάζου D ‖ 18 τοῦ om. SV add. S² ‖ δ' om. VQZb Maur. ‖ 20
γὰρ om. A ‖ 22 σεαυτῷ : ἑαυτῷ S ἑαυτὸν P νοῦς ἑαυτῷ A νοῦς σεαυτῷ
S²VQZP² ‖ τυγχάνοις AQPC (-νης P²) ‖ 23 μένειν : μὲν εἶναι VQZ
P²b ‖ ἀλλ' εἰ : ἀλλὰ ASPCD Maur. (ἀλλ' εἰ S²) ‖ κακῶς : καθὼς
VZP²b Maur. ἀλλὰ καθὼς βούλομαι mg. Z ‖ 24 ita interpunxit Gallay ‖
25 ἦς om. S add. S² εἰ C εἶς b ‖ ἀποτέμνει P ‖ 26 γενήσει P ‖ καὶ²
om. S add. S² ‖ φιλάνθρωπα ex φιλανθρωπία P² ‖ 27 περὶ om. C

18. b. Prov. 10, 1.   c. Sir. 3, 12 (hébreu : 3, 10).

1. Comme dans la conclusion du *Discours* 33, il y a une liaison
entre le symbole baptismal et la doctrine trinitaire ; nier la divinité
d'une personne signifie détruire la divinité entière.
2. C'est la splendeur dont il est question dans le *Discours* 32, 15
et ailleurs.

de la seule partie où tu n'es pas sain, tu es en danger pour tout l'ensemble[1]. Suppose que la Trinité soit un joyau semblable à lui-même sur toutes ses faces et brillant d'un égal éclat[2] ; qu'il se produise dans le joyau un dommage quelconque, c'est tout le charme de la pierre qui a disparu. De même, quand tu déshonores le Fils pour honorer le Père, ce dernier n'accepte pas ton honneur[3] ; le Père n'est pas glorifié au prix du déshonneur du Fils. Si un fils sage réjouit son père[b], combien plus l'honneur du Fils deviendra l'honneur du Père ! Si tu admets ceci : « Enfant, ne te glorifie pas au prix du déshonneur de ton père[c] », de même le Père n'est pas glorifié au prix du déshonneur du Fils. Si tu déshonores l'Esprit-Saint, le Fils n'accepte pas ton honneur ; en effet, bien que l'Esprit-Saint ne vienne pas du Père de la même manière que le Fils, néanmoins il vient du même Père[4]. Honore le tout ou méprise le tout, pour être conséquent avec toi-même. Je n'accepte pas chez toi cette demi-piété. Je veux que tu restes pieux tout entier. Mais si (d'après toi) j'ai tort de le vouloir ? Pardonne à mon émotion ; je souffre à cause de ceux qui me haïssent ; tu étais un de mes membres, encore que tu sois retranché maintenant ; tu redeviendras peut-être un de mes membres ; voilà pourquoi je fais entendre des paroles de bonté[5].

C'est là ce que j'avais à dire à cause des eunuques, afin qu'ils soient chastes au sujet de la divinité[6].

3. C'était la doctrine arienne qui vénérait seulement le Père.
4. L'Esprit ne provient pas du Père de la même façon que le Fils (non, en fait, par γέννησις), mais il provient cependant du Père.
5. C'est un programme de pacification, fondé, cependant, comme toujours chez Grégoire, sur la conservation des fondements de la doctrine chrétienne.
6. Pour savoir combien était grand le pouvoir des eunuques à la cour de Constantinople, il suffit de lire les *Rerum gestarum libri* d'Ammien Marcellin. Pour ce qui est de leur attitude dans le milieu religieux, Bernardi (p. 224) pense qu'ils avaient pris parti pour l'arianisme le plus radical sous le règne de Valens et qu'ils se sont

C 19. Οὐ γὰρ ἡ περὶ σῶμα μόνον ἁμαρτία πορνεία καὶ μοιχεία λέγεται, ἀλλὰ καὶ ὁτιοῦν ἥμαρτες, καὶ μάλιστα ἡ περὶ τὸ θεῖον παρανομία. Πόθεν παράσχωμεν, τοῦτο τυχὸν ἀπαιτήσεις. « Ἐπόρνευσαν, φησίν, ἐν τοῖς ἐπιτηδεύμασιν
5 αὐτῶν[a] ». Ὁρᾷς καὶ πρᾶξιν πόρνην ἀναίσχυντον ; Καὶ « Ἐμοιχῶντο, φησίν, ἐν τῷ ξύλῳ[b]. » Ὁρᾷς καὶ θρησκείαν τινὰ μοιχαλίδα ; Μὴ τοίνυν μοιχεύσῃς κατὰ ψυχήν, σωφρονῶν τῷ σώματι · μὴ δείξῃς τὸ ἀκουσίως τῇ σαρκὶ σωφρονεῖν ἐξ ὧν οὐ σωφρονεῖς, ἐν οἷς πορνεύειν δυνατὸς εἶ. Τί πεποιή-
10 κατε τὴν ἀσέβειαν ὑμετέραν ; Τί πάντες ἐπὶ τὸ χεῖρον φέρεσθε, ὡς ταὐτὸν εἶναι λοιπὸν ἢ εὐνοῦχον ἢ ἀσεβῆ καλεῖ-
305 A σθαι ; Γένεσθε μετὰ τῶν ἀνδρῶν, ὀψὲ γοῦν ἀνδρικόν τι φρονήσατε, φύγετε τὰς γυναικωνίτιδας, μὴ προστεθῇς τῷ αἰσχρῷ τοῦ ὀνόματος τὸ αἰσχρὸν τοῦ κηρύγματος. Βούλεσθε
15 μικρὸν ἔτι τῷ λόγῳ προσκαρτερήσωμεν, ἢ κόρον ἔχει τὰ εἰρημένα ; Πλὴν τιμηθήτωσαν καὶ οἱ εὐνοῦχοι τοῖς ἑξῆς · ἐπαινετὸς γὰρ ὁ λόγος.

20. « Εἰσὶ γὰρ εὐνοῦχοι, φησίν, οἵτινες ἐκ κοιλίας μητρὸς ἐγεννήθησαν οὕτως, καὶ εἰσὶν εὐνοῦχοι οἵτινες εὐνουχίσθησαν παρὰ τῶν ἀνθρώπων, καὶ εἰσὶν εὐνοῦχοι οἵτινες εὐνούχισαν
B ἑαυτοὺς διὰ τὴν βασιλείαν τῶν οὐρανῶν. Ὁ δυνάμενος
5 χωρεῖν, χωρείτω[a]. » Δοκεῖ μοι τῶν σωμάτων ἀποστὰς ὁ λόγος τυποῦν διὰ τῶν σωμάτων τὰ ὑψηλότερα. Τὸ μὲν γὰρ μέχρι

19, 1 μόνον om. S add. S[2] ‖ 2 ἀλλὰ om. S ‖ κἂν ὁτιοῦν D ἀλλὰ καὶ ὁτιοῦν ex ἀλλ᾽ οὖν ὅτι P[2] ‖ 3 παρανομία : νομοθεσία D ‖ παράσχωμαι SC παράσχομαι APD παράσχομεν P[2] ‖ 4 ἀπαιτεῖς VZPb Maur. ‖ 5 πόρνην : πορνείας VQZPb Maur. ‖ 7 μυχαλλίδα P ‖ 8 μὴ : μήτε Q ‖ τὸ : τῷ SC VQb corr. Q[2] ‖ 9 σωφρονεῖς ex σωφρονῆς S[2] ‖ 11 ταὐτὸν ex emend. S[2]D[2] αὐτὸν PC ‖ ἢ ἀσεβῆ ἢ εὐνοῦχον P ‖ 12 γίνεσθε SC ‖ 13 φύγε S[2]C φεύγε S φεύγετε A ‖ προστεθήτω VQZPb Maur. ‖ 16 καὶ om. Q
20, 2 εὐνουχήσθησαν P ‖ 3 παρὰ : ὑπὸ ZP γρ. παρὰ Z mg. ‖ εὐνοῦχοι om. VQb ‖ εὐνούχησαν SCD ‖ 3-4 ἑαυτοὺς εὐνούχισαν A ‖ 6 ἀσωμάτων D ‖ τὸ : τὸν Q ‖ μέχρι ex ἔτι P[2]

19. a. Ps. 105, 39.   b. Jér. 3, 9.
20. a. Matth. 19, 12.

19. Ce n'est pas seulement le péché concernant le corps qui s'appelle prostitution et adultère, mais tout péché que tu as commis, et surtout la transgression qui s'attaque au divin[1]. Comment prouver cela, demanderas-tu peut-être? « Ils se prostituèrent, dit-il, par leurs pratiques[a] » ; tu vois bien là une œuvre honteuse de prostitution? Et : « Ils commettaient l'adultère, dit-il, avec le bois[b] » ; tu vois bien là un culte adultère? Ne sois donc pas adultère d'âme en étant chaste de corps ; ne montre pas que tu es chaste dans ta chair malgré toi, puisque tu n'es pas chaste là où tu es capable de te prostituer. Pourquoi avez-vous fait vôtre l'impiété? Pourquoi vous portez-vous tous vers le mal comme si désormais c'était même chose d'être appelé eunuque ou impie? Rangez-vous parmi les hommes ; prenez, quoique tardivement, quelque sentiment viril ; fuyez les gynécées ; que ne s'ajoute pas à la honte du nom la honte que vous infligerait ma prédication ! Voulez-vous que nous nous attardions encore un peu sur ce sujet? Ce qui a été dit est-il suffisant? D'ailleurs, avec ce qui suit, mettons à l'honneur également les eunuques : la parole est élogieuse.

20. « Il y a, dit-il, des eunuques qui ont été engendrés tels dès le sein de leur mère ; et il y a des eunuques qui ont été rendus eunuques par les hommes ; et il y a des eunuques qui se sont eux-mêmes rendus eunuques à cause du royaume des cieux. Que celui qui peut comprendre comprenne ![a] » Il me semble que cette parole, s'écartant des corps, représente par le moyen des corps des réalités

maintenus à la cour même sous Théodose. Leurs convictions sont reflétées par les phrases de la fin du chap. 19 : « Pourquoi avez-vous fait vôtre l'impiété ? Pourquoi vous portez-vous tous vers le mal comme si désormais c'était même chose d'être appelé eunuque ou impie ? »

1. Grégoire se rappellera encore, quelques années après, cette activité perverse des eunuques de cour, quand, revenu à Nazianze, il prononcera l'oraison funèbre de Basile (*Discours* 43, 47).

τῶν σωματικῶν εὐνούχων στῆσαι τὸν λόγον, τυχὸν μικρόν
τε καὶ λίαν ἀσθενὲς καὶ ἀνάξιον λόγου · δεῖ δὲ ἡμᾶς ἐπινοῆσαί
τι τοῦ Πνεύματος ἄξιον.

10   Δοκοῦσι τοίνυν οἱ μὲν ἐκ φύσεως νεύειν πρὸς τὸ ἀγαθόν.
Φύσεως δὲ ὅταν εἴπω, οὐκ ἀτιμάζω τὴν προαίρεσιν, ἀλλ᾽
ἀμφότερα τίθημι, τήν τε πρὸς τὸ καλὸν ἐπιτηδειότητα καὶ
τὴν εἰς ἔργον ἄγουσαν τὸ ἐκ φύσεως ἐπιτήδειον.
Ἕτεροι δέ εἰσί τινες, οὓς ὁ λόγος καθαίρει, τῶν παθῶν
15   ἐκτέμνων. Τούτους ἡγοῦμαι εἶναι τοὺς ὑπὸ τῶν ἀνθρώπων
εὐνουχιζομένους, ὅταν ὁ διδασκαλικὸς λόγος διελὼν τὸ
κρεῖττον ἀπὸ τοῦ χείρονος καὶ τὸ μὲν ἀποπεμψάμενος, τὸ
C   δὲ νομοθετήσας — ὡς τό · « Ἔκκλινον ἀπὸ κακοῦ καὶ
ποίησον ἀγαθόν[b] » — τὴν πνευματικὴν σωφροσύνην δημιουρ-
20   γήσῃ. Ἐπαινῶ καὶ τοῦτον τὸν εὐνουχισμόν, καὶ λίαν
ἐπαινῶ τούς τε διδάσκοντας ὁμοίως καὶ τοὺς διδασκομένους,
ὅτι οἱ μὲν καλῶς ἐξέτεμον, οἱ δὲ κάλλιον ἐξετμήθησαν.

21. « Καὶ εἰσὶν οἵτινες ἑαυτοὺς εὐνούχισαν διὰ τὴν
βασιλείαν τῶν οὐρανῶν[a]. » Ἄλλοι διδασκάλων μὲν οὐκ
ἐπέτυχον, ἑαυτῶν δὲ γεγόνασιν ἐπαινετοὶ διδάσκαλοι. Οὐκ
ἐδίδαξέ σε μήτηρ τὸ δέον, οὐκ ἐδίδαξε πατήρ, οὐ πρεσβύτερος,
5   οὐκ ἐπίσκοπος, οὐκ ἄλλος τις τῶν τὸ διδάσκειν πεπιστευ-
μένων, ἀλλὰ τὸν ἐν σοὶ λόγον κινήσας, ἀλλὰ τὸν σπινθῆρα

20, 8 λόγου : τοῦ λόγου S² ‖ 12 τε om. CP add. P² ‖ πρός τε b ‖
17 ἀπὸ : ὑπὸ b ‖ τὸ μὲν ex τὸν μὲν P² ‖ 19-20 δημιουργήσει ACDP ‖
21 διδάσκοντας : διδασκάλους VQZPb Maur. ‖ 22 ἐξεμήθησαν P
21, 1 καὶ εἰσὶν εὐνοῦχοι A ‖ εὐνούχισαν ἑαυτοὺς Pb ‖ 3-4 οὐκ
ἐδίδαξέ σε μήτηρ τὸ δέον om. V ‖ 4 σε πατήρ DVQZPb ‖ 5 τὸ om. S ‖
6 κινήσας ex ἐκινήσας P² ἐκίνησας A ‖ ἀλλὰ² : καὶ VQ

20. b. Ps. 36, 27.
21. a. Matth. 19, 12.

1. Affirmation de couleur origénienne : la signification littérale est
méprisée comme quelque chose de mesquin, dont il ne vaut même pas
la peine de parler. L'eunuque dont parle l'Évangile est celui qui se
libère de ses passions.

plus élevées[1]. Car limiter cette parole aux eunuques selon
le corps, c'est peut-être petit, bien faible et bien indigne
d'une parole (divine) ; nous devons imaginer quelque chose
digne de l'Esprit.

Certains semblent portés au bien par la nature ; et
lorsque je dis « par la nature », je ne méprise pas le libre
choix, mais j'admets les deux : l'aptitude au bien et le
libre choix qui conduit à l'action, l'aptitude venant de
la nature.

Il y en a d'autres que la parole purifie en les amputant de
leurs passions[2]. Voilà, je pense, ceux qui ont été rendus
eunuques par les hommes : la parole d'un maître, séparant
le bien du mal, rejetant l'un et prescrivant l'autre, aura
produit la chasteté spirituelle, suivant le mot : « Détourne-
toi du mal et fais le bien[b]. » J'approuve cette manière de
rendre eunuque ; j'approuve fort les maîtres, aussi bien
que les disciples, car c'est une bonne chose que les uns
aient amputé, et c'en est encore une meilleure que les
autres aient été amputés.

21. « Et il y en a qui se sont eux-mêmes rendus eunuques
à cause du royaume des cieux[a]. » D'autres[3] n'ont pas
rencontré de maîtres, mais ils ont été pour eux-mêmes
des maîtres dignes d'éloge. Ce n'est pas une mère qui
t'a enseigné le devoir, ce n'est pas un père qui te l'a
enseigné, ni un prêtre, ni un évêque, ni quelqu'un d'autre
à qui est confiée la charge d'enseigner. Mais tu as mis en
mouvement la raison qui est en toi[4], tu as fait jaillir par

2. L'eunuque a amputé sa nature humaine propre ; de même
l'eunuque spirituel a amputé ses propres passions. L'élimination des
passions fait partie de la purification, qui est si importante dans
l'éthique de Grégoire.

3. Après les deux catégories précédentes, voici la troisième, qui
achève l'énumération. P.G.

4. Cf. ce qu'avait enseigné Clément d'Alexandrie (*Pédagogue* II,
9, p. 207, 10 Stählin) : ... τοὺς ἔνοικον ἔχοντας τὸν Λόγον (c'est-à-dire
le Christ) τὸν ἐγρήγορον.

τοῦ καλοῦ διὰ τῆς προαιρέσεως ἀνάψας, σαυτὸν ἐξέτεμες,
σαυτὸν εὐνούχισας, τὴν ῥίζαν ἐξέτεμες τῆς κακίας, τὰ ὄργανα
D   τῆς κακίας ἐξώρισας, τοσαύτην ἕξιν ἐκτήσω τῆς ἀρετῆς ὥστε
10   καὶ σχεδὸν ἀδύνατόν σοι τὴν περὶ τὰ χείρω γενέσθαι φοράν.
Διὰ τοῦτο ἐπαινῶ τὸν εὐνουχισμόν, καὶ τυχὸν μᾶλλον τῶν
ἄλλων. « Ὁ δυνάμενος χωρεῖν, χωρείτω »[b]. Ἣν βούλει
δέξαι μερίδα, ἢ ἐπακολούθησον τῷ διδασκάλῳ, ἢ γενοῦ
σαυτοῦ διδάσκαλος. Ἓν αἰσχρὸν μόνον, τὸ μὴ τμηθῆναι
15   τὰ πάθη. Περὶ δὲ τοῦ πόθεν τμηθῆναι, μηδὲν διαφέρου.
Καὶ ὁ διδάσκων, πλάσμα Θεοῦ[c], καὶ σὺ γέγονας ἐκεῖθεν·
308 A   κἄν τε ὁ διδάσκαλος ἁρπάσῃ τὴν χάριν, κἄν τε γένηται
σὸν τὸ καλόν, καλὸν ὁμοίως ἐστί.

22. Μόνον ἐκτέμνωμεν ἑαυτοὺς τῶν παθῶν, μή τις
ῥίζα πικρίας ἄνω φύουσα ἐνοχλῇ[a]. Μόνον ἀκολουθῶμεν
τῇ εἰκόνι, μόνον αἰδώμεθα τὸ ἀρχέτυπον. Ἔκτεμνε τὰ
σωματικὰ πάθη, ἔκτεμνε καὶ τὰ ψυχικά. Ὅσῳ γὰρ τιμιώτε-
5   ρον ψυχὴ σώματος, τοσούτῳ τιμιώτερον καθᾶραι ψυχὴν
ἢ σῶμα. Εἰ δὲ ἡ τοῦ σώματος κάθαρσις τῶν ἐπαινετῶν,
σκόπει μοι πόσον ἡ τῆς ψυχῆς μείζων τε καὶ ὑψηλοτέρα.

21, 7 σαυτὸν (uel σεαυτὸν) ἐξέτεμες σαυτὸν εὐνούχισας ASPCDV :
σεαυτὸν εὐνούχισας σεαυτὸν ἐξέτεμες Q σαυτὸν εὐνούχισας τὴν ῥίζαν·
σεαυτὸν ἐξέτεμες Zb ‖ 8 τὴν ῥίζαν om. Zb ‖ ἐξέτεμες τῆς κακίας :
ἐξέκοψας τῆς κακίας P² ἐξέκοψας tantum V ‖ 9 τῆς κακίας : τῆς
πονηρίας P ‖ ἕξιν ex ἕξην S² ‖ 10 γενέσθαι τὴν περὶ τὰ χείρω VQZb
Maur. ‖ 11 ἐπαινῶ καὶ τοῦτον VQ²S²P² Maur. ‖ 14 τὸ om. VQZb
Maur. τῷ A ‖ 15 πόθεν om. VQZP²b Maur. ‖ τμηθῆναι τὰ πάθη
VQZP²b Maur.

22, 1 ἐκτέμνομεν SZb ‖ 2 ἀκολουθοῦμεν b ‖ 3-4 ἔκτεμνε τὰ σωματικὰ
πάθη om. B καὶ τὰ σωματικὰ b ‖ 4-5 ψυχὴ τιμιώτερον Maur. ‖
7 ὑψηλοτέρα : τελεωτέρα mg. S²

21. b. Ibid.   c. Cf. Gen. 1, 27.
22. a. Deut. 29, 18 (LXX) ; Hébr. 12, 15.

ton libre choix l'étincelle du bien[1], et tu t'es amputé
toi-même, tu t'es rendu eunuque ; tu as coupé la racine
du mal, tu en as banni les instruments, et tu as acquis
une telle disposition à la vertu qu'il t'est devenu presque
impossible de te porter au mal. Voilà pourquoi je loue
la situation d'eunuque plus peut-être que les autres. «Celui
qui peut comprendre, qu'il comprenne[b] ! » Prends le
parti que tu veux ; suis les leçons d'un maître, ou bien
deviens toi-même ton maître. Une seule chose est honteuse,
c'est de ne pas retrancher ses passions[2]. Et, sur le moyen
de retrancher tes passions, n'hésite pas. Le maître (qui
te guide) est un être façonné par Dieu[c], et toi, tu en viens
aussi ; que ton maître te ravisse le mérite, ou que le bien
soit ton œuvre, c'est le bien, ni plus ni moins.

22. Amputons-nous seulement de nos passions, de peur
que quelque racine d'amertume pousse des rejetons et nous
trouble[a]. Suivons seulement l'image, respectons seulement
l'archétype[3]. Ampute les passions du corps, ampute aussi
celles de l'âme. Puisque l'âme a plus de prix que le corps,
il y a d'autant plus de prix à purifier l'âme plutôt que
le corps. Si la purification du corps est au nombre des
choses louables, examine, je te prie, combien la purification
de l'âme est plus grande et plus élevée. Retranche

---

1. Chacun de nous possède une étincelle du beau (due, évidemment, à la présence du *Logos*) : c'est la disposition d'esprit, à laquelle
on doit ajouter le libre arbitre, comme on l'a vu au chap. 13.

2. Τμηθῆναι τὰ πάθη ; pour l'expression, cf. Clément d'Alexandrie, *Quis dives salvetur* 40, 6 : ἔστι μὲν οὖν ἀδύνατον ἴσως ἀθρόως
ἀποκόψαι τὰ πάθη σύντροφα ; cf. aussi *Strom.* VI, 19 (surtout 74, 1 :
ἀπάθειαν γὰρ καρποῦται παντελὴς τῆς ἐπιθυμίας ἐκκοπή).

3. L'image (εἰκών) est le Fils. Mais, puisque l'image implique un
« archétype », voici que l'ἀρχέτυπος est le Père (cf. *II Cor.* 4, 4 ;
Col. 1, 15), comme l'explique ailleurs Grégoire lui-même (*Discours*
30, 20) : εἰκὼν δὲ (c'est-à-dire le Christ) ὡς ὁμοούσιον ... αὕτη γὰρ
εἰκόνος φύσις, μίμημα εἶναι τοῦ ἀρχετύπου. Cf. aussi 17, 19 ; 29, 17 ;
χαρακτήρ *ibidem* (cf. *Hébr.* 1, 3). Beaucoup de ces termes sont
continuellement débattus entre ariens et nicéens au ive siècle.

Ἔκτεμνε τὴν Ἀρειανὴν ἀσέβειαν, ἔκτεμνε τὴν Σαβελλίου κακοδοξίαν. Μήτε συνάψῃς πλέον ἢ καλῶς ἔχει, μήτε διέλῃς
10 κακῶς μήτε εἰς ἓν πρόσωπον συνέλῃς τὰ τρία, μήτε ἐργάσῃ τρεῖς ἀλλοτριότητας φύσεων. Καὶ τὸ ἓν ἐπαινετόν, καλῶς νοούμενον, καὶ τὰ τρία καλῶς διαιρούμενα, ὅταν προσώπων,
B ἀλλὰ μὴ θεότητος, ἡ διαίρεσις ᾖ.

23. Ταῦτα καὶ λαϊκοῖς νομοθετῶ, ταῦτα καὶ πρεσβυτέροις ἐντέλλομαι, ταῦτα καὶ τοῖς ἄρχειν πεπιστευμένοις. Βοηθήσατε τῷ λόγῳ πάντες ὅσοις τὸ δύνασθαι βοηθεῖν ἐκ Θεοῦ. Μέγα φόνον ἐπισχεῖν καὶ μοιχείαν κολάσαι καὶ κλοπὴν σωφρο-
5 νίσαι· πολλῷ δὲ μᾶλλον εὐσέβειαν νομοθετῆσαι καὶ ὑγιῆ[a] λόγον χαρίσασθαι. Οὐ τοσοῦτον ὁ ἐμὸς λόγος δυνήσεται πολεμῶν ὑπὲρ τῆς Τριάδος ὅσον τὸ πρόσταγμα, ἐὰν ἐπιστομίζῃς τοὺς κακῶς ἔχοντας, ἐὰν βοηθῇς τοῖς διωκομένοις, ἐὰν τοὺς φονευτὰς ἐπέχῃς, ἐὰν κωλύσῃς τὸ φονεύεσθαι.
10 Λέγω δὲ φόνον οὐ τὸν σωματικὸν μόνον, ἀλλὰ καὶ τὸν ψυχικόν. Πᾶσα γὰρ ἁμαρτία, θάνατός ἐστι ψυχῆς.
Μέχρι τούτων ὁ λόγος στήτω.

C 24. Τὸ λοιπὸν δὲ ἔστω ὑπὲρ τῶν συνεληλυθότων εὐχή. Ἄνδρες ὁμοῦ καὶ γυναῖκες, ἀρχόμενοί τε καὶ ἄρχοντες, πρεσβῦται καὶ νεανίσκοι μετὰ παρθένων, πᾶν γένος ἡλικίας,

22, 8 ἀρειανικὴν V ἀρειανεῖν B ‖ 9 πλεῖον D ‖ ἔχῃ BPC ‖ 12 νοούμενον — διαιρούμενα add. in ras. Q² ‖ καλῶς om. Q² ‖ διερούμενα Q² ‖ 13 post ἡ διαίρεσις ᾖ deest A ‖ διαιρέσεως P ᾖ ex emend. S
23, 1 νομοθετῶ : νουθετῶ VZ ‖ 2 ἄρχειν : ἀρχὴν Z ‖ 3 ὅσοις : οἷς SC ‖ 4 ἐπεσχεῖν P ‖ 4-5 σωφρονῆσαι SCBP ‖ 5 δὲ om. BZV μᾶλλον δὲ P δὲ del. P² ‖ ὑγιᾶ SCD ὑγιῆ Dmg. ‖ 6 τοσοῦτον ἰσχύσει P ‖ δυνήσεται om. P ‖ 7 τῆς : τῆς ἁγίας BP om. S add. S² ‖ 8 τοῖς om. B ‖ 9 ἐπέχοις BQ ‖ κωλύῃς VQZP² κωλύοις P ‖ τὸ ex τὸν S² ‖ 10 φόνον om. BVZ Maur. ‖ μόνον om. VQZ
24, 1 τὸ om. BVZ Maur. ‖ δὲ ἔστω ex emend. S² ‖ 2 ἄρχοντες καὶ ἀρχόμενοι P

23. a. Cf. II Tim. 4, 3 ; Tite 1, 9 ; 2, 1.

l'impiété d'Arius, retranche la mauvaise doctrine de
Sabellius. Ne réunis pas plus qu'il n'est bien, ne divise
pas d'une manière perverse ; ne ramène pas les Trois à une
seule personne[1], et n'invente pas trois natures étrangères
l'une à l'autre. L'unité entendue correctement est louable ;
de même aussi les Trois distingués correctement, quand
il y a distinction des personnes, mais non de la divinité[2].

23. Telle est la loi que j'établis pour les laïcs, telle est
la prescription que je fais aux prêtres, et telle aussi à ceux
qui ont reçu mission de commander. Donnez votre appui à
la vraie doctrine, vous tous qui tenez de Dieu le pouvoir de
le faire. C'est une grande chose de réprimer le meurtre, de
punir l'adultère, de châtier le vol ; ce l'est davantage
encore d'établir la piété comme loi et de favoriser une
doctrine saine[a]. Ma parole combattant pour la Trinité
aura moins d'efficacité que ton édit[3], si tu fermes la bouche
à ceux qui n'ont pas cette santé, si tu donnes ton appui à
ceux qui sont persécutés, si tu réprimes les meurtriers,
si tu empêches que le meurtre soit commis ; je parle non
seulement du meurtre qui tue le corps, mais aussi de celui
qui tue l'âme, car tout péché est la mort de l'âme.

Bornons ici notre discours. **24.** Pour le reste, qu'il
nous suffise de prier pour ceux qui sont venus à cette
assemblée. Hommes aussi bien que femmes, subordonnés
et chefs, vieillards ou jeunes gens et jeunes filles, tous, quel
que soit votre âge, supportez n'importe quel dommage
soit dans vos biens, soit dans vos corps, mais n'acceptez

---

1. Remarquons ici l'emploi de πρόσωπον pour désigner la personne,
et rappelons que Grégoire préfère le mot ὑπόστασις. P.G.
2. Grégoire revient encore ici au problème trinitaire qui lui tient
tant à cœur. Si la purification de l'âme signifie la purification du
péché, se dégager du maquis de l'hérésie a une importance particulière.
3. L'orateur s'adresse ici à l'empereur Théodose, auditeur de cette
homélie.

πᾶσαν μὲν φέρετε ζημίαν, τὴν εἰς χρήματα, τὴν εἰς σώματα ·
5 ἓν μὴ δέξησθε μόνον, τὴν θεότητα ζημιούμενοι.

Προσκυνῶ Πατέρα, προσκυνῶ τὸν Υἱόν, προσκυνῶ τὸ
Πνεῦμα τὸ ἅγιον · μᾶλλον δὲ προσκυνοῦμεν, ἐγὼ καὶ πρὸ
πάντων, ὁ ταῦτα λέγων, ἐγὼ καὶ μετὰ πάντας καὶ σὺν
πᾶσιν, ἐν αὐτῷ τῷ Χριστῷ τῷ Κυρίῳ ἡμῶν, ᾧ ἡ δόξα καὶ
10 τὸ κράτος εἰς τοὺς αἰῶνας. Ἀμήν.

24, 4 σώματα : κτήματα C ‖ 5 ἓν : ἓν δὲ C Maur. ‖ 6 τὸν πατέρα P ‖ τὸν om. Q ‖ 7 προσκυνῶμεν CD ‖ ἐγὼ om. SCD ‖ 9 τῷ χριστῷ
τῷ κυρίῳ : τῷ κυρίῳ τῷ χριστῷ QVZ τῷ χριστῷ καὶ θεῷ B τῷ
χριστῷ τῷ κυρίῳ καὶ θεῷ P ‖ 9-10 καὶ τὸ κράτος om. SCD ‖ 10 τοὺς
αἰῶνας τῶν αἰώνων SP

εἰς τὸ ῥητὸν τοῦ εὐαγγελίου CDPQ subscriptionem omittunt
BVZ erasit S² στῖχοι Υ add. P

pas une seule chose : de subir un dommage en ce qui concerne la divinité[1].

J'adore le Père, j'adore le Fils, j'adore l'Esprit-Saint ; ou plus exactement nous les adorons, moi avant tous, moi qui vous adresse ces paroles, moi après tous et avec tous, dans le Christ lui-même notre Seigneur, à qui sont la gloire et la puissance pour les siècles[2]. Amen.

1. Pour l'expression τὴν θεότητα ζημιούμενοι, cf. le *Discours* 33, 17.
2. Une formule trinitaire particulièrement solennelle conclut le discours.

INDEX DES ABRÉVIATIONS BIBLIOGRAPHIQUES

Bellini : BELLINI, *Gregorio di Nazianzeno Teologia e Chiesa*, Milan 1971.

Bernardi : J. BERNARDI, *La prédication des Pères Cappadociens*, Paris 1968.

CUF : *Collection des Universités de France* publiée sous le patronage de l'Association Guillaume Budé, Paris.

Dziech : J. DZIECH, *De Gregorio Nazianzeno diatribae quae dicitur alumno*, Poznan 1925.

Gallay : P. GALLAY, *La vie de S. Grégoire de Nazianze*, Lyon-Paris 1943.

GCS : *Die griechischen christlichen Schriftsteller der ersten Jahrhunderte*, Leipzig-Berlin.

Grégoire de Nazianze : *Discours, PG* 35-36 ; *Poèmes, PG* 37.
—   *Discours* 1-3, éd. BERNARDI, *SC* 247. *Discours* 4-5, éd. BERNARDI, *SC* 309. *Discours* 20-23, éd. MOSSAY, *SC* 270. *Discours* 24-26, éd. MOSSAY, *SC* 284. *Discours* 27-31, éd. GALLAY, *SC* 250.

—   Lettres : *Saint Grégoire de Nazianze, Lettres*, éd. GALLAY, *CUF*, 2 vol. Paris 1964-1967. *Gregor von Nazianz, Briefe*, éd. GALLAY, *GCS* 53, Berlin 1969.

—   *Lettres théologiques*, éd. GALLAY, *SC* 208.

—   *Gregor von Nazianz, De Vita sua...*, éd. JUNGK, Heidelberg 1974.

Lampe : G. W. H. LAMPE, *A Patristic Greek Lexicon*, Oxford 1961.

Liddell-Scott : H. G. LIDDELL and R. SCOTT, *A Greek-English Lexicon*, 9ᵉ éd., Oxford 1958.

C. Moreschini : « Luce e purificazione nella dottrina di Gregorio Nazianzeno , dans *Augustinianum* 13 (1973), p. 535-549 ; « Il Platonismo cristiano di Gregorio Nazianzeno », dans *Annali Scuola Normale Superiore di Pisa* III, 4 (1974), p. 1347-1392 ; « Influenze di Origene su Gregorio di Nazianzo », dans *Atti Academia La Colombaria* 44 (1979), p. 35-57.

11

Notitia : O. Seeck, *Notitia dignitatum, Notitia urbis Constantino-politanae*, 1876, réimpr. Frankfürt/Main 1962.

PG : *Patrologia Graeca (J. P. Migne)*, Paris.

PL : *Patrologia Latina (J. P. Migne)*, Paris.

Plagnieux : J. Plagnieux, *Saint Grégoire de Nazianze Théologien*, Paris 1951.

SC : *Sources Chrétiennes*, Paris.

Sinko : T. Sinko, *De traditione orationum Gregorii Nazianzeni pars prima* (*Meletemata Patristica* II), Cracovie 1917.

Spidlik : T. Spidlik, *Grégoire de Nazianze, Introduction à l'étude de sa doctrine spirituelle*, Rome 1971.

SVF : *Stoicorum Veterum Fragmenta*, ed. H. von Arnim, Leipzig 1903.

Théodoret : *Theodoretus, Kirchengeschichte*, éd. Parmentier, *GCS* 19, Leipzig 1911.

Tillemont : Le Nain de Tillemont, *Mémoires pour servir à l'histoire ecclésiastique des six premiers siècles*, t. IX, Venise 1732.

INDEX SCRIPTURAIRE

Les astérisques indiquent les allusions. Les chiffres des colonnes de droite renvoient aux discours et aux chapitres.

INDEX DES MOTS GRECS

On a relevé dans cet Index les noms propres, les mots qui intéressent la théologie et l'histoire des idées.

Les chiffres renvoient au discours, au chapitre et à la ligne.

12

SOURCES CHRÉTIENNES

Fondateurs : H. de Lubac, s.j.
† *J. Daniélou, s.j.*
C. Mondésert, s.j.
Directeur : D. Bertrand, s.j.
Directeur-adjoint : J.N. Guinot

(1-318)

Dans la liste qui suit, dite « liste alphabétique », tous les ouvrages sont rangés par nom d'auteur ancien, les numéros précisant pour chacun l'ordre de parution depuis le début de la collection. Pour une information plus complète, on peut se procurer deux autres listes au secrétariat de « Sources Chrétiennes » — 29, rue du Plat, 69002 Lyon (France) — Tél. : 16 (7) 837.27.08 :
1. la « liste numérique », qui présente les volumes et leurs auteurs actuels d'après les dates de publication ; elle indique les réimpressions et les ouvrages momentanément épuisés ou dont la réédition est préparée.
2. la « liste thématique », qui présente les volumes d'après les centres d'intérêt et les genres littéraires : exégèse, dogme, histoire, correspondance, apologétique, etc.

ACTES DE LA CONFÉRENCE DE CARTHAGE : *194, 195, 224.*
ADAM DE PERSEIGNE.
    Lettres, I : *66.*
AELRED DE RIEVAULX.
    Quand Jésus eut douze ans : *60.*
    La vie de recluse : *76.*
AMBROISE DE MILAN.
    Apologie de David : *239.*
    Des sacrements : *25.*
    Des mystères : *25.*
    Explication du Symbole : *25.*
    La Pénitence : *179.*
    Sur saint Luc : *45 et 52.*
AMÉDÉE DE LAUSANNE.
    Huit homélies mariales : *72.*
ANSELME DE CANTORBÉRY.
    Pourquoi Dieu s'est fait homme : *91.*
ANSELME DE HAVELBERG.
    Dialogues, I : *118.*
APOCALYPSE DE BARUCH : *144 et 145.*
ARISTÉE (LETTRE D') : *89.*
ATHANASE D'ALEXANDRIE.
    Deux apologies : *56.*
    Discours contre les païens : *18.*
    Voir « Histoire acéphale » : *317.*
    Lettres à Sérapion : *15.*
    Sur l'Incarnation du Verbe : *199.*
ATHÉNAGORE.
    Supplique au sujet des chrétiens : *3.*
AUGUSTIN.
    Commentaire de la première Épître de saint Jean : *75.*
    Sermons pour la Pâque : *116.*
BARNABÉ (ÉPÎTRE DE) : *172.*
BASILE DE CÉSARÉE.
    Contre Eunome : *299 et 305.*
    Homélies sur l'Hexaéméron : *26.*
    Sur l'origine de l'homme : *160.*
    Traité du Saint-Esprit : *17.*

BASILE DE SÉLEUCIE.
    Homélie pascale : *187.*
BAUDOUIN DE FORD.
    Le sacrement de l'autel : *93* et *94.*
BENOÎT (RÈGLE DE S.) : *181-186.*
CALLINICOS.
    Vie d'Hypatios : *177.*
CASSIEN, *voir* Jean Cassien.
CÉSAIRE D'ARLES.
    Sermons au peuple : *175 et 243.*
LA CHAÎNE PALESTINIENNE SUR LE PSAUME 118 : *189 et 190.*
CHARTREUX.
    Lettres des premiers Chartreux : *88, 274.*
CHROMACE D'AQUILÉE.
    Sermons : *154 et 164.*
CLÉMENT D'ALEXANDRIE.
    Le Pédagogue : *70, 108 et 158.*
    Protreptique : *2.*
    Stromate I : *30.*
    Stromate II : *38.*
    Stromate V : *278 et 279.*
    Extraits de Théodote : *23.*
CLÉMENT DE ROME.
    Épître aux Corinthiens : *167.*
CONCILES GAULOIS DU IVᵉ SIÈCLE : *241.*
CONSTANCE DE LYON.
    Vie de S. Germain d'Auxerre : *112.*
CONSTITUTIONS APOSTOLIQUES, I : *320.*
COSMAS INDICOPLEUSTÈS.
    Topographie chrétienne : *141, 159 et 197.*
CYPRIEN DE CARTHAGE.
    A Donat : *291.*
    La vertu de patience : *291.*
CYRILLE D'ALEXANDRIE.
    Deux dialogues christologiques : *97.*
    Dialogues sur la Trinité : *231, 237 et 246.*

HORS SÉRIE

SOUS PRESSE

PROCHAINES PUBLICATIONS

IMPRIMERIE A. BONTEMPS

LIMOGES (FRANCE)

Éditeur : 8054 — Imprimeur : 21578/84

Dépôt légal : Juin 1985

V247:6, C1

CATHOLIC THEOLOGICAL UNION
BR60.S65VOL.247-   C001 V006
DISCOURS 1-   PARIS

3 0311 00011 4244

DEMCO